Huwelijk

Voor de huisgenoten,
Stevie en Moo Moo

Eerste druk (gebonden en paperback) 2011
Tweede druk (paperback) 2012

Oorspronkelijke titel *The Marriage Plot*
© 2011 Jeffrey Eugenides
© 2011 Nederlandse vertaling Uitgeverij Prometheus, Jan de Nijs en Gerda Baardman
Omslagontwerp Roald Triebels
Foto omslag Arcangel/Hollandse Hoogte
Foto auteur Ricardo Barros
Zetwerk Mat-Zet bv, Soest
www.uitgeverijprometheus.nl
ISBN 978 90 446 2068 9 (gebonden)
ISBN 978 90 446 1963 8 (paperback)

Jeffrey Eugenides

Huwelijk

Vertaald door Jan de Nijs en Gerda Baardman

2012 Prometheus Amsterdam

Il y a des gens qui n'auraient jamais été amoureux, s'ils n'avaient jamais entendu parler de l'amour.

— FRANÇOIS DE LA ROCHEFOUCAULD

And you may ask yourself, well, how did I get here?
(…)
And you may tell yourself
This is not my beautiful house!
And you may tell yourself
This is not my beautiful wife!

— TALKING HEADS, 'Once in a Lifetime'

Een verliefde gek

Moet je om te beginnen al die boeken eens zien. Daar stonden de romans van Edith Wharton, niet op titel maar op publicatiedatum, en daar de complete Modern Library-serie van Henry James, van haar vader gekregen op haar eenentwintigste verjaardag; daar de kapot gelezen paperbacks die ze voor haar college had moeten aanschaffen, veel Dickens, een streepje Trollope en flinke porties Austen, George Eliot en de geduchte gezusters Brontë. Er waren ook heel wat zwart met witte New Directions-paperbacks bij, voornamelijk poëzie van mensen als H.D. of Denise Levertov. En de romans van Colette die ze stiekem had gelezen. En daar de eerste editie van *Couples*, van haar moeder, waar Madeleine heimelijk in had gebladerd toen ze in de zesde klas zat en die ze nu gebruikte voor de tekstuele onderbouwing van haar afstudeerscriptie Engels over de huwelijksplot. Kortom, deze redelijk grote, maar nog steeds gemakkelijk verplaatsbare bibliotheek vertegenwoordigde vrijwel alles wat Madeleine tijdens haar studie had gelezen, een verzameling ogenschijnlijk willekeurig gekozen teksten die zich geleidelijk steeds meer in één richting leek te vernauwen, als een persoonlijkheidstest, een geavanceerd soort test waarbij je niet vals kon spelen door op de implicaties van de vragen te anticiperen, en waarin je uiteindelijk zo verdwaalde dat je eigenlijk alleen nog maar de waarheid kon zeggen. En dan wachtte je op de uitkomst en hoopte op 'artistiek' of 'gepassioneerd', bedacht dat je ook wel met 'gevoelig' zou kunnen leven, was heimelijk bang voor 'narcistisch' of 'op het gezinsleven gericht', maar kreeg uiteindelijk een oordeel gepresenteerd waarmee je alle kanten uit kon en waar je steeds een ander gevoel bij kreeg, afhankelijk van de dag, het uur en het vriendje dat je op dat moment had: 'ongeneeslijk romantisch'.

Dat waren de boeken in de kamer waarin Madeleine op de ochtend van haar afstuderen lag, met een kussen over haar hoofd. Ze had ze allemaal gelezen, vele zelfs meerdere keren, en dikwijls bepaalde passages onderstreept, maar daar had ze nu niets aan. Ze deed haar best de kamer en alles daarin te negeren. Ze hoopte dat ze weer kon wegzakken in de vergetelheid die haar de afgelopen drie uur zo veilig had omgeven. Elk hoger bewustzijnsniveau zou haar dwingen bepaalde onaangename feiten onder ogen te zien: bijvoorbeeld de hoeveelheid alcohol en de verscheidenheid aan drankjes die ze de vorige avond tot zich had genomen en het feit dat ze in slaap was gevallen met haar contactlenzen nog in. Het denken aan die specifieke details zou haar dan weer de reden in herinnering brengen waarom ze zoveel gedronken had, en dat wilde ze al helemaal niet. Daarom trok Madeleine het kussen weer over haar gezicht om het vroege ochtendlicht buiten te sluiten en probeerde ze weer in slaap te komen.

Dat bleek evenwel zinloos. Want op dat moment ging aan de andere kant van het appartement de bel.

Begin juni, Providence, Rhode Island – de zon was al bijna twee uur op en verlichtte de bleke baai en de hoge schoorstenen van de elektriciteitscentrale van Narragansett; hij steeg aan de hemel zoals de zon op het beeldmerk van Brown University op alle wimpels en banieren die over de hele campus hingen, een zon met een schrander gezicht dat kennis symboliseerde. Maar de echte zon – de zon boven Providence – versloeg de metaforische zon op één punt: de stichters van de universiteit hadden in hun doopsgezinde pessimisme verkozen het licht van de kennis versluierd door wolken af te beelden om erop te wijzen dat de onwetendheid nog niet uit het rijk der mensen verdreven was, terwijl de echte zon zich inmiddels door het wolkendek heen worstelde en hier en daar al een paar stralen licht omlaag zond naar de groepjes ouders die het hele weekend kou hadden geleden en drijfnat waren geregend, maar nu weer hoop konden koesteren dat het onverwacht slechte weer de feestelijkheden van deze dag niet in de war zou sturen. De zon bescheen heel College Hill, de geometrische tuinen van de grote vroegtwintigste-eeuwse herenhuizen, de naar magnolia geurende voortuinen van victoriaanse huizen, de bestrate trottoirs langs de zware ijzeren hekken als in een cartoon van Charles Addams of een verhaal van Lovecraft, de ateliers van de Rhode Island School of Design, waar een student die de hele nacht was opgebleven om te schilderen keihard Patti Smith draaide; het licht weerkaatste van de instrumenten (respectievelijk een tuba en een trompet) van twee leden van de Brown Marching Band die al vroeg op de afgesproken plek waren en zenuwachtig om zich heen keken waar alle anderen bleven; de stralen verlichtten de met kinderkopjes geplaveide zijstraten die omlaag liepen naar de vervuilde rivier, en er viel zonlicht op alle insectenvleugels, grassprietjes en geelkoperen deurknoppen. En als muzikale begeleiding van het plotseling alles overstromende licht, als startschot voor alle gebeurtenissen van die dag, ging nu in Madeleines appartement op de derde verdieping luidruchtig en hardnekkig de bel.

De trilling bereikte haar eerder als gevoel dan als geluid, een elektrische schok die door haar ruggengraat heen schoot. In één beweging rukte ze het kussen van haar gezicht af en ging rechtop zitten. Ze wist wie er beneden voor de deur stonden. Haar ouders. Ze had met Alton en Phyllida afgesproken dat ze om halfacht samen zouden ontbijten. De afspraak was al twee maanden geleden gemaakt, in april, en nu stonden ze daar op het overeengekomen tijdstip, gretig en betrouwbaar als altijd. Er was op zich niets onverwachts of verkeerds aan dat Alton en Phyllida met de auto uit New Jersey waren gekomen om bij de diploma-uitreiking te zijn of dat ze vandaag niet alleen haar prestatie, maar ook hun eigen goede ouderschap kwamen vieren. Het probleem was alleen dat Madeleine daar voor het eerst van haar leven niets mee te maken wilde hebben. Ze was niet trots op zichzelf. Ze was niet in de stemming om feest te vieren. Ze had geen vertrouwen meer in het belang van deze dag of alles wat die vertegenwoordigde.

Ze overwoog niet open te doen. Maar ze wist dat een van haar huisgenoten het anders wel zou doen, en dan moest ze uitleggen waarheen en met wie ze er gisteravond tussenuit geknepen was. Dus liet ze zich maar uit bed glijden en stond met tegenzin op.

Dat leek heel even goed te gaan. Haar hoofd voelde merkwaardig licht aan, alsof het uitgehold was. Maar toen stuitte het bloed, dat als zand uit een zandloper uit haar schedel wegstroomde, op een knelpunt en de pijn explodeerde in haar achterhoofd.

Te midden van die gruwelijke stuwing barstte de bel weer los alsof die de ziedende kern was waar alle ellende uit voortkwam.

Ze strompelde op blote voeten haar slaapkamer uit, naar de intercom in de hal, en bonkte op de spreekknop om de zoemer het zwijgen op te leggen.

'Wie is daar?'

'Wat is er? Had je de bel niet gehoord?' Dat was Altons stem, diep en imposant als altijd, zelfs al kwam hij door een heel klein speakertje.

'Sorry,' zei Madeleine, 'ik stond onder de douche.'

'Jaja. Kun je dan nu even opendoen?'

Daar had ze geen zin in. Ze moest zich eerst wassen.

'Ik kom wel naar beneden,' zei ze.

Ditmaal hield ze de spreekknop te lang ingedrukt, zodat ze Altons antwoord afbrak. Toen drukte ze nog een keer en zei: 'Pap?', maar terwijl ze dat zei, sprak Alton waarschijnlijk ook, want toen ze op 'luisteren' drukte, hoorde ze alleen statisch geknetter.

Madeleine maakte van die pauze in de communicatie gebruik om met haar voorhoofd tegen de deurpost te leunen. Het hout voelde lekker koel aan. De gedachte kwam bij haar op dat haar hoofdpijn misschien overging als ze met haar gezicht tegen dat kalmerende hout aan kon blijven staan, en dat ze – als er een manier bestond om de hele dag zo te blijven staan en tegelijk naar buiten te gaan –

dat ontbijt met haar ouders misschien zou redden en erin zou slagen in het afstu-deerdefilé mee te lopen, haar bul in ontvangst te nemen en officieel af te stude-ren.

Ze tilde haar hoofd op en drukte weer op de spreekknop.

'Pap?'

Maar nu antwoordde Phyllida. 'Maddy? Wat is er? Doe open.'

'Mijn huisgenoten slapen nog. Ik kom naar beneden. Niet meer bellen nu.'

'Maar we willen je flat zien!'

'Dat kan nu niet. Ik kom naar beneden. Niet meer bellen.'

Ze haalde haar hand van de knop, deed een stap achteruit en keek woedend naar de intercom alsof ze hem uitdaagde nog één kik te geven. Toen hij stil bleef, liep ze de hal weer in. Ze was al haast bij de badkamerdeur toen haar huisgenote Abby haar kamer uit kwam en voor haar ging staan. Ze gaapte, haalde een hand door haar wijduitstaande haar, zag toen Madeleine en grijnsde veelbetekenend.

'Zo,' zei ze, 'waar was jij gisteravond ineens gebleven?'

'Mijn ouders staan beneden,' zei Madeleine. 'Ik moet met ze ontbijten.'

'Vooruit. Vertel nou.'

'Er valt niks te vertellen. Toe, ik moet opschieten.'

'Waarom heb je dan je kleren van gisteren nog aan?'

In plaats van antwoord te geven, keek Madeleine omlaag, naar haar kleren. Tien uur geleden, toen ze de zwarte Betsey Johnson-jurk van Olivia had geleend, had ze gevonden dat die haar goed stond. Maar nu voelde ze zich er verhit en plakkerig in, leek de dikke leren riem wel een sm-attribuut en zat er een vlek bij de zoom waarvan ze niet wilde weten wat het was.

Intussen had Abby al bij Olivia aangeklopt en was ze naar binnen gegaan. 'Dat was dus het gebroken hart van Maddy,' zei ze. 'Word eens wakker! Dit moet je zien.'

De weg naar de badkamer was vrij. Madeleine had een extreme, bijna medi-sche behoefte aan een douche. Ze moest op zijn minst even haar tanden poetsen. Maar ze hoorde Olivia's stem al. Zo meteen zou ze door twee huisgenotes wor-den ondervraagd. Bovendien konden haar ouders ieder moment weer gaan aan-bellen. Zo geruisloos mogelijk sloop ze door de hal. Ze stapte in een paar platte schoenen dat nog bij de voordeur stond, trapte de hielen plat terwijl ze in even-wicht probeerde te blijven en ontsnapte naar de buitengang.

De lift stond al klaar aan het eind van de gebloemde loper. Madeleine reali-seerde zich dat dat kwam doordat ze had nagelaten het schuifhek goed dicht te doen toen ze er een paar uur eerder uit was gestrompeld. Nu trok ze het goed dicht voordat ze op de knop voor de begane grond drukte, en het antieke geval zette zich met een schok in beweging om zich in het halfdonkere binnenste van het gebouw te laten zakken.

Het huis waarin Madeleine haar appartement had, een neoromaans kasteeltje dat Narragansett heette en de inspringende hoek van Benefit Street en Church Street besloeg, was rond de eeuwwisseling gebouwd. De lift behoorde samen met het dakraam van glas in lood, de koperen wandlampjes en de marmeren entree tot de originele details. Hij had gebogen metalen tralies, als een gigantische vogelkooi, en wonderbaarlijk genoeg deed hij het nog steeds, maar hij was erg traag, en onderweg naar beneden nam Madeleine de gelegenheid te baat om zich een beetje toonbaar te maken. Met haar vingers kamde ze haar haar. Ze poetste haar voortanden met haar wijsvinger. Ze veegde de uitgelopen mascara weg en bevochtigde haar lippen met haar tong. Ten slotte, bij de balustrade van de eerste verdieping, controleerde ze het resultaat in het spiegeltje aan de achterwand.

Een van de voordelen van tweeëntwintig zijn, of van Madeleine Hanna zijn, was dat drie weken liefdesverdriet, gevolgd door een nacht heroïsch doorzakken, nauwelijks zichtbare sporen nalieten. Afgezien van een lichte zwelling van de huid rond haar ogen was Madeleine nog steeds dezelfde mooie, donkerharige jongedame als altijd. De symmetrie van haar gezicht – de rechte neus, de Katharine Hepburn-achtige jukbeenderen en kaaklijn – was welhaast mathematisch van precisie. Alleen het lichte groefje in haar voorhoofd wees op de wat nerveuze persoonlijkheid die ze naar haar eigen gevoel eigenlijk was. Ze zag haar wachtende ouders al tussen de deur van de hal en de buitendeur staan. Alton in een gestreept jasje, Phyllida in een marineblauw pakje met bijpassende handtas met goudkleurige gesp. Even had ze de aandrang om de lift stil te zetten en haar ouders in de hal te midden van de studententroep te laten staan – posters voor new-wavebands met namen als Wretched Misery of The Clits, de pornografische Egon Schiele-achtige tekeningen van de jongen van de kunstacademie op eenhoog, de schreeuwerige gefotokopieerde mededelingen die impliceerden dat de gezonde, vaderlandslievende waarden van de generatie van haar ouders inmiddels op de vuilnisbelt van de geschiedenis lagen en waren vervangen door een nihilistisch postpunkgevoel dat Madeleine zelf ook niet helemaal begreep, hoewel ze om haar ouders in verlegenheid te brengen maar al te graag deed alsof dat wel zo was – maar toen was de lift al beneden; ze schoof het hek open en stapte uit.

Alton kwam als eerste de haldeur door. 'Daar is ze!' zei hij gretig. 'Ons afgestudeerde meisje!' Als een tennisser die op het net af stormt, denderde hij naar haar toe om haar te omhelzen. Madeleine verstijfde, bang dat ze naar drank of, nog erger, naar seks rook.

'Ik snap niet waarom we je flat niet mogen zien,' zei Phyllida, die achter hem aan kwam. 'Ik had me er zo op verheugd Abby en Olivia eens te ontmoeten. We hadden ze graag straks voor een etentje willen uitnodigen.'

'Maar we blijven niet eten,' bracht Alton haar in herinnering.

'Nou, misschien wel. Dat hangt van Maddy's plannen af.'

'Nee, dat waren we niet van plan. Het plan was dat we met Maddy gaan ontbijten en na de plechtigheid weer weggaan.'

'Papa ook altijd met zijn plannen,' zei Phyllida tegen Madeleine. 'Wilde je die jurk naar de plechtigheid aan?'

'Weet ik nog niet,' zei Madeleine.

'Ik kan maar niet aan die schoudervullingen wennen die alle jongere vrouwen nu dragen. Zo mannelijk.'

'Hij is van Olivia.'

'Je ziet er nogal brak uit, Mad,' zei Alton. 'Flink feestgevierd gisteravond?'

'Viel wel mee.'

'Heb je zelf niets om aan te trekken?' vroeg Phyllida.

'Mam, ik moet mijn toga aan,' zei Madeleine, en om nadere inspectie te voorkomen ging ze hun door de hal voor naar buiten. Daar had de zon zijn veldslag met de bewolking verloren. Het weer zag er niet veel beter uit dan het dat hele weekend had gedaan. Het Campusbal van die vrijdagavond was totaal verregend. Die zondag had de kerkdienst voor de jonge bachelors zich onder een gestage motregen voltrokken. Het was nu maandag en het regende weliswaar niet meer, maar de temperatuur paste eerder bij maart dan bij juni.

Terwijl ze op de stoep op haar ouders stond te wachten, bedacht Madeleine dat ze eigenlijk helemaal geen seks had gehad – niet echt. Dat was toch ergens een soort troost.

'Je zuster kan er helaas niet bij zijn,' zei Phyllida terwijl ze ook naar buiten kwam. 'Ze moet vandaag met Richard Leeuwenhart naar de echopraktijk.'

Richard Leeuwenhart was Madeleines negen weken oude neefje. Behalve haar moeder noemde iedereen hem Richard.

'Wat is er dan met hem?' vroeg Madeleine.

'Een van zijn nieren is blijkbaar aan de kleine kant. De dokters willen het een beetje in de gaten houden. Al die echo's dienen volgens mij alleen maar om je ergens ongerust over te kunnen maken.'

'Over echo's gesproken,' zei Alton, 'ik moet binnenkort een echo van mijn knie laten maken.'

Phyllida luisterde niet. 'Maar goed, Ally vindt het heel erg jammer dat ze niet bij je diploma-uitreiking kan zijn. Blake ook. Maar ze hopen dat jij en je nieuwe aanbidder van de zomer even langskomen op weg naar Cape Cod.'

Met Phyllida moest je altijd goed bij de les blijven. Het ene moment had ze het ogenschijnlijk over het kleine niertje van Richard Leeuwenhart en dan slaagde ze er ineens in het gesprek op Madeleines nieuwe vriend Leonard te brengen (die zij en Alton nog niet kenden) en op Cape Cod (waar Madeleine naar haar zeggen met hem ging samenwonen). Op een normale dag, als haar hersenen het gewoon déden, had Madeleine haar moeder wel een stapje voor weten te blijven, maar vanmorgen vond ze het al een hele prestatie al die woorden over zich heen te laten komen.

Gelukkig begon Alton over iets anders. 'Waar zullen we gaan ontbijten, wat kun je aanbevelen?'

Madeleine draaide zich om en keek vaag Benefit Street in. 'Deze kant op, daar is wel iets.'

Ze schuifelde de stoep op. Lopen – bewegen – leek een goed idee. Ze ging haar ouders voor langs een rij schilderachtige, goed onderhouden huizen met historische plaquettes op de gevel en een groot appartementengebouw met een mooi trapgeveltje. Providence was een verloederd stadje met veel criminaliteit, maar op College Hill was daar weinig van te zien. Het wazige oude centrum en de zieltogende of uitgestorven textielfabrieken lagen beneden, in de grauwe verte. Hier klommen de smalle straatjes, waarvan vele met kinderkopjes bestraat waren, langs grote herenhuizen of slingerden zich rond oude protestantse kerkhoven vol zerken zo smal als de hemelpoort – straatjes met namen als Prospect, Benevolent, Hope en Meeting, die allemaal uitkwamen bij de lommerrijke campus op de heuveltop. Door de fysiek hoge ligging werd ook intellectuele hoogte gesuggereerd.

'Wat zijn die leistenen stoepen mooi, hè,' zei Phyllida, die achter Madeleine liep. 'Die hadden wij vroeger ook. Véél mooier. Maar de gemeente heeft ze door beton laten vervangen.'

'Ja, en wij mochten de rekening betalen,' zei Alton. Hij hinkte een beetje en liep achteraan. De rechterpijp van zijn antracietkleurige broek stond strak door de beugel die hij zowel op de tennisbaan als daarbuiten droeg. Alton was twaalf jaar op rij clubkampioen in zijn leeftijdsklasse geweest, zo'n oudere man met een zweetband om zijn kalende kruin, een driftige forehand en een absolute killersblik in zijn ogen. Madeleine probeerde al haar hele leven vergeefs van hem te winnen. Dat was des te onuitstaanbaarder omdat ze op dit moment beter was dan hij. Maar zodra ze een set op hem voor stond, begon hij haar te intimideren, haalde gemene trucs uit en vocht beslissingen van de umpire aan, en dan ging ze steeds slechter spelen. Madeleine was bang dat er sprake was van een patroon, dat ze gedoemd was zich levenslang te laten koeioneren door mannen die minder capabel waren dan zijzelf. Daardoor hadden haar tenniswedstrijdjes tegen Alton zo'n buitensporig persoonlijke betekenis voor haar gekregen dat ze al bij voorbaat gespannen was als ze tegen hem moest spelen – met voorspelbaar resultaat. En Alton wreef zich nog altijd in de handen als hij had gewonnen en werd helemaal rozig en uitgelaten, alsof hij haar louter door zijn talent had afgetroefd.

Op de hoek van Benefit Street en Waterman Street staken ze over, achter het witte torentje van de First Baptist Church. De luidsprekerboxen voor de ceremonie stonden al op het gazon. Een man met een vlinderdasje, zo te zien een studentendecaan of zoiets, stond gespannen te roken en inspecteerde een tros ballonnen die aan het hek van het kerkhof was vastgebonden.

Phyllida had Madeleine inmiddels ingehaald en greep haar arm om zich staande te houden op de ongelijke leistenen die hier omhoog werden geduwd door de wortels van de kromgegroeide platanen langs de stoeprand. Als kind vond Madeleine haar moeder mooi, maar dat was lang geleden. Phyllida's gezicht was in de loop der jaren zwaarder geworden; ze begon hangwangen te krijgen, als een kameel. Haar conservatieve manier van kleden – als een bestuurslid van een liefdadigheidsvereniging of een ambassadrice – had de neiging haar figuur te verhullen. Phyllida's kracht lag in haar haar. Dat was door een dure kapper tot een gladde koepel gemetseld, een soort podiumoverkapping voor een langlopend toneelstuk: haar gezicht. Al zo lang Madeleine zich kon herinneren stond Phyllida nooit met haar mond vol tanden en wist ze altijd wat de etiquette vereiste. Onder vrienden maakte Madeleine graag grappen over het vormelijke gedrag van haar moeder, maar ze betrapte zich er geregeld op dat ze de manieren van anderen ongunstig vond afsteken bij die van Phyllida.

En nu keek Phyllida naar Madeleine met precies de gepaste uitdrukking voor dit moment: opgewonden vanwege de plechtige gelegenheid, popelend om intelligente vragen te stellen aan al Madeleines docenten die ze toevallig tegen het lijf liep en beleefdheden uit te wisselen met de ouders van haar dochters afstuderende jaargenoten. Kortom, ze stond voor alles en iedereen open en was helemaal klaar voor de ophanden zijnde sociale en academische parade, waardoor Madeleine nog sterker dan eerst het gevoel kreeg dat ze uit de pas liep, niet alleen vandaag, maar haar hele leven.

Maar ze zwoegde dapper door, naar de overkant van Waterman Street en naar Carr House, op zoek naar veiligheid en koffie.

De broodjeszaak was net open. Achter de bar was de jongen met de Elvis Costello-bril het espressoapparaat nog aan het schoonmaken. Aan een tafeltje tegen de muur zat een meisje met rechtopstaand roze haar een kretek te roken en *Invisible Cities* te lezen. De stereo op de ijskast speelde 'Tainted Love'.

Phyllida stond met haar tasje beschermend tegen haar borst gedrukt de academiekunst aan de muur te bestuderen: zes schilderijen van kleine hondjes met een huidziekte en een plastic halskraag.

'Wat enig, hè?' zei ze tolerant.

'*La Bohème*,' zei Alton.

Madeleine installeerde haar ouders aan een tafeltje in de erker, zo ver mogelijk bij het meisje met het roze haar vandaan, en liep naar de bar. De jongen maakte geen haast. Ze bestelde drie koffie – voor haarzelf een grote – en bagels. Terwijl de bagels geroosterd werden, liep zij vast met de koffie naar haar ouders.

Alton, die niet kon ontbijten zonder erbij te lezen, had een achtergelaten *Village Voice* van een ander tafeltje gepakt en zat die door te nemen. Phyllida staarde openlijk naar het meisje met het roze haar.

'Zou dat nu lekker zitten?' vroeg ze zacht.

Madeleine keek om en zag dat de gescheurde zwarte spijkerbroek van het meisje met een paar honderd veiligheidsspelden bij elkaar werd gehouden.

'Geen idee, mam. Ga het haar anders vragen.'

'Ik ben bang dat ik dan een stomp krijg.'

'Volgens dit artikel bestaat homoseksualiteit pas sinds de negentiende eeuw,' zei Alton van achter de *Voice*, 'toen is het uitgevonden. In Duitsland.'

De koffie was heet en levensreddend lekker. Madeleine nam kleine slokjes en begon zich iets minder ellendig te voelen.

Na een paar minuten stond ze op om de bagels te halen. Ze waren een beetje aangebrand, maar ze wilde niet op nieuwe wachten, dus nam ze ze mee naar hun tafeltje. Alton wierp er een zure blik op en begon toen de zijne met zijn plastic mesje bestraffend af te schrapen.

'Dus vandaag gaan we met Leonard kennismaken?' vroeg Phyllida.

'Dat weet ik nog niet,' zei Madeleine.

'Is er iets wat je ons wilt laten weten?'

'Nee.'

'Zijn jullie nog van plan om van de zomer te gaan samenwonen?'

Madeleine had inmiddels een hapje van haar bagel genomen. En aangezien het antwoord op de vraag van haar moeder ingewikkeld lag – strikt genomen waren Madeleine en Leonard niet van plan om te gaan samenwonen, want ze waren sinds drie weken uit elkaar; desondanks had Madeleine de hoop op een verzoening nog niet opgegeven en aangezien ze zo veel moeite had gedaan om haar ouders aan het idee te laten wennen dat ze met een jongen ging samenwonen en dat allemaal niet teniet wilde doen door toe te geven dat het niet doorging – was ze opgelucht dat ze naar haar volle mond kon wijzen en een goed excuus had om niets terug te zeggen.

'Nou, je bent nu volwassen,' zei Phyllida. 'Je kunt doen wat je wilt. Al moet ik er wel voor alle duidelijkheid bij zeggen dat ik het er niet mee eens ben.'

'Daar ben je al duidelijk genoeg over geweest,' kwam Alton tussenbeide.

'Het is namelijk een slecht idee!' riep Phyllida. 'En daarmee bedoel ik niet dat het niet hoort. Ik heb het over de praktische kant. Als je bij Leonard intrekt – of bij wie dan ook – en hij heeft een baan en jij niet, dan begin je al met een achterstand. Hoe moet dat als het niet goed gaat? Waar sta je dan? Dan heb je geen dak boven je hoofd. En ook niets te doen.'

In het feit dat de analyse van haar moeder juist was en dat de ellende waarvoor ze had gewaarschuwd precies de ellende was waar ze nu onder gebukt ging, zag Madeleine geen aanleiding om met haar in te stemmen.

'Jij hebt ook je baan opgezegd toen wij elkaar leerden kennen,' zei Alton tegen Phyllida.

'Precies. Ik weet dus waar ik het over heb.'

'Kunnen we het over iets anders hebben?' vroeg Madeleine toen ze eindelijk haar hap had doorgeslikt.

'Natuurlijk, lieverd. Ik zal er niets meer over zeggen. Als je van gedachten verandert, kun je altijd weer thuiskomen. Papa en ik zouden het heel fijn vinden als je thuis kwam wonen.'

'Nou, ik niet,' zei Alton. 'Ik vind het niets. Naar je ouders teruggaan is altijd een slecht idee. Blijf maar weg.'

'Geen zorgen,' zei Madeleine, 'ik kom niet meer thuis wonen.'

'De keus is aan jou,' zei Phyllida. 'Maar áls je komt, kun je de zolder krijgen. Dan kun je helemaal je eigen gang gaan.'

Tot haar eigen verbazing merkte Madeleine dat ze daar serieus over nadacht. Waarom zou ze niet alles vertellen, zich op de achterbank opkrullen en zich mee naar huis laten nemen? Dan kon ze weer in haar oude kamer met het arrenslee-bed en het Madeline-behang. Dan werd ze een oude vrijster, net als Emily Dickinson, ging ze briljante gedichten vol gedachtestrepen schrijven en zou ze nooit dik worden.

Phyllida haalde haar uit haar dagdroom.

'Maddy?' zei ze. 'Is dat niet je vriend Mitchell?'

Madeleine draaide zich met een ruk om. 'Waar?'

'Daar, aan de overkant. Ik geloof dat dat Mitchell is.'

En inderdaad, daar op het kerkhof zat Madeleines 'vriend' Mitchell Grammaticus als een indiaan in het vers gemaaide gras. Hij bewoog zijn lippen alsof hij in zichzelf praatte.

'Vraag je hem niet even binnen?' vroeg Phyllida.

'Nu?'

'Ja, waarom niet? Het lijkt me leuk hem weer eens te zien.'

'Hij zit waarschijnlijk op zijn ouders te wachten,' zei Madeleine.

Phyllida zwaaide, al kon Mitchell dat op die afstand niet zien.

'Waarom zit hij op de grond?' vroeg Alton.

De drie Hanna's keken naar de overkant, waar Mitchell in halve lotushouding op de grond zat.

'Nou, als jij hem niet binnen vraagt, doe ik het,' zei Phyllida ten slotte.

'Oké,' zei Madeleine. 'Goed. Ik ga het wel vragen.'

Het werd al iets warmer, maar nog steeds niet veel. In de verte verzamelden zich zwarte wolken. Madeleine liep het stoepje van Carr House af en stak over naar het kerkhof. In de kerk was iemand de luidsprekers aan het testen en herhaalde drukdoenerig: 'Sussex, Essex en Kent. Sussex, Essex en Kent.' Boven de ingang hing een spandoek met de tekst JAARGANG 1982. Daaronder, in het gras, zat Mitchell. Hij bewoog nog steeds geluidloos zijn lippen, maar toen hij Madeleine zag aankomen, hield hij abrupt op.

Een paar meter bij hem vandaan bleef ze staan.

'Mijn ouders zijn er,' deelde ze mee.

'Diploma-uitreiking,' antwoordde Mitchell vlak. 'Álle ouders zijn er.'

'Ze willen je gedag zeggen.'

Mitchell glimlachte flauwtjes. 'Ze weten waarschijnlijk niet dat je niet meer met me praat.'

'Nee,' zei Madeleine. 'Bovendien praat ik wél met je. Nu.'

'Onder dwang of structureel?'

Madeleine trok een ongelukkig gezicht. 'Toe nou. Ik heb een ontzettende kater. Ik heb nauwelijks geslapen. Mijn ouders zijn er pas tien minuten en ik word nu al gek van ze. Dus het zou heel fijn zijn als je even gedag kwam zeggen.'

Mitchell knipperde twee keer met zijn grote, gevoelvolle ogen. Hij droeg een vintage gabardine overhemd, een donkere kamgaren broek en afgetrapte leren gaatjesschoenen. Madeleine had hem nooit in korte broek of met gympen gezien.

'Mijn excuses,' zei hij. 'Voor wat er toen is gebeurd.'

'Oké,' zei Madeleine zonder hem aan te kijken. ''t Is goed.'

'Ik was gewoon mijn normale valse zelf.'

'Ik ook.'

Er viel een stilte. Madeleine voelde Mitchells blik op zich rusten en sloeg haar armen over elkaar.

Wat er was gebeurd: op een avond in december was Madeleine, die zich diepe zorgen maakte over haar liefdesleven, Mitchell op de campus tegen het lijf gelopen en had hem mee naar huis genomen. Ze had behoefte aan mannelijke aandacht en was met hem gaan flirten, zonder dat helemaal voor zichzelf te willen toegeven. In haar slaapkamer had Mitchell een pot tijgerbalsem van haar bureau gepakt en gevraagd waar die voor diende. Madeleine had uitgelegd dat mensen die aan sport deden soms spierpijn kregen. Ze begreep wel dat Mitchell daar geen persoonlijke ervaring mee had, want hij zat altijd alleen maar in de bibliotheek, maar dat moest hij maar van haar aannemen. Toen was Mitchell achter haar gaan staan en had een klodder tijgerbalsem achter haar oor gesmeerd. Madeleine was overeind gesprongen, had Mitchell uitgevloekt en het spul met een t-shirt afgeveegd. Ze had weliswaar het volste recht om kwaad te zijn, maar ze besefte (zelfs op dat moment al) dat ze het incident aangreep om Mitchell haar kamer uit te krijgen en te ontkennen dat ze met hem had geflirt. Het pijnlijkste was nog wel dat Mitchell zo ontdaan had gekeken, bijna alsof hij ging huilen. Hij zei steeds maar dat het hem speet en dat het maar een grapje was, maar zij had hem haar kamer uit gezet. De dagen daarna had ze het incident telkens weer in haar hoofd afgespeeld en er steeds meer spijt van gekregen. Ze stond al op het punt hem te bellen om haar excuses aan te bieden, maar toen kreeg ze een brief van hem, een heel gedetailleerde, sluitend beargumenteerde, scherpzinnig psychologische, bedaard vijandige brief van vier kantjes waarin hij haar een *cockteaser* noemde en haar gedrag van die avond vergeleek met 'het erotische equivalent van brood en spelen, maar dan zonder brood'. De eerstvolgende keer dat ze elkaar tegenkwamen had Madeleine gedaan alsof ze hem niet kende en sindsdien hadden ze geen woord meer met elkaar gewisseld.

Nu, op het kerkhof van de First Baptist, keek Mitchell naar haar op en zei: 'Oké. Laten we je ouders dan maar gedag gaan zeggen.'

Phyllida zwaaide toen ze het stoepje op kwamen. Op de flirterige toon die aan haar favorieten onder Madeleines vrienden was voorbehouden, riep ze: 'Ik dácht al dat jij het was, daar op de grond. Je leek wel een swami!'

'Gefeliciteerd, Mitchell!' zei Alton. Hij schudde hem hartelijk de hand. 'Dus vandaag is de grote dag. Een mijlpaal. Een nieuwe generatie neemt het stokje over.'

Ze boden Mitchell een stoel aan en vroegen of hij ook iets wilde eten. Madeleine ging een nieuw rondje koffie halen, blij dat Mitchell haar ouders even bezighield. Terwijl ze hem in zijn oudemannenkleren met Alton en Phyllida zag praten, dacht ze bij zichzelf, zoals ze al vaak had gedaan, dat Mitchell precies het soort intelligente, verstandige, nuchtere jongen was van wie haar ouders graag zouden zien dat ze verliefd op hem werd en met hem trouwde. Het feit dat ze juist daarom nooit verliefd op Mitchell zou worden of met hem zou trouwen, was op deze aan bewijzen zo rijke ochtend het zoveelste bewijs dat ze op amoureus gebied behoorlijk verknipt was.

Toen ze weer ging zitten, zei niemand iets tegen haar.

'En, Mitchell,' vroeg Phyllida, 'wat zijn je verdere plannen?'

'Dat vraagt mijn vader ook steeds,' antwoordde Mitchell. 'Om de een of andere reden denkt hij dat er met religieuze studies geen droog brood te verdienen valt.'

Voor het eerst die dag glimlachte Madeleine. 'Zie je wel? Mitchell heeft ook nog geen baan.'

'Nou, in zekere zin wel,' zei Mitchell.

'Niet,' zei Madeleine uitdagend.

'Echt, ik meen het.' Hij legde uit dat hij en zijn huisgenoot Larry Pleshette een plan hadden bedacht om de recessie te bestrijden. Als afgestudeerde alfa's die op de arbeidsmarkt kwamen op een moment dat 9,5 procent van de beroepsbevolking werkloos was, hadden ze na ampel beraad besloten het land uit te gaan en zo lang mogelijk weg te blijven. Na de zomer, als ze genoeg hadden gespaard, zouden ze door Europa gaan reizen. En als ze alles hadden gezien wat daar te zien viel, namen ze het vliegtuig naar India, waar ze zo lang wilden blijven als ze het met hun geld konden uitzingen. De hele reis zou acht tot negen maanden duren en misschien zelfs wel een jaar.

'Je gaat naar India,' zei Madeleine. 'Dat is toch geen baan?'

'We gaan als onderzoeksassistent werken,' zei Mitchell. 'Voor professor Hughes.'

'Hughes van theaterwetenschappen?'

'Ik heb laatst een programma over India gezien,' zei Phyllida. 'Wat was dat deprimerend. Die armoede!'

'Dat vind ik juist een pre, mevrouw Hanna,' zei Mitchell. 'Ik gedij bij armoede.'

Phyllida, die zo veel ondeugendheid niet kon weerstaan, liet haar plechtstatigheid varen en lachte klaterend. 'Dat heb je dan goed bekeken!'

'Misschien ga ik ook wel op reis,' zei Madeleine dreigend.

Niemand reageerde. Alton richtte zich tot Mitchell: 'Wat voor inentingen moet je voor India hebben?'

'Cholera en tyfus. En eventueel een gammaglobuline-injectie.'

Phyllida schudde haar hoofd. 'Wat zal je moeder bezorgd zijn.'

'In het leger kregen we van alles ingespoten,' zei Alton. 'Ze zeiden er niet eens bij waar het voor was.'

'Ik denk dat ik naar Parijs ga,' zei Madeleine nu luider. 'In plaats van te gaan werken.'

'Mitchell,' ging Phyllida door, 'met jouw belangstelling voor religie lijkt India me geknipt voor jou. Daar hebben ze álles. Hindoeïsme, islam, sikhisme, jaïnisme, boeddhisme. Een snoepwinkel! Ik heb religie altijd fascinerend gevonden. In tegenstelling tot mijn man, die ongelovige Thomas.'

Alton knipoogde. 'Ik geloof niet eens dat die ongelovige Thomas heeft bestaan.'

'Ken je Paul Moore, bísschop Moore, van de kathedraal van Johannes de Evangelist?' vroeg Phyllida om Mitchells aandacht vast te houden. 'Dat is een goede vriend van ons. Misschien vind je het interessant om hem eens te ontmoeten. We kunnen je wel aan hem voorstellen. Als we in de stad zijn, ga ik altijd naar de dienst in de kathedraal. Ben jij daar wel eens geweest? Nou ja. Hoe zal ik het beschrijven? Het is gewoon – ja, gewoon góddelijk!'

Phyllida legde een hand tegen haar keel en genoot even na van haar bon mot en Mitchell lachte beleefd, zelfs overtuigend.

'Over religieuze hoogwaardigheidsbekleders gesproken,' mengde Alton zich weer in het gesprek, 'heb ik wel eens verteld over onze ontmoeting met de dalai lama? Dat was bij een benefietgala in het Waldorf. We stonden in de rij om hem een hand te geven. Er waren minstens driehonderd mensen. Maar goed, toen we eindelijk aan de beurt waren, vroeg ik aan de dalai lama: "U spuugt toch niet, hè?"'

'Ik kon wel door de grond zakken!' riep Phyllida. 'Vreselijk.'

'Pap,' zei Madeleine, 'zo komen jullie nog te laat.'

'Wat?'

'Als jullie een goed plaatsje willen, moeten jullie nu weg.'

Alton keek op zijn horloge. 'We hebben nog een uur.'

'Het wordt heel vol,' zei Madeleine nadrukkelijk. 'Jullie moeten nu echt gaan.'

Alton en Phyllida keken naar Mitchell alsof ze goede raad van hem verwachtten. Madeleine gaf hem onder tafel een schop en hij reageerde alert: 'Het wordt inderdaad behoorlijk druk.'

'Waar kunnen we het beste gaan staan?' vroeg Alton, wederom aan Mitchell.

'Bij de Van Wickle Gates. Aan het eind van College Street. Daar komen we doorheen.'

Alton stond op. Hij gaf eerst Mitchell een hand en boog zich toen naar Madeleine om haar op de wang te kussen. 'Tot straks, Miss Bachelor 1982.'

'Nog gefeliciteerd, Mitchell,' zei Phyllida. 'Erg leuk om je even te spreken. En denk eraan als je op reis bent: váák aan je moeder schrijven. Anders doet ze geen oog dicht.'

Tegen Madeleine zei ze: 'Misschien moet je toch maar iets anders aantrekken. Er zit een heel opvallende vlek op je jurk.'

Met die woorden doorkruisten Alton en Phyllida in hun volle ouderlijke waardigheid, een en al gestreept jasje, handtas, manchetknopen en parelsnoer, het beige bakstenen Carr House en liepen naar buiten.

Als om hun vertrek aan te kondigen speelde er meteen een nieuw nummer: de hoge, schelle stem van Joe Jackson boven een synthetische beat. De jongen achter de bar zette de stereo harder.

Madeleine legde haar hoofd op de tafel. Haar haar viel over haar gezicht.

'Ik drink nooit meer,' zei ze.

'Dat heb ik vaker gehoord.'

'Je hebt geen idee hoe het met mij is.'

'Nee, natuurlijk niet. Je zegt al maanden niets meer tegen me.'

Zonder haar hoofd van de tafel op te tillen zei Madeleine op een zielig toontje: 'Ik ben dakloos. Ik studeer vandaag af en ik heb geen dak boven mijn hoofd.'

'Ja hoor.'

'Echt!' hield Madeleine vol. 'Eerst had ik met Abby en Olivia naar New York zullen gaan. Maar toen zag het ernaar uit dat ik in Cape Cod ging wonen, dus toen zei ik dat ze maar iemand anders moesten zoeken. En nu ga ik dus níet naar Cape Cod en ik heb niks anders. Mijn moeder wil dat ik weer thuis kom wonen, maar ik ga nog liever dood.'

'Ik ga van de zomer ook weer thuis wonen,' zei Mitchell. 'In Detróit. Jij zit tenminste in de búúrt van New York.'

'Ik heb nog geen bericht van de nieuwe universiteit en het is al júni,' ging Madeleine door. 'Ik had al een maand geleden van ze moeten horen! Ik had natuurlijk wel naar het faculteitsbureau kunnen bellen, maar dat doe ik niet omdat ik bang ben dat ze dan zeggen dat ik niet toegelaten ben. Zolang ik niets weet, kan ik nog hoop koesteren.'

Het bleef even stil. Toen zei Mitchell: 'Je mag wel mee naar India.'

Madeleine deed één oog open en zag door haar verwarde haar heen dat het niet helemaal een grapje was.

'Het is niet eens alleen die universiteit,' zei ze. Ze haalde diep adem en biechtte toen op: 'Leonard en ik zijn uit elkaar.'

Het was intens bevredigend om het hardop te zeggen, haar verdriet te benoemen, dus werd ze verrast door de kilheid van Mitchells antwoord.

'Waarom vertel je me dat?' vroeg hij.

Ze hief haar hoofd op en veegde haar haar uit haar gezicht. 'Weet ik veel. Jij wilde weten wat er was.'

'Nee hoor. Ik vroeg het niet eens.'

'Ik dacht dat je het wel wilde weten,' zei ze. 'We zijn tenslotte vrienden.'

'Ja,' zei Mitchell, ineens sarcastisch. 'Mooie vriendschap. Dat ís geen vriendschap, want alles moet op jouw voorwaarden. Die bepaal jíj. Als jij wilt dat we drie maanden geen woord tegen elkaar zeggen, dan gebeurt dat ook niet. Dan besluit je opeens dat je wél met me wilt praten omdat ik je ouders moet bezighouden – en nu zijn we ineens weer on speaking terms. We zijn vrienden als jij dat wilt en we worden ook nooit méér, want dat wil jij niet. En daar moet ik allemaal maar in meegaan.'

'Ja, sorry,' zei Madeleine, die zich belaagd en tekortgedaan voelde, 'maar ik val gewoon niet op je.'

'Precies!' riep Mitchell. 'Je voelt je lichamelijk niet tot me aangetrokken. Kan gebeuren. Maar wie zegt dat ik me geestelijk tot jou aangetrokken voel?'

Madeleine reageerde alsof ze een klap had gekregen. Ze was verontwaardigd, gekwetst en tegelijk ook opstandig.

'Wat ben jij een…', ze zocht naar het ergste wat ze kon bedenken, 'wat ben jij een lúl!' Ze had hooghartig willen blijven, maar ze had een stekende pijn in haar borst en tot haar ontsteltenis barstte ze in tranen uit.

Mitchell wilde haar arm aanraken, maar zij schudde hem af. Ze stond op, deed haar best om niet te laten merken dat ze huilde van woede en liep naar buiten, het stoepje af en Waterman Street in. Ze keek naar het feestelijk versierde kerkhof en liep toen naar beneden, naar de rivier. Ze wilde weg van de campus. Haar hoofdpijn was terug, haar slapen klopten en terwijl ze naar de donderwolken keek die zich boven het centrum verzamelden en nog meer ellende leken te voorspellen, vroeg ze zich af waarom iedereen toch zo rot tegen haar deed.

Madeleines liefdesleed was begonnen in de tijd dat de Franse theoretici die ze las het begrip liefde deconstrueerden. Semiotiek 211 was een specialistisch vak dat werd gedoceerd door een voormalige rebel van het instituut Engelse taal- en letterkunde. Michael Zipperstein was tweeëndertig jaar geleden als aanhanger van het New Criticism naar Brown gekomen. Hij had drie generaties studenten de gewoonte bijgebracht teksten zorgvuldig te lezen, te analyseren en te interpreteren zonder aandacht voor de biografie van de auteur, totdat hij in 1975 tijdens een sabbatical in Parijs een levensveranderende openbaring kreeg: tijdens een diner maakte hij kennis met Roland Barthes en bij de cassoulet werd hij tot het nieuwe geloof bekeerd. Nu gaf Zipperstein twee colleges in het pas ingestelde programma Semiotische Studies: Inleiding tot de Semiotische Theorie in het najaar en Semiotiek 211 in het voorjaar. Zipperstein was hygiënisch kaal, had een wit zeemansbaardje zonder snor en droeg Franse visserstruien en ribfluwelen broeken. Hij bedolf zijn studenten onder de leeslijsten: naast de grote semiotische kanonnen – Derrida, Eco, Barthes – moesten ze zich voor Semiotiek 211 door hele stapels achtergrondteksten heen worstelen, van *Sarrasine* van Balzac tot bundels van *Semiotext(e)* tot gefotokopieerde capita selecta van E.M. Cioran, Robert Walser, Claude Lévi-Strauss, Peter Handke en Carl van Vechten. De toelatingsprocedure bestond uit een persoonlijk onderhoud met Zipperstein waarbij hij neutrale vragen stelde, bijvoorbeeld wat je favoriete gerecht of hondenras was, waarop hij dan raadselachtige warholiaanse opmerkingen maakte. Door dat esoterische onderzoek, en door Zippersteins kale goeroehoofd en witte baard, kregen zijn studenten het gevoel dat ze geestelijk waren doorgelicht en nu – althans twee uur lang op dinsdagmiddag – deel uitmaakten van een literaire elite.

Dat was precies wat Madeleine wilde. Haar beweegredenen om Engels te gaan doen waren de zuiverst en saaist mogelijke: ze deed niets liever dan lezen. De studiegids voor 'Britse en Amerikaanse letterkunde' was voor haar het equivalent van de catalogus van Bergdorf voor haar huisgenootjes. Zij kon net zo in verrukking raken van de vermelding 'Engels 274: de *Euphues* van Lyly' als Abby van een paar cowboylaarzen van Fiorucci. 'Engels 450A: Hawthorne en James' riep bij Madeleine visioenen op van zondige uren in bed, vergelijkbaar met Olivia's dagdromen over een avond dansen in een lycra rokje en een leren jack. Zelfs als kind, thuis in Prettybrook, in de studeerkamer met al die volle boekenkasten, hoger dan zij kon reiken – pas gekochte boeken zoals *Love Story* of *Myra Breckinridge*, die iets vaag verbodens uitstraalden, en eerbiedwaardige leren banden met werken van Fielding, Thackeray en Dickens – stokte de adem haar in de keel bij de gedachte aan al die magistrale woorden die ze zou kunnen lezen. Ze kon wel een uur naar al die ruggen staan kijken. Haar catalogisering van de familiebibliotheek stak het decimale systeem van Dewey naar de kroon. Ze wist precies waar alles stond. In de kast naast de schouw stonden Altons lievelingsboeken, biografieën van Amerikaanse presidenten en Britse premiers, memoires van oorlogszuchtige ministers van Buitenlandse Zaken, zeevaart- en spionageromans van William F. Buckley Jr. De boeken van Phyllida vulden de linkerkant van de kasten die het dichtst bij de zitkamer stonden, romans die in de *New York Review of Books* hadden gestaan, essaybundels en salontafelboeken over Engelse tuinen of porselein. Zelfs nu nog kon een plank met verlaten boeken in een B&B of een hotel aan zee Madeleine ontroeren. Ze liet haar vingers over de met zout bevlekte omslagen glijden. Ze trok bladzijden los die door de zeelucht aan elkaar geplakt zaten. Voor paperbacks – thrillers en detectives – voelde ze geen mededogen. Het achtergelaten gebonden boek, de omslagloze Dial Press-uitgave uit 1931 met de vele koffiekringen, die raakten haar hart. Haar vrienden mochten haar naam op het strand roepen, de barbecue mocht al begonnen zijn, maar Madeleine ging even op haar bed zitten lezen om zo'n zielig oud boek een beetje op te beuren. Zo had ze *Hiawatha* van Longfellow gelezen. En James Fenimore Cooper. En *H.M. Pulham, Esquire* van John P. Marquand.

Toch vroeg ze zich wel eens bezorgd af wat die beschimmelde oude boeken met haar deden. Sommige studenten hadden op het college Engels als hoofdvak, maar gingen dan rechten studeren. Anderen werden journalist. De slimste student die Engels als hoofdvak deed, Adam Vogel, zoon van twee docenten, wilde promoveren en dan zelf ook universitair docent worden. Dan bleef er nog een flinke groep over die Engels deed bij gebrek aan beter. Omdat ze geen talent hadden voor de exacte vakken, omdat ze geschiedenis te droog, wijsbegeerte te moeilijk, geologie te veel op aardolie georiënteerd en wiskunde te mathematisch vonden – omdat ze niet muzikaal, niet artistiek, niet financieel gemotiveerd of misschien wel gewoon niet erg slim waren, deden die mensen wat ze al in de eerste klas van de basisschool hadden gedaan: verhaaltjes lezen. Engels was het vak dat je studeerde als je niet wist wat je wilde studeren.

In haar eerste jaar had Madeleine een serie hoorcolleges gevolgd die De Huwelijksplot heette: romans van Austen, Eliot en James. De docent heette K. McCall Saunders. Saunders was een negenenzeventigjarige man uit New England met een langwerpig paardengezicht en een vochtige lach waarbij de opzichtige kronen op zijn kiezen zichtbaar werden. Zijn pedagogische methode bestond uit het voorlezen van colleges die hij al twintig, dertig jaar geleden geschreven had. Madeleine bleef zijn colleges alleen volgen omdat ze medelijden met Saunders had en omdat de leeslijst zo interessant was. Volgens Saunders was de huwelijksplot het hoogtepunt in de romankunst, die het verdwijnen van dat genre nooit helemaal te boven was gekomen. In de tijd dat het van je huwelijk afhing of je slaagde in het leven en het huwelijk afhing van geld, hadden romanciers iets om over te schrijven. Het epos bezong de oorlog, de roman het huwelijk. De gelijkheid tussen de seksen was goed voor vrouwen, maar slecht voor de roman. En de mogelijkheid van echtscheiding was de genadeslag geweest. Wat maakte het uit met wie Emma trouwde als ze het huwelijk later weer kon laten ontbinden? Wat zouden huwelijkse voorwaarden voor het huwelijk van Isabel

Archer en Gilbert Osmond hebben betekend? In Saunders' ogen stelde het huwelijk niet veel meer voor en de roman evenmin. Waar zag je de huwelijksplot tegenwoordig nog? Nergens. Daarvoor moest je historische fictie lezen. En niet-westerse romans over traditionele samenlevingen. Afghaanse romans, Indiase romans. Je moest letterlijk terug in de tijd.

Madeleines eindscriptie voor dat vak was getiteld 'De vragende vorm: huwelijksaanzoeken en het (beperkte) domein van de vrouw'. Saunders was zó onder de indruk dat hij Madeleine had uitgenodigd voor een gesprek. Op zijn kamer, waar het naar grootouderlijke huizen rook, sprak hij de mening uit dat Madeleine haar scriptie misschien kon uitwerken tot een afstudeerproject en dat hijzelf bereid was haar te begeleiden. Madeleine glimlachte beleefd. Professor Saunders was gespecialiseerd in de periodes die haar interesseerden, de Regency die overging in de victoriaanse tijd. Hij was lief en geleerd, en uit zijn vele vrije tijd bleek wel dat niemand anders zijn begeleiding wilde, dus had Madeleine gezegd dat ze graag met hem aan haar afstudeerscriptie wilde werken.

Als thema koos ze een regel uit *Barchester Towers* van Trollope: 'Gelukkige liefde bestaat alleen aan het einde van een Engelse roman.' Ze was van plan bij Jane Austen te beginnen. Na een korte beschouwing over *Pride and Prejudice*, *Persuasion* en *Sense and Sensibility*, in feite allemaal komedies die eindigden met een huwelijk, zou ze haar aandacht verleggen naar de victoriaanse roman, waarin alles ingewikkelder en aanmerkelijk duisterder werd. *Middlemarch* en *The Portrait of a Lady* eindigden niet met een huwelijk. Ze begonnen met de traditionele ontwikkeling van de huwelijksplot – aanbidders, aanzoeken en misverstanden – maar na het huwelijk gingen ze verder. In die romans werden de temperamentvolle, intelligente heldinnen, Dorothea Brooke en Isabel Archer, gevolgd in hun teleurstellende huwelijksleven, en daar bereikte de huwelijksplot zijn grootste artistieke expressie.

Rond 1900 had de huwelijksplot de geest gegeven. Madeleine wilde haar scriptie besluiten met een korte bespreking van de doodsstrijd. In *Sister Carrie* liet Dreiser Carrie overspelig met Drouet samenleven, een ongeldig huwelijk met Hurstwood sluiten en er vervolgens vandoor gaan om actrice te worden – en toen was het pas 1902! Als conclusie overwoog Madeleine de vrouwenruil bij Updike aan te halen. Dat was het laatste bastion van de huwelijksplot: de hardnekkigheid waarmee daar over 'vrouwenruil' in plaats van over 'partnerruil' werd gesproken. Alsof de vrouw nog steeds een bezit was dat kon worden uitgeleend.

Saunders stelde voor dat Madeleine ook historische bronnen zou raadplegen. Gehoorzaam las ze over de opkomst van de industrie en het kerngezin, het ontstaan van de middenklasse en de Britse echtscheidingswet uit 1857. Maar het duurde niet lang of de scriptie begon haar te vervelen. De twijfel over de originaliteit van haar werk knaagde aan haar. Ze had het gevoel dat ze alleen maar herkauwde wat Saunders in zijn colleges over de huwelijksplot had gezegd. Haar bijeenkomsten met de oude docent waren ontmoedigend, hij schoof alleen met de vellen papier die ze had ingeleverd en wees haar op de opmerkingen die hij met rood in de kantlijn had geschreven.

Toen zat op een zondagochtend voor de kerstvakantie opeens Abby's vriendje Whitney aan hun keukentafel, waar hij een boek las dat *De la grammatologie* heette. Toen Madeleine vroeg waar het over ging, gaf Whitney haar te verstaan dat het idee dat een boek altijd ergens 'over moest gaan' in dit boek nu juist werd bestreden, en áls het al ergens 'over ging', dan ging het over de noodzaak een boek niet langer te beschouwen als iets wat ergens 'over ging'. Madeleine zei dat ze koffie ging zetten. Whitney vroeg of hij ook een kopje mocht.

Het college was heel anders dan de echte wereld. In de echte wereld noemde men namen omdat die bekend waren. Op de universiteit noemde men namen omdat die totaal onbekend waren. Zo hoorde Madeleine in de weken na het gesprekje met Whitney ineens mensen 'Derrida' zeggen. Ze hoorde ook 'Lyotard', 'Foucault', 'Deleuze' en 'Baudrillard'. Doordat ze een instinctieve afkeer had van de meeste mensen die die namen uitspraken – zogenaamd rebelse rijkeluiskinderen met Dr. Martens en spullen met anarchistentekentjes erop – twijfelde ze aan de waarde van dat enthousiasme. Maar al snel zag ze dat David Koppel, een intelligente, talentvolle dichter, ook Derrida las. En Pookie Ames, die voor *The Paris Review* romannetjes las en die Madeleine uitgesproken aardig vond, volgde colleges bij Zipperstein. Madeleine had altijd een zwak gehad voor vermaarde docenten met een uitgesproken stijl, zoals Sears Jayne, die van zijn colleges een complete voorstelling maakte en met verstikte stem Hart Crane of Anne Sexton reciteerde. Whitney leek professor Jayne belachelijk te vinden. Daar was Madeleine het niet mee eens. Maar na drie jaar onafgebroken literatuurstudie beschikte ze nog niet in de verste verte over een betrouwbare kritische methode die ze kon toepassen op alles wat ze las. Ze had een wazige, onsystematische manier om boeken te bespreken. Ze voelde zich opgelaten als ze hoorde wat haar medestudenten tijdens de werkcolleges zeiden. En wat ze zelf zei. Ik vond. Interessant hoe Proust. Mooi zoals Faulkner.

En toen de lange, slanke, windhondachtige Olivia met haar grote aristocratische neus op een dag met *De la grammatologie* binnenkwam, wist Madeleine dat wat aanvankelijk marginaal leek, inmiddels gemeengoed was geworden.

'Hoe is dat boek?'

'Heb je het nog niet gelezen?'

'Nee, anders vroeg ik het toch niet?'

Olivia snoof. 'Wat hebben we weer een stralend humeur.'

'Sorry.'

'Grapje. Het is geweldig. Derrida is God!'

Bijna van de ene op de andere dag werd het bespottelijk om schrijvers te lezen als Cheever of Updike, die over het voorstedenwereldje schreven waarin Madeleine en haar meeste vrienden waren opgegroeid, en las men De Sade, die schreef over het anaal ontmaagden van meisjes in het achttiende-eeuwse Frankrijk. De Sade genoot de voorkeur omdat zijn choquante seksscènes in feite niet over seks gingen, maar over politiek. Ze waren dus anti-imperialistisch, antiburgerlijk, antipatriarchaal en anti-alles waar een intelligente jonge feministe tegen hoorde te zijn. Tijdens haar hele derde jaar bleef Madeleine braaf colleges volgen over 'Victoriaanse fantasie: van *Phantastes* tot *The Water-Babies*', maar in haar laatste jaar kon ze het contrast tussen de nerveuze, behoeftige mensen bij haar Beowulf-seminar en de hippe, Maurice Blanchot-lezende studenten van die andere richting niet meer negeren. In de geldbeluste jaren tachtig was studeren niet erg radicaal. Semiotiek was het eerste vak dat een beetje naar revolutie rook. Daar werd een grens getrokken; er werd een elite gevormd; het was subtiel en Europees, het ging over prikkelende onderwerpen, over foltering, sadisme, hermafroditisme – over seks en macht. Madeleine was op school altijd populair geweest. Door die jarenlange populariteit kon ze snel en onfeilbaar cool van uncool onderscheiden, zelfs binnen een subgroep als het vak Engelse taal- en letterkunde, waar het begrip cool niet leek te bestaan.

Als je neerslachtig werd van zeventiende-eeuws theater, als je je muf en saai ging voelen door het uitpluizen van Wordsworth, dan was er nu een ontsnappingsmogelijkheid. Je kon K. McCall Saunders en het oude New Criticism ontvluchten. Je kon overlopen naar het nieuwe rijk van Derrida en Eco. Je kon je inschrijven voor Semiotiek 211 en ontdekken waar iedereen het over had.

Bij Semiotiek 211 was maar plaats voor tien studenten. Van die tien hadden er acht Inleiding tot de Semiotische Theorie gevolgd. Dat was al bij het eerste college duidelijk te zien. Toen Madeleine uit de winterse kou binnenkwam, hingen er acht mensen in zwart T-shirt en gescheurde zwarte spijkerbroek aan de grote tafel. Een paar hadden de kraag of de mouwen van hun shirt eraf geknipt. Het gezicht van een van de jongens had iets griezeligs – het leek op een babygezichtje met bakkebaarden – en het duurde een volle minuut voordat Madeleine doorhad dat hij zijn wenkbrauwen had afgeschoren. Iedereen zag er zo spookachtig uit dat Madeleines gezonde uiterlijk verdacht leek, alsof ze iemand was die op Reagan stemde. Ze was dan ook opgelucht toen er een grote jongen met een gewatteerd jack en sneeuwlaarzen binnenkwam en naast haar ging zitten. Hij had een beker koffie bij zich.

Zipperstein vroeg of iedereen zich wilde voorstellen en aan de groep vertellen waarom ze dit seminar volgden.

De jongen zonder wenkbrauwen nam als eerste het woord. 'Hmm, eens kijken. Het valt me niet mee om me voor te stellen, want het hele idee van voorstellen wordt zo geproblematiseerd. Ik kan wel vertellen dat ik Thurston Meems heet en in Stamford, Connecticut ben opgegroeid, maar weet je dan wie ik ben? Nou, goed. Ik heet dus Thurston en ik kom uit Stamford, Connecticut. Ik volg dit seminar omdat ik afgelopen zomer *De la grammatologie* heb gelezen en er zwaar van onder de indruk was.' Toen de jongen naast Madeleine aan de beurt was, zei hij zacht dat hij twee studies deed, biologie en wijsbegeerte, dat hij nog nooit iets aan semiotiek had gedaan, dat zijn ouders hem Leonard hadden genoemd en dat hij een naam altijd wel handig had gevonden, vooral als je aan tafel wordt geroepen, en dat hij zou reageren als iemand hem met 'Leonard' aansprak.

Verder zei Leonard niets. Het hele verdere college zat hij achterovergeleund met zijn lange benen voor zich uitgestrekt. Toen hij zijn koffie ophad, stak hij een hand in zijn rechterlaars en haalde tot Madeleines verbazing een blikje pruimtabak tevoorschijn. Met twee gele vingers duwde hij een pluk tabak in zijn wang. De daaropvolgende twee uur spoog hij ongeveer elke minuut discreet maar hoorbaar in zijn koffiebeker.

Iedere week moesten ze voor Zipperstein een ontmoedigend theorieboek en een literaire tekst lezen. Het verband tussen beide werken was doorgaans vergezocht of zelfs geheel afwezig. (Wat had *Écrits de linguistique générale* van Saussure bijvoorbeeld met *The Crying of Lot 49* van Pynchon te maken?) Zipperstein gaf eigenlijk geen les, hij observeerde de discussie voornamelijk van achter de doorkijkspiegel van zijn ondoorzichtige persoonlijkheid. Hij zei zelden iets. Af en toe stelde hij een vraag om de discussie te stimuleren en hij liep vaak naar het raam om in de richting van de baai van Narragansett te kijken, alsof hij aan zijn houten sloep in het droogdok dacht.

In de vierde week, op een grauwe februaridag met veel sneeuw, lazen ze een boek van Zipperstein zelf, *The Making of Signs*, naast *Wunschloses Unglück* van Peter Handke.

Het was altijd pijnlijk als een docent zijn eigen boeken opgaf. Het viel zelfs Madeleine, die de leesopdrachten toch al zwaar vond, op dat Zippersteins bijdrage aan het vakgebied tweederangs en verre van oorspronkelijk was.

Iedereen leek nogal met *The Making of Signs* in zijn maag te zitten, dus het was een opluchting toen na de pauze de literatuur aan de beurt was.

'En,' zei Zipperstein, met zijn ogen knipperend achter zijn ronde brillenglazen, 'wat vonden jullie van Handke?'

Na een korte stilte nam Thurston het woord. 'Handke was volslagen duister en deprimerend,' zei hij. 'Geweldig.'

Thurston was een sluw ogende jongen met kort haar, waar hij gel in deed. Door zijn ontbrekende wenkbrauwen en zijn bleke huid zag zijn gezicht er hyperintelligent uit, als een zwevend brein zonder lichaam.

'Kun je dat toelichten?' vroeg Zipperstein.

'Het gaat over een onderwerp dat me na aan het hart ligt – zelfmoord.' De anderen begonnen zenuwachtig te lachen terwijl Thurston op stoom kwam. 'Het is kennelijk autobiografisch, dat boek. Maar ik vind net als Barthes dat schrijven op zich al fictionaliseren is, ook al gaat het over iets wat echt is gebeurd.'

Bart. Dus zó sprak je dat uit. Madeleine noteerde het, dankbaar dat haar een gênant moment bespaard was gebleven.

Ondertussen ging Thurston verder: 'Dus Handkes moeder pleegt zelfmoord en Handke gaat daarover schrijven. Hij wil zo objectief mogelijk zijn, volkomen – meedogenloos!' Hij onderdrukte een glimlach. Hij wilde later ook iemand worden die met hoogliteraire meedogenloosheid op de zelfmoord van zijn moeder zou reageren en zijn zachte jonge gezicht straalde van plezier. 'Zelfmoord is een genre,' deelde hij mee. 'Vooral in de Duitstalige literatuur. Neem *Die Leiden des jungen Werther*. En Kleist. O, en ik bedenk nog iets.' Hij stak een vinger op. '*Die Leiden des jungen Werther.*' Hij stak weer een vinger op. '*Wunschloses Unglück*. Lijden. Ongeluk. Mijn theorie is dat Handke het gewicht van die traditie voelde en dat dit boek een poging is om zich te bevrijden.'

'Hoezo bevrijden?' vroeg Zipperstein.

'Zich te bevrijden van dat hele Teutoonse Sturm und Dranggedoe met die zelfmoorden.'

De rondkolkende sneeuwvlokken buiten deden aan zeepvlokken of asdeeltjes denken, iets heel schoons of juist iets heel smerigs.

'Dat verband met Werther is aardig gevonden,' zei Zipperstein. 'Maar er zitten wel twee eeuwen tussen Goethe en Handke en ze staan niet echt in dezelfde traditie.'

Thurston glimlachte – omdat hij het fijn vond dat hij Zippersteins volle aandacht had of omdat hij diens uitspraak van de Duitse namen grappig vond.

'De titel is een woordspeling op een Duitse uitdrukking, *wunschlos glücklich*. Dat betekent dat je gelukkiger bent dan je ooit had gedacht te zullen worden.

Maar dat keert Handke dus om. Een ernstige, wonderlijk mooie titel.'

'Dus ongelukkiger dan je ooit had gedacht te zullen worden,' zei Madeleine.

Zipperstein keek haar voor het eerst aan.

'In zekere zin, ja. Wat waren jouw conclusies?'

'Over het boek?' vroeg Madeleine, en ze begreep meteen hoe dom dat klonk. Ze zweeg en het bloed klopte in haar oren.

In negentiende-eeuwse Engelse romans bloosde wel eens iemand, maar in contemporaine Oostenrijkse boeken nooit.

Voordat de stilte onbehaaglijk kon worden, schoot Leonard haar te hulp.

'Ik heb wel een opmerking,' zei hij. 'Als ik over de zelfmoord van mijn moeder zou schrijven, denk ik niet dat ik erg met het literaire experiment bezig zou zijn.' Hij boog zich naar voren en plantte zijn ellebogen op de tafel. 'Ik bedoel, heeft niemand zich gestoord aan die zogenaamde meedogenloosheid van Handke? Vond niemand dit een nogal kil boek?'

'Liever kil dan sentimenteel,' zei Thurston.

'Vind je? Waarom?'

'Omdat we al eens eerder een sentimenteel verslag van de dood van een geliefde ouder hebben gelezen. Ik weet niet hoe vaak. Dat komt niet meer aan.'

'Laten we eens een gedachte-experimentje doen,' zei Leonard. 'Stel dat mijn moeder zich van kant heeft gemaakt. En stel dat ik daar een boek over schrijf. Waarom wil ik zoiets?' Hij sloot zijn ogen en legde zijn hoofd in de nek. 'Ten eerste om met mijn verdriet te leren omgaan. En ten tweede misschien om een portret van mijn moeder neer te zetten. Om haar in mijn herinnering levend te houden.'

'En jij denkt dat jouw reactie universeel is,' zei Thurston. 'En dat Handke, omdat jij op een bepaalde manier op de dood van je moeder reageert, verplicht is hetzelfde te doen.'

'Ik zeg dat het geen literair genre is als je moeder zich van kant maakt.'

Madeleines hart was tot bedaren gekomen. Ze luisterde geïnteresseerd naar de discussie.

Thurston knikte, maar op de een of andere manier zag dat er niet bevestigend uit. 'Goed, oké,' zei hij. 'Handkes moeder heeft zich echt van kant gemaakt. In de echte wereld is ze dood en Handke voelt echt verdriet of wat dan ook. Maar daar gaat dit boek niet over. Boeken gaan niet over "echt gebeurd". Boeken gaan over andere boeken.' Hij tuitte zijn lippen als een blaasinstrument omhoog en blies stralende klanken uit. 'Mijn theorie is dat het probleem dat Handke hier wilde oplossen, vanuit een literair standpunt, de vraag is hoe je ergens over schrijft, zelfs over iets echts, iets ergs – zoals zelfmoord – als alles wat daar al over geschreven is het onmogelijk maakt om dat op een originele manier te doen.'

Madeleine vond Thurstons woorden van inzicht getuigen, maar dat feit leek haar ergens ook weer afschuwelijk verkeerd. Het was misschien wel waar, maar dat zou eigenlijk niet zo moeten zijn.

'"Populaire literatuur",' grapte Zipperstein – een voorstel voor een titel voor een paper, '"Van oude koeien en open deuren".'

Er trok een lachstuip door de groep. Madeleine keek op en zag dat Leonard haar zat aan te staren. Toen het seminar afgelopen was, pakte hij zijn boeken en liep weg.

Daarna zag ze Leonard regelmatig in de buurt. Ze zag hem op een middag het grasveld oversteken, zonder muts in een winterse miezerbui. Ze zag hem bij Mutt & Geoff een kledderig broodje kip met tomatensaus eten. Ze zag hem op een ochtend in South Main Street op de bus wachten. En altijd was hij alleen en zag hij er troosteloos en ongekamd uit, als een groot moederloos kind. Toch leek hij tegelijk ook op de een of andere manier ouder dan de meeste andere jongens.

Het was Madeleines laatste trimester van haar laatste jaar, dus zou ze plezier moeten hebben, maar dat had ze niet. Ze had zichzelf nooit als eenzaam beschouwd. Ze beschouwde haar tegenwoordige vriendloze staat liever als heilzaam en verhelderend. Maar toen ze zich erop betrapte dat ze zich afvroeg hoe het zou zijn om met een jongen te zoenen die tabak pruimde, werd ze bang dat ze zichzelf voor de gek hield.

Achteraf beschouwd besefte ze dat haar liefdesleven als studente nogal was tegengevallen. Haar kamergenote in haar eerste jaar, Jennifer Boomgaard, was de eerste week al naar de studentenarts geweest om zich een pessarium te laten aanmeten. Madeleine, die niet gewend was een kamer te delen en al helemaal niet met een vreemde, vond dat Jenny wel iets te snel intiem werd. Ze wilde dat pessarium helemaal niet zien – het zag eruit als een stukje rauwe ravioli – en ze wilde al helemaal niet de zaaddodende pasta voelen die Jenny aanbood in haar hand te spuiten. Ze was geschokt toen Jennifer naar feesten ging met haar pessarium al in, toen ze het indeed naar de wedstrijd tussen Harvard en Brown en toen ze het op een ochtend op hun mini-ijskastje had laten liggen. Toen bisschop Tutu die winter naar de universiteit kwam om over apartheid te spreken, vroeg Madeleine onderweg naar de bijeenkomst met de beroemde geestelijke aan Jennifer: 'Heb je je ring wel in?' De vier maanden daarna woonden ze samen in een kamer van vierenhalve bij vijfenhalve meter zonder een woord tegen elkaar te zeggen.

Hoewel Madeleine niet helemaal seksueel onervaren was toen ze ging studeren, was haar leercurve in haar eerste jaar een vlakke lijn. Afgezien van een potje foezelen met ene Carlos uit Uruguay, die een technische opleiding volgde, op sandalen liep en bij zwak licht op Che Guevara leek, had ze alleen gezoend met een jongen uit de hoogste klas van een middelbare school die in het oriëntatie-weekend op de campus rondliep. Ze zag Tim in de rij bij de Ratty zijn blad voortduwen en zichtbaar rillen. Zijn blauwe blazer was hem te groot. Hij had de hele dag over de campus gedwaald zonder dat iemand hem had aangesproken. Nu was hij uitgehongerd en wist hij niet zeker of hij eigenlijk wel in de cafetaria mocht eten. Tim leek de enige op Brown die er nog verlorener bij liep dan zijzelf. Ze hielp hem met zijn bestelling in de Ratty en leidde hem daarna rond. Uiteindelijk kwamen ze die avond om een uur of halfelf in Madeleines kamer terecht. Tim had de lange wimpers en het mooie gezichtje van een dure Beierse pop, een prinsje of een jodelend herdertje. Zijn blauwe blazer lag op de grond en Madeleines blouse stond open toen Jennifer Boomgaard binnenkwam. 'O,' zei ze, 'sorry', maar ze bleef gewoon staan, glimlachte tegen de vloer en genoot waarschijnlijk al van het effect dat ze met deze sappige roddel in de mensa zou bereiken. Toen ze eindelijk wegging, kwam Madeleine overeind en bracht haar kleren in orde, en Tim raapte zijn blazer op en ging weer terug naar zijn school.

Toen ze in de kerstvakantie naar huis ging, dacht ze dat de weegschaal in de badkamer bij haar ouders kapot was. Ze stapte eraf, zette de wijzer precies op nul en ging er weer op staan, maar hij gaf exact hetzelfde gewicht aan. Ze ging voor de spiegel staan en zag een bezorgd eekhoorntje terugkijken. 'Vraagt niemand me mee uit omdat ik zo dik ben,' vroeg het eekhoorntje, 'of ben ik zo dik omdat niemand me mee uit vraagt?'

'Het eerstejaarsrugbyteam heb ik nooit gehaald,' zei haar grote zus vol leedvermaak toen Madeleine beneden kwam ontbijten. 'Maar ik heb me ook nooit zo volgevreten als mijn vriendinnen.' Madeleine was het getreiter van Alwyn wel gewend, dus ze reageerde niet en sneed in stilte de eerste van de zevenenvijftig grapefruits aan waar ze tot nieuwjaarsdag op zou leven.

Door een dieet te volgen kreeg je het waanidee dat je greep op je leven had. Begin januari was Madeleine tweeënhalve kilo afgevallen en aan het eind van het squashseizoen was ze weer helemaal in vorm, maar nog steeds had ze niemand ontmoet die ze leuk vond. De jongens van college leken óf onvoorstelbaar onvolwassen, óf ze waren voortijdig middelbaar, hadden een baard als een psychotherapeut, verwarmden glazen cognac boven een kaars en luisterden naar 'A Love Supreme' van Coltrane. Pas in haar tweede jaar kreeg ze een serieus vriendje. Billy Bainbridge was de zoon van Dorothy Bainbridge, wier oom eigenaar was van een derde van alle Amerikaanse kranten. Billy had blozende wangetjes, blonde krullen en een litteken op zijn rechterslaap. Hij had een zachte stem en rook lekker, naar dure zeep. Zijn naakte lichaam was bijna helemaal onbehaard.

Billy had het niet graag over zijn familie. Dat vatte Madeleine op als een teken van welopgevoedheid. Billy was al de zoveelste van zijn familie die aan Brown studeerde en was soms bang dat hij anders nooit zou zijn toegelaten. De seks met hem was gemoedelijk, knuffelig, niets op aan te merken. Hij wilde cineast worden. Maar de enige film die hij voor het filminstituut had gemaakt, was een twaalf minuten durende gewelddadige vertoning waarbij Billy de camera aan één stuk door bekogelde met browniebeslag dat eruitzag als poep. Ze begon zich af te vragen of er een bepaalde reden was waarom hij het nooit over zijn familie had.

Waar hij het echter wél over had, en steeds indringender, was besnijdenis. Hij had in een alternatief gezondheidsblad een zeer kritisch artikel over die ingreep gelezen en dat had indruk op hem gemaakt. 'Toch wel erg raar om een baby zoiets aan te doen, als je erover nadenkt,' zei hij. 'Een stukje van zijn piemel afsnijden? Wat is eigenlijk het verschil tussen een stam in, zeg, Nieuw-Guinea waar ze een bot door hun neus duwen en mensen die de voorhuid van een baby afsnijden? Een bot door je neus is veel minder ingrijpend.' Madeleine luisterde, probeerde meelevend te kijken en hoopte dat hij erover ophield. Maar in de weken daarna kwam hij er steeds weer op terug. 'Artsen doen het hier gewoon automatisch,' zei hij. 'Ze hebben mijn ouders niets gevraagd. En ik ben niet eens joods of zo.' Mogelijke rechtvaardigingen op grond van gezondheid of hygiëne maakte hij belachelijk. 'Misschien was dat drieduizend jaar geleden zo, in de woestijn, voordat de douche bestond. Maar nu?'

Op een avond toen ze naakt in bed lagen, zag Madeleine dat Billy zijn penis bestudeerde en hem uitrekte.

'Wat doe je?' vroeg ze.

'Ik zoek het litteken,' zei hij somber.

Hij ondervroeg zijn Europese vrienden, Heinrich de Ongeschondene, Olivier de Onbesnedene: 'Maar is hij bij jullie heel gevoelig?' Hij was ervan overtuigd dat hem een gevoelservaring door de neus was geboord. Madeleine deed haar best dat niet persoonlijk op te vatten. Ze hadden inmiddels overigens ook nog andere relatieproblemen. Billy had de gewoonte Madeleine diep in haar ogen te kijken, op een nogal dwingende manier. En zijn woonsituatie was tamelijk merkwaardig. Hij woonde niet op de campus en deelde een flatje met een zekere Kyle, een aantrekkelijk, gespierd meisje dat met ten minste drie mensen het bed deelde, onder wie ook Fatima Shirazi, een nichtje van de sjah van Iran. Op de muur van de huiskamer had Billy KILL THE FATHER geschilderd. Want het doden van de vader was volgens Billy het hoofddoel van een universitaire studie.

'Wie is jouw vader?' vroeg hij aan Madeleine. 'Virginia Woolf? Susan Sontag?'

'Bij mij is mijn vader gewoon mijn vader,' zei Madeleine.

'Dan moet je hem doden.'

'En wie is jouw vader?'

'Godard,' zei hij.

Billy had het erover die zomer met Madeleine een huis in Guanajuato te huren. Volgens hem kon zij daar een roman schrijven terwijl hij een film maakte. Zijn geloof in haar en in haar schrijverschap (al schreef ze zelden fictie) gaf haar zo'n goed gevoel dat het idee haar begon aan te spreken. Toen stond ze op een dag op de stoep van Billy's huis en wilde ze net op het raam kloppen toen iets haar zei dat ze eerst even naar binnen moest kijken. In het stormachtig omgewoelde bed lag Billy opgerold als John Lennon tegen de breeduit gespreid liggende Kyle aan. Ze waren allebei naakt. Een ogenblik later verscheen als in een rookwolkje ineens Fatima, eveneens naakt. Ze schudde babypoeder uit over haar glanzende Perzische huid. Ze lachte haar bedgenoten toe met tanden als pareltjes, gevat in veel koninklijk purperen tandvlees.

Maddy's volgende vriendje was niet helemaal haar schuld. Ze zou Dabney Carlisle nooit hebben ontmoet als ze geen bijvak theater had gedaan, en dat bijvak zou ze zonder haar moeder nooit hebben gekozen. In haar jeugd wilde Phyllida actrice worden. Daar waren haar ouders echter tegen. 'Acteren, dat deed je in onze familie niet, en zeker niet als meisje,' zoals Phyllida het formuleerde. Zo nu en dan, als ze in een bespiegelende bui was, vertelde ze haar dochters over haar enige grote ongehoorzaamheid. Na haar collegeopleiding was ze 'weggelopen' naar Hollywood. Zonder iets tegen haar ouders te zeggen was ze op het vliegtuig naar Los Angeles gestapt, waar ze bij een vriendin van Smith, haar college, kon logeren. Ze vond een baantje als secretaresse bij een verzekeringsmaatschappij. Zij en die vriendin, een zekere Sally Peyton, gingen in een bungalow in Santa Monica wonen. In een halfjaar had Phyllida drie audities en een screentest gedaan en 'heel veel uitnodigingen gekregen'. Ze had ook een keer Jackie Gleason gezien toen die met een chihuahua onder de arm een restaurant in liep. Ze was glanzend bruin geworden, 'Egyptisch', zei ze zelf. Als Phyllida over die tijd vertelde, leek het wel alsof ze het over iemand anders had. Alton zweeg dan, in het besef dat Phyllida's verlies zijn winst was geweest. Het was in de trein, op de terugweg naar New York in de daaropvolgende kerstvakantie, dat ze de kaarsrechte luitenant-kolonel had ontmoet die net terug was uit Berlijn. Daarna was ze nooit meer teruggegaan naar LA. Ze trouwde. 'En toen kreeg ik jullie,' zei ze tegen haar dochters.

De dromen die Phyllida niet waar had kunnen maken, waren de oorsprong van die van Madeleine. Het leven van haar moeder was voor haar een afschrikwekkend voorbeeld. Het vertegenwoordigde de onrechtvaardigheid die zij met haar eigen leven zou gaan rechtzetten. Tegelijk met een grote maatschappelijke beweging volwassen worden, opgroeien in de tijd van Betty Friedan, demonstraties voor gelijke rechten, de ontembare Bella Abzug met haar hoeden, je identiteit definiëren op een moment dat die geherdefinieerd werd, dat was een vrijheid die net zo groot was als alle Amerikaanse vrijheden waarover Madeleine op school had gelezen. Ze herinnerde zich de avond in 1973 dat het hele gezin in de televisiekamer zat voor de tenniswedstrijd tussen Billie Jean King en Bobby Riggs. Dat zij, Alwyn en Phyllida, voor Billie Jean waren en Alton voor Bobby Riggs. Dat King Riggs over de baan liet rennen, zo hard serveerde dat hij er niet van terug had en ballen sloeg waarop hij te traag reageerde, en dat Alton begon te brommen: 'Dit is niet eerlijk! Riggs is te oud. Als ze een échte test willen, moeten ze haar tegen Borg of McEnroe laten spelen.' Maar het deed er niet toe wat Alton zei. Het deed er niet toe dat Bobby Riggs vijfenvijftig was en King negenentwintig, of dat Riggs zelfs in de kracht van zijn leven niet bijzonder goed was geweest. Wat ertoe deed, was dat deze wedstrijd in het hele land tijdens primetime werd uitgezonden en al wekenlang was aangekondigd als 'de strijd tussen de seksen' en dat de vrouw won. Als er één moment was waardoor Madeleines generatie meisjes werd gedefinieerd, waarop hun aspiraties aanschouwelijk werden gemaakt, waarop duidelijk werd wat ze van het leven en van zichzelf verwachtten, dan waren het die twee uur en vijftien minuten dat het hele land keek naar een man in korte witte broek die door een vrouw werd verslagen, keer op keer op zijn donder kreeg totdat hij na match point alleen nog maar zwakjes over het net kon springen. En zelfs dat was veelzeggend: je sprong over het net als je gewonnen had, niet als je had verloren. Typisch mannelijk: doen alsof je hebt gewonnen als je zojuist bent ingemaakt.

Bij de eerste workshop acteren vroeg de docent, Churchill, een kale, bolle, kikkerachtige man, of iedereen iets over zichzelf wilde vertellen. De helft van de studenten had drama als hoofdvak en wilde serieus gaan acteren of regisseren. Madeleine mompelde iets over haar liefde voor Shakespeare en Eugene O'Neill.

Dabney Carlisle stond op en zei: 'Ik heb in New York wat modellenwerk gedaan. Mijn agent stelde voor dat ik acteerlessen ging volgen. Dus daar ben ik dan.'

Dat modellenwerk bestond uit één advertentie in een tijdschrift, een foto van een groepje Leni Riefenstahl-achtige sportieve jongens in boxershort dat in een terugwijkende lijn op een strand stond waarop het zwarte vulkanische zand broeierig om hun marmerwitte voeten lag. Madeleine kreeg hem pas te zien toen ze al met Dabney was en hij 'm met tegenzin uit een boek over barkeepen haalde, waar hij hem veilig in bewaarde. Ze moest er bijna om lachen, maar iets eerbiedigs in Dabneys gezicht weerhield haar. Ze vroeg dus maar waar dat strand was (Montauk), hoe dat zand zo zwart kwam (dat was het niet echt), hoeveel hij ervoor had gekregen ('drie nullen'), hoe die andere jongens waren ('stelletje eikels') en of hij die onderbroek op dit moment aanhad. Met jongens viel het soms niet mee om geïnteresseerd te zijn in wat hen interesseerde. Maar bij Dabney wilde ze soms dat hij van curling hield of jongerenvertegenwoordiger bij de VN was, of wat dan ook, alles, behalve modellenwerk. Dat was in elk geval achteraf het authentieke gevoel dat ze toen had gehad. Op het moment zelf – Dabney waarschuwde haar dat ze de advertentie niet mocht aanraken voordat hij die had laten plastificeren – nam ze in gedachten de standaardargumenten door: hoewel het in feite verkeerd was om iemand als object voor te stellen, was de opkomst van het geïdealiseerde mannenlichaam in de massamedia toch een teken van gelijkheid; als mannen als object konden worden voorgesteld en zich zorgen maakten over hun figuur en hun uiterlijk, gingen ze misschien begrijpen wat een last vrouwen al sinds mensenheugenis met zich meetorsten en werden ze misschien gevoeliger voor dat soort kwesties. Ze ging zelfs zo ver Dabney te bewonderen om zijn moed dat hij zich in zo'n strak grijs broekje had laten fotograferen.

Door beider uiterlijk werden Madeleine en Dabney in de workshop onvermijdelijk als elkaars tegenspelers in liefdesscènes gekozen. Madeleine speelde Rosalind tegenover Dabneys houterige Orlando en Maggie tegenover zijn versteende Brick in *Cat on a Hot Tin Roof*. Voor de eerste repetitie hadden ze in Dabneys studentenhuis afgesproken. Zodra Madeleine er een voet over de drempel had gezet, werd haar aversie tegen disputen als Sigma Chi bevestigd. Het was zondagmorgen, een uur of tien. De sporen van de 'Hawaïaanse avond' van de vorige dag waren nog duidelijk te zien – de bloemenslinger aan het gewei van de elandenkop aan de muur, het vertrapte plastic 'grasrokje' op de met bier doordrenkte vloer, een rokje dat Madeleine, mocht ze vallen voor het uitzinnig knappe uiterlijk van Dabney Carlisle, wellicht minstens aan het lijf van een dronken, hoeladansende slet zou moeten aanschouwen onder de loeiende aanmoediging van de jongens van het dispuut, of in het ergste geval (van Mai Tai ga je rare dingen doen) misschien zelfs aan zou trekken, boven, in Dabneys kamer, alleen voor hem. Op de lage bank zaten twee Sigma Chi-leden televisie te kijken. Bij haar verschijnen draaiden ze zich even om en kwamen ze uit de duisternis naar boven als karpers met open bek. Ze liep snel naar de achtertrap en dacht wat ze altijd dacht bij jongensdisputen en de leden daarvan: dat hun aantrekkingskracht gebaseerd was op een primitieve behoefte aan bescherming (de gedachte aan neanderthalerstammen die samen optrokken tegen andere neanderthalerstammen drong zich op); dat bij de ontgroening (de feuten werden uitgekleed, geblinddoekt en met een buskaartje voor hun kruis geplakt in de lobby van het Biltmore Hotel gedropt) in feite de angst voor ontmanning en verkrachting symboliseerde waartegen het dispuutlidmaatschap bescherming beloofde; dat een jongen die lid van zo'n dispuut wilde worden, aan onzekerheden leed die zijn omgang met vrouwen onvermijdelijk moest verzieken; dat er iets ernstig mis moest zijn met homofobe jongens wier hele leven rond een homo-erotisch verbond draaide; dat de fraaie herenhuizen die door generaties betalende dispuutleden werden bekostigd, in werkelijkheid het toneel waren van seksuele intimidatie en drankproblemen; dat het in dispuuthuizen altijd stonk; dat je er niet eens wilde douchen; dat alleen eerstejaarsmeisjes zo stom waren om daar naar een feest te gaan; dat Kelly Traub eens naar bed was geweest met een jongen van Sigma Delta die de hele tijd zei: 'Zo zie je 'm, zo zie je 'm niet, zo zie je 'm, zo zie je 'm niet'; en dat zoiets haar, Madeleine, nooit ofte nimmer zou overkomen.

Wat ze bij zo'n dispuut niet had verwacht, was een stille jongen met zonnig haar, zoals Dabney, die met blote voeten en in een cargobroek in een vouwstoel zijn tekst zat in te studeren. Terugblikkend op hun relatie bedacht Madeleine dat ze geen keus had gehad. Dabney en zij waren als een koninklijk bruidspaar voor elkaar uitgezocht. Zij was prins Charles en hij prinses Diana. Ze wist dat hij niet kon acteren. Dabney had evenveel artistiek talent als een reservefigurant. In zijn gewone doen deed en zei hij weinig. Op het toneel bewoog hij helemaal niet, maar moest hij heel veel zeggen. Zijn sterkste momenten kwamen altijd als de inspanning op zijn gezicht bij het oplepelen van zijn tekst in de buurt kwam van de emotie die hij moest uitdrukken.

Als tegenspeelster van Dabney werd Madeleine nog stijver en zenuwachtiger dan ze al was. Ze wilde met de getalenteerde studenten van de workshop spelen. Ze stelde interessante stukken uit *The Vietnamization of New Jersey* voor, of *Sexual Perversity in Chicago* van Mamet, maar niemand ging erop in. Niemand wilde zijn of haar gemiddelde omlaag brengen door met haar te werken.

Dabney kon zich er niet druk over maken. 'Stelletje omhooggevállen eikels,' zei hij. 'Die krijgen nooit werk als model en al helemaal geen filmrol.'

Hij was flegmatiek, en zo zag ze haar vriendjes niet graag. Hij had evenveel esprit als een etalagepop. Maar zijn lichamelijke perfectie verdrong die werkelijkheid uit haar gedachten. Ze had nog nooit een relatie gehad waarin zij niet de aantrekkelijkste van de twee was. Het was een tikje intimiderend. Maar dat kon ze wel aan. Om drie uur 's nachts, als Dabney naast haar lag te slapen, kon ze zijn keiharde buikspieren inventariseren. Ze vond het leuk om met een schuifpasser zijn lichaamsvet te meten. Een ondergoedmodel moest goed op zijn buikspieren letten, zei Dabney, en dat had alles met sit-ups en een goed dieet te maken. Het genot van het kijken naar Dabney deed Madeleine denken aan het genot dat ze als kind beleefde als ze naar ranke jachthonden keek. En onder dat genot, als de gloeiende kolen waardoor het werd gevoed, lag een heftige behoefte zich om Dabney heen te vouwen en zijn kracht en schoonheid weg te zuigen. Dat was allemaal heel primitief en evolutionair, en het gaf haar een fantastisch gevoel. Het probleem was alleen dat ze niet in staat was zichzelf toe te staan van Dabney te genieten en hem zelfs een beetje te gebruiken, maar zich er met alle geweld typisch meisjesachtig van moest overtuigen dat ze echt verliefd op hem was. Blijkbaar had ze die emotie nodig. Intens bevredigende, maar verder betekenisloze seks alleen vond ze kennelijk verkeerd.

Daarom begon ze zichzelf voor te houden dat Dabney 'ingehouden' of 'economisch' acteerde. Ze waardeerde het juist dat Dabney 'zich zo zeker voelde' en 'niets hoefde te bewijzen', dat hij geen 'uitslover' was. Ze maakte zich niet druk omdat hij zo saai was, ze besloot dat hij zachtaardig was. Ze ergerde zich niet omdat hij zo weinig belezen was, ze noemde hem intuïtief. Ze overdreef zijn verstandelijke vermogens om zich niet oppervlakkig te voelen omdat ze zijn lichaam wilde. Daarom hielp ze hem ook met het schrijven van zijn papers voor Engels en antropologie – goed, ze schreef ze zelf – en als hij dan een prachtig cijfer kreeg, leek haar dat een bevestiging van zijn intelligentie. Ze stuurde hem met een kus naar audities voor fotomodellen in New York, wenste hem succes en luisterde naar zijn verbitterde geklaag over de 'flikkers' die hem niet hadden aangenomen. Hij bleek dus toch niet zo mooi te zijn. Onder de echte schoonheden was hij maar zozo. Hij kon niet eens fatsoenlijk lachen.

Aan het eind van het semester hadden alle studenten een kritisch eindgesprek met de docent. Churchill verwelkomde Madeleine met een laffe, wolfachtige grijns en nestelde zich vadsig en vastberaden in zijn stoel.

'Het was een genoegen om je in de workshop te hebben, Madeleine,' zei hij, 'maar acteren kun je niet.'

'Neem vooral geen blad voor de mond,' zei ze ontnuchterd maar lachend. 'Wind er geen doekjes om.'

'Je hebt een goed taalgevoel, vooral bij Shakespeare. Maar je stem is te ijl en je kijkt altijd bezorgd. Je hebt altijd een frons in je voorhoofd. Een coach zou veel voor je stem kunnen doen, maar ik maak me zorgen over dat bezorgde. Je doet het nu ook. Dat fronsen.'

'Dat noemen ze nadenken.'

'En daar is niets mis mee. Als je Eleanor Roosevelt moet spelen. Of Golda Meir. Maar zo'n rol komt niet elke dag langs.'

Churchill legde zijn vingertoppen tegen elkaar en ging verder: 'Ik zou het wel diplomatieker brengen als ik dacht dat het erg belangrijk voor je was. Maar je wilde er toch al niet je beroep van maken, hè?'

'Nee,' zei Madeleine.

'Gelukkig. Je bent mooi. Je bent slim. De wereld ligt aan je voeten. Ik wens je het allerbeste.'

Toen Dabney terugkwam van zijn gesprek met Churchill leek hij nog zelfingenomener dan anders.

'En,' vroeg Madeleine, 'hoe ging het?'

'Hij zegt dat ik geknipt ben voor commercieel televisiewerk.'

'Reclame?'

Dabney keek geërgerd. 'Soaps. *Days of Our Lives. General Hospital.* Wel eens van gehoord?'

'Was dat als compliment bedoeld?'

'Ja, wat dacht jij dan? Soapsterren hebben het voor elkaar! Altijd werk, goed verdienen, nooit op tournee. Ik verdoe mijn tijd in de reclame met dat modellenwerk. Ze kunnen het in hun reet steken. Ik ga tegen mijn manager zeggen dat hij audities voor soaps moet regelen.'

Madeleine viel stil. Ze was er altijd van uitgegaan dat Dabneys enthousiasme voor modellenwerk tijdelijk was, iets om zijn studie te betalen. Nu begreep ze dat het hem ernst was. Ze had een relatie met een fotomodel.

'Wat denk je nu?' vroeg Dabney.

'Niets.'

'Zeg op.'

'Nou – ik weet niet – maar ik betwijfel of Churchill zo'n hoge pet opheeft van het acteerwerk in *Days of Our Lives.*'

'Wat zei hij nou de eerste keer? Hij zei dat hij een workshop acteren gaf. Voor mensen die aan het toneel willen.'

'Maar het toneel is toch niet…'

'Wat heeft hij tegen jou gezegd? Dat je vast en zeker filmster wordt?'

'Dat ik niet kan acteren,' zei Madeleine.

'O ja?' Dabney stak zijn handen in zijn zakken en leunde achterover alsof hij opgelucht was dat hij het vonnis niet zelf hoefde uit te spreken. 'Ben je daarom in zo'n rothumeur? Moet je daarom mijn eindbeoordeling zo naar beneden halen?'

'Ik haal jouw beoordeling helemaal niet naar beneden. Ik vraag me alleen af of je Churchill wel goed hebt begrepen.'

Dabney lachte bitter. 'Nee, vast niet. Daar ben ik te stom voor. Ik ben maar een domme spierbal die niet eens zijn eigen papers kan schrijven.'

'Ik weet niet. Sarcasme is in elk geval een stijl die je goed beheerst.'

'Nou, bof ik even,' zei Dabney. 'Wat moest ik zonder jou beginnen? Gelukkig kun jij me altijd de fijnere nuances uitleggen, hè? Jij met je gevoel voor de fijnere nuance. Het is zeker wel fijn om rijk te zijn en de hele dag alleen maar op de nuances te hoeven letten. Jij hebt nooit je eigen brood hoeven verdienen. Jij kan makkelijk om mijn advertentie lachen. Jij bent hier niet op een sportbeurs binnengekomen. En nu kom je me hier even afkraken. Zal ik jou eens wat zeggen? Dat is gelul. Dat slaat helemaal nergens op. Dat superieure, neerbuigende gedoe van jou ben ik spuugzat. En Churchill heeft gelijk. Je kunt niet acteren.'

Uiteindelijk moest Madeleine toegeven dat Dabney veel beter uit zijn woorden kwam dan ze had gedacht. En hij kon ook een heel scala aan emoties neerzetten: woede, walging, gekwetste trots – en gevoelens spelen, zoals genegenheid, hartstocht en liefde. Er lag een grootse carrière in de soapwereld voor hem open.

Madeleine en Dabney gingen in mei uit elkaar, net voor de zomervakantie, en als je iemand wilde vergeten, was de zomer daar een prachtige tijd voor. Op de dag van haar laatste tentamen ging ze meteen naar Prettybrook. Voor één keer was ze blij dat haar ouders zulke gezelligheidsdieren waren. Met al die cocktailparty's en etentjes aan Wilson Lane had ze weinig tijd om over zichzelf na te denken. In juli deed ze een vakantiestage bij een non-profitorganisatie voor poëzie in de Upper East Side waarvoor ze elke dag met de trein naar de stad moest. Daar controleerde ze de inzendingen voor de jaarlijkse New Voices Award, wat inhield dat ze moest kijken of ze wel volledig waren ingevuld voordat ze werden doorgestuurd naar de juryvoorzitter (Howard Nemerov dat jaar). Madeleine was niet bijzonder technisch aangelegd, maar omdat haar collega's nog minder technisch waren, kwam iedereen uiteindelijk bij haar als het kopieerapparaat of de dot-matrixprinter niet goed werkte. Haar collega Brenda stond minstens een keer per week voor haar bureau om met een kinderstemmetje te vragen: 'Kun je even helpen? De printer doet weer vervelend.' Het enige moment van de dag waar Madeleine plezier aan beleefde was de lunchpauze, want dan kon ze door de benauwde, stinkende, spannende straten lopen, quiche eten in een Franse bistro zo smal als een bowlingbaan en kijken wat meisjes en vrouwen van haar leeftijd of iets ouder hier zoal droegen. Toen de enige heteroseksuele jongen van het kantoor vroeg of ze na het werk meeging om iets te drinken, antwoordde ze koeltjes: 'Sorry, ik kan niet', en probeerde ze zich niet druk te maken over zijn gevoelens, maar voor de verandering eens met haar eigen gevoel rekening te houden.

Ze begon aan haar laatste jaar met het vaste voornemen hard te studeren, aan haar carrière te denken en alle mannen resoluut op afstand te houden. Ze oriënteerde zich breed en meldde zich aan bij Yale (Engelse taal- en letterkunde) en bij een organisatie die mensen naar China uitzond om Engelse les te geven, en solliciteerde naar een stageplaats als copywriter bij Foote, Cone & Belding in Chicago. Ze bereidde zich voor op het toelatingsexamen voor de masterstudie met behulp van een boekje met voorbeeldvragen. Het verbale gedeelte was makkelijk. Voor de wiskunde moest ze haar algebra wat ophalen. Maar logica was buitengewoon ontmoedigend. 'Bij het jaarlijkse bal voerde een aantal dansers hun favoriete dans uit met hun favoriete partner. Alan danste de tango terwijl Becky toekeek bij de wals. James en Charlotte waren geweldig samen. Keith schitterde in de foxtrot en Simon blonk uit tijdens de rumba. Jessica danste met Alan. Maar Laura danste niet met Simon. Wie danste welke dans met wie?' Madeleine had nooit echt les in logica gehad. Het leek niet eerlijk om daar vragen over te krijgen. Ze deed wat de auteur van het boekje voorstelde: ze tekende een diagram en plaatste Alan, Becky, James, Charlotte, Keith, Simon, Jessica en Laura op haar papieren dansvloer en koppelde ze volgens de instructies aan elkaar. Maar ze kon hun gecompliceerde verplaatsingen niet moeiteloos visualiseren. Ze wilde weten waarom James en Charlotte samen zo geweldig waren en of Jessica en Alan iets met elkaar hadden, en waarom Laura niet met Simon wilde dansen en of het wel goed ging met Becky, die alleen maar toekeek.

Op een middag zag Madeleine op het prikbord aan de gevel van Hillel House een flyer voor de Melvin and Hetty Greenberg Fellowship voor een zomerstudie aan de universiteit van Jeruzalem, en ze meldde zich aan. Dankzij Altons contacten in de uitgeverswereld mocht ze uitgedost in mantelpak naar New York voor een informatief gesprek met een redacteur bij Simon and Schuster. Die redacteur, Terry Wirth, was net zo'n talentvolle, idealistische student Engels geweest als Madeleine, maar nu was hij een man van middelbare leeftijd met twee kinderen, een piepklein werkkamertje met stapels manuscripten en uitzicht op de sombere kloof van Sixth Avenue, een salaris dat veel lager was dan dat van de meeste van zijn vroegere jaargenoten en een maisonnette in Montclair, New Jersey, wat elke dag een ellendige reis van een uur en een kwartier naar zijn werk met zich meebracht. Over zijn boek dat die maand zou verschijnen, de memoires van een rondreizende boerenarbeider, zei Wirth: 'Ik zit nu in de stilte voor de stilte.' Hij gaf Madeleine een stapel manuscripten mee om kritisch te bekijken voor vijftig dollar per stuk.

In plaats van manuscripten te gaan lezen, ging Madeleine met de metro naar de East Village. Ze kocht een zak koekjes met pijnboompitten bij De Robertis en ging een kapsalon in, waar ze in een opwelling een stoer uitziende vrouw met heel kort haar en een dun staartje in de nek opdracht gaf haar onder handen te nemen. 'Kort aan de zijkant en bovenop wat langer,' zei Madeleine. 'Zeker weten?' vroeg de vrouw. 'Zeker weten,' antwoordde Madeleine. Om haar vastberadenheid te tonen, zette ze haar bril af. Drie kwartier later zette ze hem weer op, ontzet en opgetogen over de metamorfose. Wat een enorm hoofd had ze. Dat was haar nog nooit opgevallen. Ze leek op Annie Lennox of David Bowie. Op iemand met wie de kapster een relatie zou kunnen hebben.

Maar die Annie Lennox-look was oké. Androgynie was in de mode. Op college droeg ze met haar kapsel haar serieuze instelling uit, en ook tegen het eind van het jaar, toen haar pony de irritante lengte had bereikt dat ze er niets mee kon beginnen, bleef ze vastberaden in haar ascese. (Haar enige uitglijder was die nacht met Mitchell in haar slaapkamer geweest, maar toen was er niets gebeurd.) Ze moest haar afstudeerscriptie schrijven. Ze moest aan haar toekomst denken. Het laatste waar ze op zat te wachten was een jongen die haar van haar werk hield en haar uit haar evenwicht bracht. Maar toen, in het voorjaar, ontmoette ze Leonard Bankhead, en daar ging haar vastberadenheid.

Hij schoor zich niet geregeld. Zijn pruimtabak rook naar menthol, frisser en prettiger dan ze had verwacht. Elke keer dat ze Leonard erop betrapte dat hij haar met zijn sint-bernardsogen zat aan te staren (goed, misschien de ogen van een kwijlebal, maar ook die van een trouwe hond die je uitgroef als je door een lawine bedolven was geraakt), keek ze onwillekeurig iets langer terug.

Op een avond in de eerste dagen van maart, toen ze naar de Rockefeller Library ging om het boek op te halen dat ze voor Semiotiek 211 moest lezen, was Leonard daar ook. Hij leunde tegen de balie en praatte geanimeerd met het meisje dat daar werkte en er helaas nogal leuk uitzag, een flinke boezem had en op Bettie Page leek.

'Denk maar eens na,' zei Leonard tegen het meisje. 'Bekijk het eens vanuit het standpunt van de vlieg.'

'Oké, ik ben een vlieg,' zei het meisje met een hees lachje.

'In hun ogen bewegen wij in slow motion. Ze zien de vliegenmepper al lang van tevoren aankomen. Dus zo'n vlieg denkt: maak me maar wakker als die mepper in de buurt komt.'

Het meisje zag Madeleine en zei: 'Momentje.'

Madeleine stak haar het bonnetje toe en het meisje pakte het aan en liep naar de klaarliggende stapels.

'Kom je Balzac halen?' vroeg Leonard.

'Ja.'

'Balzac, onze redder.'

Normaal gesproken had Madeleine daar moeiteloos iets op terug kunnen zeggen en allerlei opmerkingen over Balzac kunnen maken. Maar nu kon ze niets bedenken. Ze dacht er zelfs pas aan te glimlachen toen hij alweer wegkeek.

Bettie Page kwam terug met Madeleines boek, schoof het haar toe en richtte zich onmiddellijk weer tot Leonard. Hij leek anders dan op college, uitbundiger, geladen. Hij trok zijn wenkbrauwen op een maffe manier op, zoals Jack Nicholson, en zei: 'Mijn theorie over de bromvlieg houdt verband met mijn theorie over de tijd, die sneller lijkt te gaan naarmate je ouder wordt.'

'Hoe komt dat dan?' vroeg het meisje.

'Kwestie van proportie,' legde Leonard uit. 'Als je vijf bent, heb je nog maar een paar duizend dagen achter de rug. Als je vijftig bent, zijn dat zo'n twintigduizend dagen. Dus als je vijf bent, lijkt een dag langer omdat het een groter percentage van het geheel is.'

'Ja hoor,' plaagde het meisje, 'natuurlijk.'

Maar Madeleine begreep het wel. 'Klinkt logisch,' zei ze. 'Ik heb me altijd al afgevraagd hoe dat kwam.'

'Het is maar een theorie,' zei Leonard.

Bettie Page tikte op zijn hand om zijn aandacht te trekken. 'Vliegen zijn niet altijd zo snel,' zei ze. 'Ik heb er wel eens een met mijn blote handen gevangen.'

'Vooral 's winters,' zei Leonard. 'Zo zou ik waarschijnlijk zijn als ik een vlieg was. Zo'n slome wintervlieg.'

Madeleine had geen aanleiding meer om in de leeszaal te blijven hangen, dus stopte ze Balzac in haar tas en ging naar buiten.

Ze begon zich anders te kleden op de dagen dat ze semiotiek had. Ze liet haar diamanten knopjes uit en ging met blote oren door het leven. Ze stond voor de spiegel en vroeg zich af of ze met die Annie Hall-bril misschien een newwavelook had. Ze besloot van niet en deed haar contactlenzen in. Ze groef de Beatlelaarzen op die ze op een rommelmarkt in Vinalhaven had gekocht. Ze zette haar kraag op en droeg meer zwart.

In week vier moesten ze voor Zipperstein *Lector in Fabula* van Eco lezen. Madeleine vond er niet veel aan. Als lezer was ze niet erg in de lezer geïnteresseerd. Ze hield nog altijd van die steeds meer vervagende entiteit: de schrijver. Ze had het gevoel dat de meeste semiotische theoretici als kind impopulair waren, vaak gepest of over het hoofd gezien, en nu hun sluimerende woede op de literatuur loslieten. Ze wilden de schrijver van zijn troon stoten. Ze wilden dat een boek, zo'n zwaar bevochten, transcendent ding, een tekst werd, toevallig, onbestemd en open voor suggesties. Ze wilden dat alles om de lezer draaide. Omdat zij dat zelf waren.

Terwijl Madeleine heel goed kon leven met het idee van genialiteit. Ze wilde dat een boek haar ergens bracht waar ze op eigen kracht niet kon komen. Ze vond dat een schrijver meer werk moest verzetten om een boek te schrijven dan zij om het te lezen. Wat brieven en literatuur betreft stond ze een deugd voor die in onbruik was geraakt: duidelijkheid. De week nadat ze Eco hadden gelezen, moesten ze zich buigen over capita selecta uit *L'Écriture et la différence* van Derrida. De week daarna lazen ze *On Deconstruction* van Jonathan Culler en was Madeleine voor het eerst voorbereid op de discussie. Maar Thurston was haar te snel af.

'Die tekst van Culler kon er maar net mee door,' zei hij.

'Wat stoorde je er dan aan?' vroeg de docent.

Thurston zat met zijn knie tegen de rand van de tafel. Hij balanceerde op de achterpoten van zijn stoel en trok een gezicht. 'Het is wel leesbaar en zo,' zei hij, 'en goed beargumenteerd en alles. Maar de vraag is of je een ongeldig geworden discours – zoals de rede – kan gebruiken om iets zo ongrijpbaar revolutionairs als de deconstructie te expliciteren.'

Madeleine keek de tafel rond op zoek naar geestverwanten die ook hun ogen ten hemel sloegen, maar iedereen wilde blijkbaar graag horen wat hij nog meer te zeggen had.

'Kun je dat verduidelijken?' vroeg Zipperstein.

'Nou, ten eerste, de rede heeft als argument evenveel bestaansrecht als alle andere argumenten. Toch? Ze heeft een status van absolute waarheid gekregen omdat het Westen die eraan toekent. Derrida bedoelt in feite dat je de rede moet gebruiken omdat je niets anders hebt. Maar tegelijkertijd moet je beseffen dat taal inherent niet redelijk is. Je moet jezelf onder de rede uit redeneren.' Hij trok de mouw van zijn t-shirt op en krabde aan zijn bleke schouder. 'Maar Culler beziet het nog steeds vanuit de oude modaliteit. Mono versus stereo. Dus vanuit dat standpunt bezien vond ik het boek, tja, een beetje teleurstellend.'

Er viel een stilte. Die zich verdiepte.

'Ik weet niet,' zei Madeleine met een steunzoekende blik naar Leonard. 'Het kan aan mij liggen, maar vonden jullie het geen opluchting om eens een logisch argument te lezen? Culler geeft de ideeën van Eco en Derrida een verteerbare vorm.'

Thurston draaide zich langzaam om en keek haar over de grote tafel aan. 'Ik zeg niet dat het slécht is,' zei hij, 'het is een prima boek. Maar het werk van Culler is van een heel andere orde dan dat van Derrida. Een genie heeft iemand nodig die zijn werk uitlegt. En dat is Culler voor Derrida.'

Dat wuifde Madeleine weg. 'Van Culler kreeg ik een veel duidelijker beeld van het deconstructivisme dan van Derrida.'

Thurston deed zijn best om hier serieus op in te gaan. 'Een simplificatie is nu eenmaal simpel, dat is ook de bedoeling,' zei hij.

Kort daarna was het seminar afgelopen. Madeleine was des duivels. Toen ze Sayles Hall uit kwam, zag ze Leonard met een blikje cola op de stoep staan. Ze liep op hem af en zei: 'Bedankt voor de steun.'

'Pardon?'

'Ik dacht dat je aan mijn kant stond. Waarom zei je daarnet niets?'

'De eerste wet van de thermodynamica,' zei hij. 'Behoud van energie.'

'Was je het dan niet met me eens?'

'Ja en nee,' zei Leonard.

'Vond je Culler dan niet goed?'

'Culler is prima. Maar Derrida is een zwaargewicht. Die kan je niet zomaar afschrijven.'

Madeleine keek bedenkelijk, maar Derrida was niet degene op wie ze kwaad was. 'Thurston heeft het steeds maar over zijn veréring van taal. Dan zou je toch denken dat hij niet zo veel jargon zou napapegaaien. Hij heeft vandaag wel drie keer "fallus" gezegd.'

Leonard glimlachte. 'Dan krijgt hij zeker even het gevoel dat hij er een heeft.'

'Ik word gek van die jongen.'

'Heb je zin in koffie?'

'En "fascist". Dat mag hij ook graag zeggen. Weet je die stomerij aan Thayer Street? Die mensen noemt hij ook fascisten.'

'Ze hebben zeker te veel stijfsel in zijn kleren gedaan.'

'Ja,' zei Madeleine.

'Ja wat?'

'Je vroeg toch of ik koffie wilde?'

'O ja?' vroeg Leonard. 'Ja, dat is waar ook. Oké, we gaan koffiedrinken.'

Hij wilde niet naar de Blue Room. Hij zei dat hij niet in een tent vol studenten wilde zitten. Ze liepen door Wayland Arch naar Hope Street, in de richting van Fox Point.

Onder het lopen spuugde hij telkens in zijn colablikje. 'Walgelijke gewoonte, sorry,' zei hij.

Madeleine trok haar neus op. 'Ben je van plan daarmee door te gaan?'

'Nee,' zei Leonard. 'Ik weet niet eens waarom ik het doe. Het is gewoon iets wat ik uit mijn rodeotijd heb overgehouden.'

Bij de eerstvolgende prullenbak gooide hij het blikje weg en spoog zijn pruim uit.

Een paar straten verder maakte de mooie campusaanplant van tulpen en narcissen plaats voor boomloze straten met arbeidershuisjes in vrolijke kleuren. Ze kwamen langs een Portugese bakkerij en een Portugese viswinkel waar sardines en inktvis werden verkocht. Hier hadden de kinderen geen tuin om in te spelen, maar ze leken vrolijk genoeg en fietsten heen en weer over de kale stoep. In de buurt van de snelweg stonden een paar pakhuizen en op de hoek van Wickenden Street was een plaatselijk eetcafé.

Leonard wilde aan de toog zitten. 'Ik moet de taarten kunnen zien,' zei hij. 'Dan kan ik zien welke me het meest aanspreekt.'

Madeleine ging op de kruk naast hem zitten en hij staarde naar de toetjes.

'Weet jij nog dat je vroeger een plakje kaas bij de appeltaart kreeg?' vroeg hij.

'Vaag,' zei Madeleine.

'Dat schijnen ze nergens meer te doen. Jij en ik zijn hier waarschijnlijk de enigen die het zich nog herinneren.'

'Ik heb er eerlijk gezegd ook geen herinnering aan,' zei Madeleine.

'Niet? Nooit een plakje cheddar uit Wisconsin bij je appeltaart gekregen? Wat jammer voor je.'

'Misschien doen ze er wel een plakje kaas op als je het vraagt.'

'Ik zei niet dat ik het lekker vond. Ik betreur alleen het verdwijnen van dat gebruik.'

Het gesprek zakte in. En ineens, tot haar eigen verbazing, werd Madeleine door paniek overvallen. Ze had het gevoel dat de stilte een oordeel tegen haar inhield. En doordat die stilte zo veel spanning teweegbracht, werd het nog moeilijker om iets te zeggen.

Het was weliswaar niet fijn om zo zenuwachtig te zijn, maar ergens toch ook wel. Het was alweer een tijd geleden dat een jongen haar dat gevoel had gegeven.

De serveerster stond aan het eind van de toonbank met een klant te praten.

'Waarom volg jij de colleges van Zipperstein?' vroeg ze.

'Filosofische belangstelling,' zei Leonard. 'Letterlijk. In de wijsbegeerte draait momenteel alles om taaltheorie. Een en al linguïstiek. Daarom wilde ik eens gaan kijken.'

'Je studeert toch ook biologie?'

'Dat is inderdaad mijn hoofdvak,' zei Leonard. 'Wijsbegeerte is maar een uitstapje.'

Madeleine bedacht dat ze nog nooit iets met een bèta had gehad. 'Wil je arts worden?'

'Op dit moment wil ik vooral dat de serveerster deze kant op kijkt.'

Leonard zwaaide een paar keer, maar vergeefs. Ineens zei hij: 'Is het hier erg warm?' Zonder op antwoord te wachten, tastte hij in de achterzak van zijn spijkerbroek en haalde een blauwe bandana tevoorschijn, die hij vervolgens om zijn hoofd deed, van achteren vastknoopte en een paar keer met kleine, precieze bewegingen verschoof totdat hij tevreden was. Madeleine keek enigszins teleurgesteld toe. Bandana's associeerde ze met *hacky sack*, de Grateful Dead en alfalfa, allemaal dingen die ze kon missen als kiespijn. Toch was ze onder de indruk van Leonards grote gestalte op de kruk naast haar. Zijn enorme lijf in combinatie met zijn zachte – bijna fijnzinnige – stem gaf haar een vreemd, sprookjesachtig gevoel, alsof ze een prinses was die naast een vriendelijke reus zat.

'Maar ik raakte niet in filosofie geïnteresseerd vanwege de linguïstiek,' zei Leonard, die nog steeds in de richting van de serveerster staarde. 'Ik was op zoek naar de eeuwige waarheden. Leren hoe je moet sterven en zo. En nu is de vraag eerder: "Wat bedóelen we als we zeggen dat we sterven? Wat bedoelen we eigenlijk te bedoelen als we zeggen dat we sterven?"'

Eindelijk kwam de serveerster. Madeleine bestelde de schotel met cottagecheese en koffie, Leonard appeltaart en koffie. Toen de serveerster weg was, draaide hij zijn kruk naar links, zodat hun knieën elkaar even raakten.

'Wat vrouwelijk,' zei hij.

'Wat?'

'Cottagecheese.'

'Ja, dat vind ik lekker.'

'Ben je op dieet? Je ziet er niet uit als iemand die op dieet is.'

'Waarom wil je dat weten?' vroeg Madeleine.

En toen leek ook Leonard voor het eerst de kluts even kwijt. Hij bloosde onder zijn bandana, verbrak het oogcontact en draaide snel terug. 'Gewoon, uit nieuwsgierigheid,' zei hij.

Het volgende moment draaide hij weer terug en ging verder met het vorige gespreksonderwerp. 'Derrida schijnt in het Frans een stuk duidelijker te zijn,' zei hij. 'Ze zeggen dat zijn proza in het Frans glashelder is.'

'Misschien moet ik hem dan maar in het Frans lezen.'

'Lees jij dan Frans?' vroeg hij, kennelijk onder de indruk.

'Niet geweldig. Maar Flaubert kan ik wel lezen.'

Maar toen maakte Madeleine een grote fout. Het ging zó goed, de stemming was zó veelbelovend – zelfs het weer werkte mee, want toen ze uitgegeten waren en teruggingen naar de campus, werden ze door de maartse motregen gedwongen samen onder haar opvouwparaplu te lopen – dat het haar net zo verging als toen ze als kind een taartje of toetje kreeg: een geluksgevoel, maar zo beladen met het besef van de kortstondigheid daarvan dat ze heel kleine hapjes nam, zodat ze zo lang mogelijk met haar roomsoes of eclair kon doen. En in plaats van gewoon te kijken waar deze middag toe zou leiden, besloot ze de situatie in de hand te houden, het lekkerste voor het laatst te bewaren, en zei ze tegen Leonard dat ze naar huis moest, studeren.

Ze gaven elkaar geen afscheidszoen. Ze kwamen niet eens in de buurt. Leonard, die met ingetrokken hoofd onder de paraplu stond, zei abrupt: 'Nou, dag dan', en rende half gebukt de regen in. Madeleine liep terug naar Narragansett. Ze bleef een hele tijd roerloos op bed liggen.

De dagen tot het volgende Sem 211-college sleepten zich voort. Madeleine was er al vroeg en streek neer naast de plek waar Leonard meestal zat. Maar toen hij eindelijk verscheen, tien minuten te laat, ging hij op de vrije stoel naast de docent zitten. Hij zei niets en keek niet één keer in Madeleines richting. Zijn gezicht was opgezet en over zijn ene wang liep een rij rode plekjes. Na afloop vertrok hij als eerste.

De week daarop kwam hij helemaal niet.

Nu moest Madeleine dus helemaal alleen het hoofd zien te bieden aan de semiotiek en aan Zipperstein en zijn discipelen.

Inmiddels waren ze bij *De la grammatologie* van Derrida aangeland. De tekst van Derrida luidde: 'In dat opzicht is het *die Aufhebung* van andere geschriften, met name van het spijkerschrift en van de leibniziaanse karakteristiek die al eerder door een en hetzelfde gebaar werd bekritiseerd.' Op poëtischer toon schreef Derrida verder: 'Wat het schrijven zelf op zijn non-fonetische moment verraadt, is het leven. Het bedreigt zowel de adem, de geest en de geschiedenis, als de relatie van de geest tot zichzelf. Het is hun eind, hun eindigheid, hun onmacht.'

Aangezien Derrida beweerde dat de taal door zijn aard onvermijdelijk iedere betekenis ondermijnde die men ermee probeerde uit te drukken, vroeg Madeleine zich af hoe hij dan dacht dat zij de betekenis van zijn teksten kon doorgronden. Misschien dacht hij dat ook niet en gebruikte hij daarom zo veel duistere termen en cirkelredenaties. Misschien schreef hij daarom in zinnen die je drie keer moest lezen voordat je begreep wat het onderwerp was. (Kon 'de toegang tot pluridimensionaliteit en tot een gedelineariseerde temporaliteit' eigenlijk wel het onderwerp van een zin zijn?)

Als je na zo'n semiotisch-theoretische tekst een roman las, was dat net zoiets als hardlopen met lege handen als je het eerst met gewichten in je handen had gedaan. Na Semiotiek 211 vluchtte Madeleine naar de Rockefeller Library, afdeling oudere literatuur, waar de stapels een verkwikkende schimmellucht uitwasemden, en pakte een boek – het maakte niet uit welk boek, *The House of Mirth, Daniel Deronda* – om weer een beetje normaal te kunnen denken. Wat een verrukking als de ene zin logisch uit de vorige voortkwam! Wat een verrukkelijk schuldgevoel gaf dit schandelijk genieten van een verhaal! Bij een negentiende-eeuwse roman voelde ze zich veilig. Die ging over mensen. En die mensen maakten dingen mee in een wereld die op de werkelijkheid leek.

Ook werd er bij Wharton en Eliot veel getrouwd. En er kwamen allerlei onweerstaanbaar sombere mannen in hun boeken voor.

De volgende donderdag ging Madeleine in een Noorse trui met een sneeuwvlokkenpatroontje naar college. Ze had ook haar bril weer opgezet. Voor de tweede keer op rij kwam Leonard niet opdagen. Madeleine werd bang dat hij met het bijvak was gestopt, maar daar was het al te laat in het jaar voor. 'Heeft iemand de heer Bankhead gezien?' vroeg Zipperstein. 'Is hij ziek?' Niemand wist het. Thurston kwam binnen met een zekere Cassandra Hart. Ze waren allebei snotterig en heroïnebleek. Thurston pakte een zwarte viltstift en schreef op Cassandra's blote schouder NOT REAL SKIN.

Zipperstein was in een levendige stemming. Hij kwam net terug van een conferentie in New York en was anders gekleed dan gewoonlijk. Terwijl ze luisterde naar zijn verhaal over zijn paper voor de New School begreep Madeleine het ineens. Semiotiek was gewoon Zippersteins midlifecrisis. Door de semiotiek te omarmen, kon hij een leren jack dragen, naar een retrospectief van Douglas Sirk in Vancouver gaan en alle sexy studentes pakken. In plaats van bij zijn vrouw weg te gaan, was Zipperstein bij zijn instituut weggegaan. En in plaats van een sportwagen had hij zich de deconstructie aangeschaft.

Nu zat hij aan de grote tafel en begon: 'Hopelijk hebben jullie de *Semiotext(e)* van deze week gelezen. Wat Lyotard betreft, en ter ere van Gertrude Stein, wilde ik jullie deze stelling voorleggen: de kwestie met begeerte is dat er geen "er" bestaat.'

Dat was het. Dat was het teken. Hij zat met knipperende ogen tegenover hen te wachten totdat er iemand reageerde. Hij leek alle geduld van de wereld te hebben.

Madeleine had willen weten wat semiotiek eigenlijk was. Ze wilde weten waar iedereen zich zo druk over maakte. En dat meende ze nu te weten.

Maar toen, in week tien, begon de semiotiek haar door totaal niet-academische oorzaken duidelijk te worden.

Het was een vrijdagavond in april, even over elven, en Madeleine zat in bed te lezen. De tekst voor die week was *Fragments d'un discours amoureux* van Roland Barthes. Voor een boek dat geacht werd over de liefde te gaan zag het er niet erg romantisch uit. Het omslag was somber chocoladebruin en de titel was turkoois. Er stond geen foto van de auteur op en in de uiterst karige biografie werden zijn andere werken vermeld.

Madeleine hield het boek op schoot. Met haar rechterhand at ze pindakaas rechtstreeks uit de pot. De lepel paste precies in de welving van haar verhemelte, zodat de pindakaas romig op haar tong smolt.

Ze sloeg het boek open bij de inleiding en begon te lezen:

De noodzaak van dit boek is gelegen in de volgende overweging: het verliefde spreken is, op de dag van vandaag, van een extreme eenzaamheid.

Het was de hele maand maart koud gebleven, maar nu was het buiten ineens zacht weer. Het begon alarmerend onverhoeds te dooien en de goten en regenpijpen druppelden voortdurend, er lagen plassen op de stoep, de weg stond blank en je hoorde voortdurend omlaag stromend water.

Madeleine had het raam opengezet in het vloeibare donker. Ze sabbelde op de lepel en las verder:

Wat hier over het wachten, de bangheid, de herinnering kan worden gezegd, is niets meer dan een bescheiden supplement dat de lezer wordt aangeboden, opdat hij het zich toe-eigent, er iets aan toevoegt, iets schrapt en het doorgeeft aan anderen: de spelers zitten rond de figuur, de ring gaat heimelijk van hand tot hand; soms houd je, met een laatste uitweiding, de ring nog even vast alvorens hem door te geven. (Idealiter zou het boek een coöperatief product zijn: voor de Lezers – voor de Verliefden – Tezamen.)

Het was niet alleen dat Madeleine het mooi geschreven vond. Het was niet alleen dat ze die eerste zinnen van Barthes onmiddellijk begreep. Het was niet alleen de opluchting dat ze eindelijk een boek had gevonden waar ze een eindscriptie over zou kunnen schrijven. Ze zat ineens rechtovereind omdat hier iets gebeurde wat dichter bij de reden kwam waarom ze ooit boeken was gaan lezen, waarom ze altijd van boeken had gehouden. Hier zag ze een teken dat ze niet alleen was. Hier bracht iemand onder woorden wat zijzelf tot dan toe stilzwijgend had gevoeld. En op deze vrijdagavond in haar bed, in haar trainingsbroek, met haar haar in een staartje, met een vuile bril op haar neus, pindakaas lepelend uit de pot, verkeerde ze in een toestand van extreme eenzaamheid.

Dat had met Leonard te maken. Met haar gevoelens voor hem waarover ze met niemand kon praten. Met haar sympathie voor hem terwijl ze zo weinig over hem wist. Met het feit dat ze niets liever wilde dan hem zien, wat evenwel haast ondoenlijk leek.

De laatste dagen had Madeleine in haar eenzaamheid haar voelsprieten eens uitgestoken. Ze had het met haar huisgenoten over Semiotiek 211 gehad en Thurston, Cassandra en Leonard genoemd. Abby bleek Leonard nog uit haar eerste jaar te kennen.

'Hoe was hij toen?' vroeg Madeleine.

'Nogal heftig. Heel slim, maar heftig. Hij belde me de hele tijd. Bijna elke dag.'

'Vond hij je leuk?'

'Nee, hij wilde alleen praten. Hij hield me vaak wel een uur aan de praat.'

'Waar hadden jullie het dan over?'

'Over van alles! Zijn relatie. Mijn relatie. Zijn ouders, mijn ouders. Over het konijn dat Jimmy Carter had aangevallen. Daar was hij door geobsedeerd. Hij hield er maar niet over op.'

'Met wie was hij toen?'

'Met ene Mindy. Maar toen ging het uit. En toen begon hij pas écht te bellen. Soms wel zes keer op een dag. Hij had het er altijd maar over dat Mindy zo lekker rook. Ze had een luchtje bij zich dat blijkbaar helemaal bij Leonard paste, chemisch dan. Hij was bang dat hij nooit meer een meisje zou vinden dat precies goed rook. Ik zei dat het waarschijnlijk haar bodylotion was. Nee, zei hij, het was haar huid. Die was chemisch volmáákt. Nou ja, zo is hij dus.' Ze zweeg en keek Madeleine onderzoekend aan. 'Waarom vraag je dat? Vind je hem leuk?'

'Ik ken hem van college,' zei Madeleine.

'Moet ik hem eens te eten vragen?'

'Dat zei ik niet.'

'Ik vraag hem wel,' zei Abby.

Het etentje was op dinsdagavond geweest, nu drie dagen geleden. Leonard had heel beleefd een cadeautje meegebracht, een setje theedoeken. Hij had zich netjes aangekleed, met een wit overhemd en een smal dasje, en zijn lange haar zat in een mannelijke paardenstaart als van een Schotse krijger. Hij was roerend oprecht, begroette Abby, gaf haar het mooi ingepakte cadeautje en bedankte haar voor de uitnodiging.

Madeleine deed haar best niet te happig te lijken. Aan tafel besteedde ze aandacht aan Brian Weeger, wiens adem naar hondenvoer rook. Een paar keer beantwoordde Leonard haar blik als ze naar hem keek, starend; hij leek bijna ontsteld. Later, toen ze in de keuken borden stond te spoelen, kwam Leonard ook binnen. Ze draaide zich om en zag dat hij een bobbel op de muur stond te bestuderen.

'Waarschijnlijk een oude gasbuis,' zei hij.

Madeleine keek naar de bobbel, die al heel vaak was overgeschilderd.

'Vroeger hadden ze gaslampen in dit soort oude huizen,' ging Leonard verder. 'Waarschijnlijk pompten ze het gas op uit het souterrain. Als ergens op een verdieping de waakvlam uitging, had je een lek. In die tijd had gas ook geen geur. Ze zijn er pas later ethylmercaptaan aan gaan toevoegen.'

'Goed om te weten,' zei Madeleine.

'Dit huis moet een kruitvat zijn geweest.' Leonard tikte met zijn nagel tegen het uitstekende object, draaide zich om en keek Madeleine betekenisvol aan.

'Ik was niet op college,' zei hij.

'Weet ik.'

Leonards hoofd torende boven haar uit, maar nu boog hij zich als een vreedzame planteneter naar haar toe en zei: 'Ik voelde me niet zo lekker.'

'Was je ziek?'

'Ik ben alweer beter.'

In de huiskamer riep Olivia: 'Wil er iemand een glas cognac? Delamain, heel lekker!'

'Ja, ik,' zei Brian Weeger. 'Waanzinnig spul.'

'Waren die theedoeken goed?' vroeg Leonard.

'Wat?'

'Die theedoeken. Ik had theedoeken voor jullie meegebracht.'

'O ja, die zijn fantastisch,' zei Madeleine. 'Prima. We zullen ze gebruiken! Dankjewel.'

'Ik zou wel wijn of whisky hebben meegebracht, maar dat hoort bij het soort dingen dat mijn vader zou doen.'

'En je wilt geen dingen doen die je vader zou doen?'

Leonards gezicht en stem bleven plechtig toen hij antwoordde: 'Mijn vader is depressief en gebruikt alcohol als zelfmedicatie. Mijn moeder is ongeveer net zo.'

'Waar wonen ze?'

'Ze zijn gescheiden. Mijn moeder woont nog steeds in Portland, waar ik vandaan kom. Mijn vader zit in Europa. Hij woont in Brussel. Volgens de laatste berichten.'

Een bemoedigend gesprekje, in zekere zin. Leonard gaf persoonlijke informatie. Aan de andere kant wees die informatie er wel op dat hij een moeilijk contact met zijn ouders had, die zelf ook moeilijk waren, en Madeleine had zich voorgenomen alleen met jongens om te gaan die goed met hun ouders konden opschieten.

'Wat doet jouw vader?' vroeg Leonard.

Madeleine voelde zich overvallen en aarzelde. 'Vroeger werkte hij bij een college,' zei ze. 'Nu is hij met pensioen.'

'Wat deed hij daar? Was hij docent?'

'Hoofd van het bestuur.'

Leonard trok even met zijn gezicht. 'O.'

'Een klein college maar. In New Jersey. Baxter heet het.'

Abby kwam binnen om glazen te halen. Leonard pakte ze voor haar van de bovenste plank. Toen ze weer naar binnen was, wendde hij zich weer tot Madeleine en zei, alsof het hem pijn deed: 'Er draait dit weekend in de Cable Car een film van Fellini. *Amarcord*.'

Madeleine keek bemoedigend naar hem op. Er waren allerlei ouderwetse romanwoorden om te beschrijven hoe ze zich nu voelde, woorden als 'hevig aangedaan'. Maar ze had haar regels. En een daarvan was dat de jongen háár moest vragen en niet andersom.

'Hij draait zaterdag, geloof ik,' zei Leonard.

'Komende zaterdag?'

'Hou je van Fellini?'

Als Madeleine die vraag beantwoordde, overtrad ze haar eigen regels niet, vond ze. 'Zal ik je eens iets gênants vertellen?' zei ze. 'Ik heb nog nooit een film van Fellini gezien.'

'Dat wordt dan eens tijd,' zei Leonard. 'Ik bel je.'

'Oké.'

'Heb ik je nummer? Ach ja, natuurlijk. Hetzelfde nummer als Abby.'

'Zal ik het voor je opschrijven?' vroeg Madeleine.

'Nee,' zei Leonard. 'Ik heb het al.'

Hij kwam weer overeind, als een brontosaurus op weg naar zijn plaats tussen de boomtoppen.

De hele verdere week bleef Madeleine 's avonds thuis op Leonards telefoontje wachten. Als ze 's middags terugkwam van college, onderwierp ze haar huisgenoten aan een verhoor om te ontdekken of hij misschien tijdens haar afwezigheid had gebeld.

'Gisteren heeft er een jongen gebeld,' zei Olivia donderdag. 'Ik stond onder de douche.'

'Waarom heb je dat niet gezegd?'

'Sorry, vergeten.'

'Wie was het?'

'Zei hij niet.'

'Klonk hij als Leonard?'

'Niet op gelet. Ik stond te druipen.'

'Fijn dat je even hebt gevraagd waar het over ging.'

'Sor-ry,' zei Olivia. 'God. Het duurde twee seconden. Hij zou wel terugbellen, zei hij.'

En nu was het dus vrijdagavond – vrijdagavond! – en Madeleine had nee gezegd toen Abby en Olivia haar mee uit vroegen, want ze wilde thuis naast de telefoon blijven zitten. Ze zat in *Fragments d'un discours amoureux* te lezen en zich te verbazen omdat het allemaal zo van toepassing was op haar leven.

Het wachten
Wachten. Angstaanval veroorzaakt door het wachten op de geliefde wanneer deze verlaat is (afspraken, telefoontjes, brieven, thuiskomsten).

…Het wachten is een betovering: ik heb het bevel gekregen niet te bewegen. Het wachten op een telefoontje wordt bijvoorbeeld tot in het oneindige beheerst door kleine ontzeggingen, op het gênante af; ik maak het mezelf onmogelijk de kamer uit te gaan, naar de wc te gaan, zelf te bellen (ik moet de lijn niet bezet houden)…

Ze hoorde de televisie in de flat onder de hare. Madeleines kamer keek uit op de koepel van het State Capitol, felverlicht tegen de donkere lucht. De verwarming, die centraal geregeld werd, stond nog aan en de radiator stond verkwistend te tikken en te sissen.

Hoe langer ze erover nadacht, hoe beter ze begreep dat extreme eenzaamheid niet alleen het gevoel dekte dat ze in verband met Leonard had. Het was het gevoel dat ze altijd had als ze verliefd was. Dat verklaarde de aard van de liefde, en misschien ook wel wat er mis mee was.

De telefoon ging.

Madeleine zat rechtovereind. Ze vouwde een hoekje van de bladzijde om. Ze liet hem overgaan zo lang ze het kon opbrengen (drie keer) voordat ze opnam.

'Ja?'

'Maddy?'

Het was Alton, vanuit Prettybrook.

'O. Hoi pap.'

'Niet zo enthousiast.'

'Ik zit te studeren.'

Op zijn gebruikelijke manier, zonder onnodige omwegen, kwam hij ter zake. 'Je moeder en ik hadden het over je afstudeerplannen.'

Even dacht Madeleine dat ze het over haar toekomst hadden. Maar toen begreep ze dat het alleen om de logistiek ging.

'Het is april,' zei ze. 'Ik studeer pas in juni af.'

'Mijn ervaring is dat de hotels in universiteitssteden al maanden van tevoren volgeboekt zijn. We moeten nu vast besluiten wat we gaan doen. Dus dit zijn de mogelijkheden. Luister je?'

'Ja,' zei Madeleine, en vanaf dat moment verslapte haar aandacht. Ze stak de lepel weer in de pot pindakaas en bracht hem naar haar mond, al likte ze er nu alleen maar aan.

Aan de andere kant van de lijn klonk Altons stem: 'Eén. Je moeder en ik komen de avond van tevoren, nemen een hotel en zien je de avond na het afstuderen bij het eten. Twee. We komen op de ochtend zelf, ontbijten met jou en gaan na de plechtigheid weer weg. Wat ons betreft is het allebei goed. De keus is aan jou. Maar ik zal van allebei de voors en tegens even met je doornemen.'

Madeleine wilde net antwoord geven toen Phyllida aan het andere toestel tussenbeide kwam.

'Hallo schat. Hopelijk bellen we je niet wakker.'

'Welnee,' blafte Alton. 'Elf uur is niet laat voor een student. En zeker op vrijdagavond niet. Zeg, waarom zit jij trouwens op vrijdagavond thuis? Heb je een puistje?'

Madeleine negeerde hem. 'Hoi mam,' zei ze.

'Maddy, lieverd, we zijn met je kamer bezig en ik wilde je vragen…'

'Jullie zijn met mijn kamer bezig?'

'Ja, die kan wel een opfrisbeurt gebruiken. Ik…'

'Míjn kamer?'

'Ja. Ik wilde er nieuwe vloerbedekking laten leggen. Groen. Maar dan een móói soort groen.'

'Néé!' riep Madeleine.

'Maddy, we hebben je kamer nu al jaren zo gelaten als hij was – het lijkt wel een heiligdom! Ik wil hem af en toe als logeerkamer kunnen gebruiken, vanwege de badkamer die erbij hoort. Maar maak je geen zorgen, je kunt er altijd terecht als je thuis bent. Het blijft jouw kamer.'

'En mijn behang dan?'

'Dat is oud. Het begint te bladderen.'

'Je mag mijn behang er niet afhalen!'

'Nou, goed. Ik zal van je behang afblijven. Maar de vloerbedekking…'

'Mag ik even?' zei Alton op een toon die geen tegenspraak toeliet. 'Ik belde over het afstuderen. Phyl, je stuurt mijn agenda in de war. Wat er met die kamer moet gebeuren bespreken jullie later maar. Goed. Maddy, de voors en tegens dus. Toen je neef aan Williams afstudeerde, hebben we na de plechtigheid allemaal samen gegeten. En misschien weet je nog wel dat Doats de hele tijd klaagde dat hij alle feestjes misliep – en dat hij halverwege het etentje wegging. Je moeder en ik zijn best bereid om een nacht – of zelfs twee nachten – over te blijven als we je dan kunnen zien. Maar als je erg druk bent, is een ontbijt misschien handiger.'

'Pap, het is pas over twee maanden. Ik weet zelf nog niet eens hoe het dan zal gaan.'

'Ja, dat zei ik ook al tegen je vader,' zei Phyllida.

Madeleine bedacht ineens dat ze de lijn bezet hielden.

'Ik denk er nog wel over,' zei ze abrupt. 'Ik moet nu ophangen. Ik moet studeren.'

'Als we een nacht overblijven,' herhaalde Alton, 'dan wil ik wel snel reserveren.'

'Bel er later maar weer over. Ik moet er nog over nadenken. Bel zondag maar.'

Alton was nog aan het praten toen ze ophing, dus toen de telefoon twintig seconden later weer ging, nam ze op met: 'Pap, hou nou op. We hoeven vanavond nog niet te beslissen.'

Er viel een stilte aan de andere kant. Toen zei een mannenstem: 'Je hoeft me toch geen "pap" te noemen.'

'O god. Leonard? Sorry! Ik dacht dat je mijn vader was. Die zit nu al helemaal in de zenuwen over het afstuderen.'

'Ik zat zelf ook een beetje in de zenuwen.'

'Waarover dan?'

'Over dit telefoontje.'

Mooi zo. Madeleine streek met haar vinger over haar onderlip. 'Ben je alweer wat gekalmeerd of wil je liever later terugbellen?' vroeg ze.

'Nee, het gaat wel weer, dank je.'

Ze wachtte op de rest. Maar hij zei niets meer. 'Belde je voor iets bepaalds?' vroeg ze.

'Ja. Die film van Fellini. Ik hoopte dat je misschien, als je het niet te, ik besef dat het niet netjes is om zo laat te bellen, maar ik zat op het lab.'

Leonard klonk inderdaad nogal zenuwachtig. Dat was niet zo mooi. Madeleine hield niet van zenuwachtige jongens. Die hadden meestal een goede reden om zenuwachtig te zijn. Tot op heden had Leonard eerder getourmenteerd geleken. Dat was een stuk aantrekkelijker.

'Dat was geen echte zin,' zei ze.

'Wat ontbrak er dan aan?' vroeg Leonard.

'Wat dacht je van: "Heb je zin om daar met me naartoe te gaan?"'

'Met alle genoegen,' zei Leonard.

Madeleine keek met gefronste wenkbrauwen naar de telefoon. Ze kreeg het gevoel dat Leonard dit gesprek bewust deze kant op had gestuurd, als een schaker die acht zetten vooruitdenkt. Daar wilde ze zich net over beklagen, maar toen zei Leonard: 'Sorry. Dat was niet grappig.' Hij schraapte overdreven zijn keel. 'Zeg, heb je zin om met me naar de film te gaan?'

Ze gaf niet meteen antwoord. Hij had wel een beetje straf verdiend. Ze draaide de duimschroeven dus nog even aan – wel drie seconden lang.

'Met liefde.'

En daar was het al, dat woord. Ze vroeg zich af of het Leonard was opgevallen. Ze vroeg zich af wat het betekende dat het háár was opgevallen. Het was tenslotte maar een woord. Een manier van spreken.

De volgende avond, zaterdag, sloeg het wisselvallige weer om. Madeleine had het koud toen ze in haar bruin suède jasje naar het restaurant liep waar ze hadden afgesproken. Daarna gingen ze naar de Cable Car, waar ze een doorgezakte bank vonden tussen de andere niet bij elkaar passende bankjes en stoelen in het arthousezaaltje.

Ze vond de film moeilijk te volgen. De narratieve aanwijzingen waren minder duidelijk dan die van Hollywood en de film had iets droomachtigs, weelderig maar onsamenhangend. Het publiek, dat uit studenten bestond, lachte veelbetekenend bij de gewaagde Europese scènes, zoals het moment dat de vrouw met de enorme tieten die enorme tieten in de mond van de jonge held propt, of als de oude man in de boom schreeuwt: 'Ik wil een vrouw!' Fellini's thema leek hetzelfde als dat van Roland Barthes – de liefde – maar hier was het Italiaans en puur lichamelijk, in plaats van Frans en puur intellectueel. Ze vroeg zich af of Leonard al had geweten waar *Amarcord* over ging. Ze vroeg zich af of dit zijn manier was om haar in de juiste stemming te brengen. En toevallig wás ze ook in de juiste stemming, al kwam dat niet door de film. De film was mooi om te zien, maar bracht haar in verwarring en gaf haar het gevoel dat ze een naief provinciaaltje was. De film leek zowel overmatig goedmoedig als overmatig mannelijk.

Na afloop stonden ze weer buiten, in South Main Street. Ze hadden geen uitgesproken bestemming. Madeleine merkte tot haar genoegen dat Leonard weliswaar lang was, maar niet té lang. Op hoge hakken kwam ze met haar hoofd boven zijn schouders, bijna tot zijn kin.

'Wat vond je ervan?' vroeg hij.

'Ik weet nu tenminste wat felliniaans betekent.'

De gevels van het centrum tekenden zich links van hen aan de overkant van de rivier af en de spits van het Superman-gebouw tekende zich af tegen de onnatuurlijk roze lucht boven de stad. De straten waren leeg, afgezien van het publiek dat uit de bioscoop kwam.

'Een bijvoeglijk naamwoord worden, dat is mijn levensdoel,' zei Leonard. 'Dat de mensen zeggen: "Wat was dat bankheadiaans." Of: "Dat was mij nét een tikje te bankheadiaans."'

'Bankheadiaans, dat heeft wel wat, ja,' zei Madeleine.

'Beter dan bankheadesk.'

'Of bankheadisch.'

'Alles met -isch is verschrikkelijk. Je hebt joyceaans, shakespeareaans, faulk- neriaans. Maar -isch? Welke naam is nou met -isch?'

'Thomas Mannisch?'

'Kafkaësk,' zei Leonard. 'Pynchonesk! Zie je wel, Pynchon heeft het al be- reikt. Gaddis. Wat zou je met Gaddis krijgen? Gaddisesk? Gaddisiaans?'

'Met Gaddis gaat het eigenlijk niet,' zei Madeleine.

'Nee,' zei Leonard. 'Pech voor Gaddis. Hou jij van Gaddis?'

'Ik heb een stukje in *The Recognitions* gelezen,' zei Madeleine.

Ze sloegen Planet Street in, die omhoogliep.

'Belloviaans,' zei Leonard. 'Het is extra mooi als de spelling een beetje veran- dert. Nabokoviaans had al een v. Tsjechoviaans ook. Die Russen hebben het goed voor elkaar. Tolstojaans! Die gast wás eigenlijk al een bijvoeglijk naam- woord.'

'En vlak het tolstojisme niet uit,' zei Madeleine.

'God! Een zelfstandig naamwoord!' zei Leonard. 'Daar heb ik zelfs nooit van durven dromen.'

'Waar zou bankheadiaans voor staan?'

Leonard dacht even na. 'Kenmerkend voor of verband houdend met Leonard Bankhead (Verenigde Staten, geb. 1959), overmatig introspectief en bezorgd. Somber, depressief. Zie ook: zenuwlijder.'

Madeleine lachte. Leonard bleef staan, pakte haar arm en keek haar ernstig aan.

'Ik neem je mee naar mijn huis,' zei hij.

'Wat?'

'Al sinds we de bioscoop uit zijn leid ik je stiekem naar mijn huis. Zo doe ik dat kennelijk. Schandalig. Echt schandalig. Zo wil ik het helemaal niet. Niet met jou. Dus zeg ik het maar even.'

'Ik dacht al dat we naar jouw huis gingen.'

'Echt?'

'Ik wilde er al iets van zeggen. Als we dichterbij waren.'

'We zijn al heel dichtbij.'

'Ik kan niet mee naar boven.'

'Ach, toe nou.'

'Nee. Vanavond niet.'

'Hannaësk,' zei Leonard. 'Koppig. Geneigd een hard standpunt in te nemen.'

'Hannaïaans,' zei Madeleine. 'Gevaarlijk. Laat niet met zich sollen.'
'Ik ben gewaarschuwd.'

Ze stonden tegenover elkaar in de koude, donkere Planet Street. Leonard haalde zijn handen uit zijn zakken en schoof zijn lange haar achter zijn oren. 'Misschien kom ik heel eventjes mee naar boven,' zei Madeleine.

Uitverkoren dagen

Feest. Het verliefde subject beleeft elke ontmoeting met de geliefde als een feest.

Het Feest, daar verheug je je op. Wat ik verwacht van de aanwezigheid die mij in het vooruitzicht wordt gesteld is een ongekende hoeveelheid plezier, een feest; ik jubel zoals het kind dat lacht omdat het diegene ziet van wie alleen de aanwezigheid al een overvloed van genoegens aankondigt en aanduidt: straks staat vóór me, voor mij alleen, 'de bron van al het goede'.

'Ik beleef zulke gelukkige dagen als God aan zijn uitverkorenen voorbehoudt; en wat er ook van mij wordt, ik zal nooit mogen zeggen dat ik de vreugden, de pure vreugden van het leven niet heb genoten.'

Het was de vraag of Madeleine al op het eerste gezicht verliefd op Leonard was geworden. Ze kende hem nog niet eens, dus wat ze toen voelde was alleen seksuele aantrekkingskracht, geen liefde. Zelfs toen ze samen koffie hadden gedronken, had ze niet kunnen zeggen dat het meer was dan een bevlieging. Maar sinds de avond dat ze na *Amarcord* bij Leonard thuis aan het knuffelen waren gegaan en Madeleine merkte dat ze niet, zoals anders vaak met jongens, een afkeer kreeg van het fysieke gedoe of zich bepaalde dingen liet welgevallen of haar best deed om niet op andere dingen te letten, maar juist de hele nacht bang was dat hij een afkeer van háár kreeg, dat haar lichaam niet mooi genoeg was of dat ze uit haar mond stonk door de caesarsalade die ze die avond onverstandig genoeg had besteld; bang dat ze er verkeerd aan had gedaan een martini te willen bestellen, want Leonard had sarcastisch gezegd: 'Tuurlijk. Martini. Dan spelen we onze eigen Salinger-scène na'; en toen ze door al die angsten nauwelijks plezier aan de seks had beleefd, ook al hadden ze alles keurig gedaan, en Leonard (net als alle andere jongens) na afloop meteen in slaap was gevallen en zij klaarwakker door zijn haar lag te aaien en vaag hoopte dat ze geen blaasontsteking zou krijgen, vroeg ze zich af of het feit dat ze de hele nacht eigenlijk alleen maar bang was geweest eigenlijk geen duidelijk teken van verliefdheid was. En zeker nadat ze de daaropvolgende drie dagen bij Leonard thuis waren gebleven, zijn bed niet waren uitgekomen en op pizza's hadden geleefd, toen ze zich eindelijk genoeg kon ontspannen om tenminste af en toe klaar te komen en niet meer zo verzenuwd op een orgasme te wachten omdat haar honger naar Leonard in zekere zin door zijn bevrediging werd bevredigd, toen ze naakt op zijn vuile bank durfde te gaan zitten en naar de badkamer te lopen in het besef dat hij naar haar (onvolmaakte) kont keek, in zijn smerige ijskast had gekeken of er iets eetbaars in stond, de briljante halve pagina van zijn paper voor filosofie had gelezen die uit zijn schrijfmachine stak en hem met de kracht van een stier in de wc had horen pissen – ja, na die drie dagen wist Madeleine zeker dat ze verliefd was.

Maar dat betekende nog niet dat ze dat ook moest zéggen. En zeker niet tegen Leonard.

Leonard Bankhead had een studioappartementje op de tweede verdieping van een goedkoop studentenhuis. Er stonden fietsen in de gang en er lagen stapels reclamefolders. De andere huurders hadden stickers en posters op hun deur: een fluorescerend cannabisblad, een zeefdruk van Blondie. Leonards deur was echter net zo kaal als de woonruimte erachter. In het midden van de kamer lag een tweepersoonsmatras naast een plastic melkkrat met een leeslamp erop. Geen bureau, geen boekenkast, niet eens een tafel, alleen die monsterlijke bank met een tweede melkkrat ervoor, waarop de schrijfmachine stond. Hij had niets aan de muur, alleen stukjes afplakband en in een hoek een klein potloodportretje van Leonard zelf. Hij stond erop als George Washington bij Valley Forge, met een driekantige steek en een deken. Eronder stond: 'Ga jij maar. Ik zit hier best.'

Madeleine vond dat het handschrift er meisjesachtig uitzag.

Een ficus voerde in de hoek een harde overlevingsstrijd. Als Leonard eraan dacht, zette hij hem in de zon. Madeleine kreeg medelijden met de plant en begon hem water te geven, totdat ze op een dag zag dat Leonard met achterdochtig toegeknepen ogen naar haar zat te kijken.

'Wat is er?' vroeg ze.

'Niets.'

'Vooruit. Wat is er?'

'Je geeft mijn plant water.'

'De aarde was droog.'

'Je zorgt voor mijn plant.'

Daarna deed ze het nooit meer.

Leonard had een piepklein keukentje waar hij de liters koffie zette en opwarmde die hij elke dag dronk. Op het gasstel stond een grote, vettige wok. Maar het ingewikkeldste wat hij op het gebied van maaltijdbereiding presteerde, was

Grape Nuts in die wok gooien. Met rozijnen. Rozijnen stilden zijn behoefte aan fruit.

Het appartementje zond een boodschap uit. Het zei: ik ben wees. Abby en Olivia vroegen aan Madeleine wat zij en Leonard samen deden, en daar had ze nooit een antwoord op. Ze deden eigenlijk niets. Zij kwam naar hem toe, ze gingen op de matras liggen en Leonard vroeg hoe het met haar ging; dat wilde hij echt weten. En wat deden ze dan? Zij praatte, hij luisterde, en dan praatte hij en luisterde zij. Ze had nog nooit iemand ontmoet, en zeker geen jongen, die zo receptief was, alles zo in zich opnam. Ze vermoedde dat zijn psychiaterachtige manier van doen kwam doordat hij jarenlang bij de psychiater had gelopen, en ze wilde weliswaar in principe geen jongen die bij de psychiater liep, maar dat principe leek aan herziening toe. Vroeger thuis hadden zij en haar zusje een uitdrukking voor serieuze emotionele gesprekken. Die noemden ze 'een zware'. Als er tijdens zo'n gesprek een jongen naar ze toe kwam, keken ze op en waarschuwden: 'We hebben even een zware.' Dan trok de jongen zich terug. Totdat ze klaar waren. Totdat de zware was afgelopen.

Met Leonard leek het wel alsof ze voortdurend een zware hadden. Als ze bij hem was, had ze zijn volle aandacht. Hij keek haar niet diep in haar ogen en verstikte haar niet, zoals Billy, maar hij maakte duidelijk dat hij voor haar openstond. Hij gaf zelden raad. Hij luisterde alleen en mompelde geruststellend.

Mensen werden toch vaak verliefd op hun psychiater? Dat werd overdracht genoemd en het diende vermeden te worden. Maar als je het al met je psychiater deed? Als de divan al een bed wás?

Bovendien waren die zware niet altijd zwaar. Leonard was geestig. Hij vertelde kurkdroog de waanzinnigste verhalen. Dan trok hij zijn schouders op en keek diep ongelukkig, zijn zinnen sleepten zich voort. 'Heb ik je wel eens verteld dat ik een instrument bespeel? In het jaar dat mijn ouders gingen scheiden, stuurden ze me in de zomer naar mijn grootouders in Buffalo. Die hadden buren uit Letland, meneer en mevrouw Bruveris. En die speelden allebei *kokles*. Weet je wat een kokles is? Dat is een soort citer, maar dan Lets.

Maar goed, ik hoorde meneer en mevrouw Bruveris dus in de tuin samen kokles spelen. Dat klinkt heel apart. Het heeft iets wilds en opgewondens, maar tegelijk ook melancholiek. De kokles is het manisch-depressieve lid van de snaarinstrumentenfamilie. Maar goed, ik verveelde me kapot die zomer. Ik was zestien. Een meter vijfentachtig lang. Ik woog vijftig kilo. En ik blowde me suf. Ik rookte jointjes op mijn kamer en blies de rook uit het raam, en dan ging ik op de veranda naar meneer en mevrouw Bruveris zitten luisteren. Soms kregen ze bezoek. Mensen die ook kokles speelden. Dan zetten ze stoeltjes in de achtertuin en gingen samen spelen. Een compleet orkest! Een koklesorkest! Op een dag zagen ze me bij het hek staan en wenkten me. Ik kreeg aardappelsalade en een waterijsje, en ik vroeg aan meneer Bruveris hoe dat moest, kokles spelen, en toen ging hij me lesgeven. Ik ging elke dag naar hem toe. Ze hadden een oude kokles die ik mocht lenen. Ik studeerde wel vijf, zes uur per dag. Ik ging er helemaal in op.

Na de zomer, toen ik weer naar huis moest, mocht ik die kokles houden. Ik nam hem mee in het vliegtuig. Ik boekte er een aparte stoel voor, alsof ik Rostropovitsj was. Mijn vader woonde inmiddels ergens anders. Ik was dus alleen met mijn zusje en mijn moeder. En ik bleef kokles studeren. Ik werd er zo goed in dat ik bij een orkestje mocht. We speelden op etnische festivals en orthodox-joodse bruiloften. We speelden in klederdracht, met een geborduurd vest, een hemd met wijde mouwen en kniehoge laarzen. Al die volwassen mensen en ik. De meesten kwamen uit Letland, maar er waren ook Russen bij. "Otsji tsjornye" was ons grote nummer. Dat was mijn redding op de middelbare school. De kokles.'

'Speel je nog?'

'Nee zeg. Kom op. Kokles?'

Als ze naar Leonard luisterde, had Madeleine het gevoel dat ze iets gemist had met haar gelukkige jeugd. Ze had zich nooit afgevraagd waarom ze deed wat ze deed of wat voor invloed haar ouders op haar persoonlijkheid hadden gehad. Doordat ze het zo goed had getroffen, was haar waarnemingsvermogen afgestompt. Leonard daarentegen zag en merkte alles. Zo waren ze een weekend naar Cape Cod geweest (deels voor een bezoek aan het Pilgrim Lake Laboratory, waar Leonard had gesolliciteerd naar een positie als onderzoeksassistent), en op de terugweg vroeg hij: 'Hoe doe je dat toch? Hou je het gewoon op?'

'Wat?'

'Je houdt het gewoon op. Twee dagen. Totdat je weer thuis bent.'

Langzaam drong tot haar door wat hij bedoelde. 'Niet te geloven!' zei ze.

'Je hebt nog nooit in mijn aanwezigheid gescheten.'

'In jouw aanwezigheid?'

'Als ik erbij ben. Of in de buurt ben.'

'Wat is daar mis mee?'

'Wat er mis mee is? Niets. Als je gewoon bij me blijft slapen, de volgende dag naar college gaat en daarna thuis gaat schijten, dan is dat begrijpelijk. Maar als we twee, bijna drie dagen samen zijn, biefstuk en kreeft eten en je moet niet één keer schijten, dan kan ik alleen maar concluderen dat je last hebt van anale retentie, en niet zo'n beetje ook.'

'Nou en? Dat kan ik nu eenmaal niet!' zei Madeleine. 'Oké? Ik voel me opgelaten.'

Hij keek haar uitdrukkingsloos aan en vroeg: 'Vind je het vervelend als ik schijt?'

'Moeten we het hier echt over hebben? Ik vind het nogal smerig.'

'Ik vind van wel. Want je voelt je dus niet op je gemak bij me en ik ben je vriend, of dat dacht ik tenminste, dus zou je je bij mij meer op je gemak moeten voelen dan bij wie ook. Leonard staat gelijk aan optimale ontspanning.'

Een jongen hoort niet degene te zijn die wil praten. Een jongen hoort niet te verlangen dat je open tegen hem bent. Maar deze jongen deed dat allemaal wel. En hij zei ook nog dat hij 'haar vriend' was. Daarmee maakte hij het officieel.

'Ik zal proberen me wat meer te ontspannen als je dat wilt,' zei Madeleine. 'Maar wat, eh, ontlasting betreft kan ik je niets beloven.'

'Het gaat er niet om wat ik wil,' zei Leonard, 'maar om wat jouw endeldarm wil. Jouw twaalfvingerige darm.'

Weliswaar werkte die amateurtherapie niet echt (zo kostte het haar na dat gesprekje nog meer moeite dan eerst om een grote boodschap te doen als hij ook maar enigszins in de buurt was), maar toch werd ze er diep door geraakt. Leonard lette echt op haar. Ze voelde zich op de juiste manier benaderd, als iets kostbaars of onvoorstelbaar fascinerends. Ze vond het heerlijk dat hij zo over haar nadacht.

Tegen het eind van de maand april hadden ze de gewoonte ontwikkeld alle avonden samen door te brengen. Door de week ging Madeleine na het studeren naar zijn lab, waar Leonard met twee Chinese masterstudenten objectglaasjes stond te bestuderen. Als ze hem eindelijk zover had dat hij meeging, moest ze hem zien over te halen om bij haar te komen slapen. Aanvankelijk sliep hij graag in Narragansett. Hij vond het sierstucwerk en het uitzicht uit haar kamer mooi. Hij pakte Olivia en Abby in door op zondagmorgen pannenkoeken te bakken. Maar al snel begon hij te klagen dat ze áltijd bij Madeleine sliepen en dat hij nóóit meer in zijn eigen bed wakker werd. Maar als zij bij hem sliep, moest ze elke avond schone kleren voor de volgende dag meenemen, en omdat hij niet graag had dat ze kleren bij hem liet liggen (en zijzelf eerlijk gezegd ook niet, want alles wat daar had gelegen, rook muf), liep ze de hele dag met een tas vol vuile kleren rond. Ze sliep dus liever in haar eigen huis, waar ze haar eigen shampoo, conditioner en scrubhandschoen had en het elke woensdag 'schonelakensdag' was. Leonard verschoonde zijn lakens nooit. Ze waren verontrustend grauw van kleur. Er zaten stofplukken aan de rand van zijn matras. Op een ochtend zag Madeleine tot haar afgrijzen een kalligrafisch veegje bloed dat drie weken geleden uit haar was gelekt en dat ze met een keukenspons te lijf was gegaan toen Leonard sliep.

'Je wast je lakens nooit!' klaagde ze.

'Jawel,' zei Leonard vlak.

'Hoe vaak dan?'

'Als ze vuil zijn.'

'Ze zijn altijd vuil.'

'Niet iedereen kan zijn was elke week naar de wasserij brengen. Niet iedereen is met "schonelakensdag" opgegroeid.'

'Je hoeft ze nergens heen te brengen,' zei Madeleine onverbiddelijk. 'Er staat een wasmachine in het souterrain.'

'Ja, die gebruik ik wel,' zei hij, 'maar niet elke woensdag. Voor mij staat vuil niet gelijk aan dood en verderf.'

'O, en voor mij wel? Ben ik geobsedeerd met de dood omdat ik mijn lakens was?'

'Iemands houding tegenover hygiëne houdt verband met zijn angst voor de dood.'

'Het heeft niets met de dood te maken. Alleen met kruimels in bed. En met het feit dat je kussen naar leverworst ruikt.'

'Niet.'

'Jawel.'

'Nee.'

'Ruik dan zelf!'

'Dat is salami. Ik hou niet van leverworst.'

Tot op zekere hoogte was dat gebekvecht wel leuk. Maar toen kwamen de avonden dat Madeleine vergat schone kleren mee te nemen en Leonard haar ervan beschuldigde dat ze dat met opzet deed om hem te dwingen bij haar te slapen. En wat zorgwekkender was: toen kwamen de avonden dat hij zei dat hij naar huis ging om te studeren en haar morgen wel weer zou zien. Hij begon hele nachten door te werken. Een van zijn filosofiedocenten bood hem het gebruik van zijn blokhut in de Berkshires aan en daar ging hij een heel verregend weekend in zijn eentje aan een paper over Fichte zitten werken; hij kwam terug met een oranje jagersvest en honderddrieëntwintig volgetikte vellen. Het vest werd zijn lievelingskledingstuk. Hij droeg het elke dag.

Hij begon Madeleines zinnen voor haar af te maken. Alsof ze te langzaam dacht. Alsof hij niet het geduld kon opbrengen om te wachten tot ze haar gedachten onder woorden had gebracht. Hij borduurde door op de dingen die ze zei, gaf er een vreemde draai aan en maakte er grappen over. Als ze zei dat hij toch echt eens moest gaan slapen, werd hij kwaad en belde haar een paar dagen niet. En in die tijd begreep Madeleine ten volle hoe het *discours amoureux* zo extreem eenzaam kon zijn. Die eenzaamheid was zo extreem omdat het geen lichamelijke eenzaamheid was. Extreem omdat je het voelde in aanwezigheid van de geliefde. Extreem omdat het in je hoofd zat, de eenzaamste plek die er bestaat.

Hoe meer Leonard zich terugtrok, hoe nerveuzer Madeleine werd. En hoe wanhopiger zij werd, hoe meer hij zich terugtrok. Ze hield zichzelf voor dat ze afstandelijk moest doen. Ze ging in de bibliotheek aan haar huwelijksplotscriptie werken, maar in die seksueel geladen sfeer – het oogcontact in de leeszaal, de lonkende stapels boeken – ging ze radeloos naar Leonard verlangen. En dan brachten haar voeten haar tegen wil en dank over de donkere campus naar het biologisch instituut. Tot het allerlaatst koesterde ze de krankzinnige hoop dat dat teken van zwakte in werkelijkheid juist op kracht wees. Een briljante strategie, juist omdat er geen enkele strategie achter zat. Geen spelletjes, alleen oprecht gevoel. Op zo veel oprechtheid moest Leonard toch wel reageren? Ze was bijna gelukkig als ze achter de tafel om naar hem toe liep en hem op zijn schouder tikte, en haar geluk hield stand tot het moment dat hij zich omdraaide en haar niet liefdevol, maar geïrriteerd aankeek.

Het hielp ook al niet dat het lente was. Het leek wel alsof de mensen elke dag minder kleren aanhadden. De magnolia's langs het grote grasveld begonnen uit te botten en leken wel in lichterlaaie te staan. Ze gaven een geur af die door het raam van Semiotiek 211 naar binnen zweefde. Die magnolia's hadden Barthes duidelijk niet gelezen. Ze geloofden niet dat liefde een geestelijke toestand was, ze hielden vol dat het iets natuurlijks was, iets eeuwigs.

Op een mooie, warme dag in mei nam Madeleine een douche, schoor haar benen extra zorgvuldig en trok voor het eerst een voorjaarsjurkje aan, een appelgroen babydollachtig kort gevalletje met een grote kraag. Ze trok crèmekleurig-met-roestbruine schoenen met een wreefbandje aan, zonder sokken. Haar blote benen, stevig door het vele squashen van die winter, waren bleek maar glad. Ze zette haar bril op, liet haar haar los hangen en liep naar Leonards huis in Planet Street. Onderweg kocht ze op de markt een stuk kaas, een pakje dunne crackers en een fles Valpolicella. Terwijl ze Benefit Street afdaalde naar South Main Street, voelde ze de warme bries tussen haar dijen. De voordeur van Leonards studentenhuis stond open, met een baksteen ertussen, dus liep ze naar boven en klopte op zijn deur. Leonard deed open. Hij zag eruit alsof hij geslapen had. Hij knipperde met zijn ogen.

'Moooie jurk,' zei hij.

Ze haalden het park niet. Ze picknickten met elkaar. Leonard trok haar naar de matras, Madeleine liet haar pakjes vallen en hoopte dat de wijnfles niet zou breken. Ze trok haar jurk over haar hoofd. Al snel waren ze naakt en had ze het gevoel dat ze op een enorme mand met lekkers aanvielen. Madeleine lag op haar buik, op haar zij, op haar rug en knabbelde aan al het heerlijks, de geurige vruchtensnoepjes, de vlezige drumsticks en de verfijndere delicatessen, de *biscotti* met anijs, de rimpelige truffels, de zilte zalige tapenade. Ze had het nog nooit zo druk gehad. Tegelijkertijd voelde ze zich vreemd ontheemd, niet helemaal haar normale, keurige, duidelijk afgebakende zelf, vermengd met Leonard in een groot, extatisch, protoplasmisch iets. Ze dacht dat ze al eerder verliefd was geweest. Ze wíst dat ze al eerder seks had gehad. Maar al dat verhitte, adolescente gefoezel, dat klunzige gerampetamp op de achterbank, de betekenisvolle, atletische zomernachten met haar schoolvriendje Jim McManus, zelfs de tedere sessies met Billy, die erop stond dat ze elkaar bij het klaarkomen in de ogen keken – het viel allemaal in het niet bij deze enorme stootkracht, dit allesverterende genot.

Leonard kuste haar. Toen ze het niet meer uithield, greep Madeleine hem wild bij zijn oren. Ze trok zijn hoofd weg en hield het vast om hem te laten zien hoe ze zich voelde (ze huilde nu). Met een hese stem waarin nog iets anders doorklonk, een gevoel van gevaar, zei ze: 'Ik hou van je.'

Leonard keek strak terug. Zijn wenkbrauwen bewogen. Plotseling liet hij zich zijdelings van de matras af rollen. Hij stond op en liep naakt naar de andere kant van de kamer. Hij hurkte neer, wroette in haar tas en haalde *Fragments d'un discours amoureux* uit het vakje waar ze het altijd in stopte. Hij bladerde totdat hij de passage had gevonden die hij zocht. Toen liep hij weer naar het bed en gaf haar het boek.

Ik hou van je
Ik-hou-van-je.

Toen ze die woorden las, werd ze overspoeld door geluk. Ze keek innig naar hem op. Met zijn vinger gebaarde hij dat ze verder moest lezen. *De figuur verwijst niet naar de liefdesverklaring, naar de bekentenis, maar naar het herhaalde uiten van de liefdesschreeuw.* Meteen zakte Madeleines geluksgevoel weg, opzij gedrongen door het besef van naderend gevaar. Ze wilde dat ze niet naakt was. Ze trok haar schouders op en bedekte zich met het laken terwijl ze gehoorzaam doorlas.

Als de eerste bekentenis eenmaal achter de rug is, betekent 'ik hou van je' niets meer...

Leonard zat gehurkt naast haar met een grijns op zijn gezicht.

Dat was het moment dat Madeleine het boek naar zijn hoofd smeet.

*

Door het erkerraam van Carr House was te zien dat het afstudeerverkeer inmiddels op gang was gekomen. De ruime ouderlijke auto's (Cadillacs en Mercedessen met hier en daar een Chrysler New Yorker of Pontiac Bonneville) stroomden van de hotels in het centrum naar College Hill voor de plechtigheid. Achter het stuur van al die auto's zat een vader, die er solide en vastberaden uitzag, maar toch wat aarzelend reed vanwege het vele eenrichtingsverkeer in de straten van Providence. Naast de vaders zaten de moeders, die alleen hier, in de gezinsauto met hun echtgenoot achter het stuur, even verlost waren van hun huishoudelijke plichten en dus vrij naar buiten konden kijken om het mooie studentenstadje te bewonderen. Er zaten hele gezinnen in de auto's, meestal broers en zusjes, maar hier en daar ook een grootouder, opgehaald in Old Saybrook of Hartford en meegenomen om erbij te zijn als Tim, Alice, Prakrti of Heejin het zuurverdiende perkament overhandigd kreeg. Er reden ook stadstaxi's en auto's met chauffeur, die blauwe dampen uitbraakten, en huurautootjes die als torretjes over de rijweg schoten alsof ze bang waren dat iemand ze dood zou trappen. Terwijl de stoet auto's de Providence River overstak en Waterman Street begon te beklimmen, toeterden sommige bestuurders bij het zien van de enorme Brown-vlag boven de ingang van de First Baptist Church. Iedereen had voor deze dag op mooi weer gehoopt. Maar wat Mitchell betrof waren de grijze lucht en de voor de tijd van het jaar ongewoon lage temperatuur prima. Hij was blij dat het Campusbal verregend was. Hij was blij dat de zon niet scheen. De algehele sfeer van mislukking sloot perfect aan bij zijn stemming.

Het was natuurlijk nooit leuk om voor lul te worden uitgemaakt. Het was al erger als je voor lul werd uitgemaakt door een meisje dat je bijzonder leuk vond, en het was helemaal pijnlijk als dat meisje degene was met wie je stiekem zou willen trouwen.

Toen Madeleine was weggestormd, was Mitchell verlamd van berouw blijven zitten. Ze hadden het net twintig minuten geleden weer goedgemaakt. Die avond vertrok hij uit Providence en over een paar maanden ging hij het land uit. Hij wist niet wanneer hij haar weer zou zien, zelfs niet óf hij haar ooit weer zou zien.

Aan de overkant sloeg de kerkklok negen uur. Hij moest opschieten. De optocht begon over drie kwartier. Zijn baret en toga lagen nog thuis, waar Larry op hem wachtte. Maar in plaats van op te staan, schoof hij zijn stoel dichter naar het raam. Hij drukte zijn neus bijna tegen het glas, wierp een laatste blik op College Hill en herhaalde in stilte de woorden:

Heer Jezus Christus, ontferm u over mij, een zondaar.
Heer Jezus Christus, ontferm u over mij, een zondaar.
Heer Jezus Christus, ontferm u over mij, een zondaar.
Heer Jezus Christus, ontferm u over mij, een zondaar.
Heer Jezus Christus, ontferm u over mij, een zondaar.
Heer Jezus Christus, ontferm u over mij, een zondaar.
Heer Jezus Christus, ontferm u over mij, een zondaar.
Heer Jezus Christus, ontferm u over mij, een zondaar.
Heer Jezus Christus, ontferm u over mij, een zondaar.
Heer Jezus Christus, ontferm u over mij, een zondaar.
Heer Jezus Christus, ontferm u over mij, een zondaar.
Heer Jezus Christus, ontferm u over mij, een zondaar.
Heer Jezus Christus, ontferm u over mij, een zondaar.
Heer Jezus Christus, ontferm u over mij, een zondaar.
Heer Jezus Christus, ontferm u over mij, een zondaar.
Heer Jezus Christus, ontferm u over mij, een zondaar.
Heer Jezus Christus, ontferm u over mij, een zondaar.
Heer Jezus Christus, ontferm u over mij, een zondaar.
Heer Jezus Christus, ontferm u over mij, een zondaar.
Heer Jezus Christus, ontferm u over mij, een zondaar.
Heer Jezus Christus, ontferm u over mij, een zondaar.

Mitchell reciteerde het Jezusgebed nu al twee weken. Dat deed hij niet alleen omdat dat het gebed was dat Franny Glass in *Franny en Zooey* bij zichzelf herhaalde (al was dat beslist een aanbeveling). Mitchell kon zich goed vinden in Franny's religieuze radeloosheid, haar teruggetrokken leven en haar minachting voor 'faculteitsmannetjes'. Hij vond haar eindeloze zenuwinzinking, waarbij ze niet één keer van de divan af kwam, niet alleen hartverscheurend dramatisch, maar ook louterend, wat Dostojevski volgens iedereen zou moeten zijn maar niet was, tenminste niet voor hem. (Tolstoj was een ander verhaal.) Maar hoewel Mitchell aan een vergelijkbare zingevingscrisis ten prooi was, had hij pas besloten het Jezusgebed te proberen toen hij het in een boek over de orthodoxe kerk tegenkwam. Het Jezusgebed bleek bij een religieuze traditie te horen waarin Mitchell tweeëntwintig jaar geleden was gedoopt, al had nooit iemand het daarover. Daarom voelde hij zich gerechtigd het uit te spreken. En dat deed hij dus, terwijl hij over de campus liep of tijdens de quakerbijeenkomsten in het gebouw bij Moses Brown, of op dit soort momenten, als de innerlijke rust waar hij zo voor had gevochten begon af te bladderen, te haperen.

Mitchell hield van het monotone van dat gebed. Franny zei dat je niet eens hoefde na te denken over wat je zei, je bleef het gebed alleen herhalen totdat je hart het overnam en het voor jou ging doen. Dat was belangrijk, want zodra Mitchell over de woorden van het gebed ging nadenken, stonden ze hem niet erg aan. 'Heer Jezus Christus' was al een lastig begin. Dat rook naar zwarte kousen. En dat verzoek om 'ontferming' voelde kruiperig en slaafs aan. Als hij 'Heer Jezus Christus, ontferm u over mij' achter de rug had, werd hij nog eens geconfronteerd met het struikelblok van 'een zondaar'. En dat was echt moeilijk. Het evangelie, dat Mitchell niet letterlijk opvatte, zei dat je moest sterven om wedergeboren te worden. De mystici, die hij zo letterlijk nam als hun metaforische taalgebruik toestond, zeiden dat het zelf in de Godheid moest opgaan. Dat vond Mitchell wel een mooi idee, opgaan in de Godheid. Maar het viel niet mee om je eigen zelf om te brengen als er zoveel was wat je er leuk aan vond.

Hij herhaalde het gebed nog een poosje, totdat hij kalmer was. Toen stond hij op en liep naar buiten. Aan de overkant waren de zijdeuren van de kerk inmiddels open. De organist zat in te spelen, de muziek zweefde over het grasveld. Mitchell keek de helling af, in de richting waarin Madeleine was verdwenen. Maar hij zag haar niet meer en begon Benefit Street af te lopen, naar zijn huis.

Mitchells relatie met Madeleine Hanna – zijn lange, steeds naar meer strevende, sporadisch veelbelovende maar frustrerende relatie – was in hun eerste jaar in de oriëntatieweek op een togafeest begonnen. Het was precies het soort feest waar hij een instinctieve afkeer van had: een bierfeest waarbij een Hollywoodfilm werd nageaapt, een capitulatie voor de mainstream. Mitchell ging niet studeren om John Belushi achterna te gaan. Hij had *Animal House* niet eens gezien. (Hij was een fan van Altman.) Maar het alternatief was alleen op zijn kamer zitten, dus uiteindelijk, in een tegendraadse stemming waarbij hij de boel nog nét niet boycotte, ging hij er in zijn gewone kleren naartoe. Zodra hij de recreatiezaal in het souterrain binnenkwam, wist hij dat dat een vergissing was geweest. Hij had gedacht dat hij door geen toga aan te trekken de indruk zou wekken dat hij te cool was voor dat kinderachtige gedoe, maar toen hij in de hoek stond met een plastic beker schuimig bier voelde hij zich net zo'n buitenbeentje als anders op feesten met veel populaire mensen.

Op dat moment zag hij Madeleine. Ze danste op het midden van de vloer met een jongen die Mitchell herkende als een ouderejaars. In tegenstelling tot de meeste andere meisjes, die er in hun toga nogal vormeloos uitzagen, had zij een koord om haar middel gebonden, zodat het laken strak om haar lichaam zat. Ze had haar haar op zijn Romeins opgestoken en haar rug was aanlokkelijk bloot. Afgezien van haar spectaculaire uiterlijk viel het Mitchell op dat ze niet erg geïnspireerd danste – ze had een biertje in haar hand, praatte met de ouderejaars en lette nauwelijks op de muziek – en dat ze telkens wegliep. De derde keer dat ze de gang op ging, stapte Mitchell, dapper door de alcohol, op haar af en flapte eruit: 'Waar ga je toch steeds naartoe?'

Ze schrok niet. Ze was waarschijnlijk wel gewend door onbekende jongens te worden aangesproken. 'Dat wil ik wel vertellen, maar dan vind je me vast gek.'

'Nee hoor,' zei Mitchell.

'Ik woon hierboven. En ik dacht: als iedereen naar het feest gaat, zijn alle wasmachines vrij. Dus nu doe ik in één moeite door de was.'

Mitchell nam een slok schuim zonder zijn blik af te wenden. 'Zal ik je helpen?'

'Nee,' zei Madeleine, 'het lukt wel.' Alsof ze bang was dat ze erg kortaf klonk, voegde ze eraan toe: 'Je mag wel komen kijken als je wilt. Wassen is best spannend.'

Ze liep de betonnen gang in en hij liep naast haar mee.

'Waarom heb je geen toga aan?' vroeg ze.

'Omdat dat stom is!' zei hij. Hij schreeuwde bijna. 'Volslagen achterlijk!'

Dat was niet zo slim, maar zij leek het niet persoonlijk op te vatten. 'Ik ben hier alleen omdat ik me verveelde,' zei ze. 'Als ik hier niet woonde, zou ik waarschijnlijk niet eens zijn gegaan.'

In de wasruimte begon Madeleine haar vochtige ondergoed uit een wasmachine te halen die op muntjes liep. Dat vond Mitchell al opwindend genoeg. Maar het volgende moment gebeurde er iets onvergetelijks. Toen Madeleine in de machine greep, ging de knoop op haar schouder los en viel het laken omlaag.

Verbijsterend dat zo'n beeld – van niets eigenlijk, een paar vierkante centimeter opperhuid – zo onverminderd helder in het geheugen kan blijven hangen. Het had hoogstens drie seconden geduurd en hij was niet helemaal nuchter geweest. Toch kon hij zich dat moment nu, bijna vier jaar later, naar believen voor de geest halen (en het was verbijsterend hoe vaak hem dat beliefde) en alle zintuiglijke gewaarwordingen die erbij hoorden – het gebrom van de drogers, de bonkende muziek in de ruimte ernaast, de stoffige lucht in de muffe wasruimte – weer oproepen. Hij wist nog precies waar hij stond en hoe Madeleine zich naar voren had gebogen en een lok haar achter haar oor had gestreken op het moment dat het laken was weggegleden en haar bleke, stille, episcopaalse borst zich een paar verrukkelijke tellen aan zijn blik had blootgesteld.

Ze trok het laken snel omhoog, wierp hem een blik toe en glimlachte, misschien van opgelatenheid.

Later, toen hun relatie al was ontaard in de intieme, onbevredigende toestand waarin hij was ontaard, ontkende Madeleine Mitchells herinnering aan die avond altijd. Ze hield vol dat ze geen toga aan had gehad en al had ze dat wel – wat volgens haar niet zo was – dan was die nooit afgezakt. Hij had dus die avond noch een van de duizend avonden daarna ooit haar blote borst gezien.

Mitchell herhaalde dan dat hij die wel had gezien, die ene keer, en dat hij het erg jammer vond dat het daarna nooit meer gebeurd was.

In de weken na het togafeest begon hij onaangekondigd in haar studentenhuis te verschijnen. 's Middags na zijn college Latijn liep hij door de koele, naar bladeren geurende lucht naar Wayland Quad, en terwijl zijn hoofd nog nagalmde van de dactylische hexameters van Vergilius liep hij de trap op naar haar kamer op de tweede verdieping. Staand in de deuropening, of op fortuinlijker dagen zittend achter haar bureau, deed hij dan zijn best om amusant te zijn. Madeleines kamergenote Jennifer wierp hem altijd een blik toe die suggereerde dat ze precies wist wat hij kwam doen. Gelukkig leken zij en Madeleine niet erg met elkaar te kunnen opschieten en ging Jenny vaak weg. Madeleine leek het altijd leuk te vinden dat hij langskwam. Ze begon meteen te vertellen wat ze aan het lezen was, en dan knikte hij alsof hij onmogelijk serieus naar haar ideeën over Ezra Pound of Ford Madox Ford kon luisteren als hij zo dicht bij haar stond dat hij haar pasgewassen haar kon ruiken. Soms zette ze thee. In plaats van kruidenthee van Celestial Seasonings met een citaat van Lao Tzu op het doosje dronk Madeleine altijd Fortnum & Mason's, met een voorkeur voor earl grey. En ze deed ook niet zomaar een theezakje in een mok, maar zette echt thee: blaadjes, in een pot, met een zeefje en een theemuts. Jennifer had een poster van het skiresort Vail boven haar bed met een skiër erop, tot zijn middel in de stuifsneeuw. Madeleines kant van de kamer was intellectueler: zij had een stel ingelijste foto's van Man Ray opgehangen. Haar sprei en kasjmier kussenovertrek hadden dezelfde ernstige antracietgrijze kleur als haar truien met v-hals. Op haar kaptafel lagen opwindende vrouwelijke spulletjes: een zilveren lippenstifthouder met monogram, een ringbandagenda met plattegronden van de New Yorkse en Londense metro. Maar er waren ook lichtelijk gênante dingen bij: een foto van het hele gezin, gekleed in dezelfde kleur, een Lilly Pulitzer-badjas en een oud speelgoedkonijn dat Foo Foo heette.

Maar gezien Madeleines andere attributen was Mitchell bereid die details door de vingers te zien.

Soms zaten er al andere jongens als hij langskwam. Een kakker met zandkleurig haar en gaatjesschoenen zonder sokken, of een Milanees met een grote neus en een strakke broek. In dat geval was Jennifer nog minder gastvrij dan anders. Madeleine zelf was óf zo gewend aan mannelijke aandacht dat ze die niet eens meer opmerkte, óf zo argeloos dat ze geen idee had waarom drie jongens zichzelf in haar kamer parkeerden als de vrijers van Penelope. Voor zover Mitchell zag, had ze niets met die andere jongens. Dat stemde hem hoopvol.

In het begin zat hij aan Madeleines bureau, toen in de vensterbank bij haar bed, en na een tijdje lag hij op de grond voor haar bed terwijl zij zich boven hem uitstrekte. Soms was de gedachte dat hij haar borst al had gezien – dat hij precies wist hoe haar tepelhof eruitzag – al genoeg om hem een erectie te bezorgen, en dan moest hij op zijn buik gaan liggen. Maar de weinige keren dat ze iets hadden wat voor een date kon doorgaan – een uitvoering van het studententheater of een poëzieavond – had Madeleine iets straks rond haar ogen, alsof ze registreerde in hoeverre het sociaal en amoureus nadelig kon zijn om met hem gezien te worden. Zij was ook nieuw op dit college en zocht haar weg. Het was mogelijk dat ze haar opties niet te snel wilde beperken.

Zo ging er een jaar voorbij. Een heel jaar zonder seks. Mitchell kwam niet meer bij Madeleine langs. Geleidelijk kwamen ze in verschillende kringen terecht. Het was niet zozeer dat hij haar vergat, maar hij had besloten dat ze geen haalbare kaart voor hem was. Als ze elkaar tegenkwamen, was ze zo spraakzaam en raakte ze zijn arm zo vaak aan dat hij weer hoop begon te koesteren, maar pas in hun tweede jaar leek er even iets te gaan gebeuren. In november, een paar weken voor Thanksgiving, vertelde hij terloops dat hij van plan was in de vakantie op de campus te blijven en niet naar Detroit te vliegen, en tot zijn verrassing nodigde Madeleine hem uit om de feestdag bij haar thuis in Prettybrook te vieren.

Ze hadden woensdag om twaalf uur op het Amtrakstation afgesproken. Toen Mitchell aankwam, zeulend met een vooroorlogse koffer met de afgesleten goudkleurige initialen erop van iemand die allang dood was, stond Madeleine al op het perron te wachten. Ze had een bril op, een grote bril met schildpadmontuur, en daardoor vond hij haar zo mogelijk nog leuker. Er zaten grote krassen op de glazen en de linkerpoot was een tikje verbogen. Verder zag ze er net zo verzorgd uit als altijd of zelfs nog meer, want ze ging naar haar ouders.

'Ik wist niet dat je een bril droeg,' zei hij.

'Mijn lenzen deden vanmorgen zo'n pijn.'

'Staat je leuk.'

'Ik draag hem niet zo vaak. Zo slecht zijn mijn ogen nu ook weer niet.'

Terwijl hij daar op het perron stond, vroeg hij zich af of die bril erop wees dat ze zich bij hem op haar gemak voelde of dat het haar in zijn gezelschap niets kon schelen hoe ze eruitzag. In de trein, in de vakantiedrukte, was het onmogelijk dat vast te stellen. Toen ze twee zitplaatsen naast elkaar hadden gevonden, zette ze de bril af en legde hem op haar schoot. Terwijl de trein Providence uit reed, zette ze hem weer op om naar het landschap te kijken, maar nam hem toen snel af en stopte hem in haar tas. (Daardoor was hij ook zo beschadigd: ze was haar brillenkoker al heel lang kwijt.)

De reis duurde vijf uur. Mitchell zou het niet erg hebben gevonden als hij vijf dagen had geduurd. Het was spannend dat Madeleine naast hem zat en niet weg kon. Ze had het eerste deel van *A Dance to the Music of Time* van Anthony Powell bij zich en ook, zo te zien als een schuldig pleziertje dat ze zich vaker voor onderweg vergunde, een dikke *Vogue*. Mitchell keek naar buiten, naar de pakhuizen en plaatwerkerijen van Cranston en pakte toen zijn *Finnegans Wake*.

'Lees je dat echt?' vroeg Madeleine.

'Ja.'

'Niet te geloven!'

'Het gaat over een rivier,' zei hij. 'In Ierland.'

De trein reed langs de kust van Rhode Island Connecticut in. Soms zag je de oceaan of een stuk moerasland, en dan reed je ineens langs de lelijke achterkant van een fabrieksstadje. In New Haven stopten ze omdat er een andere locomotief werd aangekoppeld, en toen reden ze Grand Central binnen. Ze namen de metro naar Penn Station en daarna ging Madeleine hem voor naar een ander perron, waar ze op de trein naar New Jersey stapten. Even voor achten waren ze in Prettybrook.

Het huis van de familie Hanna was honderd jaar oud, een villaatje in Tudorstijl met platanen en zieltogende Canadese dennen ervoor. Binnen was alles smaakvol en gammel. Er zaten vlekken op de oosterse vloerkleden. Het steenrode linoleum in de keuken lag er al dertig jaar. Toen Mitchell naar de wc moest, zag hij dat de rollenhouder met plakband was gerepareerd, net als het afbladderende behang in de gang. Hij had wel eens eerder haveloze chic gezien, maar dit was WASP-spaarzaamheid in haar zuiverste vorm. De gestuukte plafonds waren griezelig doorgezakt. Aan de muur ontsproot een rudimentaire inbraakalarminstallatie. De ouderwetse stopcontacten vonkten als je de stekker eruit haalde.

Mitchell was goed met ouders. Ouders waren zijn specialiteit. Die woensdagavond had hij al binnen een uur zijn reputatie als favoriet gevestigd. Hij kende de tekst van de liedjes van Cole Porter die Alton op de stereo draaide. Hij liet zich door Alton stukken uit *On Drink* van Kingsley Amis voorlezen en leek die net zo hilarisch te vinden als Alton zelf. Aan tafel praatte hij met Phyllida over Sandra Day O'Connor en met Alton over Abscam. En alsof dat niet genoeg was, bleek hij later die avond ook nog eens verbijsterend goed te scrabbelen.

'Dat woord kende ik niet, *groszy*,' zei Phyllida, diep onder de indruk.

'Dat is een Poolse munt. Honderd groszy zijn samen één zloty.'

'Zijn al jouw nieuwe vrienden zo ontwikkeld, Maddy?' vroeg Alton.

Toen Mitchell een blik op Madeleine wierp, glimlachte ze naar hem. En op dat moment was het gebeurd. Madeleine had een badjas aan. Ze had haar bril op. Ze zag er tegelijk huiselijk en sexy uit, volledig buiten zijn bereik en toch ook bereikbaar doordat hij al helemaal bij haar familie leek te horen en omdat hij een volmaakte schoonzoon zou zijn. En vanwege dat alles dacht hij plotseling: met dit meisje ga ik trouwen! Die wetenschap, dat gevoel van lotsbestemming, schoot als een stroomstoot door hem heen.

'Woorden in een andere taal mogen niet,' zei Madeleine.

De ochtend van Thanksgiving bracht hij door met het verplaatsen van stoelen voor Phyllida en het drinken van bloody mary's en poolen met Alton. De pooltafel had gevlochten leren zakjes voor de ballen, die dus niet vanzelf terug kwamen rollen. Terwijl hij de ballen klaarlegde, zei Alton: 'Een paar jaar geleden viel het me op dat de tafel uit het lood stond. De man van de fabriek zei dat hij ontzet was, waarschijnlijk omdat er een vriendje van de kinderen op had gezeten. Hij wilde dat ik een heel nieuw onderstel kocht. Maar ik heb gewoon een blokje onder een van de poten gelegd. Opgelost.'

Al snel kwam er bezoek. Een neef met een zachte stem en een geruite broek, Doats, zijn vrouw Dinky, een blondine met gebleekte lokjes en tanden als op een late De Kooning, en hun jonge kinderen en een dikke setter, Nap.

Madeleine liet zich op haar knieën zakken om Nap te begroeten. Ze wroette door zijn vacht en knuffelde hem.

'Wat is Nap dik geworden,' zei ze.

'Weet je wat ik denk?' zei Doats. 'Het komt doordat hij geholpen is. Nap is een eunuch. En eunuchen waren altijd heel mollig, toch?'

Madeleines zus Alwyn en haar man Blake Higgins kwamen om een uur of een. Alton mixte cocktails terwijl Mitchell zich nuttig maakte door het vuur in de haard aan te steken.

De Thanksgiving-maaltijd ging voorbij in een roes van telkens bijgevulde wijnglazen en grappige heildronken. Na het eten trok iedereen zich terug in de studeerkamer, waar Alton port inschonk. Het vuur was aan het uitgaan en Mitchell ging naar buiten om hout te halen. Hij voelde nu geen pijn. Door de witte dennentakken staarde hij naar de nachtelijke sterrenhemel. Hij was in het hart van New Jersey, maar het had ook het Zwarte Woud kunnen zijn. Mitchell voelde liefde voor het huis. Hij voelde liefde voor die hele grote, aristocratische, drankzuchtige firma Hanna. Toen hij met het hout binnenkwam, hoorde hij muziek. Madeleine zat aan de piano en Alton zong. Een nummer dat 'Til' heette, een favoriet van de familie. Alton had een verrassend goede stem; hij had op Yale in een a-capellakoor gezeten. Madeleine was wat traag met de akkoordenwisselingen en sloeg ze hard aan. Haar bril zakte af bij het noten lezen. Ze had haar schoenen uitgeschopt om met blote voeten het pedaal in te trappen.

Mitchell bleef het hele weekend logeren. Op zijn laatste avond in Prettybrook, toen hij in de logeerkamer op zolder lag te lezen, hoorde hij de deur naar de gang opengaan en klonken er voetstappen op de trap. Madeleine klopte zachtjes aan en kwam binnen.

Ze had een Lawrenceville-t-shirt aan en verder niets. Haar dijen, die bij het binnenkomen op Mitchells ooghoogte waren, leken iets voller en bleker dan hij had verwacht.

Ze ging op de rand van zijn bed zitten.

Toen ze vroeg wat hij aan het lezen was, moest hij kijken om zich de titel van het boek te kunnen herinneren. Hij was zich verrukkelijk en angstaanjagend bewust van zijn naaktheid onder het dunne laken. Hij voelde dat Madeleine het zich ook bewust was. Hij overwoog haar te kussen. Even dacht hij dat Madeleine hém ging kussen. En toen, omdat ze dat niet deed, omdat hij hier te gast was en haar ouders beneden lagen te slapen, omdat hij op dat prachtige ogenblik het gevoel had dat het tij was gekeerd en hij nog alle tijd van de wereld had om zijn slag te slaan, deed hij niets. Ten slotte stond ze op, met een vaag teleurgestelde uitdrukking op haar gezicht. Ze liep de trap af en deed het licht uit.

Toen ze weg was, speelde Mitchell de scène nog eens in zijn hoofd af, maar dan met een andere afloop. Omdat hij het beddengoed niet durfde te bevlekken, liep hij naar de badkamer en botste tegen een oude boxspring aan, die met veel misbaar omviel. Toen het weer stil was, liep hij verder. Hij spoot zijn lading in het kleine wastafeltje op de zolder en zette de kraan open om de laatste klodder bewijs weg te spoelen.

De volgende ochtend gingen ze met de trein terug naar Providence, liepen samen naar College Hill, omhelsden elkaar en gingen elk huns weegs. Een paar dagen later ging Mitchell bij Madeleine langs. Ze was niet thuis. Op het berichtenbord naast de deur zat een briefje van een zekere Billy: 'Filmvoorstelling Tarkovsky 19.30 Sayles. Wees geen O, kom erbij.' Mitchell liet een citaat achter, een passage uit het deel over Gerty MacDowell uit *Ulysses*: 'Toen spatte de Romeinse kaars uiteen en als een zucht klonk o! en iedereen riep o! o! en het gutste eruit in een regenvloed van gouden haartjes…' Hij ondertekende het niet.

Er ging een week voorbij zonder dat hij iets van Madeleine hoorde. Als hij belde, werd er niet opgenomen.

Hij ging weer naar haar kamer. Weer was ze er niet. Op het berichtenbord had iemand een pijl naar zijn Joyce-citaat gezet en erbij geschreven: 'Wie is die viezerik?'

Mitchell veegde het uit. Hij schreef: 'Maddy, bel me. Mitchell.' Dat veegde hij ook uit, en uiteindelijk schreef hij: 'Sta me een onderhoud toe. M.'

In zijn eigen kamer ging Mitchell voor de spiegel staan. Hij draaide zich opzij en probeerde zichzelf en profil te bekijken. Hij deed alsof hij op een feest met iemand stond te praten om te zien hoe hij er echt uitzag.

Nadat er weer een week voorbij was gegaan waarin hij niets van Madeleine hoorde, belde hij niet meer en ging hij niet meer langs. Hij stortte zich fanatiek op zijn studie, bracht heroïsche hoeveelheden tijd door met het verfraaien van zijn papers voor Engels en het vertalen van de wijdlopige metaforen van Vergilius over wijngaarden en vrouwen. Toen hij Madeleine eindelijk weer tegen het lijf liep, was ze even vriendelijk als altijd. De rest van het jaar bleven ze elkaar veel zien, gingen samen naar poëzieavonden en aten soms samen in de Ratty, met zijn tweeën of met anderen erbij. Toen haar ouders dat voorjaar op bezoek kwamen, vroeg ze hem mee naar het gemeenschappelijke etentje in de Bluepoint Grill. Maar hij kwam nooit meer in het huis in Prettybrook, bouwde nooit meer een vuurtje in hun open haard en dronk nooit meer een gin-tonic op het terras met uitzicht op de tuin. Stukje bij beetje slaagde hij erin een eigen sociaal leven op te bouwen, en hoewel ze vrienden bleven, ging Madeleine steeds meer in haar nieuwe vriendenkring op. Maar zijn voorgevoel vergat hij nooit meer. Bijna een jaar na zijn logeerpartij in Prettybrook zag hij haar in oktober op een avond in de paarse schemering over de campus lopen. Ze was samen met Billy Bainbridge, een jongen met blonde krullen die Mitchell nog kende van het eerste jaar. Billy deed vrouwenstudies en noemde zich feminist. Hij liep met zijn ene hand vertrouwelijk in de achterzak van Madeleines spijkerbroek. Zij had haar hand in zijn achterzak. Zo liepen ze samen, ieder met een handvol van de ander. Op Madeleines gezicht lag een onnozelheid die Mitchell daar nog nooit had gezien. De onnozelheid van alle normale mensen. De onnozelheid van alle fortuinlijken en aantrekkelijken, die kregen wat ze van het leven verlangden en daardoor onopmerkelijk bleven.

*

In Plato's *Phaedrus* berusten de toespraken van de sofist Lysias en van de vroege Socrates (voordat die zijn mening herroept) op het volgende principe: de verliefde is (door zijn zwaarte) onverdraaglijk voor de geliefde.

In de weken na de breuk met Leonard lag Madeleine het grootste deel van de tijd op haar bed in Narragansett. Ze sleepte zich naar haar laatste colleges. Ze had nauwelijks eetlust meer. 's Nachts schudde een onzichtbare hand haar om de paar uur wakker. Verdriet was fysiologisch, een stoornis in het bloed. Soms ging er een hele minuut in naamloze ontzetting voorbij – getik van de klok naast het bed, blauw maanlicht als een laag lijm op het raam – voordat ze zich het brute feit herinnerde dat er de oorzaak van was.

Ze verwachtte dat Leonard zou bellen. Ze fantaseerde erover dat hij aan haar voordeur verscheen en vroeg of ze terug wilde komen. Toen dat niet gebeurde, werd ze wanhopig en draaide zijn nummer. De lijn was vaak bezet. Leonard functioneerde prima zonder haar. Hij belde mensen, andere meisjes waarschijnlijk. Soms luisterde Madeleine zo lang naar de ingesprektoon dat ze zichzelf erop betrapte dat ze probeerde Leonards stem erdoorheen te horen, alsof hij gewoon aan de andere kant van het geluid zat. Als zijn telefoon overging, leefde Madeleine op bij de gedachte dat Leonard elk moment kon opnemen, maar dan raakte ze in paniek en gooide de hoorn erop, waarbij ze altijd dacht dat ze hem op het laatste moment 'Hallo' hoorde zeggen. Tussen de telefoontjes door lag ze op haar zij en dacht erover om te bellen.

De liefde had haar onverdraaglijk gemaakt, zwaar gemaakt. Uitgestrekt op haar bed, zonder met haar schoenen de lakens aan te raken (ondanks haar ellende bleef ze keurig), liet ze alles waarmee ze Leonard had weggejaagd de revue passeren. Ze was te behoeftig geweest, zoals ze steeds als een klein meisje bij hem op schoot was gekropen, de hele tijd bij hem had willen zijn. Ze had haar eigen prioriteiten uit het oog verloren en was een blok aan zijn been geworden.

Er was maar één ding over van haar relatie met Leonard: het boek dat ze hem naar zijn hoofd had geslingerd. Voordat ze die dag zijn kamer was uit gestormd – terwijl hij in hooghartige naaktheid op het bed lag en kalm haar naam herhaalde met de suggestie dat ze overdreef – had Madeleine het boek open op de vloer zien liggen, als een vogel die tegen een ruit was gevlogen en bewusteloos was geraakt. Als ze het opraapte, zou ze Leonard gelijk geven: ze koesterde inderdaad een ongezonde obsessie voor *Fragments d'un discours amoureux*; in plaats van haar fantasieën over de liefde te verdrijven had het boek die nog versterkt, waaruit bleek dat ze niet alleen een romanticus was, maar een slecht literair criticus bovendien.

Aan de andere kant was het niet mogelijk om *Fragments d'un discours amoureux* op de vloer – waar Leonard het later zou kunnen oprapen om zowel de door haar onderstreepte passages als de aantekeningen in de marge te inspecteren (waaronder op bladzijde 155, in een hoofdstuk getiteld 'In de liefhebbende kalmte van je armen', het eenzame, van een uitroepteken voorziene 'Leonard!') – te laten liggen. Dus had Madeleine, nadat ze haar tas had gepakt, in één vloeiende beweging ook Barthes meegegrist, zonder te durven kijken of Leonard het had opgemerkt. Vijf tellen later had ze de deur achter zich dichtgesmeten.

Ze was blij dat ze het boek had meegenomen. In de sombere stemming waarin ze nu verkeerde, vormde het stijlvolle proza van Roland Barthes haar enige troost. De breuk met Leonard deed niets af aan de relevantie van *Fragments d'un discours amoureux*. Er waren zelfs meer hoofdstukken over hartzeer dan over geluk. Een hoofdstuk heette 'De ramp'. Een ander 'Gedachten aan zelfmoord'. Weer een ander 'Lof der tranen'. *Karakteristieke drang van het verliefde subject tot huilen… De minste of geringste verliefde emotie, van geluk of ongeluk, brengt Werther aan het huilen. Werther huilt vaak, erg vaak, en erg veel. Is het de verliefde in Werther die huilt, of is het de romanticus?*

Goede vraag. Sinds de breuk met Leonard had Madeleine eigenlijk voortdurend gehuild. 's Avonds huilde ze zichzelf in slaap. 's Ochtends poetste ze huilend haar tanden. Ze deed haar uiterste best om niet te huilen waar haar huisgenotes bij waren en meestal slaagde ze daarin.

Fragments d'un discours amoureux was de perfecte remedie tegen liefdesverdriet. Het was een handleiding om het hart te repareren, met het brein als gereedschap. Als je je hoofd gebruikte, je bewust werd dat liefde cultureel bepaald was en je de symptomen als puur geestelijk begon te zien, als je inzag dat 'verliefd zijn' maar een idee was, dan kon je jezelf van haar tirannie bevrijden. Dat wist Madeleine allemaal. Het probleem was dat het niet werkte. Ze kon Barthes' deconstructies van de liefde de hele dag lezen zonder dat haar liefde voor Leonard ook maar een greintje minder werd. Hoe meer ze in *Fragments d'un discours amoureux* las, hoe verliefder ze werd. Ze herkende zichzelf op elke bladzij. Ze identificeerde zich met Barthes' schimmige 'ik'. Ze wilde niet van haar emoties worden verlost, maar het belang ervan bevestigd zien. Hier had je een boek gericht aan geliefden, een boek over verliefd zijn, waarin het woord 'liefde' in bijna elke zin voorkwam. En, o, wat een liefde voelde ze ervoor!

In de wereld daarbuiten liep het semester, en daarmee college zelf, snel ten einde. Haar huisgenotes, die kunstgeschiedenis deden, hadden allebei al een betrekking gevonden in New York; Olivia bij Sotheby's en Abby bij een galerie in SoHo. Een verbijsterend aantal van haar vrienden en kennissen voerden op de campus sollicitatiegesprekken met vertegenwoordigers van investeringsbanken. Anderen hadden een beurs of een toelage gekregen of gingen naar LA om bij de televisie te werken.

Het enige wat Madeleine kon opbrengen met betrekking tot het voorbereiden van haar toekomst, was zichzelf één keer per dag uit bed slepen om in haar postbus te kijken. In april was ze te zeer door werk en liefde afgeleid om te merken dat de vijftiende was voorbijgegaan zonder dat er een brief van Yale was gekomen. Tegen de tijd dat dit tot haar doordrong was ze te gedeprimeerd over haar stukgelopen relatie om nog een afwijzing te kunnen verdragen. Twee weken lang nam ze niet eens de moeite om naar het postkantoor te gaan. Toen ze zichzelf uiteindelijk dwong haar overvolle postbus te gaan legen, was er nog altijd geen brief van Yale.

Maar er was wel nieuws over haar andere aanmeldingen. De organisatie voor Engels als tweede taal stuurde haar een opgeklopte acceptatiebrief ('Gefeliciteerd, Madeleine!'), met een lerareninschrijvingsformulier en de naam van de Chinese provincie, Shandong, waar ze les zou gaan geven. Ook was er een informatiepakket vol vetgedrukte zinnen die om aandacht schreeuwden:

Aan de sanitaire voorzieningen (douches, wc's, enz.) zul je misschien even moeten wennen, maar de meesten van onze leraren weten het 'primitieve' op den duur juist te waarderen.
Het Chinese eten is behoorlijk gevarieerd, vooral naar Amerikaanse maatstaven. Je moet niet gek opkijken als je na een paar maanden in je Chinese gastdorp met smaak een portie slang verorbert!

Ze stuurde het inschrijvingsformulier niet terug.

Twee dagen later ontving ze via de campuspost een afwijzingsbrief van de Melvin and Hetty Greenberg Foundation waarin haar werd verteld dat ze geen Greenberg-toelage zou krijgen om Hebreeuws te studeren in Jeruzalem.

Terug in haar appartement zag Madeleine zich geconfronteerd met de stapel verhuisdozen. Een week voor de breuk had Leonard een bevestiging van het Pilgrim Lake Laboratory ontvangen. Met wat destijds een veelbetekenend gebaar had geleken, had hij voorgesteld om samen te gaan wonen in het gratis appartement dat bij de aanstelling hoorde. Als Madeleine op Yale werd toegelaten, kon ze in het weekend overkomen; zo niet, dan zou ze de hele winter in Pilgrim Lake kunnen wonen en zich opnieuw inschrijven. Madeleine had onmiddellijk al haar andere plannen laten varen en was begonnen dozen met boeken en kleren in te pakken om alvast naar het lab te verzenden. Aangezien Madeleine aan de intensiteit van Leonards gevoelens voor haar had getwijfeld, had zijn uitnodiging om samen te wonen haar zielsgelukkig gemaakt en dat had, op zijn beurt, weer een grote rol gespeeld in haar liefdesverklaring een paar dagen later. En als een wrede herinnering aan die ramp stonden die dozen nu in haar kamer, en zouden helemaal nergens heen gaan.

Madeleine scheurde de adreslabels eraf en schoof de dozen in een hoek.

Op de een of andere manier wist ze haar afstudeerscriptie in te leveren. Ze leverde haar laatste paper voor Semiotiek 211 in, maar verzuimde die na de examenperiode op te halen om Zippersteins opmerkingen en haar cijfer te zien.

Toen het weekend van de diploma-uitreiking zich aandiende, deed Madeleine haar best om het te negeren. Abby en Olivia hadden geprobeerd om haar mee te krijgen naar het campusfeest, maar door de onweersbuien die over de stad rolden, met windstoten die de tafels met drankjes omverbliezen en de slingers met gekleurde lampjes losrukten, werden de festiviteiten naar een of andere gymzaal verplaatst, en niemand die ze kenden ging erheen. Om hun familieleden bezig te houden, waren Abby en Olivia op zaterdagmiddag tegen beter weten in naar de strandpicknick met voorzitter Swearer gegaan, maar na een halfuur hadden ze hun ouders teruggestuurd naar hun hotel. Op zondag sloegen alle drie de huisgenotes de afscheidsceremonie in de First Baptist Church over. Die avond lag Madeleine om negen uur opgekruld op haar bed met *Fragments d'un discours amoureux*; ze las er niet in, maar hield het gewoon binnen handbereik.

Het was geen schonelakensdag. Het was al een hele tijd geen schonelakensdag meer geweest.

Er werd op haar slaapkamerdeur geklopt.

'Momentje.' Madeleines stem was schor van het huilen. Haar keel zat vol slijm. 'Binnen,' zei ze.

De deur ging open en in de deuropening stonden Abby en Olivia, schouder aan schouder, als een delegatie.

Abby stapte snel naar voren en griste het werk van Barthes weg.

'We confisqueren dit boek,' zei ze.

'Geef terug.'

'Je léést dat boek niet,' zei Olivia. 'Je zwelgt erin.'

'Ik heb er net een paper over geschreven. Ik moest even iets controleren.'

Abby hield het boek achter haar rug en schudde haar hoofd. 'Je kunt niet de hele tijd liggen kniezen. Dit weekend was volkomen ruk. Maar vanavond is er een feest bij Lollie en Pookie en jij gaat gewoon mee. Kom op!'

Abby en Olivia dachten dat het de romanticus in Madeleine was die huilde. Volgens hen leed ze aan bespottelijke waanideeën. Zij zou hetzelfde hebben gedacht als een van hen had liggen wegkwijnen. Liefdesverdriet is voor iedereen belachelijk, behalve voor degene die eraan lijdt.

'Geef mijn boek terug,' zei Madeleine.

'Je krijgt het terug als je meegaat naar het feest.'

Madeleine begreep waarom haar huisgenotes haar gevoelens bagatelliseerden. Zij hadden nog nooit van iemand gehouden, niet echt. Ze wisten niet waar ze mee worstelde.

'Morgen studeren we af!' pleitte Olivia. 'Dit is onze laatste avond op college. Je kunt niet op je kamer blijven!'

Madeleine wendde haar blik af en wreef over haar gezicht. 'Hoe laat is het?' vroeg ze.

'Tien uur.'

'Ik heb nog niet gedoucht.'

'We wachten wel.'

'Ik heb niets om aan te trekken.'

'Je kunt wel een jurk van mij lenen,' zei Olivia.

Ze bleven staan, behulpzaam en drammerig tegelijk.

'Geef me mijn boek,' zei Madeleine.

'Alleen als je meegaat.'

'Goed dan!' gaf Madeleine zich gewonnen. 'Ik ga wel mee.'

Aarzelend gaf Abby haar het boek terug.

Madeleine staarde naar het omslag. 'En als Leonard er nu is?'

'Die is er niet,' zei Abby.

'Maar als hij er wel is?'

Abby keek de andere kant op en zei: 'Geloof me nou maar, hij is er niet.'

Lollie en Pookie Ames woonden in een bouwvallig pand aan Lloyd Avenue. Toen Madeleine en haar huisgenotes onder de druipende iepen over de stoep naderbij kwamen, hoorden ze pompende bassen en geestdriftige drankstemmen naar buiten komen. Achter de beslagen ruiten flakkerden kaarsen.

Ze verborgen hun paraplu's achter de fietsen op de veranda en gingen naar binnen. De lucht in het huis was warm en vochtig, als een naar bier geurend regenwoud. Het vlooienmarktmeubilair was tegen de muren geschoven, zodat er gedanst kon worden. Jeff Trombley, die de plaatjes draaide, gebruikte een zaklantaarn om de draaitafel te kunnen zien, en de lichtstraal viel op een poster van Sandino op de muur achter hem.

'Gaan jullie maar eerst,' zei Madeleine. 'En kom dan zeggen of jullie Leonard zien.'

Abby keek geërgerd. 'Ik zei toch dat hij er niet zou zijn?'

'Misschien is hij er toch.'

'Waarom zou hij? Hij houdt niet van mensen. Sorry hoor, maar nu jullie uit elkaar zijn, moet ik het even kwijt. Leonard is niet helemaal normaal. Hij is raar.'

'Niet waar,' protesteerde Madeleine.

'Kun je hem alsjeblieft van je afzetten? Kun je het tenminste probéren?'

Olivia stak een sigaret op en zei: 'Jezus, als ik me er druk over zou maken dat ik een ex-vriendje zou kunnen tegenkomen, zou ik me nergens meer kunnen vertonen!'

'Oké, laat maar,' zei Madeleine. 'We gaan naar binnen.'

'Hèhè,' zei Abby. 'Kom op. Vanavond gaan we lol trappen. Het is onze laatste avond.'

Ondanks de luide muziek waren er niet veel mensen aan het dansen. Tony Perotti stond in zijn Plasmatics-t-shirt midden in de kamer in zijn eentje te pogoën. Debbie Boonstock, Carrie Mox en Stacy Henkel dansten in een kring rond Marc Wheeland. Wheeland droeg een wit t-shirt en een wijde korte broek. Zijn kuiten waren enorm. Net als zijn schouders. Terwijl de meisjes voor hem op en neer sprongen, staarde Wheeland naar de vloer en stampte in het rond, waarbij hij zo nu en dan (dat was het dansgedeelte) zijn gespierde armen een heel klein stukje optilde.

'Hoe lang nog voordat Marc Wheeland zijn t-shirt uittrekt?' vroeg Abby terwijl ze de gang door liepen.

'Een minuut of twee,' zei Olivia.

De keuken leek op iets uit een onderzeebootfilm; donker, smal, met slingerende buizen boven je hoofd en een natte vloer. Madeleine stapte op flessendoppen terwijl ze zich door de mensenmassa wrong.

Toen ze de open plek achter in de keuken bereikten, kwamen ze erachter dat die alleen maar vrij was vanwege de aanwezigheid van een stinkende vuilnisbak.

'Gatverdamme!' zei Olivia.

'Legen ze dat ding nooit?' vroeg Abby.

Een jongen met een honkbalpet stond bezitterig voor de ijskast. Toen Abby de deur opentrok, deelde hij hun mee: 'De Grolsch-beugels zijn van mij.'

'Pardon?'

'Van de Grolsch moet je afblijven. Die zijn van mij.'

'Ik dacht dat dit een feest was,' zei Abby.

'Is het ook,' zei de jongen. 'Maar iedereen neemt altijd Amerikaans bier mee. Ik heb import meegebracht.'

Olivia richtte zich in haar volle Scandinavische lengte op om hem een vernietigende blik toe te werpen. 'Alsof wij bier zouden willen,' zei ze.

Ze boog zich voorover om zelf in de koelkast te kijken en zei met afschuw in haar stem: 'Jezus, er is alleen maar bier.'

Ze kwam weer overeind, keek gebiedend de kamer rond tot ze Pookie Ames zag, en riep haar over de herrie heen.

Pookie, die normaliter een Afghaanse sjaal om haar hoofd had, droeg vanavond een zwarte fluwelen jurk en diamanten oorbellen, waarin ze zich volledig op haar gemak scheen te voelen. 'Pookie, red ons,' zei Olivia. 'We drinken geen bier.'

'Schat,' zei Pookie, 'er is Veuve Clicquot!'

'Waar?'

'In de groentela.'

'Geweldig!' Olivia trok de la open en pakte de fles. 'Nu kunnen we feestvieren!'

Madeleine was niet zo'n drinker. Maar de situatie van vanavond vroeg om traditionele middelen. Ze pakte een plastic glaasje van de stapel en liet zich door Olivia inschenken.

'Geniet maar lekker van je Grolsch,' zei Olivia tegen de jongen.

Tegen Abby en Madeleine zei ze: 'Ik neem de fles mee', waarna ze zich uit de voeten maakte.

Voorzichtig baanden ze zich met hun volle champagneglaasjes weer een weg terug door het gedrang.

In de woonkamer bracht Abby een toost uit. 'Hé jullie! Op een fantastisch jaar als huisgenoten!'

De plastic glazen klonken niet, ze verbogen alleen.

Ondertussen was Madeleine er tamelijk zeker van dat Leonard niet op het feest was. Maar de gedachte dat hij ergens anders was, op een ander afstudeerfeest, veroorzaakte een gat in haar borst. Ze wist niet zeker of er levenssappen uit weglekten of dat er vergif door naar binnen werd gepompt.

Op de dichtstbijzijnde muur knielde een Halloweenskelet voor een levensgrote kartonnen Ronald Reagan neer alsof hij hem pijpte. Vlak naast het stralende hoofd van de president had iemand 'Ik heb een stijve!' gekrabbeld.

Op dat moment onderging de dansvloer een caleidoscopische verandering en waren Lollie Ames en Jenny Crispin ineens aan het dansen; ze stelden zich enorm aan, wreven lachend hun kruizen tegen elkaar terwijl ze elkaar betastten en een joint doorgaven.

Even verderop had Marc Wheeland het nu officieel 'te warm' gekregen; hij had zijn t-shirt uitgedaan en in zijn achterzak gestopt. Met ontbloot bovenlijf danste hij verder en deed de vleestaart, de drukbank en de liefdesspier. De kring van dansende meisjes om hem heen vernauwde zich.

Sinds de breuk met Leonard werd Madeleine haast voortdurend overvallen door allesoverheersende seksuele verlangens. Ze had de hele tijd zin. Maar Wheelands glimmende borstspieren deden haar niets. Haar verlangens waren niet overdraagbaar. Ze richtten zich uitsluitend op Leonard.

Ze had haar best gedaan om niet compleet hopeloos over te komen. Helaas begon haar lichaam haar nu in de steek te laten. Tranen welden op in haar ogen. Het pijnlijke gat in haar borst werd groter. Ze liep vlug de trap op, ging de wc in en deed de deur achter zich op slot.

De eerstvolgende vijf minuten stond Madeleine boven de wasbak te huilen terwijl de muziek beneden de muren deed schudden. De handdoeken die aan de deur hingen zagen er niet al te schoon uit, dus bette ze haar ogen met een propje wc-papier.

Toen ze uitgehuild was, bracht ze zichzelf voor de spiegel weer in orde. Haar huid was vlekkerig. Haar borsten, waar ze normaal trots op was, hadden zich in zichzelf teruggetrokken, alsof ze gedeprimeerd waren. Ze wist dat deze interpretatie van zichzelf niet per se juist hoefde te zijn. Een gekwetst ego weerspiegelt zijn eigen beeld. De mogelijkheid dat ze er niet zo beroerd uitzag als het haar toescheen, was de enige reden dat ze de deur weer van het slot haalde en de wc uit kwam.

In een slaapkamer aan het eind van de gang lagen twee meisjes met paardenstaartjes en parelkettingen op het bed. Ze sloegen geen acht op haar toen ze binnenkwam.

'Ik dacht dat je een hekel aan me had,' zei het ene meisje tegen het andere meisje. 'Na Bologna heb ik altijd gedacht dat je een hekel aan me had.'

'Ik heb toch niet gezegd dat ik géén hekel aan je heb,' zei het andere meisje.

In de boekenkast stonden de gebruikelijke Kafka, de vereiste Borges, de punten scorende Musil. Vlak daarachter lonkte een balkonnetje. Madeleine liep naar buiten.

Het regende niet meer. Er was geen maanlicht, alleen de ziekelijk paarse gloed van straatlantaarns. Er stond een kapotte keukenstoel voor een omgekeerde vuilnisbak die als tafel diende. Op de vuilnisbak stond een asbak met daarnaast een doorweekte *Vanity Fair*. Een woekerende wingerd hing van een onzichtbaar lattenframe naar beneden.

Madeleine leunde over de gammele leuning en keek de tuin in.

Het moest de verliefde in haar zijn geweest die huilde, niet de romanticus. Ze had niet de behoefte om te springen. Ze was niet zoals Werther. Bovendien was het maar vierenhalve meter van het balkon tot aan de grond.

'Pas op,' zei een stem achter haar plotseling. 'Je bent niet alleen.'

Ze draaide zich om. Half aan het zicht onttrokken door de wingerd stond Thurston Meems tegen het huis geleund.

'Schrok je?' vroeg hij.

Madeleine dacht even na. 'Je bent niet bepaald angstaanjagend,' zei ze.

'Nee, inderdaad, eerder angstig. Eerlijk gezegd verstop ik me hier,' erkende Thurston welwillend.

Thurstons wenkbrauwen groeiden aan elkaar en omlijstten zijn grote ogen. Hij had zijn handen in zijn zakken en leunde op de hielen van zijn hoge gympen.

'Ga je altijd naar feestjes om je te verstoppen?' vroeg Madeleine.

'Feestjes drukken me met mijn neus op mijn misantropie,' zei Thurston. 'Maar waarom ben jíj hierbuiten?'

'Om dezelfde reden,' zei Madeleine en ze begon tot haar eigen verbazing te lachen.

Om wat ruimte te maken schoof Thurston de vuilnisbak opzij. Hij pakte het tijdschrift en hield het vlak voor zijn gezicht om te zien wat het was, waarna hij het woest de tuin in smeet. Het viel met een plof in het vochtige gras.

'Je houdt blijkbaar niet van de *Vanity Fair*,' zei Madeleine.

'"IJdelheid der ijdelheden, zegt de prediker,"' zei Thurston, 'en meer van dat gelul.'

Er stopte een auto in de straat; hij reed een stukje achteruit. Mensen met sixpacks bier stapten uit en liepen op het huis af.

'Nog meer feestvierders,' zei Thurston terwijl hij op hen neerkeek.

Er volgde een stilte. Na een tijdje vroeg Madeleine: 'Over wie ging jouw paper? Derrida?'

'*Naturellement*,' zei Thurston. 'En die van jou?'

'Barthes.'

'Welk boek?'

'*Fragments d'un discours amoureux.*'

Thurston kneep zijn ogen dicht en knikte genietend. 'Geweldig boek is dat.'

'Ja, vind je het goed?' vroeg Madeleine.

'Weet je wat het is met dat boek,' zei Thurston, 'ogenschijnlijk is het een deconstructie van de liefde. Het werpt toch een zogenaamd koele blik op het hele romantische gebeuren? Maar het leest als een dagboek.'

'Daar gaat mijn scriptie over!' riep Madeleine uit. 'Ik heb Barthes' deconstructie van de liefde gedeconstrueerd.'

Thurston bleef knikken. 'Die zou ik best willen lezen.'

'Echt waar?' Madeleines stem schoot een half octaaf de hoogte in. Ze schraapte haar keel om hem weer omlaag te brengen. 'Ik weet niet of het veel voorstelt. Maar wie weet.'

'Zipperstein is een beetje een zombie, vind je ook niet?' zei Thurston.

'Ik dacht dat je hem aardig vond.'

'Ik? Nee, hoor. Ik vind semiotiek wel aardig, maar…'

'Hij zegt nooit wat!'

'Ja, weet ik,' beaamde Thurston. 'Hij is volstrekt ondoorgrondelijk. Hij is net Harpo Marx zonder toeter.'

Madeleine kwam er tot haar verrassing achter dat ze Thurston wel aardig vond. Toen hij haar vroeg of ze iets wilde drinken, zei ze ja. Ze gingen terug naar de keuken, waar het nog voller en lawaaieriger was dan eerst. De jongen met de honkbalpet stond nog op zijn post.

'Blijf je de hele avond over je bier waken?' vroeg Madeleine.

'Als het nodig is,' zei de jongen.

'Kom niet aan zijn bier,' zei Madeleine tegen Thurston. 'Hij is erg aan zijn bier gehecht.'

Thurston had de koelkast al geopend en zijn arm naar binnen gestoken; zijn leren motorjack hing open. 'Welk bier is van jou?' vroeg hij aan de jongen.

'Het Grolsch-bier,' antwoordde de jongen.

'Aha, een Grolsch-man, hè?' zei Thurston, met de flessen rommelend. 'Liefhebber van de ouderwetse, Teutoonse, keramische afsluitdop met het rubberen ringetje. Ik begrijp je voorkeur wel. Maar weet je wat het is, ik vraag me af of het ooit de bedoeling van de familie Grolsch is geweest dat die beugelflessen de oceaan over zouden steken. Begrijp je wat ik bedoel? Ik heb maar wat vaak meegemaakt dat een flesje Grolsch niet goed meer was. Ik zou het nog niet drinken als je me geld toe gaf.' Thurston hield nu twee blikken Narragansett omhoog. 'Deze hebben maar drie kilometer hoeven afleggen.'

'Narragansett smaak naar pis,' zei de jongen.

'Ja, dat zal jij wel weten.'

En met die woorden nam Thurston Madeleine mee. Hij leidde haar de keuken uit en de gang weer in, en gebaarde dat zij hem naar buiten moest volgen. Eenmaal op de veranda opende hij zijn motorjack en liet haar de twee flessen Grolsch zien die hij daar had weggestoken.

'We kunnen er maar beter vandoor gaan,' zei Thurston.

Ze dronken van het bier terwijl ze door Thayer Street liepen, langs cafés vol andere afstuderende laatstejaars. Toen de biertjes op waren, gingen ze naar de Grad Center Bar, en van de Grad Center Bar namen ze een taxi naar het centrum, naar een ouwelullencafé waar Thurston graag kwam. Het café had een boksthema; er hingen zwart-witfoto's van Marciano en Cassius Clay aan de muur en in een stoffige vitrine lag een paar gesigneerde Everlast-bokshandschoenen. Een tijd lang dronken ze wodka met gezonde vruchtensappen. Vervolgens begon Thurston nostalgische herinneringen op te halen aan de Sidecar, een cocktail die hij op skivakanties altijd met zijn vader dronk. Hij nam Madeleine bij de hand en trok haar de straat door en het plein over het Biltmore Hotel binnen. De barman daar wist niet hoe hij een Sidecar moest maken. Thurston moest het hem uitleggen en verkondigde plechtig dat de Sidecar de perfecte wintercocktail was. 'Brandy om je binnenste te verwarmen en citroen om verkoudheid op afstand te houden.'

'Het is geen winter,' zei Madeleine.

'Dan doen we alsof.'

Enige tijd later, toen Thurston en Madeleine arm in arm over de stoep slingerden, voelde ze hem opzij trekken om nog weer een ander café binnen te gaan.

'Tijd voor een zuiveringsbiertje,' zei hij.

De daaropvolgende minuten deed hij zijn theorie uit de doeken – al was het geen theorie, maar ervaringsdeskundigheid, getest en gestaafd door Thurston en zijn kamergenoot uit Andover, die na het nuttigen van enorme hoeveelheden 'spiritualiën', bourbon vooral, maar ook whisky, gin, wodka, Southern Comfort, wat ze maar te pakken konden krijgen eigenlijk, wat ze maar uit 'de ouderlijke kelders' konden gappen, Blue Nun, een bepaalde periode, in de 'winter van de Liebfraumilch', toen ze konden beschikken over de skihut van een vriend in Stowe, en één keer Pernod, omdat ze gehoord hadden dat dat het dichtst bij absint in de buurt kwam en ze schrijver wilden worden en echt zaten te springen om absint – maar hij dwaalde af. Hij liet zich weer eens meeslepen door zijn hang naar breedvoerigheid. En dus verklaarde Thurston, terwijl hij op een barkruk sprong en naar de barman gebaarde, dat bij al deze gelegenheden, bij al deze 'alcoholica', een biertje of twee na afloop de gruwelijke kater die onvermijdelijk volgde altijd iets verzachtte.

'Een zuiveringsbiertje,' herhaalde hij. 'Dat is wat we nodig hebben.'

Thurstons gezelschap leek in niets op dat van Leonard. Bij Thurston voelde het net alsof ze in het gezelschap van haar familie verkeerde. Het was alsof ze samen met Alton was, met zijn nauwgezette borrelceremonieel en zijn bijgeloof over het drinken van wijn na gedistilleerd.

Als Leonard het over het drinken van zijn ouders had, ging het er altijd alleen maar over dat alcoholisme een ziekte was. Maar Phyllida en Alton dronken behoorlijk veel en leken toch betrekkelijk onbeschadigd en verantwoordelijk.

'Oké,' stemde Madeleine in. 'Een zuiveringsbiertje.'

En zou dat niet mooi zijn geweest? Het idee dat een koude Budweiser – ze hadden hier de flesjes; Thurston was deze bar niet zomaar binnengegaan – de effecten van een hele nacht slempen weg zou kunnen spoelen, had een zekere bekoring. En waarom zou je het, met het oog op die bekoring, bij eentje laten? Het waren de kleine uurtjes van de nacht waarin twee mensen geen andere keus hadden dan de barman om wisselgeld te vragen en met hun hoofden tegen elkaar de liedjes in de jukebox te bestuderen. Het was dat tijdloze deel van de nacht waarin het absoluut noodzakelijk werd om 'Mack the Knife' te draaien en 'I Heard It Through the Grapevine' en 'Smoke on the Water', en samen in de verder lege bar tussen de tafels door te dansen. Misschien dat een zuiveringsbiertje de gedachten aan Leonard weg zou kunnen spoelen en Madeleines gevoelens van verlatenheid en onaantrekkelijkheid zou kunnen verdoven. (En was Thurstons gesnuffel haar verder niet tot troost?) Maar het bier scheen zijn werk te doen. Thurston bestelde nog twee laatste Budweisers, die hij in de zakken van zijn motorjack mee naar buiten smokkelde om ze op te drinken terwijl ze College Hill op liepen naar Thurstons kamer. Madeleines bewustzijn beperkte zich wonderlijk genoeg tot dingen die niet de kracht bezaten haar pijn te doen: het slecht onderhouden stadsgroen, de overstroomde stoep, het gerinkel van de kettingen aan Thurstons jack.

Ze ging zijn kamer binnen zonder de trap te hebben opgemerkt die erheen leidde. Maar eenmaal daar wist ze wat het protocol was en begon ze haar kleren uit te trekken. Ze ging op haar rug liggen en probeerde lachend bij haar schoenen te komen, tot ze ze uiteindelijk uittrapte. In tegenstelling tot haar had Thurston zich in een oogwenk tot op zijn onderbroek uitgekleed. Hij lag onbeweeglijk stil en vormde één geheel met zijn witte lakens, als een kameleon.

Wat zoenen betreft was Thurston een minimalist. Hij drukte zijn dunne lippen tegen die van Madeleine en op het moment dat zij haar lippen van elkaar deed, haalde hij zijn mond weer weg. Het was alsof hij zijn lippen aan de hare afveegde. Dat verstoppertje spelen was niet bepaald opwindend. Maar ze wilde niet ongelukkig zijn. Madeleine wilde niet dat het fout zou gaan (ze wilde dat het zuiveringsbier zijn zuiverende werk deed) en dus dacht ze niet langer aan Thurstons mond en begon hem op andere plaatsen te zoenen. Op zijn dunne hals met de geprononceerde adamsappel, zijn vampierwitte buik, de voorkant van zijn boxershort.

Hij onderging dit alles in volstrekte stilte, Thurston die tijdens colleges zo spraakzaam was.

Het was Madeleine niet duidelijk waar ze naar op zoek was toen ze Thurstons onderbroek naar beneden trok. Ze stond los van de persoon die dat deed. Bepaalde deurvangers met een veer erin maken een ploinkgeluid als je de deur loslaat. Madeleine voelde zich verplicht om te doen wat ze deed. Ze wist onmiddellijk dat ze fout zat. Het was puur lichamelijk zonder acht te slaan op de moraal. Haar mond was gewoon niet het orgaan dat de natuur voor dit doel had ontworpen. Ze voelde zich oraal uitgerekt, als iemand die bij de tandarts ligt te wachten tot zijn vulling is uitgehard. Daar kwam nog bij dat deze vulling maar bleef bewegen. Wie had dit ooit verzonnen? Welk genie had bedacht dat plezier en verstikking samengingen? Er was een betere plaats om Thurston in weg te steken, maar door bepaalde lichamelijke aanwijzingen – Thurstons onbekende geur, het flauwe kikkergespartel van zijn benen – wist Madeleine al dat ze hem nooit in die andere plaats zou toelaten. Dus moest ze doorgaan met wat ze aan het doen was en ze liet haar gezicht over Thurston heen zakken terwijl hij opzwol als een stent om de ader van haar keel te verwijden. Haar tong begon verdedigende bewegingen te maken, werd een schild tegen diepere penetratie, haar hand die van een verkeersagent die het stopteken gaf. Uit een ooghoek zag ze dat Thurston een kussen onder zijn hoofd had geschoven, zodat hij kon toekijken.

Wat Madeleine hier bij Thurston zocht, had helemaal niets met Thurston te maken. Ze zocht zelfvernedering. Ze wilde zichzelf verlagen en dat had ze ook gedaan, hoewel ze niet begreep waarom, behalve dat het te maken had met Leonard en haar leed. Zonder af te maken waar ze aan begonnen was, tilde Madeleine haar hoofd op, ging op haar hurken zitten en begon zachtjes te huilen.

Thurston klaagde niet. Hij knipperde alleen maar even met zijn ogen en bleef doodstil liggen. Voor het geval dat de avond nog gered kon worden.

De volgende ochtend werd ze in haar eigen bed wakker. Liggend op haar buik, met haar handen achter haar hoofd, als het slachtoffer van een executie. Wat onder de omstandigheden misschien beter was geweest. Wat misschien een grote opluchting was geweest.

Qua gruwelijkheid paste haar kater naadloos bij de gruwelen van de vorige avond. Hier kwam emotionele opschudding tot fysiologische uitdrukking: de zieke, van wodka vergeven smaak in haar mond was de smaak van haar berouw; haar misselijkheid sloeg terug op haarzelf, alsof ze niet de inhoud van haar maag eruit wilde gooien, maar haar eigen wezen. Haar enige troost kwam voort uit de wetenschap dat ze – technisch gesproken – ongeschonden was. Het zou nog veel erger zijn geweest als ze Thurstons zaad nu als geheugensteuntje uit zich zou hebben voelen druppelen.

Deze gedachte werd onderbroken door het geluid van de bel en door het besef dat het vandaag de dag van de diploma-uitreiking was en dat haar ouders beneden voor de deur stonden.

*

In de seksuele hiërarchie op het college stonden de eerstejaars helemaal onderaan. Na zijn mislukking met Madeleine had Mitchell een lang, frustrerend jaar achter de rug. Met jongens die in dezelfde situatie zaten had hij menig avondje doorgebracht waarop ze in het jaarboek, dat bekendstond als het 'smoelenboek', zaten te kijken en elkaar de mooiste meisjes aanwezen. Tricia Parkinson, Cleveland, OH had een enorme bos Farah Fawcett-haar. In haar bonte blouse zag Jessica Kennison, Old Lyme, MA, eruit als een droom van een boerendochter. Madeleine Hanna, Prettybrook, NJ, had een zwart-witkiekje ingestuurd; ze hield haar ogen dichtgeknepen tegen de zon en de wind blies haar haar over haar voorhoofd. Het was een willekeurige foto, niet bedacht of ijdel, maar ook niet haar beste. De meeste jongens zagen haar over het hoofd in hun jacht op de beter belichte en meer voor de hand liggende schoonheden. Mitchell wees hun niet op hun vergissing. Hij wilde dat Madeleine Hanna zijn geheimpje bleef en wees daarom Sarah Kripke, Tuxedo Park, NY, aan.

Voor zijn eigen foto in het smoelenboek had Mitchell een plaatje opgestuurd dat hij uit een boek over de Burgeroorlog had geknipt; er stond een lutherse geestelijke op met een witte haardos, een klein brilletje en een uitdrukking van morele verontwaardiging op zijn magere gezicht. De samenstellers hadden dit plaatje braaf afgedrukt boven het onderschrift 'Mitchell Grammaticus, Grosse Pointe, MI'. Door het portret van de oude man te gebruiken, hoefde Mitchell geen echte foto van zichzelf op te sturen en zo aan de schoonheidswedstrijd mee te doen waar het smoelenboek onherroepelijk op uitdraaide. Het was een manier om zijn lichamelijke zelf uit te wissen en te vervangen door een blijk van zijn humor en intelligentie.

Als Mitchell had gehoopt dat zijn vrouwelijke studiegenoten zijn nepfoto zouden zien en geïnteresseerd in hem zouden raken, dan werd hij diep teleurgesteld. Niemand besteedde er aandacht aan. De jongen wiens foto vrouwelijke interesse opwekte was Leonard Bankhead, Portland, OR. Bankhead had een merkwaardige foto ingestuurd waarop hij in een besneeuwd veld stond met een hilarisch lange muts op. In Mitchells ogen was Bankhead niet bijzonder knap of onknap. Maar in de loop van het eerste studiejaar begonnen de verhalen over Bankheads seksuele veroveringen door te dringen tot de dorre gebieden van onthouding die Mitchells habitat vormden. John Kass, die op dezelfde middelbare school had gezeten als Bankheads kamergenoot, beweerde dat Bankhead zijn vriend zo vaak ergens anders had laten slapen dat die uiteindelijk om een eenpersoonskamer had gevraagd. Mitchell had de legendarische Bankhead een keer gezien op een feest in West Quad, waar hij een meisje aanstaarde alsof ze probeerden elkaars gedachten te lezen. Mitchell begreep niet dat meisjes Bankhead niet doorzagen. Hij dacht dat diens donjuanreputatie zijn aantrekkelijkheid zou verminderen, maar het tegendeel bleek waar. Hoe meer meisjes Bankhead mee naar bed nam, hoe meer meisjes met hem naar bed wilden. Waardoor Mitchell pijnlijk besefte hoe weinig hij eigenlijk van vrouwen wist.

Gelukkig was het eerste jaar ten langen leste afgelopen. Toen Mitchell in het najaar terugkwam, was er een hele nieuwe lichting eerstejaarsstudentes van wie er een, een roodharig meisje uit Oklahoma, in het voorjaarssemester zijn vriendin werd. Hij dacht niet meer aan Bankhead. (Behalve tijdens het vak reli. stu. in het tweede jaar, zag hij hem de rest van zijn studietijd nauwelijks meer.) Toen de Oklahomaanse het uitmaakte, ging Mitchell uit met andere meisjes, sliep met nog weer andere en liet de dorre gebieden van onthouding achter zich. Maar in het vierde jaar, twee maanden na het tijgerbalsemvoorval, kreeg hij te horen dat Madeleine een nieuw vriendje had en dat Leonard Bankhead de gelukkige was. Een dag of twee, drie was Mitchell compleet verdoofd en probeerde hij het nieuws te verwerken of er niet aan te denken, totdat hij op een ochtend wakker werd met zulke overweldigende gevoelens van minderwaardigheid en wanhoop dat het was alsof zijn eigenwaarde (samen met zijn pik) was verschrompeld tot het formaat van een erwt. Bankheads succes bij Madeleine onthulde de waarheid over Mitchell. Hij had het niet. Hij was niet goed genoeg voor haar. Dit was zijn plaats in de rangorde. Geen partij.

Zijn verlies had verstrekkende gevolgen. Hij trok zich uit de openbaarheid terug om zijn wonden te likken. Zijn interesse in het quiëtisme stamde al van daarvoor en na deze nieuwe nederlaag was er niets meer dat hem ervan weerhield om zich volledig in zichzelf terug te trekken.

Net als Madeleine had Mitchell aanvankelijk Engels als hoofdvak gekozen. Maar hij was van gedachten veranderd nadat hij voor een tentamen psychologie *The Varieties of Religious Experience* had gelezen. Hij had verwacht dat het boek klinisch en koud zou zijn, maar dat bleek niet het geval. William James beschreef allerlei soorten 'gevallen' van vrouwen en mannen die hij had ontmoet of met wie hij had gecorrespondeerd, mensen die leden aan zwaarmoedigheid, zenuwziekten of darmklachten, mensen die naar zelfmoord hadden verlangd, die stemmen hadden gehoord en hun leven radicaal hadden omgegooid. Zonder een zweem van spot deed hij verslag van hun getuigenissen. Sterker nog, wat die verhalen zo interessant maakte, was de intelligentie van de mensen die ze vertelden. Met opmerkelijke eerlijkheid beschreven deze mensen tot in detail hoe ze de wil om te leven verloren hadden, hoe ze ziek en bedlegerig waren geworden, verlaten door vrienden en familie, tot plotseling een 'Nieuwe Gedachte' bij hen was opgekomen, de gedachte aan hun ware plek in het universum, en dat op dat moment aan al hun lijden een einde was gekomen. Naast deze getuigenissen analyseerde James de religieuze ervaringen van beroemde mannen en vrouwen, zoals Walt Whitman, John Bunyan, Lev Tolstoj, Theresia van Ávila, George Fox, John Wesley en zelfs Immanuel Kant. James probeerde de lezer niet te bekeren, maar Mitchell werd zich door het boek bewust van de centrale rol die religie in de geschiedenis van de mensheid speelde en, belangrijker nog, van het feit dat religieus gevoel niet voortkwam uit kerkbezoek of Bijbelstudie, maar uit de intiemste persoonlijke ervaringen, zowel van grote vreugde als van diepe wanhoop.

Mitchell keerde steeds weer terug naar een door hem onderstreepte passage over het neurotische temperament die zijn eigen persoonlijkheid leek te beschrijven en hem daar tegelijkertijd mee verzoende. Die luidde als volgt:

Weinigen zijn niet in een of ander opzicht zwak, om niet te zeggen ziek; en juist onze zwakheden helpen ons onvermoed. In het neurotische temperament vinden we de emotionaliteit, die de conditio sine qua non is van een moreel onderscheidingsvermogen; de intensiteit en de nadrukkelijkheid, die de kern zijn van actieve morele kracht; en ten slotte de liefde voor metafysica en mystiek, die de belangstelling richt buiten de grenzen van de zintuiglijke wereld. Wat is dan natuurlijker dan dat dit temperament ons binnenleidt in gebieden van religieuze waarheid, in uithoeken van het heelal, die het 'gespierde' banale type zenuwstelsel, dat iedereen uitnodigt zijn biceps te betasten, zich op de borst slaat en de hemel dankt dat er ook niet de kleinste ziekelijke vezel in zijn lichaam zit, zonder enige twijfel voor eeuwig voor zijn zelfvoldane bezitters verborgen zou houden? Indien er zoiets bestaat als inspiratie uit een hoger rijk, dan zou het neurotische temperament waarschijnlijk de voornaamste conditie voor de vereiste ontvankelijkheid opleveren.

Het eerste college religieuze studies dat Mitchell had gevolgd (waar Bankhead toen ook bij aanwezig was) was een trendy overzichtscursus over oosterse religies. Vervolgens schreef hij zich in voor een seminar over de islam. En van daaruit dook Mitchell steeds dieper in de materie – een cursus thomistische ethiek, een seminar over het Duitse piëtisme – tot hij, in zijn laatste semester, begon aan een cursus religie, aliënatie en seperatie in de cultuur van de twintigste eeuw. Bij aanvang van het eerste college nam de docent, een streng uitziende man die luisterde naar de naam Hermann Richter, de ongeveer veertig studenten die zich in het lokaal hadden samengepakt wantrouwig in zich op. Met zijn kin in de lucht waarschuwde hij op scherpe toon: 'Dit is een uiterst intensieve, uitgebreide, analytische cursus over twintigste-eeuws religieuze denkbeelden. Degenen onder jullie die denken dat een beetje aliënatie misschien wel leuk is, vergissen zich danig.'

Met dreigende blik deelde Richter de syllabus rond. Onder de werken op de lijst bevonden zich *Die protestantische Ethik und der Geist des Kapitalismus* van Max Weber, een samenvatting van de belangrijkste geschriften van Auguste Comte, *The Courage to Be* van Paul Tillich, *Sein und Zeit* van Heidegger en *Le drame de l'humanisme athée* van Henri de Lubac. Hier en daar werd onthutst gereageerd. Sommige mensen hadden gehoopt op *L'Étranger*, dat ze al op de middelbare school hadden gelezen. Bij het eerstvolgende college waren er minder dan vijftien studenten over.

Mitchell had nooit eerder een docent als Richter gehad. Richter kleedde zich als een bankier. Hij droeg grijze streepjespakken, conservatieve dassen en glimmend gepoetste gaatjesschoenen. Hij had dezelfde geruststellende eigenschappen als Mitchells vader – toewijding, ernst, mannelijkheid – maar leidde een leven van onvaderlijke intellectuele beschaving. Elke morgen werd de *Frankfurter Allgemeine* afgeleverd in Richters postvakje op de faculteit. Hij kon in het Frans de reactie van de gebroeders De La Vérendrye citeren nadat ze de Dakota Badlands hadden gezien. Hij leek wereldser dan de meeste docenten en minder ideologisch geprogrammeerd. Hij had een lage, kissingeriaanse stem, maar dan zonder het accent. Het was onmogelijk om je hem als jongetje voor te stellen.

Twee keer per week kregen ze college van Richter en gingen ze onversaagd op zoek naar de redenen waarom het christelijke geloof omstreeks 1848 ter ziele was gegaan. Het feit dat veel mensen van mening waren dat het nog leefde, dat het zelfs nooit ziek was geweest, werd onmiddellijk van tafel geveegd. Richter hield niet van onzin. Als je de bezwaren van een Schopenhauer niet kon weerleggen, dan moest je dus zijn pessimisme delen. Maar dat was geenszins de enige mogelijkheid. Richter hamerde erop dat onvoorwaardelijk nihilisme intellectueel gezien net zomin steekhoudend was als onvoorwaardelijk geloof. Het was mogelijk om het lijk van het christendom steeds maar weer te reanimeren, zijn borst in te drukken en lucht in zijn mond te blazen, om te kijken of het hart weer zou gaan kloppen. *Ik ben niet dood. Ik deed maar een dutje.* Kaarsrecht, zonder ooit te gaan zitten, zijn grijze haar kortgeknipt, maar met hoopgevende aanwijzingen over zijn persoonlijkheid, zoals een distel in een knoopsgat of een ingepakt cadeautje voor zijn dochter dat uit de zak van zijn overjas stak, stelde Richter de studenten vragen en luisterde naar hun antwoorden alsof het hier vandaag zou kunnen gebeuren: in lokaal 112 van Richardson Hall zou Dee Michaels, die de rol van Marilyn Monroe speelde in de studentenproductie van *Bus Stop*, een touwladder de leegte in kunnen werpen. Mitchell observeerde Richters grondigheid, het mededogen waarmee hij dwalingen blootlegde, het onverminderde enthousiasme waarmee hij de leiding nam bij het ontwarren van de stuk of twintig meningen rond de seminartafel. Deze kinderen leren hun hersens te gebruiken, nu nog, terwijl er al zoveel aan verloren was.

Wat Richter zelf geloofde was onduidelijk. Hij was geen christelijke apologeet. Mitchell deed zijn best om tekenen van partijdigheid bij Richter te ontdekken. Maar die waren er niet. Hij ontleedde elke denker even nauwgezet. Hij was spaarzaam met lof en breedvoerig in zijn aanklachten.

Aan het eind van het semester was er een examen dat je thuis moest maken. Richter deelde één enkel vel papier uit waarop tien vragen stonden. Je mocht je boeken raadplegen. Bedrog was niet mogelijk. De antwoorden op dergelijke vragen waren nergens te vinden. Ze waren nog door niemand geformuleerd. Mitchell kon zich geen enkele druk herinneren bij het maken van het examen. Hij werkte hard, maar het kostte hem geen enkele moeite. Hij zat aan de ovale eettafel die hij als bureau gebruikte, omgeven door zijn aantekeningen en zijn boeken. Larry was in de keuken bananenbrood aan het bakken. Af en toe liep Mitchell naar de keuken en nam een stukje. Dan keerde hij weer terug en ging verder waar hij gebleven was. Tijdens het schrijven had hij voor het eerst het gevoel dat hij niet meer op school zat. Hij beantwoorde geen vragen om een cijfer voor een examen te halen. Hij probeerde de kritieke toestand te diagnosticeren waarin hij zich voor zijn gevoel bevond. En niet alleen zijn éigen toestand, maar die van iedereen die hij kende. Het was een merkwaardig gevoel. Hij schreef de namen Heidegger en Tillich, maar hij dacht steeds aan zichzelf en aan al zijn vrienden. Iedereen die hij kende was ervan overtuigd dat religie een schijnvertoning was en God een verzinsel. Maar wat zij in de plaats van religie stelden, was niet bepaald indrukwekkend. Niemand wist waarom ze hier op aarde waren. Niemand kon het raadsel van het bestaan oplossen. Het was net dat nummer van de Talking Heads: '*And you may ask yourself, well, how did I get here? (…) And you may tell yourself, This is not my beautiful house! And you may tell yourself, This is not my beautiful wife!*' Mitchell bleef zijn antwoorden op de vragen van de toets in de richting van hun praktische toepassing buigen. Hij wilde weten waartoe hij op aarde was en hoe hij moest leven. Het was de perfecte manier om je collegetijd te beëindigen. Educatie had Mitchell uiteindelijk het leven in geleid.

Zodra hij het examen had ingeleverd, dacht hij er niet meer aan. De diploma-uitreiking zat eraan te komen. Larry en hij waren druk bezig met het plannen van hun reis. Ze kochten rugzakken en vorstbestendige slaapzakken. Ze bogen zich over kaarten en budgetreisgidsen en bedachten mogelijke routes. Een week na het examen liep Mitchell het postkantoor van Faunce House binnen en vond een brief in zijn postvakje. Hij kwam van professor Richter, geschreven op briefpapier van de universiteit. Hij werd uitgenodigd om bij Richter op zijn kamer langs te komen.

Mitchell was nog nooit in Richters kamer geweest. Voor hij erheen ging, haalde hij twee ijskoffie in de Blue Room – een extravagant gebaar, maar het was heet buiten en hij wilde graag dat zijn docenten zich hem konden herinneren. Hij droeg de hoge, met een deksel afgesloten bekers door de middagzon naar het roodbakstenen gebouw. De afdelingssecretaresse vertelde hem waar hij Richter kon vinden, en Mitchell liep de trap op naar de eerste verdieping.

Alle andere werkkamers waren leeg. De boeddhisten waren vertrokken voor de zomervakantie. De islamisten zaten in Washington, waar ze het ministerie van Buitenlandse Zaken inzicht gaven in het 'referentiekader' van Abu Nidal, die net een autobom tot ontploffing had gebracht voor de Franse ambassade in West-Beiroet. Alleen de deur van de kamer aan het eind van de gang stond open en daarbinnen zat Richter, die ondanks het drukkende weer een das droeg.

Richters kamer was niet de kale cel van een docent die niet op de universiteit woonde en er alleen tijdens kantooruren gebruik van maakte, en evenmin het huiselijke studeervertrek van een afdelingshoofd, met litho's en een wandkleedje. Richters kamer was formeel, bijna Weens. Er stonden boekenkasten vol in leer gebonden theologische werken achter glazen deuren, een vergrootglas met een ivoren handvat, een koperen inktstel. Het bureau was gigantisch, een bolwerk tegen de voortwoekerende onwetendheid en onnauwkeurigheid van de wereld. Daarachter zat Richter met een vulpen aantekeningen te maken.

Mitchell stapte naar binnen en zei: 'Als ik ooit een eigen kamer op de universiteit zou hebben, dan zou die er zo moeten uitzien.'

Richter deed iets onverwachts: hij glimlachte. 'Daar zou u best eens de kans toe kunnen krijgen,' zei hij.

'Ik heb een ijskoffie voor u meegebracht.'

Richter keek over het bureau naar de attentie, lichtelijk verbaasd, maar welwillend. 'Dank u,' zei hij. Hij sloeg een gele map open en haalde er een stapeltje papier uit. Mitchell herkende het examen waaraan hij thuis zo hard had gewerkt. Het was helemaal volgeschreven met commentaar in een sierlijk handschrift.

'Gaat u zitten,' zei Richter.

Mitchell gehoorzaamde.

'Ik geef al tweeëntwintig jaar les op dit college,' begon Richter. 'En in al die tijd heb ik maar één keer eerder een verhandeling ontvangen die getuigde van hetzelfde diepe inzicht en dezelfde filosofische scherpzinnigheid als die van u.'

Hij liet een stilte vallen. 'De laatste student van wie ik dit kon zeggen is nu de decaan van het theologisch seminarie van Princeton.'

Richter zweeg, alsof hij wachtte tot zijn woorden tot Mitchell waren doorgedrongen. Maar dat deden ze niet echt. Mitchell was blij dat hij het goed had gedaan. Hij was eraan gewend dat hij het goed deed, maar hij genoot er nog steeds van. Verder dan dat gingen zijn gedachten niet.

'U studeert dit jaar af, is het niet?'

'Nog één week.'

'Hebt u ooit serieus een carrière in de wetenschap overwogen?'

'Niet serieus, nee.'

'Wat bent u van plan met uw leven te doen?' vroeg Richter.

Mitchell glimlachte. 'Zit mijn vader soms onder uw bureau?' vroeg hij.

Richter trok zijn wenkbrauwen op. Hij glimlachte niet meer. Hij vouwde zijn handen samen en gooide het over een andere boeg. 'Ik meen uit uw examen op te maken dat u zich persoonlijk bezighoudt met geloofszaken. Is dat juist?'

'Dat zou je zo kunnen zeggen, ja,' zei Mitchell.

'Uw achternaam is Grieks. Hebt u een orthodoxe opvoeding genoten?'

'Ik ben gedoopt, meer niet.'

'En momenteel?'

'Momenteel?' Mitchell nam even de tijd. Hij was gewend zijn spirituele onderzoekingen voor zich te houden. Het voelde vreemd om erover te praten.

Maar Richters gelaatsuitdrukking was niet veroordelend. Hij zat voorovergebogen in zijn stoel met zijn handen gevouwen voor zich op het bureau. Hij keek van hem weg, keerde hem slechts zijn oor toe. Hierdoor aangemoedigd durfde Mitchell vrijuit te spreken. Hij verklaarde dat hij weinig van religie had geweten toen hij zijn studie begon en dat hij door het lezen van Engelse literatuur was gaan beseffen hoe onwetend hij was. De wereld was gevormd door geloven waar hij niets van wist. 'Daar begon het mee,' zei hij, 'met het besef van mijn eigen onnozelheid.'

'Ja, ja,' Richter knikte kort. Die hoofdbeweging suggereerde persoonlijke ervaring met kwellende gedachten. Richter hield zijn hoofd laag en luisterde. 'Ik weet niet, op een dag viel het me zomaar in dat bijna alle schrijvers die ik voor mijn colleges las in God hadden geloofd,' vervolgde Mitchell. 'Milton, om er maar een te noemen. En George Herbert.' Of professor Richter bekend was met het werk George Herbert? Dat was hij. 'En Tolstoj. Ik realiseer me dat Tolstoj een beetje uit de bocht vloog tegen het eind. Toen hij afstand nam van *Anna Karenina*. Maar hoeveel schrijvers keren zich tegen hun eigen genie? Misschien was het juist zijn obsessie met de waarheid die hem zo goed maakte. Het feit dat hij bereid was zijn kunst op te geven maakte hem tot zo'n groot kunstenaar.'

Opnieuw kwam er een instemmend gemompel van de grijze eminentie boven het vloeiblad op het bureau. Het weer, de buitenwereld, dat alles had even opgehouden te bestaan. 'Dus heb ik afgelopen zomer een leeslijst voor mezelf samengesteld,' zei Mitchell. 'Ik heb heel veel Thomas Merton gelezen. Die zette me op het spoor van de heilige Johannes van het Kruis en via hem kwam ik uit bij meester Eckhart en *De Imitatione Christi* van Thomas à Kempis. En nu ben ik *The Cloud of Unknowing* aan het lezen.'

Richter wachtte even en vroeg toen: 'Is uw zoektocht uitsluitend intellectueel geweest?'

'Niet uitsluitend,' antwoordde Mitchell. 'Ik ben ook naar de kerk geweest.'

'Welke?'

'Zegt u het maar.' Mitchell glimlachte. 'Allerlei kerken. Maar voornamelijk katholieke.'

'Ik begrijp de aantrekkelijkheid van het katholicisme,' zei Richter. 'Maar als ik mezelf in de tijd van Luther plaats denk ik dat ik, gezien de excessen van de kerk in die tijd, de kant van de protestanten zou hebben gekozen.'

Het antwoord op de vraag die Mitchell zich het hele semester had gesteld, was nu van Richters gezicht af te lezen. Hij aarzelde en vroeg toen: 'Dus u gelooft in God?'

Richter specificeerde: 'Ik geloof in de christelijke religie.'

Mitchell wist niet precies wat dat betekende. Maar hij begreep waarom Richter zo aan het muggenziften was. Deze benaming bood hem ruimte voor bedenkingen en twijfels, historische vergelijkingen en afwijkende meningen.

'Ik had er geen idee van,' zei Mitchell. 'Tijdens de colleges kon ik er maar niet achter komen of u nu ergens in geloofde of niet.'

'Zo wordt het spel gespeeld.'

Ze zaten daar genoeglijk bij elkaar en dronken van hun ijskoffie. Toen deed Richter zijn voorstel.

'Ik wil u laten weten dat ik van mening ben dat u de potentie hebt om belangrijk werk te verrichten in de hedendaagse christelijke theologie. Als u daar iets voor zou voelen, zal ik ervoor zorgen dat u een volledige beurs voor het theologisch seminarie van Princeton krijgt. Of voor de theologische faculteit van Harvard of Yale als uw voorkeur daarnaar uitgaat. Ik wend mijn invloed gewoonlijk niet in deze mate aan voor mijn studenten, maar in uw geval kan ik niet anders.'

Mitchell had nooit overwogen om naar het seminarie te gaan. Maar het idee om theologie te studeren – om wat dan ook te studeren, in plaats van elke dag van negen tot vijf te gaan werken – trok hem wel aan. En dus zei hij tegen Richter dat hij er serieus over na zou denken. Hij ging op reis, een jaar ertussenuit. Hij beloofde Richter dat hij hem bij terugkomst zou schrijven om hem te laten weten wat hij besloten had.

Gezien alle moeilijkheden die zich voor Mitchell opstapelden – de recessie, zijn twijfelachtige diploma en dan vanmorgen nog die nieuwe afwijzing van Madeleine – was de reis het enige waar hij naar uit kon kijken. En nu, onderweg naar zijn kamer om zich te kleden voor het afstudeerdefilé, hield Mitchell zichzelf voor dat het niet uitmaakte hoe Madeleine over hem dacht. Binnenkort zou hij er niet meer zijn.

Zijn kamer in Bowen Street was maar twee straten bij het veel mooiere huis van Madeleine vandaan. Larry en hij bewoonden de eerste verdieping van een oude houten huurkazerne. Na een wandeling van vijf minuten liep hij het stoepje naar de voordeur op.

Mitchell en Larry hadden besloten dat ze naar India zouden gaan nadat ze op een avond een film van Satyajit Ray hadden gezien. Destijds waren hun plannen niet helemaal serieus. Maar vanaf dat moment antwoordden Mitchell en Larry telkens wanneer iemand hun vroeg wat ze na hun afstuderen gingen doen: 'We gaan naar India!' De reactie van hun vrienden was steevast positief. Niemand kon een reden verzinnen waarom ze niet naar India zouden gaan. De meeste mensen zeiden dat ze wel mee zouden willen. Het resultaat was dat Mitchell en Larry zonder zelfs maar een ticket of een reisgids te hebben gekocht – zonder eigenlijk echt iets over India te weten – gaandeweg werden gezien als benijdenswaardige, dappere, vrije geesten. En dus besloten ze uiteindelijk dat ze dan ook maar echt moesten gaan.

Stukje bij beetje had de reis vorm gekregen. Ze hadden een Europese etappe ingelast. Larry, die theaterwetenschappen had gestudeerd, had voor maart baantjes als onderzoeksassistent bij professor Hughes geregeld, wat de reis een professionele glans verleende en hun ouders er enigszins mee verzoende. Ze kochten een grote kleurige kaart van India en hingen die aan de keukenmuur.

Het enige wat hun plannen nog bijna had doen mislukken was het 'feest' dat ze een paar weken geleden hadden gegeven, in de studieweek voorafgaand aan de examens. Het was Larry's idee. Maar wat Mitchell niet wist, was dat het feest geen echt feest was, maar Larry's laatste project voor het vak studiokunst. Larry had, bleek later, verschillende gasten 'gecast' als 'acteurs' en ze van tevoren geïnstrueerd hoe ze zich op het feest moesten gedragen. Het merendeel van die instructies betrof het beledigen van, flirten met of lastigvallen van de nietsvermoedende gasten. Met als gevolg dat niemand het aan het begin van het feest naar zijn zin had. Vrienden kwamen naar je toe en zeiden dat ze je nooit helemaal hadden vertrouwd, dat je altijd uit je bek had gestonken, enzovoort. Omstreeks twaalf uur kwamen Ted en Susan, het getrouwde stel van beneden (belachelijk gekleed in badstof kamerjassen en pluizige pantoffels, dat zag Mitchell achteraf ook wel – Susan had zelfs krulspelden in), woedend binnenvallen en dreigden ze de politie te bellen vanwege de harde muziek. Mitchell probeerde hen te kalmeren, maar Dave Hayek (die ook een van de 'acteurs' was) kwam met zijn volle één meter negentig uit de keuken aangestampt en begon de buren te bedreigen. Hierop trok Ted een (nep)pistool uit de zak van zijn badjas en richtte het op Hayek, die op de grond ineenzonk en om zijn leven begon te smeken terwijl alle anderen van angst als aan de grond stonden genageld of in paniek naar de deuren renden, waarbij ze overal bier overheen morsten. Dat was het moment waarop Larry alle lichten aandeed en iedereen vertelde dat het, haha, allemaal maar een grap was. Ted en Susan trokken hun badjassen uit waaronder ze gewone kleren bleken te dragen. Ted liet iedereen zien dat het pistool een waterpistool was. Mitchell kon niet geloven dat Larry hem, als medegastheer van het feest, niet had ingelicht over de dubbele agenda. Hij had geen enkel vermoeden gehad dat Carlita Jones, een zesendertigjarige promovenda, het 'script' volgde toen ze zich eerder die avond met Mitchell in een slaapkamer had opgesloten en tegen hem had gezegd: 'Kom op, Mitchell. Laten we het doen. Hier op de vloer.' Hij was hogelijk verbaasd dat seks die zo openlijk werd aangeboden (zoals het in zijn fantasie vaak gebeurde) in werkelijkheid niet alleen onwelkom, maar zelfs beangstigend bleek te zijn. Maar ondanks dat alles en hoewel hij woedend op Larry was omdat hij hun feest had gebruikt om zijn bijvak tot een goed einde te brengen (al had Mitchell nattigheid moeten voelen toen de kunstdocente zelf haar intrede deed), wist Mitchell later diezelfde avond, al nadat iedereen was vertrokken – zelfs toen hij tegen Larry, die over de balkonrand stond te kotsen, schreeuwde: 'Ja, toe maar! Voor mijn part kots je al je ingewanden eruit! Dat zal je leren!' –, dat hij hem zou vergeven dat hij hun huis en hun feest in een slechte performance-act had veranderd. Larry was zijn beste vriend, ze gingen samen naar India, en Mitchell had geen keus.

Nu ging hij zijn appartement binnen en liep rechtstreeks naar Larry's deur, die hij met een zwaai opengooide.

Met zijn gezicht half verborgen onder een bos Art Garfunkel-haar lag Larry met zijn magere lijf als een grote letter z op een futon. Hij leek wel een figuur uit Pompeji, iemand die zich in een hoek had opgekruld terwijl lava en as door het raam naar binnen stroomden. Boven zijn hoofd waren twee foto's van Antonin

Artaud met punaises aan de muur geprikt. Op de linkerfoto was Artaud jong en ongelooflijk knap. Op de rechter, een kleine tien jaar later genomen, zag de toneelschrijver eruit als een verschrompelde krankzinnige. Het waren de snelheid en totaliteit van Artauds fysieke en mentale verval die Larry zo aanspraken.

'Opstaan,' zei Mitchell tegen hem.

Toen Larry niet reageerde, raapte Mitchell een script van Samuel French van de vloer en smeet het naar zijn hoofd.

Larry kreunde en rolde zich op zijn rug. Zijn ogen gingen knipperend open, maar hij leek geen haast te hebben om weer bij bewustzijn te komen. 'Hoe laat is het?'

'Laat. We moeten ervandoor.'

Na een hele tijd kwam Larry overeind. Hij was aan de kleine kant, met iets elf- of faunachtigs in zijn gezicht, wat hem er, afhankelijk van het licht of hoeveel hij had gefeest, net zo kon doen uitzien als Rudolf Nurejev, met dezelfde hoge jukbeenderen, of net zo holwangig als de figuur op *De schreeuw* van Munch. Op dit moment zat hij er ergens tussenin.

'Je hebt gisteren een geweldig feest gemist,' zei hij.

Mitchell keek hem uitdrukkingloos aan. 'Ik ben klaar met feesten.'

'Kom, kom, Mitchell, niet zo overdrijven. Ga je je ook zo gedragen op onze reis? Als saaimans?'

'Ik ben Madeleine net tegengekomen,' zei hij met nadruk. 'Ze praatte weer tegen me. Maar toen zei ik iets wat haar niet beviel en nu praat ze weer niet tegen me.'

'Goed gedaan.'

'Zij en Bankhead zijn uit elkaar, trouwens.'

'Dat wist ik al,' zei Larry.

Er begonnen alarmbellen te rinkelen in Mitchells hoofd. 'Hoe wist je dat dan?' vroeg hij.

'Nou, omdat ik haar gisteren met Thurston Meems heb zien weggaan. Ze was op jácht, Mitchell. Ik zei toch dat je moest komen. Echt pech dat je klaar bent met feesten.'

Mitchell ging rechterop staan om de klap van deze onthulling te verwerken. Larry was vanzelfsprekend op de hoogte van Mitchells obsessie voor Madeleine. Hij had Mitchell hoog horen opgeven over haar deugden en hem haar meer twijfelachtige eigenschappen horen verdedigen of vergoelijken. Mitchell had Larry – zoals je dat alleen doet bij een echte vriend – in vertrouwen genomen over de reikwijdte van zijn krankzinnige gedachten over Madeleine. Maar Mitchell had zijn trots en reageerde niet. 'Kom je nest uit,' zei hij terwijl hij zich in de gang terugtrok. 'Ik heb geen zin om te laat te komen.'

In zijn eigen kamer deed Mitchell de deur achter zich dicht en ging met gebogen hoofd in zijn bureaustoel zitten. Bepaalde details die vanmorgen nog nergens op duidden, onthulden langzaam hun betekenis, als rooksignalen. Madeleines warrige haar. Haar kater.

Plotseling draaide hij zich met wilde besluitvaardigheid in zijn stoel om en scheurde de kartonnen doos open die voor hem op het bureau stond. Daar zat zijn afstudeertoga in. Hij stond op, haalde hem eruit en trok het glimmende acryl over zijn hoofd. Kwast, jaarspeld en baret zaten apart in luchtdichte plastic zakjes. Nadat hij die had opengescheurd en de kwast zo stevig in de baret had geschroefd dat er een deuk was ontstaan, vouwde hij de vleermuisvleugels van de baret open en zette hem op.

Hij hoorde Larry naar de keuken sloffen. 'Mitchell,' riep Larry, 'zal ik een joint meenemen of niet?'

Zonder te antwoorden ging Mitchell voor de spiegel staan die aan zijn deur hing. Die afstudeerbaretten stamden uit de Middeleeuwen. Ze waren net zo oud als *The Cloud of Unknowing*. Daarom zagen ze er zo belachelijk uit. Daarom zag hij er zo belachelijk uit met zo'n ding op zijn hoofd.

Hij herinnerde zich een regel van meester Eckhart: 'Alleen de hand die uitwist kan de waarheid schrijven.'

Mitchell vroeg zich af of hij zichzelf moest uitwissen of zijn verleden of andere mensen of wat. Hij was klaar om onmiddellijk met wissen te beginnen, zodra hij wist wat er gewist moest worden.

Toen hij de keuken binnenkwam, was Larry koffie aan het zetten, net als hij met zijn toga aan en zijn baret op. Ze keken elkaar licht geamuseerd aan.

'Ja, er moet absoluut een joint mee,' zei Mitchell.

*

Madeleine nam de lange weg terug naar huis.

Ze was razend op alles en iedereen, om te beginnen op haar moeder omdat die haar gedwongen had Mitchell aan tafel te nodigen, op Leonard omdat hij niet belde, op het weer omdat het zo koud was en op college omdat het was afgelopen.

Het was onmogelijk om vrienden te zijn met een jongen. Iedere jongen met wie ze ooit bevriend was geweest, had uiteindelijk iets anders van haar gewild of had vanaf het begin iets anders gewild en was onder valse voorwendselen vrienden met haar geworden.

Mitchell wilde wraak. Daar ging dit over. Hij wilde haar kwetsen en hij kende haar zwakke plekken. Het was echt belachelijk van hem om te zeggen dat hij zich geestelijk niet tot haar aangetrokken voelde. Had hij niet al die jaren achter haar aangezeten? Had hij niet gezegd dat hij 'van haar geest hield'? Madeleine wist dat ze niet zo slim was als Mitchell. Maar was Mitchell wel zo slim als Leonard? Wat dacht je daarvan? Dat had ze tegen Mitchell moeten zeggen. In plaats van in tranen uit te barsten en ervandoor te gaan, had ze hem erop moeten wijzen dat Leonard niets op haar intelligentie aan te merken had.

Deze triomfantelijke gedachte verloor onmiddellijk zijn glans toen ze zich realiseerde dat Leonard en zij niet meer met elkaar waren.

Terwijl ze de door tranen vervormde Canal Street in keek (door de brekingshoek zag ze een kubistisch stopbord), stond Madeleine zichzelf nog eenmaal toe de verboden wens te doen dat Leonard en zij weer bij elkaar zouden komen. Het scheen haar toe dat als dat ene maar in orde zou komen, al haar andere problemen draaglijk zouden zijn.

De klok op de Citizens Bank wees 8:47 aan. Ze had een uur de tijd om haar toga aan te trekken en de heuvel op te gaan.

Voor haar diende de rivier zich aan, groen en onbeweeglijk. Een paar jaar geleden was hij in brand gevlogen. De brandweer had wekenlang vergeefs geprobeerd de vuurzee uit te krijgen. Wat de vraag opriep hoe je nu precies een brandende rivier moest blussen. Wat kon je doen als het blusmiddel tevens de brandstof was?

De door liefdesverdriet gekwelde studente Engels overdacht de symboliek daarvan.

In een smal parkje dat haar nooit eerder was opgevallen, ging ze op een bankje zitten. Natuurlijke opiaten overspoelden haar gestel en na een paar minuten begon ze zich wat beter te voelen. Ze droogde haar tranen. Vanaf nu zou ze Mitchell nooit meer hoeven zien als ze dat niet wilde. En Leonard ook niet. Hoewel ze zich op dat moment misbruikt, in de steek gelaten en beschaamd voelde, wist ze dat ze nog jong was, haar hele leven nog voor zich had – een leven waarin ze, als ze doorzette, iets bijzonders zou kunnen bereiken – en dat doorzetten onder andere betekende dat je dit soort momenten achter je moest kunnen laten, momenten waarop mensen je het gevoel gaven dat je nietig en onaantrekkelijk was en je van je zelfvertrouwen beroofden.

Ze verliet het park en liep door een klein met kinderkopjes geplaveid straatje terug omhoog naar Benefit Street.

Ze ging de hal van Narragansett binnen en nam de lift naar haar etage. Ze voelde zich moe en uitgedroogd en moest nog steeds nodig onder de douche.

Toen ze haar sleutel in het slot stak, deed Abby de deur vanbinnen open. Haar

haar zat in haar baret gepropt. 'Hoi! We dachten al dat we zonder jou moesten gaan.'

'Sorry,' zei Madeleine, 'het duurt altijd zo lang met mijn ouders. Kunnen jullie even op me wachten? Ik zal opschieten.'

In de woonkamer zat Olivia met haar voeten op de salontafel haar teennagels te lakken. De telefoon begon te rinkelen en Abby liep erheen om hem op te nemen.

'Pookie zei dat je met Thurston Meems vertrokken was,' zei Olivia terwijl ze wat nagellak aanbracht. 'Maar ik zei dat dat onmogelijk waar kon zijn.'

'Ik wil het er niet over hebben,' zei Madeleine.

'Prima. Het interesseert me toch niets,' zei Olivia. 'Maar Pookie en ik willen gewoon één ding weten.'

'Ik ga snel even douchen.'

'Het is voor jou,' zei Abby en ze stak haar de telefoon toe.

Madeleine had geen enkele behoefte om met iemand te praten. Maar het was beter dan nog meer vragen proberen te ontwijken.

Ze pakte de hoorn en zei hallo.

'Madeleine?' Het was een jongensstem, maar onbekend.

'Ja.'

'Je spreekt met Ken. Ken Auerbach.' Toen Madeleines reactie uitbleef, zei de beller: 'Ik ben een vriend van Leonard.'

'O,' zei Madeleine. 'Hoi.'

'Mijn excuses dat ik je nu bel, maar ik vertrek vandaag nog en het leek me beter om je te bellen voordat ik ga.' Er viel een stilte waarin Madeleine de werkelijkheid van het moment probeerde bij te benen, maar voordat ze daarin slaagde, zei Auerbach: 'Leonard is opgenomen.'

Hij had het nog niet gezegd, of hij voegde eraan toe: 'Maak je geen zorgen. Hij is niet gewond. Maar hij is opgenomen en ik vond dat je dat moest weten. Als je het niet al wist. Misschien wist je het al.'

'Nee, ik wist van niks,' zei Madeleine op wat haar een kalme toon toescheen. Op dezelfde toon vroeg ze: 'Heb je een momentje?' Met de hoorn tegen haar borst gedrukt pakte ze de telefoon, die een extra lang snoer had, en droeg hem vanuit de woonkamer naar haar slaapkamer, wat het snoer net toeliet. Ze sloot de deur achter zich en bracht de hoorn weer naar haar oor. Ze was bang dat haar stem zou overslaan als ze weer wat zei.

'Wat is er aan de hand? Is alles goed met hem?'

'Alles is in orde,' verzekerde Auerbach haar. 'Lichamelijk is alles in orde. Ik was bang dat je je dood zou schrikken als ik zou bellen, maar – ja, nee – hij is niet gewond of zo.'

'Wat is er dan met hem?'

'Nou, eerst was hij nogal manisch. Maar nu is hij heel erg depressief. Echt klinisch, bedoel ik.'

En terwijl de regenwolken boven de door haar venster omlijste koepel van het academiegebouw voorbijtrokken, vertelde Auerbach Madeleine in een paar minuten wat er gebeurd was.

Het begon ermee dat Leonard niet kon slapen. Tijdens colleges klaagde hij dat hij zo ontzettend moe was. In het begin besteedde niemand er veel aandacht aan. Moe zijn was in grote mate wat Leonard Leonard maakte. Daarvóór had Leonards uitputting verband gehouden met de vaste eisen van de dag: opstaan, aankleden, naar college gaan. Het was niet zo dat hij niet sliep; wakker zijn was gewoon haast niet te verdragen. Maar Leonards huidige uitputting hield verband met de nacht. Hij zei dat hij zich te opgefokt voelde om naar bed te gaan, en dus begon hij op te blijven tot een uur of drie, vier. Als hij zichzelf dwong om het licht uit te doen en naar bed te gaan, ging zijn hart als een razende tekeer en brak het zweet hem uit. Hij probeerde te lezen, maar zijn gedachten bleven alle kanten op gaan en al snel ijsbeerde hij weer door zijn kamer.

Nadat dit een week had geduurd, was Leonard naar de studentenartsenpost gegaan, waar een dokter, die wel gewend was aan de toevloed van overspannen studenten tegen het eind van het semester, hem slaappillen voorschreef en hem aanraadde geen koffie meer te drinken. Toen de pillen niet werkten, gaf de dokter hem een mild kalmeringsmiddel, en daarna een sterker, maar zelfs dat bracht Leonard per nacht niet meer dan twee of drie uur lichte, droomloze slaap waarvan hij niet uitrustte.

Dat was ongeveer het moment, zei Auerbach, waarop Leonard stopte met het innemen van zijn lithium. Het was niet duidelijk of hij dat bewust had gedaan of dat hij het gewoon vergeten was. Maar niet lang daarna begon hij mensen te bellen. Hij belde iedereen. Hij bleef een kwartier praten, of een halfuur, of een uur, of twee uur. In het begin was hij, zoals altijd, onderhoudend. Mensen vonden het fijn om iets van hem te horen. Hij belde zijn vrienden twee of drie keer per dag. Toen vijf of zes. Toen tien. Toen twaalf. Hij belde vanuit zijn kamer. Hij belde vanuit telefooncellen op het universiteitsterrein, die hij allemaal feilloos wist te vinden. Leonard wist een telefoon in de kelder van het natuurkundelaboratorium en een knus belhoekje in het administratiegebouw. Hij wist een kapotte telefooncel in Thayer Street, die je kwartje weer teruggaf. Hij wist een paar onbewaakte telefoons bij wijsbegeerte. Vanaf al die plekken belde Leonard op om zijn toehoorders te vertellen hoe uitgeput hij was, hoe slapeloos, hoe slapeloos, hoe uitgeput. Het enige wat hij blijkbaar nog kon, was telefoneren. Zodra de zon opkwam, belde Leonard zijn matineuze vrienden. Terwijl hij de hele nacht had doorgehaald, belde hij mensen die nog helemaal niet in de stemming waren voor een gesprek. En van hen ging hij over op andere mensen, goede kennissen of mensen die hij nauwelijks kende, studenten, afdelingssecretaresses, zijn dermatoloog, zijn studieadviseur. Als het aan de oostkust te laat werd om nog iemand te bellen, zocht Leonard in zijn telefoonklapper naar nummers van vrienden aan de westkust. En als het te laat werd om naar Portland of San Francisco te bellen, zag Leonard zich geconfronteerd met de verschrikkelijke twee of drie uur dat hij alleen op zijn kamer zat met zijn eigen afbrokkelende verstand.

Dat was de term die Auerbach gebruikte toen hij Madeleine het verhaal vertelde: afbrokkelend verstand. Madeleine luisterde terwijl ze probeerde het beeld dat Auerbach van Leonard schetste te rijmen met de Leonard die zij kende, die juist een uitermate scherp verstand had.

'Hoe bedoel je?' vroeg Madeleine. 'Bedoel je dat Leonard gek aan het worden is?'

'Dat zeg ik niet,' zei Auerbach.

'Maar hoezo brokkelt zijn verstand dan af?'

'Zo zei hij dat het aanvoelde,' zei Auerbach.

Terwijl hij zijn verstand begon te verliezen, probeerde Leonard het bij elkaar te houden door in een kunststof hoorn te praten, door contact te zoeken met en te reageren op een ander, door die ander tot in detail op de hoogte te stellen van zijn wanhoop, zijn lichamelijke symptomen en zijn hypochondrische vermoedens. Hij belde mensen om hen naar hun moedervlekken te vragen. Hadden ze wel eens een moedervlek gehad die er verdacht uitzag? Die bloedde of van vorm veranderde? Of een rood plekje op hun pik? Zou dat herpes kunnen zijn? Hoe zag herpes eruit? Wat was het verschil tussen een herpesplek en een sjanker? Leonard overschreed het decorum van mannelijke vriendschap, aldus Auerbach, door zijn vrienden te bellen en naar de staat van hun erecties te informeren. Hadden ze hem wel eens niet omhoog kunnen krijgen? En zo ja, onder welke omstandigheden? Leonard begon zijn erecties 'Gumbies' te noemen. Dat waren buigzame erecties, net zo buigzaam als het kinderfiguurtje met dezelfde naam. 'Soms heb ik een complete Gumby,' zei hij. Hij was bang dat een fietstocht door Oregon zijn prostaat had aangetast. Hij ging naar de bibliotheek en vond daar een studie over erectiestoornissen bij deelnemers aan de Tour de France. Vanwege zijn genialiteit en omdat hij vroeger altijd zo geestig was, had Leonard bij veel mensen een enorm krediet opgebouwd, herinneringen aan geweldige dingen die ze met hem hadden meegemaakt, en nu, met zijn ontelbare telefoontjes, begon hij dat krediet telefoontje voor telefoontje op te souperen terwijl de mensen zijn gejammer geduldig aanhoorden en probeerden hem uit zijn depressie te praten, en het duurde heel lang voor hij zijn voorraad sympathie en bewondering had uitgeput.

Leonards sombere stemmingen waren altijd een deel van zijn aantrekkingskracht geweest. Het was een verademing om hem een opsomming te horen geven van zijn tekortkomingen, van zijn twijfels over de Amerikaanse formule voor succes. Er waren op college zo veel mensen die zich blind staarden op ambitie, met een opgepompt ego, slim maar genadeloos, ijverig maar gevoelloos en opgeruimd maar saai, dat iedereen zich gedwongen voelde om vrolijk te zijn, net te doen alsof ze het studieprogramma helemaal zagen zitten en er helemaal voor gingen, terwijl iedereen diep in zijn hart wist dat ze dat niet echt zo voelden. Mensen twijfelden aan zichzelf en waren onzeker over hun toekomst. Ze waren geïntimideerd en bang, en dus voelden ze zich als ze met Leonard praatten, die al deze dingen nog tien keer zo sterk had, minder slecht over zichzelf, en minder alleen. Leonards telefoontjes fungeerden als therapie op afstand. En daarbij was hij het slechtste af van iedereen! Hij was dokter Freud en dokter Doem, biechtvader en biechteling, psycholoog en psychopaat ineen. Hij deed zich niet anders voor dan hij was. Hij was niet schijnheilig. Hij was eerlijk en luisterde met compassie. Op hun best waren Leonards telefoongesprekken een soort kunst, of een vorm van geestelijke bijstand.

Maar toch, zei Auerbach, onderging Leonards pessimisme omstreeks deze tijd een verandering. Het verdiepte zich, werd zuiverder. Het verloor zijn eerdere komische omhulsel, zijn schertsende luchtigheid, en ging over in onvervalste, dodelijke wanhoop. Wat Leonard, die altijd 'depressief' was geweest eerder ook gehad mocht hebben; het was geen depressie. Dít was een depressie. Deze monotone monoloog van een ongewassen jongen die midden op de vloer op zijn rug ligt. Deze onmatige, toonloze voordracht over de mislukkingen uit zijn jonge leven, mislukkingen die hem in gedachten al veroordeelden tot een leven waar steeds minder van te verwachten viel. 'Waar is Leonard?' bleef hij maar vragen aan de telefoon. Waar was die jongen gebleven die met zijn rechterhand een essay van twintig bladzijden over Spinoza kon schrijven terwijl hij met zijn linkerhand schaakte? Waar was Leonard de studiebol, de verschaffer van obscure informatie over de geschiedenis van de boekdrukkunst in Vlaanderen in vergelijking tot Wallonië, bezorger van verhandelingen over de literaire verdiensten van zestien schrijvers uit Ghana, Kenia en Ivoorkust, allemaal verschenen in een paperbackserie uit de jaren zestig, genaamd 'Out of Africa', die Leonard een keer in de Strand had gevonden en voor vijftig cent per stuk had gekocht en waarvan hij alle deeltjes gelezen had? 'Waar is Leonard?' vroeg Leonard. Leonard wist het niet.

Langzaam begon het Leonards vrienden te dagen dat het hem niet uitmaakte wie hij aan de telefoon had. Hij vergat wie hij aan de lijn had en als het iemand lukte om op te hangen, belde Leonard iemand anders op en ging gewoon verder waar hij gebleven was. En mensen hadden het druk. Ze hadden wel wat anders te doen. En dus begonnen Leonards vrienden geleidelijk uitvluchten te verzinnen als hij belde. Ze zeiden dat ze naar college moesten of een afspraak met een docent hadden. Ze hielden de gesprekken zo kort mogelijk en namen na een tijdje helemaal niet meer op. Ook Auerbach zelf had dat gedaan. Nu voelde hij zich daar schuldig over, daarom had hij Madeleine ook gebeld. 'We wisten dat hij er slecht aan toe was,' zei hij, 'maar niet dat hij er zó slecht aan toe was.'

En dit alles culmineerde in de dag dat Auerbachs telefoon om een uur of vijf 's middags begon te rinkelen. Omdat hij vermoedde dat het Leonard was, nam hij niet op. Maar de telefoon bleef maar rinkelen en uiteindelijk hield Auerbach het niet meer vol en nam hij op.

'Ken?' zei Leonard met trillende stem. 'Ze geven me geen eindcijfer, Ken. Ze laten me niet afstuderen.'

'Wie zegt dat?'

'Nalbandian belde net. Volgens hem is er geen tijd meer om het werk in te halen dat ik heb gemist. Dus geeft hij me geen eindcijfer.'

Dat was voor Auerbach geen verrassing. Maar door de kwetsbaarheid in Leonards stem, als van een kind dat verdwaald is in het bos, wilde Auerbach iets troostends tegen hem zeggen. 'Dat valt toch nog wel mee, hij laat je tenminste niet zakken.'

'Daar gaat het niet om, Ken,' zei Leonard gekrenkt. 'Het gaat erom dat hij een van mijn docenten is van wie ik had gehoopt dat ze aanbevelingsbrieven voor me zouden schrijven. Ik heb alles verneukt, Ken. Ik zal niet op tijd afstuderen, samen met alle anderen. Als ik niet afstudeer, kan ik mijn assistentschap in Pilgrim Lake op mijn buik schrijven. Ik heb helemaal geen geld, Ken. Mijn ouders zullen me niet helpen. Ik weet niet hoe ik het voor elkaar moet krijgen. Ik ben tweeëntwintig en ik heb mijn leven nu al voorgoed verknald!'

Auerbach probeerde met Leonard te praten, hem tot bedaren te brengen, maar welke argumenten hij ook aandroeg, Leonard bleef gefixeerd op het nijpende van zijn situatie. Hij bleef maar klagen over geldgebrek doordat hij, in tegenstelling tot de meeste studenten op Brown, geen hulp van zijn ouders kon verwachten, de achterstand waar hij al zijn hele leven mee te kampen had en die mede tot zijn precaire emotionele toestand had geleid. Zo draaiden ze meer dan een uur in een kringetje rond; Leonard ademde zwaar in de hoorn en ging steeds wanhopiger klinken, terwijl Auerbach langzamerhand niet meer wist wat hij moest zeggen en met tactieken aan kwam zetten die hem zelf belachelijk in de oren klonken, bijvoorbeeld dat Leonard moest ophouden zoveel over zichzelf na te denken, dat hij de deur uit moest om naar de bloeiende magnolia's op het grasveld te kijken – had hij die magnolia's wel gezien? –, dat hij zijn situatie eens moest proberen te vergelijken met mensen die in werkelijk wanhopige omstandigheden verkeerden, zoals Zuid-Amerikaanse goudzoekers of mensen die verlamd waren of patiënten met vergevorderde MS, dat het leven niet zo beroerd was als Leonard beweerde. En toen deed Leonard iets wat hij nog nooit had gedaan: hij gooide de hoorn erop. Het was de enige keer tijdens zijn telefoonmanie dat hij als eerste ophing, en dat verontrustte Auerbach. Hij belde Leonard terug, maar die nam niet op. Nadat hij nog een paar andere mensen had gebeld die Leonard ook kenden, besloot Auerbach uiteindelijk om naar Planet Street te gaan, waar hij Leonard totaal over zijn toeren aantrof. Na een hele tijd soebatten wist hij Leonard eindelijk zover te krijgen dat hij zich door hem naar de studentenartsenpost liet brengen, waar de dienstdoende dokter Leonard voor die nacht opnam. De volgende dag stuurden ze hem naar het ziekenhuis van Providence, waar hij nu op de psychiatrische afdeling behandeld werd.

Als ze meer tijd had gehad, had Madeleine de overvloed aan emoties die haar nu overspoelde van elkaar kunnen scheiden en kunnen benoemen. Een gevoel van paniek overheerste, maar op de achtergrond voelde ze schaamte en woede omdat ze de laatste was die het wist. Maar onder al die gevoelens borrelde een merkwaardige opgewektheid.

'Ik kende Leonard al toen hij voor het eerst werd gediagnosticeerd,' zei Auerbach. 'In het eerste jaar. Het gaat prima met hem als hij zijn medicijnen inneemt. Het is altijd prima met hem gegaan. Hij heeft nu gewoon wat steun nodig. Dat is eigenlijk waarom ik belde.'

'Dank je,' zei Madeleine. 'Ik ben blij dat je gebeld hebt.'

'Tot dusver hebben we met een paar man de honneurs waargenomen wat de bezoekuren betreft, maar vandaag vertrekt iedereen en – nou ja – ik weet zeker dat Leonard je graag zou willen zien.'

'Zei hij dat?'

'Nou, hij heeft het niet gezégd, maar ik was gisteren nog bij hem en ik weet zeker dat hij het op prijs zou stellen als je langskwam.'

Vervolgens gaf Auerbach haar het adres van het ziekenhuis en het nummer van de zusterpost, en zei gedag.

Madeleine was nu een en al vastberadenheid. Ze legde resoluut de hoorn op de haak en beende van haar slaapkamer terug naar de woonkamer.

Olivia zat nog met haar benen op de salontafel om haar teennagels te laten drogen. Abby schonk een roze smoothie uit een blender in een glas.

'Stelletje verraders!' riep Madeleine.

'Hè?' vroeg Abby verbaasd.

'Jullie wisten het!' schreeuwde Madeleine. 'Jullie wisten aldoor al dat Leonard was opgenomen! Daarom zeiden jullie dat hij niet op het feest zou komen.'

Abby en Olivia wisselden een blik. Ze wachtten allebei tot de ander iets zou zeggen.

'Jullie wisten het en jullie hebben niets gezegd!'

'Dat was voor je eigen bestwil,' zei Abby met een zorgelijke blik. 'We wilden niet dat je van streek zou raken en jezelf hiermee zou kwellen. Ik bedoel, je ging al bijna niet meer naar college. Je begon net een beetje over hem heen te raken en we dachten dat…'

'Hoe zou jij het vinden als Whitney in het ziekenhuis lag en ik het jou niet zou vertellen?'

'Dat is wat anders,' zei Abby. 'Leonard en jij zijn uit elkaar. Jullie spraken elkaar niet eens meer.'

'Dat doet er niet toe,' zei Madeleine.

'Ik bén nog met Whitney.'

'Hoe konden jullie dat nou voor je houden?'

'Oké,' zei Abby. 'Sorry. Het spijt ons heel erg.'

'Jullie hebben me voorgelogen.'

Olivia schudde haar hoofd, niet van zins dat te accepteren. 'Leonard is gek,' zei ze. 'Besef je dat wel? Het spijt me, Maddy, maar Leonard is gek. Hij wilde zijn kamer niet uitkomen! Ze moesten de beveiliging erbij roepen om zijn deur open te breken.'

Die details waren nieuw. Madeleine zoog ze in zich op om ze later te analyseren. 'Leonard is niet gek,' zei ze. 'Hij is alleen maar depressief. Dat is een ziekte.'

Ze wist niet of het een ziekte was. Ze wist er helemaal niets van. Maar de snelheid waarmee ze deze verzekering uit de lucht plukte, had de toegevoegde waarde dat die haar deed geloven wat ze zei.

Abby zag er nog steeds meelevend uit; ze zette grote, vochtige ogen op en hield haar hoofd een beetje schuin. Op haar bovenlip zat een restje vruchtensap. 'We maakten ons gewoon zorgen om je, Mad,' zei ze. 'We waren bang dat dit een aanleiding voor je zou kunnen zijn om het weer met hem te proberen.'

'O, dus jullie vonden dat ik bescherming nodig had.'

'Je hoeft niet zo hatelijk te doen,' zei Olivia.

'Niet te geloven dat ik mijn laatste jaar heb verpest door met jullie samen te wonen.'

'Nee, het was echt een genoegen om met jou samen te wonen!' zei Olivia op sarcastische toon. 'Met je *Fragments d'un discours amoureux*. Laat me niet lachen! Weet je wel, die regel die je altijd citeert? Dat niemand verliefd zou worden als ze er niet eerst over gelezen hadden? Nou, dat is het enige wat jij doet, erover lezen.'

'Volgens mij moet je toegeven dat het heel aardig van ons was om te vragen of je bij ons wilde komen wonen,' zei Abby en ze likte het restje sap van haar lip. 'Ik bedoel, wij hebben dit appartement gevonden en de borg betaald en alles.'

'Ik wou dat jullie me nooit gevraagd hadden,' zei Madeleine. 'Dan zou ik misschien met iemand hebben samengewoond die te vertrouwen was.'

'Kom op, we gaan,' zei Abby en ze keerde Madeleine vastberaden haar rug toe. 'Het is tijd voor het defilé.'

'Maar mijn nagels zijn nog niet droog,' zei Olivia.

'We gaan. We zijn al laat.'

Madeleine wachtte het eind van hun gesprek niet af. Ze draaide zich om, liep naar haar kamer en trok de deur achter zich dicht. Toen ze zeker wist dat Abby en Olivia waren vertrokken, pakte ze haar eigen afstudeerspullen – toga, baret en kwast – en snelde naar de lobby. Het was twee minuten over halftien. Ze had nog dertien minuten om naar de campus te komen.

De snelste weg omhoog – tevens de kant op waarbij ze niet het risico liep haar huisgenotes in te halen – was door Bowen Street. Maar Bowen Street bracht weer zijn eigen gevaren met zich mee. Daar woonde Mitchell en ze was bepaald niet in de stemming om hem opnieuw tegen het lijf te lopen. Ze liep voorzichtig de hoek om en toen ze hem niet zag, rende ze vlug voorbij zijn huis, waarna ze de heuvel begon te beklimmen.

Het pad was glibberig door de regen. Tegen de tijd dat ze boven was, zaten haar platte schoenen onder de modder. Haar hoofd begon weer te kloppen en terwijl ze haastig doorliep, steeg er een vlaag van haar eigen lichaamsgeur uit de kraag van haar jurk op. Voor het eerst bestudeerde ze de vlek. Het kon van alles zijn. Ze bleef even staan, trok de toga over haar hoofd en vervolgde haar weg.

Ze zag Leonard voor zich, verschanst in zijn kamer terwijl beveiligingsagenten zijn deur openbraken, en een angstige tederheid maakte zich van haar meester.

Toch was er tegelijkertijd die opgewektheid, die, ondanks de acute noodsituatie, als een ballon in haar opsteeg…

In Congdon Street versnelde ze haar pas. Na een paar straten kon ze de mensenmenigte al zien. Politieagenten hielden het verkeer tegen en in Prospect Street en College Street stonden massa's mensen in regenjassen voor het faculteitsgebouw en de bibliotheek. De wind was weer opgestoken, de toppen van de iepen zwiepten in de donkere lucht.

Toen ze langs Carrie Tower liep, hoorde Madeleine een fanfarekorps inblazen. Ouderejaars dromden samen in Waterman Street terwijl ceremonieel geklede functionarissen de rijen inspecteerden. Ze had door de Faunce House Arch het grasveld op willen lopen, maar de rij versperde haar de weg. In plaats van te wachten, liep ze verder langs Faunce House en daalde de trap van het postkantoor af met de bedoeling via de ondergrondse passage naar het veld te gaan. Terwijl ze overstak, viel haar een gedachte in. Het was negentien minuten voor tien. Ze had nog vier minuten.

Madeleines postbus bevond zich op de onderste rij van de bussen aan de voorkant. Om de cijfercombinatie in te voeren ging ze op een knie zitten, waardoor ze zich tegelijk hoopvol en kwetsbaar voelde. De geelkoperen deur ging open bij de door ouderdom donker geworden gleuf. Binnenin lag één enkele envelop. Kalm (want een succesvolle kandidaat geeft geen blijk van angst of haast) trok ze hem eruit.

Het was een brief van Yale, gescheurd en in een plastic USPS-envelop gestoken waarop de mededeling gedrukt stond: 'Dit poststuk is onderweg naar de ontvanger beschadigd. Wij bieden onze excuses aan voor de vertraging.'

Ze opende het dichtgesmolten plastic en trok behoedzaam de papieren envelop eruit, waarbij ze haar best deed om hem niet verder te scheuren. Hij was vast komen te zitten in een sorteermachine. Op het poststempel stond: '1 april 1982'.

Het postkantoor van Faunce House wist alles van toelatingsbrieven. Elk jaar stroomden ze binnen, van medische faculteiten, rechtenfaculteiten, allerlei masteropleidingen. Studenten hadden, net als zij nu, voor deze postbussen geknield om brieven tevoorschijn te halen die hen in één klap veranderden in Rhodes-studenten, senatorsassistenten, beginnende journalisten of aanstaande Wharton-studenten. Toen Madeleine de envelop openmaakte, viel het haar op dat hij niet erg zwaar was.

Geachte mevrouw Hanna,

Hierbij delen wij u mede dat u niet bent toegelaten tot de studie Engelse taal- en letterkunde aan Yale voor het komende studiejaar 1982-1983. We ontvangen elk jaar heel veel inschrijvingen van geschikte kandidaten en kunnen tot onze spijt niet iedereen

Ze gaf geen kik. Ze toonde geen enkele teleurstelling. Zachtjes sloot ze haar postbus af, gaf een slinger aan het cijferslot, waarna ze zich in haar volle lengte oprichtte en kaarsrecht het postkantoor verliet. Vlak bij de uitgang maakte ze het door de sorteermachine van de USPS begonnen werk af door de brief in tweeën te scheuren en de twee helften in de afvalbak te werpen.

A, B, C en D hebben zich aangemeld voor een studie aan Yale. Als A de redacteur is van *The Harvard Crimson*, B een student van Rhodes die een monografie over *Paradise Lost* heeft gepubliceerd in *The Milton Quarterly*, C een negentienjarig wonderkind uit Engeland dat Russisch en Frans spreekt en familie is van premier Thatcher, en D een collegestudente Engels wier toelatingsbijdrage bestond uit een matig essay over de verbindende woorden in *Pearl* plus een score van 520 voor de logische sectie van het universitair toelatingsexamen, wie maakt er dan net zo veel kans om te worden toegelaten als een ijsblokje in de hel?

Haar afwijzing dateerde van april, twee maanden geleden. Haar lot was al bezegeld voordat ze met Leonard gebroken had, wat betekende dat het enige waar ze de afgelopen drie weken op had gehoopt om haar stemming wat op te beuren een illusie bleek te zijn. Alweer een stuk belangrijke informatie dat haar was onthouden.

Er klonken kreten vanaf het grasveld. Berustend zette Madeleine de baret als een zotskap op haar hoofd. Ze liet het postkantoor achter zich en klom de treden naar het grasveld op.

Op de open, met gras begroeide ruimte stonden gezinnen te wachten totdat het defilé zou beginnen. Drie kleine meisjes waren op de bronzen schoot van het standbeeld van Henry Moore geklommen; ze lachten en giechelden terwijl hun vader in het gras knielde om foto's te nemen. Hele groepen oud-studenten met strohoeden of Brown-honkbalpetten die hun jaar vermeldden, schuifelden rond en vierden hun hereniging.

Voor Sayles Hall begonnen de mensen te juichen. Madeleine keek toe terwijl een afgestudeerde uit het stenen tijdperk, een alumnus als een spookverschijning, gehuld in een gestreepte blazer, naar voren werd geduwd door een gevolg van blonde kleinkinderen of achterkleinkinderen. Aan de armleuningen van zijn rolstoel zaten allemaal rode heliumballonnen vastgebonden, waarop met bruine letters LICHTING 1909 geschreven stond. De oude man stak zijn hand op als dank voor het applaus. Hij grijnsde met monsterlijk lange tanden en zijn gezicht glom van genoegen onder zijn Beefeaters-hoed.

Madeleine zag de vrolijke oude man langskomen. Op dat moment barstte de fanfare los in de processiemuziek en het afstudeerdefilé begon. De zakelijk ogende rector magnificus, gekleed in een gestreepte fluwelen toga en een slappe Florentijnse muts, voerde het cortège aan met een middeleeuwse lans in zijn hand. Na hem kwamen de plutocratische commissarissen, de roodharige, macrocefalische nazaten van de familie Brown en een verzameling bestuursfunctionarissen en decanen. De laatstejaars kwamen zij aan zij toegestroomd vanaf Wayland Arch en staken het grasveld over. De parade trok langs University Hall in de richting van de Van Wickle Gates, waar alle ouders – inclusief Alton en Phyllida – vol verwachting stonden samengepakt.

Madeleine keek naar de optocht, op zoek naar een plek waar ze kon invoegen. Ze zocht de gezichten af naar een bekende, haar vriendin Kelly Traub of desnoods Lollie en Pookie Ames. Maar tegelijkertijd deed de angst om Mitchell of Olivia en Abby weer tegen het lijf te lopen haar aarzelen, en ze stond half verscholen achter een dikbuikige vader die een videocamera met zich meetorste.

Ze kon zich niet meer herinneren aan welke kant haar kwast hoorde te hangen, links of rechts.

De lichting die dat jaar zou afstuderen telde nagenoeg twaalfhonderd studenten. Ze bleven maar komen, twee aan twee, stralend en lachend terwijl ze hun vuisten tegen elkaar aan sloegen en high fives uitdeelden. Maar geen van de mensen die voorbijkwam had Madeleine ooit eerder gezien. Na vier jaar op dit college was er niemand die ze kende.

Er waren pas een stuk of honderd laatstejaars gepasseerd, maar Madeleine wachtte de rest niet af. Het gezicht dat ze wilde zien was er toch niet. Ze draaide zich om en liep terug door Faunce House Arch, ging de hoek om en nam Waterman Street in de richting van Thayer Street. Haastig, bijna rennend, met een hand aan haar baret, bereikte ze de hoek, waar het verkeer voorbijraasde. Een minuut later hield ze een taxi aan en zei tegen de chauffeur dat hij haar naar Providence Hospital moest brengen.

*

Ze hadden de joint net opgerookt toen de rij zich in beweging zette.

Een halfuur lang hadden Mitchell en Larry in de winderige schaduw van Wriston Quad gestaan, midden in een lange zwarte rij van afstuderende laatstejaars die zich uitstrekte van het hoofdveld aan het eind van het lange pad tot de met klimop begroeide poort achter hen, en verder tot in Thayer Street. De smalle stoepen hielden de rij voor en achter hen in het gelid, maar op de open Quad puilde hij uit en werd het een openluchtfeest. Mensen liepen kriskras door elkaar.

Mitchell hield met zijn lichaam de wind tegen, zodat Larry de joint kon aansteken. Iedereen klaagde over de kou en liep heen en weer om warm te blijven.

Er waren een heleboel manieren waarop je de plechtigheden van de dag het hoofd kon bieden. Sommige mensen hadden hun baret schuin op hun hoofd staan. Anderen hadden hem versierd met stickers of verf. Meisjes hadden gekozen voor veren boa's of lolitazonnebrillen of oorbellen van spiegelglas als miniatuurdiscobollen. Mitchell kwam tot de conclusie dat dergelijk vertoon van ongehoorzaamheid heel gebruikelijk was op diploma-uitreikingen en dus net zo traditioneel was als de tradities die het probeerde te ondermijnen, waarna hij de joint van Larry aanpakte en de plechtigheid op zijn eigen afgezaagde wijze het hoofd bood.

'*Gaudeamus igitur*,' zei hij en hij nam een hijs.

Als een ei dat is ingeslikt door een adder zocht het startsignaal door middel van een vrijwel onzichtbare peristaltiek zijn weg door de slingers en bochten van de rij verzamelde studenten. Maar niemand leek nog in beweging te komen. Mitchell bleef voor zich uit turen om te kijken of er al iets gebeurde. Uiteindelijk bereikte het signaal de mensen vlak voor hen en ineens schoot de hele rij naar voren.

Ze rookten de joint nu wat sneller op en gaven hem steeds aan elkaar door.

Voor hen in de rij draaide Mark Klemke zich om en zei met op en neer wippende wenkbrauwen: 'Ik heb niets aan onder mijn toga.'

Een heleboel mensen hadden camera's bij zich. Reclames hadden hun voorgehouden dat ze dit moment op film moesten vastleggen, en dus legden ze het vast op film.

Het was mogelijk om je tegelijkertijd boven anderen verheven én een mislukkeling te voelen.

Op de kleuterschool zetten ze je in de rij, op alfabet. Op schoolreisjes in de vierde klas pakte je de hand van je klasgenootje om langs de muskusos of de stoomturbine te schuifelen. School was een eindeloze rij rijen en dit was de laatste. Langzaam liepen Mitchell en Larry vanuit de bladerrijke schemer van Wriston Quad omhoog. Het was nog steeds fris, er was geen zon. Een of andere grapjas was op het standbeeld van Marcus Aurelius geklommen om de stoïcijn een baret op te zetten. Op de stalen flank van zijn paard stond '82' gekalkt. Nadat ze de trap naast Leeds Theatre waren opgeklommen, ging het verder omhoog, langs Sayles Hall en Richardson, tot aan het grasveld. De hemel zag eruit als een schilderij van El Greco. Er waaide een programmaboekje voorbij.

Larry bood hem de joint aan, maar Mitchell schudde zijn hoofd. 'Ik ben stoned,' zei hij.

'Ik ook.'

Ze namen kleine pasjes, als aan elkaar geketende gevangenen, en naderden het overdekte podium voor University Hall met de zee van witte klapstoeltjes ervoor. Boven aan het pad hield de rij stil. Een golf van vermoeidheid herinnerde Mitchell eraan waarom hij 's ochtends niet graag high werd. Na de aanvankelijke vlaag van energie werd de dag een rotsblok dat je tegen een berg op moest rollen. Op zijn reis zou hij moeten stoppen met blowen. Hij zou schoon schip moeten maken.

De rij zette zich weer in beweging. Tussen de iepen door kon Mitchell in de verte de skyline van de binnenstad zien, en het volgende moment doemden de Van Wickle Gates voor hem op; samen met duizend jaargenoten werd Mitchell erdoorheen gevoerd.

Mensen maakten obligate loeigeluiden en gooiden hun baretten de lucht in. De menigte om hen heen stond rijen dik en er was haast geen kind te zien. Uit de massa gezichten van middelbare leeftijd doken die van zijn eigen merkwaardige ouders met verbazingwekkende duidelijkheid op. Deanie, in een blauwe blazer en een London Fog-regenjas, straalde bij het zien van zijn jongste zoon en was blijkbaar vergeten dat hij het nooit had zien zitten dat Mitchell in het oosten ging studeren om door links gespuis te worden verpest. Lillian zwaaide met beide handen op de aandachtvragende manier van kleine mensen. Onder de bevreemdende invloed van de wiet, om nog maar te zwijgen over vier jaar college, voelde Mitchell zich terneergedrukt door de sjofele denim zonneklep die zijn moeder ophad en door het algehele gebrek aan distinctie dat zijn ouders uitstraalden. Maar er gebeurde iets met hem. De poorten deden al iets met hem, want terwijl hij zijn hand opstak om terug te zwaaien naar zijn ouders voelde Mitchell zich ineens weer tien jaar oud en op het punt in tranen uit te barsten, overmand door zijn gevoelens voor de twee mensen die als personages uit een mythe zijn hele leven lang het vermogen hadden bezeten om op de achtergrond te verdwijnen, in steen of hout te veranderen, om pas weer tot leven te komen op dit soort belangrijke momenten, om getuige te kunnen zijn van de reis van hun held. Lillian had een camera. Ze nam foto's. Daarom hoefde Mitchell zich daar niet mee bezig te houden.

Larry en hij wervelden langs de juichende menigte de helling van College Street af. Mitchell spiedde rond of hij de Hanna's kon ontdekken, maar hij zag ze niet. En Madeleine evenmin.

Onder aan de helling viel de stoet uit elkaar en veranderden de afgestudeerden van de lichting 1982, uitwaaierend over de stoepen, zelf in toeschouwers.

Mitchell nam zijn baret af en veegde het zweet van zijn voorhoofd. Hij voelde zich niet bepaald feestelijk. College was een makkie geweest. Het idee dat afstuderen een prestatie zou zijn, vond hij belachelijk. Maar hij had zich wél uitbundig vermaakt en op dit moment was hij ten prooi aan een roes waar je u tegen zei, dus bleef hij staan klappen voor zijn jaargenoten en probeerde hij zo goed als hij kon mee te doen aan de feestvreugde van de dag.

Hij had geen religieuze gedachten, noch reciteerde hij het Jezusgebed toen hij professor Richter van de heuvel af zijn kant op zag komen. Het was nu de beurt aan het docentenkorps, hoogleraren en medewerkers in vol academisch ornaat, hun met fluweel omzoomde kappa's die hun discipline aangaven en de satijnen voering die hún alma maters vertegenwoordigden: het karmozijn van Harvard, het groen van Dartmouth en het lichtblauw van Tufts.

Het verbaasde Mitchell dat professor Richter meedeed aan zo'n stupide praalvertoning. Hij had thuis Heidegger kunnen lezen, maar in plaats daarvan was hij hier en verdeed hij zijn tijd door een heuvel af te paraderen ter ere van de zoveelste afstudeerceremonie, en zo te zien nog met grote vreugde ook.

Aan het onvervalste eindpunt van zijn collegeloopbaan bleef Mitchell achter met dit ontstellende beeld: Herr Doktor Professor Richter die voorbijhuppelde met een van kinderlijke vreugde stralend gezicht dat hij nooit had getoond in het zaaltje waar het seminar religie, aliënatie en separatie werd gegeven. Alsof Richter het middel tegen aliënatie had ontdekt. Alsof de tijdgeest geen vat op hem had.

*

'Gefeliciteerd,' zei de taxichauffeur.

Madeleine keek even verbaasd naar hem op, tot ze zich weer herinnerde wat ze aanhad.

'Dank u,' zei ze.

Omdat de meeste straten rond de campus waren afgezet, nam de chauffeur een omweg en reed via Hope Street naar Wickenden.

'Studeer je medicijnen?'

'Pardon?'

De chauffeur tilde zijn handen van het stuur. 'We zijn toch onderweg naar het ziekenhuis? Dus dacht ik dat je misschien dokter wilde worden.'

'Nee, mij niet gezien,' antwoordde Madeleine bijna onhoorbaar, uit het raampje kijkend. De chauffeur begreep de hint en hield de rest van de weg zijn mond.

Toen de taxi de brug over de rivier over reed, zette ze haar baret af en trok haar toga uit. De taxi rook naar luchtverfrisser, iets niet al te overheersends, vanille of zo. Madeleine had luchtverfrisser altijd lekker gevonden. Daar had ze nooit enig kwaad in gezien, tot Leonard haar erop wees dat dat duidde op een neiging harerzijds om onplezierige feiten te ontkennen. 'Het is niet dat de kamer niet stinkt,' had hij gezegd. 'Jij ruikt het alleen niet.' Ze dacht hem op een logische tegenstrijdigheid te hebben betrapt en had uitgeroepen: 'Hoe kan het er nou stinken als het er lekker ruikt?' Waarop Leonard had geantwoord: 'O, maar het stinkt er wel degelijk. Je haalt eigenschap en substantie door elkaar.'

Zulke gesprekken voerde ze met Leonard. Dat was voor een deel de reden dat ze zo dol op hem was. Je ging ergens heen of je was met iets bezig en voor je het wist, leidde een luchtverfrisser tot een kleine wetenschappelijke verhandeling.

Al vroeg ze zich nu af of zijn breed uitwaaierende gedachten hem niet rechtstreeks naar de plek hadden gevoerd waar hij nu zat.

De taxi stopte voor een ziekenhuis dat deed denken aan een aftakelende Holiday Inn. Het witte gebouw met zijn zeven verdiepingen en glazen pui zag er vervuild uit, alsof het al het vuil uit de omringende straten had geabsorbeerd. In de betonnen bakken aan weerszijden van de ingang hadden de bloemen plaatsgemaakt voor sigarettenpeuken. Een spinachtige figuur die de suggestie opriep van een lang arbeidersleven vol tegenslag en werkgerelateerde gezondheidsproblemen bewoog zich met behulp van een looprek door de perfect functionerende automatische deuren.

In de atriumachtige lobby liep Madeleine twee keer de verkeerde kant op voor ze de receptie vond. Na één blik op haar te hebben geworpen, vroeg de receptioniste: 'Kom je voor Bankhead?'

Madeleine was even van haar stuk gebracht. Toen gluurde ze de wachtruimte rond en zag dat ze de enige blanke was.

'Ja.'

'Je kunt nog niet naar boven. Er zijn al te veel mensen. Zodra er een naar beneden komt, mag jij.'

Ook dat was een verrassing. Leonards geestelijke instorting, ja zelfs zijn hele zelfpresentatie als niet-functionerende volwassene, was in strijd met een overvloed aan ziekenbezoek. Madeleine was jaloers op het haar onbekende gezelschap.

Ze zette haar handtekening op de bezoekerslijst en nam een stoel met uitzicht op de liften. Het vloerkleed had een stemmingsverhogend dessin van blauwe vierkanten die elk een kindertekening omlijstten: een regenboog, een eenhoorn, een gelukkig gezinnetje. Verschillende mensen hadden afhaalmaaltijden meegebracht om tijdens het wachten op te eten; piepschuimen bakjes met gegrilde kip en geroosterd vlees. In de stoel tegenover haar zat een peuter te slapen.

Madeleine staarde naar het vloerkleed zonder er baat bij te vinden.

Na twintig lange minuten gingen de liftdeuren open en stapten er twee blanken naar buiten. Tot haar geruststelling waren het allebei jongens. De ene was lang en had b-52's-haar, de andere was klein en droeg een t-shirt met opdruk van de beroemde foto van Einstein die zijn tong uitsteekt.

'Hij maakte een goede indruk op me,' zei de lange jongen. 'Hij leek me een stuk opgeknapt.'

'Noem je dat opgeknapt? Jezus, ik snak naar een sigaret.'

Ze liepen Madeleine voorbij zonder haar op te merken.

Zodra ze waren verdwenen liep ze naar de receptioniste.

'Derde etage,' zei de vrouw terwijl ze haar een pasje overhandigde.

De ruime lift, gebouwd om plaats te bieden aan brancards en medische apparatuur, ging langzaam omhoog, met Madeleine als enige passagier. De lift voerde haar omhoog langs verloskunde en reumatologie, langs osteologie en oncologie, voorbij alle ziekten die het menselijk lichaam maar kon krijgen en waarvan Leonard er geen enkele had, naar de psychiatrische afdeling, waar de ziektes die mensen kregen zich in hun hoofd afspeelden. Door wat ze in films had gezien, had ze een zwaarbewaakte afdeling verwacht. Maar behalve een rode knop die de dubbele deuren aan de buitenkant opende (en die aan de binnenkant ontbrak), wees verder weinig op opsluiting. De gang was lichtgroen, het linoleum glom je tegemoet en piepte onder je voeten. Tegen een muur stond een theewagentje geparkeerd. De paar patiënten – *geesteszieken*, dacht Madeleine onwillekeurig – die ze in hun kamer kon zien, brachten hun tijd door zoals elke genezende dat zou doen: lezend, duttend, uit het raam starend.

Bij de balie vroeg ze naar Leonard Bankhead en ze verwezen haar door naar het dagverblijf aan het eind van de gang.

Ze stapte naar binnen en deinsde onmiddellijk terug. Het helle licht in het dagverblijf leek op zich al een antidepressietherapie. Schaduw was verboden. Madeleine kneep haar ogen tot spleetjes en liet haar blik over de formica tafeltjes gaan waaraan patiënten in badjas en op slippers alleen of in het gezelschap van geschoeide bezoekers zaten. Hoog in een hoek aan een rek hing een tv te blèren. Op gelijke afstanden boden enorme ramen die van de vloer tot het plafond liepen, uitzicht op de uitstekende daken van de stad, helemaal tot beneden aan de baai.

Leonard zat vijf meter bij de deur vandaan op een stoel. Een jongen met een bril zat voorovergebogen met hem te praten.

'Kijk, Leonard,' zei de jongen met de bril, 'je hebt een kleine geestesstoornis in het leven geroepen om hier terecht te komen en hulp te krijgen. En nu je hier bent en die hulp hébt, realiseer je je dat je misschien nog niet zo slecht af bent als je dacht.'

Leonard leek aandachtig te luisteren naar wat de jongen zei. In tegenstelling tot wat Madeleine had verwacht, droeg hij geen ziekenhuisbadjas, maar zijn eigen kleren: werkhemd, timmermansbroek en om zijn hoofd een blauwe bandana. Het enige wat ontbrak waren zijn bootschoenen. Leonard droeg ziekenhuisslippers, met sokken. Zijn stoppelbaard was langer dan normaal.

'Je had een paar problemen die in je therapie niet aan bod kwamen,' zei de jongen met de bril, 'dus moest je ze overdrijven om ze op een groter podium te laten behandelen.' Wie die jongen ook mocht zijn, hij leek enorm tevreden met zijn interpretatie. Hij leunde achterover en keek Leonard aan alsof hij applaus verwachtte.

Madeleine nam de gelegenheid te baat om naar voren te komen.

Toen Leonard haar zag, stond hij op.

'Madeleine, hoi,' zei hij zacht. 'Fijn dat je bent gekomen.'

Dat was de bevestiging: de ernst van Leonards toestand woog zwaarder dan het feit dat ze uit elkaar waren. Deed het teniet. Wat inhield dat ze hem mocht omhelzen als ze wilde.

Maar dat deed ze niet. Ze was bang dat lichamelijk contact misschien tegen de regels was.

'Ken je Henry?' vroeg Leonard, de vormelijkheid in ere houdend. 'Madeleine, Henry. Henry, Madeleine.'

'Welkom op het bezoekuur,' zei Henry. Hij had een diepe, gezagvolle stem. Hij droeg een madras jasje dat onder zijn oksels knelde en een wit hemd.

Het enorm felle licht in de kamer had tot gevolg dat de ramen, ondanks het daglicht buiten, weerspiegelden. Madeleine zag een spookbeeld van zichzelf naar een even spookachtige Leonard kijken. Een jonge vrouw die geen bezoek had – in een badjas en met wild ongekamd haar – liep in zichzelf mompelend door de ruimte heen en weer.

'Fijne plek, hè?' zei Leonard.

'Het lijkt me niet verkeerd.'

'Het is een staatsziekenhuis. Hier gaan mensen heen als ze geen geld hebben om zoiets als Silverlake te betalen.'

'Leonard is een beetje teleurgesteld dat hij zich niet in het gezelschap van eersteklas depro's bevindt,' legde Henry uit.

Madeleine wist niet wie Henry was en wat hij daar deed. Zijn schertsende opmerkingen leken haar op zijn minst ongevoelig, zo niet ronduit kwaadaardig. Maar Leonard scheen zich er niets van aan te trekken. Hij nam alles wat Henry zei met een discipelachtige behoeftigheid in zich op. Dat, en de manier waarop hij af en toe op zijn bovenlip zoog, waren de enige vreemde dingen die haar aan hem opvielen.

'De keerzijde van zelfhaat is hoogmoedswaanzin,' merkte Leonard op.

'Precies,' zei Henry. 'En als je dan toch instort, dan maar liever net zoals Robert Lowell.'

De keuze voor het woord 'instorten' vond Madeleine ook misplaatst. Ze nam het Henry kwalijk. Tegelijkertijd impliceerde het feit dat Henry Leonards ziekte bagatelliseerde dat die misschien niet zo ernstig was.

Misschien pakte Henry het juist heel goed aan. Ze zocht naarstig naar iets om te zeggen. Maar lichtzinnigheid was te veel gevraagd. Ze voelde zich pijnlijk slecht op haar gemak en zat met haar mond vol tanden.

Madeleine had nooit iemand met een verifieerbare geesteziekte van nabij meegemaakt. Ze had labiele mensen altijd instinctief vermeden. Hoe hardvochtig die houding ook mocht zijn, het was een essentieel onderdeel van wat haar tot een Hanna maakte, tot een positief, bevoorrecht, beschermd, voorbeeldig meisje. Als Madeleine Hanna íets niet was, dan was het labiel. Daar was ze in ieder geval altijd van uitgegaan. Maar in de tijd nadat ze Billy Bainbridge met twee vrouwen in bed had aangetroffen, was ze zich bewust geworden van haar vermogen om te vervallen in een hulpeloze neerslachtigheid die niet veel verschilde van een klinische depressie, en zeker deze laatste paar weken, waarin ze op haar kamer had liggen snikken om de breuk met Leonard, dronken naar bed was gegaan met Thurston Meems en haar laatste hoop had gevestigd op de toelating tot een universiteit waarvan ze niet eens zeker wist of ze er wel heen wilde, moest ze, gebroken door de liefde, inhoudsloze promiscuïteit en gebrek aan zelfvertrouwen, erkennen dat een geestezieke en zij niet noodzakelijkerwijs tot onverenigbare categorieën behoorden.

Ze herinnerde zich een regel uit Barthes: *Men denkt dat elke verliefde gek is. Maar kun je je een gek voorstellen die verliefd is?*

'Leonard is bang dat ze hem hier eeuwig zullen vasthouden, maar ik denk dat het zo'n vaart niet zal lopen.' Henry was weer van wal gestoken. 'Je mankeert niets, Leonard. Zeg gewoon tegen de dokter wat je ook tegen mij hebt gezegd. Ze houden je hier gewoon even ter observatie.'

'De dokter kan elk moment bellen,' liet Leonard Madeleine weten.

'Je hebt een kleine geestesstoornis in het leven geroepen om hier terecht te komen en hulp te krijgen,' herhaalde Henry. 'En nu gaat het beter met je en ben je klaar om naar huis te gaan.'

Leonard leunde naar voren, een en al oor. 'Ik wil hier gewoon weg,' zei hij. 'Ik heb voor drie vakken nog geen cijfer. Ik wil ze gewoon inhalen en dan afstuderen.'

Madeleine had Leonard nog nooit zo voorbeeldig gezien. De bereidwillige schooljongen, de modelpatiënt.

'Dat is alleen maar goed,' zei Henry. 'Dat is gezond. Je wilt je leven terug.'

Leonard keek van Henry naar Madeleine en herhaalde mechanisch: 'Ik wil mijn leven terug. Ik wil hier weg en mijn laatste cijfers halen en afstuderen.'

Een verpleegster stak haar hoofd om de hoek van de deur.

'Leonard? Dokter Shieu aan de telefoon voor je.'

Met de gretigheid van iemand die voor een sollicitatiegesprek wordt opgeroepen, kwam Leonard overeind. 'Daar gaat-ie dan,' zei hij.

'Zeg tegen de dokter wat je tegen mij hebt gezegd,' zei Henry.

Toen Leonard vertrokken was, bleven ze allebei zwijgen. Na verloop van tijd deed Henry zijn mond open.

'Ik neem aan dat jij Leonards vriendin bent,' zei hij.

'Dat is momenteel niet helemaal duidelijk,' antwoordde Madeleine.

'Hij is in een fugatische staat.' Henry draaide met zijn wijsvinger kringetjes in de lucht. 'Net een tapeloop die maar doordraait.'

'Maar net zei je nog dat hij niets mankeerde.'

'Daar heeft Leonard behoefte aan.'

'Maar jij bent toch geen dokter?' zei ze.

'Nee,' zei Henry. 'Maar ik studeer wél psychologie. Dat houdt in dat ik een heleboel Freud heb gelezen.' Hij toonde een brede, behaagzieke Cheshire Cat-grijns.

'Wat een pech dat we in het postfreudiaanse tijdperk leven,' antwoordde Madeleine sarcastisch.

Henry nam deze steek onder water met een zeker genoegen in ontvangst. 'Mocht je tóch Leonards vriendin zijn, of erover denken om zijn vriendin te wórden of weer bij hem terug te komen, dan raad ik je dat ten sterkste af,' zei hij.

'Wie ben jij eigenlijk helemaal?'

'Gewoon iemand die uit eigen ervaring weet hoe aantrekkelijk het kan zijn om te denken dat je een ander kunt redden door van hem te houden.'

'Ik zou toch zweren dat we elkaar net pas hebben ontmoet,' zei Madeleine. 'En dat je helemaal niets van me weet.'

Henry stond op. Ietwat beledigd, maar met onverminderd zelfvertrouwen, zei hij: 'Mensen redden geen andere mensen. Mensen redden zichzelf.'

Met die gedachte liet hij haar achter.

De vrouw met het ongekamde haar keek omhoog naar de tv terwijl ze de ceintuur van haar badjas aldoor vastknoopte en weer losmaakte. Een jonge zwarte vrouw, ongeveer even oud als Madeleine, zat met wat vermoedelijk haar ouders waren aan een tafeltje. Ze leken aan de omgeving gewend.

Na een paar minuten kwam Leonard weer terug. De vrouw met de ongekamde haren riep: 'Hé, Leonard, viel er al iets van een lunch te bespeuren, daar?'

'Nee,' zei Leonard. 'Nog niet.'

'Ik heb honger.'

'Nog een halfuurtje, dan is het zover,' zei Leonard behulpzaam.

Hij leek eerder een dokter dan een patiënt. De vrouw scheen hem te vertrouwen. Ze knikte en liep weer verder.

Leonard ging op de stoel zitten, leunde naar voren en wiebelde onrustig met zijn knie. Madeleine probeerde iets te bedenken om tegen hem te zeggen, maar alles wat bij haar opkwam klonk als een aanval. *Hoe lang zit je hier al? Waarom heb je niets gezegd? Is het waar dat de diagnose al drie jaar geleden is gesteld? Waarom heb je me nooit verteld dat je medicijnen gebruikte? Mijn huisgenotes wisten ervan, maar ik niet!*

Ze besloot uiteindelijk tot: 'Wat zei de dokter?'

'Ze wil me nog niet laten gaan,' zei Leonard vlak, maar manmoedig. 'Ze wil het nog niet eens met me bespréken.'

'Doe nou maar gewoon wat ze zegt. Blijf maar gewoon hier en zorg dat je tot rust komt. Waarschijnlijk kun je die vakken hier wel afmaken.'

Leonard keek van links naar rechts en praatte zachtjes zodat niemand mee kon luisteren. 'Veel meer kan ik niet doen. Zoals ik al zei: dit is een staatsziekenhuis.'

'Wat wil dat zeggen?'

'Dat wil zeggen dat ze je voornamelijk vol medicijnen gooien.'

'Slik jij iets?'

Hij aarzelde voordat hij antwoord gaf. 'Hoofdzakelijk lithium. Daar zit ik al een tijdje op. Ze zijn mijn dosis opnieuw aan het bekijken.'

'Helpt het?'

'Afgezien van de bijverschijnselen, ja. In essentie is het antwoord ja.'

Het was moeilijk te zeggen of dit echt waar was of dat Leonard wilde dat het waar was. Hij leek zich intensief op haar gezicht te concentreren, alsof dat hem van belangrijke informatie kon voorzien.

Plotseling wendde hij zich van haar af en staarde naar zijn spiegelbeeld in de ruit en wreef over zijn wangen.

'We mogen ons maar één keer per week scheren,' zei hij. 'Er moet een zaalhulp bij aanwezig zijn.'

'Waarom?'

'Scheermesjes. Daarom zie ik er zo uit.'

Madeleine gluurde de ruimte rond om te zien of mensen elkaar aanraakten. Dat was niet het geval.

'Waarom heb je me niet gebeld?' vroeg ze.

'We waren uit elkaar.'

'Leonard! Als ik geweten had dat je depressief was, dan zou dat niets hebben uitgemaakt.'

'Onze breuk was de réden van mijn depressie,' zei Leonard.

Dat was nieuws. Dat was, op een ongepaste maar onvervalste manier, goed nieuws.

'Ik heb onze relatie gesaboteerd,' zei Leonard. 'Dat zie ik nu in. Ik kan nu iets helderder denken. Wat er gebeurt als je in zo'n alcoholisch gezin opgroeit als ik, is dat je ziekte en disfunctionaliteit als normaal gaat zien. Voor mij zijn ziekte en disfunctionaliteit normaal. Wat niet normaal is, is dat gevoel van...' Hij brak zijn zin af. Hij boog zijn hoofd en met zijn donkere ogen op het linoleum gericht vervolgde hij: 'Weet je nog dat je tegen me zei dat je van me hield? Weet je nog? Kijk, jij kon dat zeggen omdat je in wezen een gezond mens bent, omdat je bent opgegroeid in een gezond, liefdevol gezin. Jij durfde dat risico te nemen. Maar bij míj thuis zei je zoiets niet. Bij ons werd alleen maar geschreeuwd. Dus wat doe ik als jij zegt dat je van me houdt? Ik maak het belachelijk. Ik wijs het af door je Barthes in je gezicht te smijten.'

Depressie had niet per se nadelige gevolgen voor iemands uiterlijk. Alleen aan de manier waarop Leonard met zijn lippen bewoog, er af en toe op zoog of beet, kon je zien dat hij aan de medicijnen was.

'En dus ging je weg,' vervolgde hij. 'Je ging ervandoor. En daar had je helemaal gelijk in, Madeleine.' Leonard keek haar nu aan, zijn gezicht vervuld van spijt. 'Ik ben onherstelbaar beschadigd,' zei hij.

'Dat mag je niet zeggen.'

'Nadat je vertrokken was, ben ik een week lang mijn nest niet meer uitgekomen. Ik lag daar maar te denken hoe ik de beste kans om zeep had geholpen die ik ooit had gehad om gelukkig te worden. De beste kans die ik ooit had gehad om mijn leven te delen met een slimme, mooie, gezonde vrouw. Iemand met wie ik een team zou kunnen vormen.' Hij leunde naar voren en staarde Madeleine diep in haar ogen. 'Het spijt me,' zei hij. 'Het spijt me dat ik het soort mens ben dat zulke dingen doet.'

'Zit daar nou maar niet over in,' zei Madeleine. 'Je moet je concentreren op je herstel.'

Leonard knipperde kort achter elkaar drie keer met zijn ogen. 'Ik zit hier nog minstens een week,' zei hij. 'En ik loop de diploma-uitreiking mis.'

'Je zou toch niet gegaan zijn.'

Voor de eerste keer verscheen er een glimlach op Leonards gezicht. 'Daar zou je wel eens gelijk in kunnen hebben. Hoe was het?'

'Geen idee,' zei Madeleine. 'Het is nu aan de gang.'

'Nu?' Leonard keek uit het raam, als om het te controleren. 'Moest je daar niet bij zijn?'

Madeleine schudde haar hoofd. 'Ik was niet in de stemming.'

De vrouw in de badjas, die traag door de kamer had gecirkeld, kwam nu hun kant op. Leonard fluisterde: 'Pas op voor haar. Ze kan zich ineens tegen je keren.'

De vrouw schuifelde naderbij en bleef staan. Ze boog iets door haar knieën en nam Madeleine nauwkeurig in zich op.

'Wat ben je?' vroeg ze.

'Wat ik ben?'

'Waar komt je familie vandaan?'

'Engeland,' antwoordde Madeleine. 'Oorspronkelijk.'

'Je lijkt op Candice Bergen.' Ze draaide zich om haar as en zei grijnzend tegen Leonard: 'En jij bent 007!'

'Sean Connery,' zei Leonard. 'Dat ben ik.'

'Je lijkt op 007 die helemaal naar de klote is!' zei de vrouw. Er zat een scherp randje aan haar stem. Leonard en Madeleine hielden zich wijselijk stil tot ze weer verder liep.

De vrouw in de badjas hoorde hier thuis. Maar Leonard niet, vond Madeleine. Hij zat hier alleen maar vanwege zijn heftigheid. Als ze vanaf het begin had geweten dat hij manisch-depressief was, uit een disfunctioneel gezin kwam en bij een psychiater liep, dan zou ze ervoor gewaakt hebben zo emotioneel bij hem betrokken te raken. Maar nu ze eenmaal emotioneel betrokken was, zag ze weinig reden tot spijt. Zulke diepe gevoelens rechtvaardigden zichzelf.

'En hoe zit het met het Pilgrim Lake Lab?' vroeg ze.

'Ik weet het niet.' Leonard schudde zijn hoofd.

'Weten zij dat je hier zit?'

'Ik dacht van niet.'

'Dat is pas in september,' zei Madeleine. 'Zover is het nog lang niet.'

De tv stortte vanaf zijn ketting zijn geblaat over hen uit. Leonard zoog aan zijn bovenlip op die vreemde nieuwe manier.

Madeleine pakte zijn hand.

'Als je wilt, ben ik nog steeds bereid om met je mee te gaan.'

'Meen je dat?'

'Je kunt je laatste vakken hier afmaken. We kunnen van de zomer in Providence blijven en dan in september daarheen verhuizen.'

Leonard liet dit zwijgend op zich inwerken.

'Denk je dat je dat aankunt? Of zou het beter zijn om alleen maar uit te rusten?' vroeg Madeleine.

'Ik denk dat ik het wel aankan,' antwoordde Leonard. 'Ik wil weer aan het werk.'

Ze keken elkaar zwijgend aan.

Leonard boog zich naar haar toe.

'"Als de eerste bekentenis eenmaal achter de rug is,"' zei hij, uit zijn hoofd Barthes citerend, '"betekent 'ik hou van je' niets meer."'

Madeleine trok haar wenkbrauwen op. 'Begin je nou alweer?'

'Nee, maar als je erover nadenkt, betekent dat dus dat de eerste bekentenis wel degelijk iets betekent.'

Madeleines ogen lichtten op. 'Nou, in dat geval ben ik hier klaar, denk ik,' zei ze.

'Ik niet,' zei Leonard terwijl hij haar hand vasthield. 'Ik niet.'

Pelgrims

Eind augustus, na een zomer vol verveling en hopeloze baantjes, arriveerden Mitchell en Larry in Parijs.

Toen Mitchell op Orly zijn rugzak van de bagageband haalde, merkte hij dat zijn armen zeer deden van de inentingen die hij twee dagen daarvoor in New York had gehad: een choleraprik in zijn rechterarm en een tyfusprik in de linker. Hij had zich de hele vlucht koortsig gevoeld. Hun goedkope plaatsen bevonden zich in de achterste rij, vlak voor de onwelriekende toiletten. Mitchell had de hele trans-Atlantische nacht rusteloos zitten dommelen, totdat de cabinelichten aan sprongen en een stewardess hem een halfbevroren croissant onder zijn neus duwde, waar hij toch maar een paar hapjes van nam terwijl het enorme passagiersvliegtuig de landing boven de hoofdstad inzette.

Samen met een voornamelijk uit Fransen bestaand gezelschap (het toeristenseizoen liep tegen zijn eind) gingen ze aan boord van een airconditioningsloze bus en gleden geruisloos over gladde snelwegen de stad in. Nadat ze vlak bij Pont de l'Alma waren uitgestapt en hun rugzakken uit de bagageruimte hadden gehaald, begonnen ze de lichter wordende avenue in te lopen. Larry, die Frans sprak, liep voorop, op zoek naar Claires appartement, terwijl Mitchell, die geen vriendin in Frankrijk had, of waar dan ook, geen enkele moeite deed om hen op hun bestemming te doen belanden.

Zijn jetlag droeg bij aan zijn licht delirische toestand. Volgens de klok was het ochtend, maar volgens zijn lichaam was het midden in de nacht. De opkomende zon dwong hem zijn ogen dicht te knijpen. Dat leek op de een of andere manier onvriendelijk. Maar tegelijkertijd was alles op straatniveau erop gericht het oog te behagen. De bomen stonden dik in hun nazomerblad. Om hun stam droegen ze een ijzeren rooster, als een schort. De brede stoep bood plaats aan krantenkiosken, mensen die hun hond uitlieten en chique tienjarige meisjes op weg naar het park. Van de straatkant kwam een scherpe tabakslucht, precies zoals Mitchell zich had voorgesteld dat Europa ruiken zou: aards, verfijnd en ongezond, allemaal tegelijk.

Mitchell had hun reis niet in Parijs willen beginnen. Hij was liever naar Londen gegaan, waar hij het Globe Theatre kon bezoeken, Bass-ale kon drinken en kon verstaan wat de mensen zeiden. Maar Larry had twee waanzinnig goedkope tickets gevonden voor een chartervlucht naar Orly en aangezien ze de komende negen maanden van hun geld moesten zien rond te komen, zag Mitchell geen mogelijkheid om te weigeren. Hij had niets tegen Parijs op zich. Op elk ander moment zou hij een gat in de lucht hebben gesprongen bij het vooruitzicht naar Parijs te gaan. Het probleem met Parijs in het onderhavige geval was dat Larry's vriendin daar een jaar studeerde en dat ze bij haar zouden logeren.

Ook dit was de goedkoopste oplossing en daarom ononderhandelbaar.

Terwijl Mitchell de riem van zijn rugzak probeerde af te stellen, ging zijn koorts met een halve graad omhoog.

'Ik weet niet of ik nou cholera of tyfus krijg,' zei hij tegen Larry.

'Waarschijnlijk allebei.'

Los van de amoureuze mogelijkheden, voelde Larry zich zo tot Parijs aangetrokken omdat hij francofiel was. In zijn middelbareschooltijd had hij een zomer in een restaurant in Normandië gewerkt, waar hij, tussen het hakken van de groenten door, de taal had geleerd. Op college had zijn beheersing van het Frans hem een kamer in French House bezorgd. De toneelstukken die Larry regisseerde voor de Production Workshop, het studententheater, waren onveranderlijk geschreven door Franse modernisten. Vanaf het moment dat hij vanuit het Midden-Westen naar college was gekomen, had Mitchell geprobeerd zijn afkomst af te schudden. Bij Larry op zijn kamer rondhangen en de modderige espresso drinken die hem door zijn gastheer werd voorgezet terwijl hij luisterde hoe deze uitweidde over het absurdisme leek hem een goed begin. Met zijn zwarte coltrui en zijn witte linnen schoenen zag Larry eruit alsof hij niet net van een geschiedeniscollege kwam, maar rechtstreeks uit de Actors Studio. Hij had al volwassen verslavingen ontwikkeld aan koffie en foie gras. In tegenstelling tot Mitchells ouders, wier kunstzinnige smaak zich beperkte tot Ethel Merman en Andrew Wyeth, waren Larry's ouders, Harvey en Moira Pleshette, grote liefhebbers van de schone kunsten. Moira was curator beeldende kunst van Wave Hill en Harvey zat in de raad van bestuur van het New York City Ballet en het Dance Theatre of Harlem. Tijdens de Koude Oorlog had Irina Kolnoskova, de tweede soliste van het Kirov Ballet, in het huis van de Pleshettes ondergedoken gezeten nadat ze was overgelopen. Larry, destijds pas vijftien jaar, had haar kleine flesjes champagne en volkorencrackers op bed gebracht, waar de ballerina afwisselend lag te huilen, naar spelletjesprogramma's keek of hem overhaalde haar jonge, opmerkelijk misvormde voeten te masseren. Voor Mitchell waren Larry's verhalen over de feesten met dronken dansers bij hen thuis, over Leonard Bernstein, die hij ooit boven op de gang in een innige omhelzing met een mannelijke danser had betrapt, of over Ben Vereen, die een nummer uit *Pippin* zong op de bruiloft van Larry's oudere zus, net zo indrukwekkend als verhalen over ontmoetingen met Joe Montana of Larry Bird voor een ander soort jongen zouden zijn geweest. In de koelkast van de Pleshettes had hij voor het eerst van zijn leven sorbetijs gezien. Hij kon zich de sensatie nog precies herinneren: op een ochtend was hij de keuken binnen komen lopen – de majesteitelijke Hudson was door het raam te zien – en had toen hij de vriezer opendeed dat kleine ronde bakje met de exotische naam zien staan. Geen hebberig tweeliterpak, zoals bij Mitchell thuis in Michigan, geen goedkoop softijs, geen vanille, chocola of aardbeien, maar een smaak waarvan hij het bestaan niet eens had kunnen vermoeden, met een naam zo lyrisch als de gedichten van Berryman die hij voor zijn college Amerikaanse poëzie aan het lezen was: malaga. IJs dat ook een stad was! In een kostbare halve-literverpakking. Zes van die bakjes op een rij naast zes zakjes donkere, Frans gebrande Zabar-koffie. Wat wás Zabar? Hoe kwam je daar? Wat was laks? Hoe kwam het dat die oranje was? Aten de Pleshettes werkelijk vis bij het ontbijt? Wie was Diaghilev? Wat was een gouache, een *pentimento*, wat was *rugelach*? *Leg het me alsjeblieft uit*, smeekte Mitchells gezicht stilletjes als hij daar op bezoek was. Hij was in New York, de grootste stad ter wereld. Hij wilde alles leren, en Larry was de jongen die het hem leren kon.

Moira betaalde haar parkeerbonnen nooit, stopte ze gewoon in het handschoenenvakje. Als Harvey ze ontdekte, riep hij aan de eettafel: 'Fiscale onverantwoordelijkheid!' De Pleshettes hadden gezinstherapie; elke week gingen ze met zijn zessen naar een psych in Manhattan om hun problemen te bespreken. Harvey had, net als Mitchells vader, in de Tweede Wereldoorlog gediend. Hij droeg kakipakken met vlinderdas, rookte Dominicaanse sigaren en maakte overduidelijk deel uit van die superzelfverzekerde, supervolwassen generatie die in de oorlog had gevochten. En toch lag Harvey wekelijks op een mat op de vloer van een psychologenpraktijk en luisterde zonder morren naar de verwijten die zijn kinderen hem naar het hoofd slingerden. Die vloermat doorbrak de hiërarchie. Als ze op hun rug lagen waren alle Pleshettes gelijk. Alleen de therapeut in zijn Eames-stoel stak erbovenuit.

Na de oorlog had Harvey voor het Amerikaanse bestuur van Parijs gewerkt. Dat was een tijd waar hij graag over praatte, zijn geestdriftige herinneringen aan *les femmes Parisiennes* zorgden dikwijls voor een gepijnigde uitdrukking op Moira's gezicht. 'Ik was tweeëntwintig en luitenant in het Amerikaanse leger. Wij deelden daar de lakens uit. Wij hadden Parijs bevrijd en de stad was van ons! Ik had mijn eigen chauffeur. We reden door de avenues en deelden nylonkousen en chocoladerepen uit. Meer was niet nodig.' Om de vier of vijf jaar gingen de Pleshettes terug naar Frankrijk om de vaderlijke oorlogsplaatsen te bezoeken. Door nu op dezelfde leeftijd naar Parijs te gaan, speelde Larry in zekere zin zijn vaders jeugd na, toen de Amerikanen de stad in handen hadden.

Dat was niet langer het geval. Er was niets Amerikaans aan de avenue waar ze nu doorheen sjokten. Voor hen hing een reclamebord voor een film die *Beau-père* heette; op de poster zat een meisje van een jaar of veertien met ontbloot bovenlijf bij haar stiefvader op schoot. Larry liep eraan voorbij zonder het op te merken.

Het zou nog jaren duren voordat Mitchell enigszins zou begrijpen hoe Parijs was ingedeeld, voordat hij het woord *arrondissement* paraat had, laat staan doorkreeg dat de genummerde districten in een spiraal gerangschikt lagen. Hij was gewend aan steden die gebouwd waren volgens een ruitjespatroon. Dat het eerste arrondissement aan het dertiende zou kunnen grenzen zonder dat het vierde of het vijfde daartussen lag, zou hij onvoorstelbaar hebben gevonden.

Maar hoe het ook zij, Claire woonde niet ver van de Eiffeltoren, en later in zijn leven had Mitchell kunnen deduceren dat haar appartement in het hippe zevende district moest hebben gelegen en dat het prijzig moest zijn geweest.

Haar straat, toen ze die eindelijk hadden gevonden, bleek een met kinderkopjes geplaveid overblijfsel uit het Parijs van de Middeleeuwen te zijn. De stoep was te smal om met hun rugzakken over te kunnen manoeuvreren, dus moesten ze over straat lopen, langs de speelgoedautootjes.

De naam bij de bel was 'Thierry'. Larry drukte erop. Na een hele tijd zoemde het slot. Mitchell, die tegen de deur stond geleund, tuimelde de hal binnen.

'Moe van het lopen?' vroeg Larry.

Mitchell kwam overeind en deed een stap opzij om Larry binnen te laten, maar stootte hem toen met zijn heup terug het bordes op en stapte als eerste naar binnen.

'Mitchell, klootzak,' zei Larry op haast liefdevolle toon.

Als slakken met hun huisje op hun rug bestegen ze langzaam de trap. Hoe hoger ze kwamen, hoe donkerder het werd. Op de vijfde verdieping wachtten ze in een nagenoeg totale duisternis tot er een deur openging en Claire Schwartz in de verlichte deuropening verscheen.

Ze hield een boek in haar hand en ze keek eerder als een bibliothecaresse die even was afgeleid dan als een meisje dat vol verlangen op de komst van haar overzeese vriend had zitten wachten. Haar lange honingkleurige haar hing voor haar gezicht, maar ze haalde er een hand doorheen en stak een pluk achter haar rechteroor. Daarmee leek haar gezicht weer vatbaar voor emotie te worden. Ze glimlachte en riep: 'Dag schat!'

'Dag schat,' zei Larry en hij vloog op haar af.

Claire was haast tien centimeter langer dan Larry. Ze ging door haar knieën toen ze elkaar omhelsden. Mitchell bleef in de schaduw staan tot ze klaar waren. Eindelijk kreeg Claire hem in het oog en zei: 'O, hoi. Kom binnen.'

Claire was twee jaar jonger dan de beide jongens en zat nog in het derde jaar. Larry had haar leren kennen tijdens een theaterworkshop in de zomervakantie op Purchase College van de suny – hij deed theater, zij studeerde Frans – en dit was de eerste keer dat Mitchell haar ontmoette. Ze droeg een boerenbloesje, een blauwe spijkerbroek en lange veelvormige oorbellen die leken op miniatuur- windklokjes. Haar regenboogkleurige sokken hadden afzonderlijke tenen. Het boek in haar hand heette *New French Feminisms*.

Hoewel ze aan de Sorbonne een college had gevolgd van Luce Irigaray dat luisterde naar de naam 'De moeder-dochterrelatie: het zwartste der zwarte con- tinenten', had Claire haar moeders voorbeeld gevolgd en gastenhanddoeken klaargelegd. Het appartement dat ze in onderhuur had, was niet de gebruikelijke *chambre de bonne* van een buitenlandse student, met een bedbank en een gedeel- de wc op de gang. Het was smaakvol ingericht, met ingelijste schilderijen aan de muur, een eettafel en een kelimkleed. Nadat Mitchell en Larry hun rugzak had- den afgedaan, vroeg Claire of ze koffie wilden.

'Heel graag,' zei Larry.

'Ik maak wel een espresso,' zei Claire.

'Fantastisch,' zei Larry.

Zodra Claire haar boek had weggelegd en in de keuken was verdwenen, wierp Mitchell Larry een veelbetekenende blik toe. 'Dag schat?' fluisterde hij.

Larry keek hem uitdrukkingloos aan.

Het was pijnlijk duidelijk dat Claire geen koffie zou zetten als Mitchell er niet was geweest. Als Larry en Claire alleen waren geweest, zouden ze zich nu al in een herenigingsverstrengeling hebben verenigd. Onder andere omstandigheden zou Mitchell zich uit de voeten hebben gemaakt. Maar hij kende niemand in Parijs en hij kon nergens anders heen.

Hij deed het een na beste wat hij kon bedenken: zich omdraaien en uit het raam kijken.

Daar knapte de situatie voorlopig even van op. Het raam bood uitzicht op duifgrijze daken en balkonnetjes, allemaal met identieke gebarsten bloempotten en slapende katten. Het leek wel alsof heel Parijs zich aan dezelfde sobere smaak conformeerde. Alle buren deden hun best om aan het ideaalbeeld te voldoen, wat nog niet eenvoudig was, omdat het Franse ideaal niet zo duidelijk omschre- ven was als de groene netheid van de Amerikaanse gazons, maar meer weg had van een pittoreske bouwvalligheid. Er was moed voor nodig om dingen zo mooi te laten instorten.

Toen hij zich weer omdraaide en de kamer nog eens rondkeek, realiseerde hij zich iets verontrustends: er was geen plek waar hij kon slapen. Als het avond werd, zouden Claire en Larry samen in het enige bed klimmen en zou hem niets anders overblijven dan zijn slaapzak op de vloer ernaast uit te rollen. Ze zouden het licht uitdoen. Zodra ze dachten dat hij sliep zouden ze aan elkaar beginnen te frunniken en dan zou hij het daaropvolgende uur (of langer!) moeten liggen luisteren naar zijn vriend die op anderhalve meter afstand lag te wippen.

Hij pakte *New French Feminisms* van de eettafel.

Op de strenge kaft stond een groot aantal namen. Julia Kristeva. Hélène Cixous. Kate Millet. Op college had Mitchell heel veel meisjes dat boek zien lezen, maar hij had er nog nooit een jongen in zien lezen. Zelfs Larry niet, die klein was en gevoelig, en hield van alles wat Frans was.

Ineens riep Claire opgewonden uit: 'Dat boek vind ik echt helemaal het einde!'

Ze kwam stralend uit de keuken en pakte het uit zijn handen. 'Heb je het gelezen?'

'Ik zat er net even in te kijken.'

'Ik lees dit voor een college dat ik volg. Ik heb net dat essay van Kristeva uit.' Ze sloeg het boek open en bladerde erdoorheen. Haar haar viel voor haar gezicht en ze duwde het ongeduldig terug. 'Ik heb veel gelezen over het lichaam en hoe het altijd met het vrouwelijke wordt geassocieerd. Dus is het interessant dat in de westerse religie het lichaam altijd als zondig wordt gezien. Men wordt geacht het lichaam te kastijden en te ontstijgen. Maar wat Kristeva zegt, is dat we het lichaam opnieuw dienen te bekijken, vooral het moederlichaam. Ze is in feite een lacaniaan, behalve dat ze het er niet mee eens is dat betekenis en taal voortkomen uit castratieangst. Anders zouden we allemaal psychotisch zijn.'

Net als Larry was Claire blond, blauwogig en joods. Maar waar Larry seculiere ouders had die zelfs op Grote Verzoendag niet naar de synagoge gingen en die seider vierden waarbij de afikoman een Twinkie was in plaats van een matse (oorspronkelijk het gevolg van kinderlijke baldadigheid, maar allengs uitgegroeid tot een eigen tegendraadse traditie), waren Claires ouders orthodoxe joden die volgens de letter van de wet leefden. In hun gigantische huis in Scarsdale hadden ze geen twee serviezen om koosjer te kunnen koken, maar twee verschillende keukens. Soms zaten de Schwartzes de hele zaterdag in het donker omdat de werkster vergeten was het licht aan te laten. Eén keer was Claires kleine broertje met een ambulance naar het ziekenhuis vervoerd (omdat de Talmoed in zijn wijsheid zegt dat een medisch noodgeval het verbod om op sabbat van gemotoriseerd vervoer gebruik te maken opheft). Desondanks hadden meneer en mevrouw Schwartz geweigerd om naast hun van pijn kronkelende zoon plaats te nemen en waren ze, haast buiten zinnen van bezorgdheid, te voet naar het ziekenhuis vertrokken.

'Wat het is met het jodendom en het christendom,' zei Claire, 'en eigenlijk met elke monotheïstisch godsdienst, is dat ze patriarchaal zijn. Die religies zijn door mannen bedacht. Dus wat is God? Een man.'

'Pas maar op, Claire,' zei Larry. 'Mitchell had religieuze studies als hoofdvak.'

Claire trok een gezicht en zei: 'O, mijn god.'

'Ik zal je zeggen wat ik daar heb geleerd,' zei Mitchell met een flauwe glimlach. 'Als je de mystici leest, of eigenlijk elke fatsoenlijke theologische leer – katholiek, protestant, kabbalistisch – dan zijn ze het allemaal over een ding eens: God gaat elk menselijk begrip te boven. Daarom mag Mozes niet naar Jahweh kijken. Daarom mag je in het joodse geloof Zijn naam niet eens spellen. De menselijke geest kan niet bevatten wat God is. God heeft geen geslacht of wat dan ook.'

'Waarom is hij in de Sixtijnse kapel dan een man met een lange witte baard?'

'Omdat de massa dat wil.'

'De massa?'

'Sommige mensen hebben een plaatje nodig. Elke grote religie moet veelomvattend zijn. En om veelomvattend te zijn, moet je ruimte bieden aan verschillende ontwikkelingsniveaus.'

'Je klinkt net als mijn vader. Als ik tegen hem zeg dat het jodendom zo seksistisch is, zegt hij dat dat nu eenmaal de traditie is. En omdat het traditie is, is het goed. Je hebt er maar mee te leven.'

'Dat zeg ik niet. Ik zeg dat traditie voor sommige mensen goed is. Voor anderen is het minder van belang. Sommige mensen denken dat God zich openbaart in de geschiedenis, terwijl anderen denken dat de openbaring zich voortdurend ontwikkelt, dat de interpretatieregels in de loop van de tijd misschien veranderen.'

'Het hele idee van openbaring is teleologisch gezwets.'

Als ze thuis in Scarsdale haar vader de mantel uitveegde in hun met schilderijen van Chagall volgehangen woonkamer, stond Claire er ongetwijfeld net zo bij als nu: voeten uit elkaar, handen in de zij, haar bovenlichaam licht voorovergebogen. En al ergerde Mitchell zich aan haar, toch was hij onder de indruk van haar wilskracht – zoals ook meneer Schwartz daarvan onder de indruk moet zijn geweest tijdens hun twistgesprekken.

Hij realiseerde zich dat ze op zijn antwoord stond te wachten, dus zei hij: 'Hoezo gezwets?'

'Het hele idee dat God "zichzelf" in de geschiedenis zou openbaren is stompzinnig. De joden bouwen de tempel. Vervolgens werd die met de grond gelijk gemaakt. Dus moesten de joden hem weer opbouwen opdat de Messias zijn opwachting kon maken. Het idee dat God zit te wachten tot dingen gebeuren – alsof het God, als hij al bestond, ook maar íets zou kunnen schelen wat de mensen uitspoken – is volkomen antropocentrisch en een overduidelijk voorbeeld van mannelijk chauvinisme! Voordat de patriarchale religies waren bedacht, werd de moedergodin vereerd. Door de Babyloniërs en de Etrusken, bijvoorbeeld. De religie van de moedergodin was organisch en duurzaam – het ging over de kringloop van de natuur – in tegenstelling tot het jodendom en het christendom, waarbij het alleen maar gaat over het opleggen van wetten en het verkrachten van het land.'

Mitchell gluurde naar Larry en zag dat hij instemmend zat te knikken. Misschien had Mitchell ook wel geknikt als Claire zijn vriendin was geweest, maar Larry leek oprecht geïnteresseerd in de moedergodin van de Babyloniërs.

'Als je zo veel moeite hebt met het idee van een mannelijke god,' vroeg Mitchell aan Claire, 'waarom zou je hem dan door een vrouwelijke god vervangen? Waarom dan niet het hele idee van een geslachtelijke god overboord gegooid?'

'Omdat het geslachtelijk ís. Dat ís het al. Weet je wat een mikwe is?' Ze wendde zich tot Larry. 'Weet hij wat een mikwe is?'

'Ik weet wat een mikwe is,' zei Mitchell.

'Nou goed, mijn moeder gaat dus elke maand nadat ze ongesteld is geweest naar het mikwe. Om zich te reinigen. Om zich te reinigen van wat? Van het vermogen te kunnen baren? Leven voort te brengen? Ze veranderen de grootste kracht die een vrouw bezit in iets waar ze zich voor zou moeten schamen.'

'Dat is absurd, dat ben ik met je eens.'

'Maar het gaat niet om het mikwe. De hele geïnstitutionaliseerde vorm van westerse religie is er alleen maar op gericht vrouwen wijs te maken dat ze minderwaardig zijn, onrein en onderworpen aan de man. En als jij daadwerkelijk ook maar in een van die dingen gelooft, dan weet ik niet meer wat ik moet zeggen.'

'Ben je nu toevallig ongesteld?' vroeg Mitchell.

Claires expressieve gezicht nam een wezenloze uitdrukking aan. 'Ik geloof mijn oren niet,' zei ze.

'Het was maar een grapje,' zei Mitchell. Zijn gezicht werd plotseling gloeiend heet.

'Wat een ongelooflijk seksistische opmerking.'

'Het was een grápje,' herhaalde hij met afgeknepen stem.

'Je moet Mitchell eerst even leren kennen,' zei Larry. 'Dan leer je hem wel waarderen.'

'Ik ben het volkomen met je eens!' probeerde Mitchell Claire weer te overtuigen, maar hoe meer hij tegensputterde, hoe onoprechter hij klonk, en uiteindelijk hield hij zijn mond.

Maar de dag had ook een zonzijde: aangezien het voor Larry en Mitchell nog steeds midden in de nacht was, belette niets hun om meteen met drinken te beginnen. Even na twaalven zaten ze met een fles vin de table in de Jardin du Luxembourg. Het was intussen bewolkt en de bloemen en gele zandpaden lagen in een scherp grijs licht. Vlak bij hen speelden oude mannetjes jeu de boules, door hun knieën gebogen lieten ze zilverkleurige ballen aan hun vingertoppen ontsnappen. Er klonk een genoeglijk getik als de ballen elkaar raakten. Het geluid van een tevreden, sociaaldemocratische oude dag.

Claire had zich omgekleed en droeg nu een zonnejurkje en sandalen. Ze schoor haar benen niet en het haar dat erop groeide was dun en blond en nam naar haar dijen toe langzaam af. Ze leek Mitchell te hebben vergeven. Hij deed op zijn beurt zijn best om aardig te zijn.

Door de wijn werd Mitchell weer wat vrolijker; zijn jetlag was tijdelijk naar de achtergrond verdrongen. Ze wandelden naar de Seine, tegenover het Louvre en de Tuilerieën. Vuilnismannen in onmogelijk schone uniformen veegden de parken en de stoepen.

Larry zei dat hij zin had om te koken, dus nam Claire, die zich niet meer aan de spijswetten hield, hen mee naar een straatmarkt bij haar in de buurt. Larry wierp zich op de kraampjes, keurde producten en besnuffelde kazen. Hij kocht wortelen, venkel en aardappelen, waarbij hij in gesprek ging met de telers. Toen hij bij de kraam van een poelier aankwam, bleef hij staan en sloeg een hand voor zijn borst. 'Maar natuurlijk, *poularde de Bresse*! Dat ga ik maken!'

In Claires appartement pakte hij met een zwierig gebaar de kip uit. '*Poulet bleu*. Zie je wel? Ze hebben van die blauwe poten. Daaraan kun je zien dat ze uit Bresse komen. Deze grilden we ook in het restaurant. Ze zijn verrukkelijk.'

Hij ging aan de slag in het kleine keukentje, hij hakte en zoutte, smolt boter, bestierde drie pannen tegelijk.

'Ik heb een relatie met Julia Child,' zei Claire.

'Eerder met de *Galloping Gourmet*,' zei Mitchell.

Ze lachte. Lachend kuste ze Larry op zijn wang en zei: 'Schat, ik ga nog wat lezen terwijl jij je opwindt over je kippetje.'

Claire nestelde zich met haar bloemlezing op het bed. Overmand door een nieuwe vlaag vermoeidheid wenste Mitchell dat hij ook ergens kon gaan liggen. In plaats daarvan ritste hij zijn rugzak open en groef onder zijn kleren naar de boeken die hij had meegenomen. Mitchell had geprobeerd zo min mogelijk mee te nemen en had van alles maar twee stuks ingepakt: twee shirts, twee broeken, twee paar sokken, twee onderbroeken en één trui. Maar toen het moment was aangebroken om de stapel leesvoer te schiften, was hij er niet in geslaagd om zo strikt te blijven, waardoor hij een voorraad bij zich had die bestond uit: *De Imitatione Christi*, *Confessiones* van Augustinus, *De innerlijke burcht* van Theresia van Ávila, *Ter overweging* van Merton, *De donkere nacht van de ziel* van Johannes van het Kruis, *Mijn biecht* van Tolstoj en een lijvige paperback van Pynchons *V.*, samen met een hardcoveruitgave van *God Biology. Toward a Theistic Understanding of Evolution*. En ten slotte had Mitchell vlak voordat hij uit New York vertrok bij St. Mark's Bookshop nog een exemplaar van *A Moveable Feast* van Hemingway op de kop getikt. Het plan was om elk boek met de post naar huis te sturen zodra hij het uit had of om het weg te geven aan iemand die er geïnteresseerd in was.

Nu haalde hij het boek van Hemingway tevoorschijn, ging aan tafel zitten en begon te lezen waar hij gebleven was:

Het verhaal schreef zichzelf en ik had zelfs moeite om het bij te houden. Ik bestelde nog maar een rum en ik keek steeds naar het meisje wanneer ik even opkeek of het potlood sleep met een puntenslijper, waarbij de krullen op het schoteltje onder mijn glas terechtkwamen.

Ik heb je gezien, schoonheid, en je bent nu van mij, op wie je ook mag zitten wachten en al zou ik je nooit weer zien, dacht ik. Je bent van mij en heel Parijs is van mij en ik ben van dit notitieboekje en dit potlood.

Hij probeerde zich voor te stellen hoe het moest zijn geweest om Hemingway te zijn, in het Parijs van de jaren twintig. Om die heldere, schijnbaar onopgesmukte, maar toch complexe zinnen te schrijven die voor altijd de manier waarop Amerikanen proza schreven zouden veranderen. Om al die dingen te doen en dan ergens te gaan eten waar je wist hoe de perfecte seizoenswijn te bestellen voor bij je *huîtres*. Om een Amerikaan in Parijs te zijn toen het nog oké was om Amerikaans te zijn.

'Lees je dat echt?'

Mitchell keek op en zag dat Claire hem vanaf het bed aanstaarde.

'Hemingway?' zei ze ongelovig.

'Ik dacht dat het wel bij Parijs zou passen.'

Ze rolde met haar ogen en ging weer verder in haar boek. En Mitchell ging verder in het zijne. Dat probeerde hij althans. Maar hij kon nu alleen nog maar naar de bladzij staren.

Hij was zich er maar al te zeer van bewust dat sommige ooit vooraanstaande schrijvers (altijd mannen, altijd blank) in een kwaad daglicht waren komen te staan. Hemingway was misogyn, homofoob en een onderdrukte homoseksueel, en hij jaagde op wilde dieren. Volgens Mitchell was dat nog geen reden om hem dan maar helemaal af te schrijven, maar als hij hierover met Claire in conclaaf zou gaan, liep hij het risico om zelf als misogyn te worden weggezet. En wat nog verontrustender was: hij moest zich afvragen of hij de beschuldiging van misogynie niet net zo klakkeloos verwierp als de feministische studentes die uitten, en of die ontkenning niet inhield dat hij, ergens diep vanbinnen, zelf misogyne gevoelens koesterde. Want waarom had hij *A Moveable Feast* eigenlijk gekocht? Wat had hem, wetende wat hij wist over Claire, doen besluiten om dat boek juist nu uit zijn rugzak te trekken? En waarom was de term 'trekken' net bij hem opgekomen?

Nu hij Hemingways regels herlas, zag hij dat die inderdaad onvoorwaardelijk aan de mannelijke lezer waren gericht.

Hij deed zijn benen over en weer van elkaar, en probeerde zich op zijn boek te concentreren. Hij schaamde zich dat hij Hemingway las en was kwaad dat zij die schaamte bij hem had opgeroepen. Alsof Hemingway zijn favoriete schrijver was! Hij had nauwelijks iets van hem gelezen!

Gelukkig kondigde Larry even later aan dat het eten werd opgediend.

Claire en Mitchell zaten aan het kleine, op een Parijse vrijgezel toegesneden tafeltje terwijl Larry het eten voor hen opdiende. Hij sneed de kip aan, legde het witte en het donkere vlees en de pootjes gescheiden op een schaal en verdeelde de druipende groenten over hun borden.

'Jammie,' zei Claire.

De kip was naar Amerikaanse maatstaven schriel en zag er niet uit. Een van de poten leek acne te hebben.

Mitchell nam een hap.

'En?' zei Larry. 'Heb ik iets te veel gezegd?'

'Je hebt niets te veel gezegd,' zei Mitchell.

Toen ze klaar waren met eten stond Mitchell erop dat hij de afwas zou doen. Hij stapelde de vaat op naast de gootsteen terwijl Larry en Claire het restant van de wijn mee naar het bed namen. Claire had haar sandalen uitgedaan en was nu blootsvoets. Ze strekte haar benen uit over Larry's schoot en nam een slok uit haar glas.

Mitchell spoelde de borden onder de kraan. Het Europese afwasmiddel was of milieuvriendelijk of van een goedkoop merk. Het gaf in elk geval niet genoeg schuim. Mitchell kreeg de vaat min of meer schoon en geloofde het verder wel. Hij was nu al drieëndertig uur wakker.

Hij kwam de kamer weer in. Op het bed waren Larry en Claire in een Keith Haring veranderd: twee liefhebbende menselijke figuren die perfect op elkaar aansloten. Mitchell bleef hen een poosje staan bekijken. Toen liep hij plotseling vastberaden de kamer door en hees zijn rugzak op zijn schouders.

'Waar maak ik het meeste kans om hier in de buurt een hotel te vinden?' vroeg hij.

Het duurde even voordat Claire zei: 'Je kunt hier wel slapen, hoor.'

'Dank je, maar ik zoek liever een hotel.'

Hij gespte zijn heupriem vast.

Zonder te protesteren begon Claire hem onmiddellijk de weg te wijzen. 'Als je buiten rechtsaf gaat en dan de eerste straat links neemt, kom je op de Avenue Rapp. Daar barst het van de hotels.'

'Blijf gewoon hier, man,' probeerde Larry hem over te halen. 'Dat is geen enkel probleem.'

In de hoop dat hij niet verongelijkt klonk, zei Mitchell: 'Ik neem gewoon ergens een kamer. Ik zie jullie morgen wel weer.'

Pas toen hij de deur achter zich dicht had getrokken, realiseerde hij zich weer hoe donker het in het trappenhuis was. Hij zag geen hand voor ogen. Hij stond op het punt om weer op Claires deur te kloppen toen hij een verlicht knopje op de muur ontwaarde. Hij drukte erop en het ganglicht sprong aan.

Hij was net op de tweede verdieping toen het licht weer uit ging. Hier zag hij nergens een knopje, dus moest hij op de tast nog twee trappen af voordat hij in de benedenhal kwam.

Toen hij naar buiten stapte, merkte Mitchell dat het was gaan regenen.

Hij had dit moment zien aankomen, dat hij zou worden verbannen uit de warme droge woning, zodat Larry Claire langzaam kon uitkleden en zijn gezicht tussen haar malse dijen kon drukken. Dat hij het weliswaar had zien aankomen, maar niet had weten te voorkomen, leek hem, terwijl hij in de richting van de Avenue Rapp liep, slechts een bevestiging van zijn fundamentele stompzinnigheid. Stompzinnigheid van een intelligent persoon weliswaar, maar evenzogoed stompzinnigheid.

Terwijl Mitchell de omringende straten afstruinde, nam de regen in hevigheid toe. De buurt, die vanuit Claires raam zo fraai had geleken, was nu een stuk minder aantrekkelijk, op straat, in de regen. De winkels waren afgesloten met rolluiken vol graffiti en de natriumstraatlantaarns verspreidden een naargeestig licht.

Waren ze niet net áfgestudeerd? Waren ze niet klaar met dat studentengekonkel? En nu zaten ze toch weer bij een studente vrouwenstudies op een derdejaarsuitwisselingsprogramma. Onder het voorwendsel dat ze werd opgeleid tot critica van het patriarchaat omarmde Claire kritiekloos elke modieuze theorie waar ze tegenaan liep. Mitchell was blij dat hij uit dat hok weg was. Hij voelde zich prima hier in de regen. Het was het meer dan waard om voor een hotelkamer te betalen als dat betekende dat hij niet langer naar Claires gezever hoefde te luisteren. Hoe hield Larry het met haar uit? Wat moest hij met zo'n vriendin? Was hij wel helemaal lekker?

Het was natuurlijk mogelijk dat zijn woede deels op de verkeerde persoon was gericht. Het was mogelijk dat de vrouw op wie hij echt kwaad was niet Claire was, maar Madeleine. De hele zomer lang, terwijl hij in Detroit zat, had Mitchell in de illusie verkeerd dat Madeleine weer beschikbaar was. De gedachte dat Bankhead de bons had gekregen en daaronder leed, had hem voortdurend opgebeurd. Hij had zelfs bedacht dat het goed was dat Madeleine met Bankhead was geweest. Ze moest dat soort gasten hebben meegemaakt om ze achter zich te kunnen laten. Ze moest, net als hijzelf, volwassen worden voordat ze samen konden zijn.

En toen was hij haar op de avond voordat hij naar Parijs zou vertrekken, minder dan twee etmalen geleden, in de Lower East Side tegengekomen. Larry en hij waren vanuit Riverdale met de trein naar de stad gegaan. Om een uur of tien 's avonds zaten ze in Downtown Beirut toen Madeleine ineens binnen was komen lopen met Kelly Traub. Larry had Kelly ooit geregisseerd in een toneelstuk. Ze begonnen onmiddellijk over toneel te praten en lieten Madeleine en Mitchell aan hun lot over. Eerst was hij bang geweest dat ze nog steeds kwaad op hem was, maar zelfs in het zwakke licht van de stampvolle bar kon hij zien dat dat niet het geval was. Ze leek oprecht blij om hem te zien en daar was hij zo opgetogen over dat hij aan de tequila was gegaan. Zo was de avond begonnen. Ze verlieten Downtown Beirut en gingen ergens anders heen. Hij wist dat hij geen enkele kans maakte. Hij stond op het punt om naar Europa te gaan. Maar het was zomer, ze waren in New York, het was er zo heet als in Bangkok en Madeleine drukte zich tegen hem aan toen ze in een taxi door de stad reden. Het laatste wat hij zich nog herinnerde, was dat hij voor een andere bar stond, ergens in Greenwich Village, en beneveld toekeek terwijl Madeleine in haar eentje in een taxi stapte. Hij was waanzinnig gelukkig. Maar toen hij de bar weer binnenging en met Kelly begon te praten, kwam hij erachter dat Madeleine helemaal niet vrij was. Zij en Bankhead hadden het niet lang na de afstudeerceremonie weer aangemaakt en zouden binnenkort naar Cape Cod verhuizen.

Het enige wat hem de afgelopen paar maanden op de been had gehouden, bleek een illusie te zijn. In zijn teleurstelling hierover, probeerde Mitchell Madeleine te vergeten en zich te concentreren op het feit dat hij de laatste drie maanden in elk geval wat geld had verdiend. Om geen huur te hoeven betalen, was hij teruggegaan naar Detroit. Zijn ouders waren blij om hem weer thuis te hebben en hij was blij dat zijn moeder voor hem kookte en de was deed terwijl hij de advertenties afzocht. Hij had zich nooit eerder gerealiseerd hoe weinig nuttige vaardigheden hij zich op college had eigengemaakt. Er werden nergens privéleraren theologie gevraagd. De advertentie die zijn aandacht trok luidde: 'Chauffeurs gevraagd – alle diensten'. Op basis van niet meer dan zijn rijbewijs werd hij dezelfde avond nog aangenomen. Hij draaide diensten van twaalf uur en doorkruiste van zes uur 's avonds tot zes uur 's morgens de Eastside van Detroit. In slecht onderhouden taxi's die hij van het bedrijf moest huren reed hij door lege straten op zoek naar een vrachtje of zat, om benzine uit te sparen, bij de rivier te wachten op een oproep van de centrale. Detroit was geen taxistad. Er waren bijna geen voetgangers. Niemand wenkte hem vanaf de stoep, en om drie of vier uur 's nachts al helemaal niet. De andere chauffeurs vormden een treurig zootje. In plaats van de stoere immigranten of bijdehante Detroiters die hij verwacht had, bestond de ploeg uit absolute minkukels. Dit waren gasten die duidelijk geen enkel ander baantje hadden kunnen vasthouden. Ze waren mislukt als pompbediende, popcornverkoper in de bioscoop, hulpje van hun zwager bij het installeren van pvc-pijpen in goedkope koopflats, kruimeldief, vuilnisman, tuinman; ze waren mislukt op school en in hun huwelijk, en nu waren ze hier en mislukten ze als taxichauffeur in desperaat Detroit. De enige andere chauffeur die gestudeerd had – rechten – was in de zestig en door het kantoor waar hij werkte ontslagen vanwege psychische instabiliteit. 's Avonds laat, als het radioverkeer tot stilstand was gekomen, verzamelden de chauffeurs zich op een standplaats bij de rivier, vlak bij de oude Medusa-cementfabriek. Mitchell luisterde zonder iets te zeggen naar hun gesprekken; hij hield zich afzijdig opdat ze er niet achter zouden komen waar hij vandaan kwam. Hij probeerde over te komen als iemand met een kort lontje, een soort personificatie van Travis Bickle, zodat ze hem met rust zouden laten. Dat werkte. De andere jongens bemoeiden zich niet met hem. Dan reed hij weg, parkeerde ergens in een doodlopende straat en las *The Aspern Papers* bij het licht van een zaklantaarn.

Om drie uur 's nachts haalde hij bij een bouwval een alleenstaande moeder met vier kinderen op en bracht hen naar een ander krot. Hij reed een verrassend beleefde drugsdealer naar een afleveradres. Hij vervoerde een gelikte Billy Dee Williams-lookalike met kroeshaar en gouden kettingen, die zichzelf met gladde praatjes naar binnen wist te lullen langs het veiligheidsslot van een vrouw die hem niet binnen leek te willen laten, maar het toch deed.

Tijdens hun bijeenkomsten bij de rivier hadden de chauffeurs het altijd over hetzelfde: het verhaal dat een van hen, van de ongeveer dertig die die nacht werkten, daadwerkelijk geld had verdiend. Elke nacht haalde op zijn minst één chauffeur zo'n twee- tot driehonderd dollar binnen. Maar de meesten kwamen daar niet eens bij in de buurt. Na een week telde Mitchell zijn totale gage bij elkaar op en trok er het bedrag vanaf dat hij had uitgegeven aan benzine en de huur van de taxi. Dit deelde hij door het aantal uren dat hij had gewerkt en hij kwam uit op een uurloon van $ -0,76. Het kwam erop neer dat hij East Side Taxi betaalde om in hun auto's te mogen rijden.

De rest van de zomer werkte hij in de bediening bij een gloednieuw traditioneel Grieks restaurant in Greektown. Hij had een voorliefde voor de oudere etablissementen in Monroe Street, restaurants als de Grecian Gardens en het Hellas Café, waar zijn ouders hem en zijn broers bij belangrijke familieaangelegenheden mee naartoe namen toen ze nog klein waren, zaken die in die tijd nog niet vol zaten met bewoners van de buitenwijken die naar het centrum kwamen om goedkope wijn te drinken en pittige hapjes te bestellen, maar met piekfijn uitgedoste immigranten met een air van waardigheid en ontheemding om zich heen, een eeuwige melancholie. De mannen overhandigden hun hoed aan een meisje, meestal de dochter van de eigenaar, dat hem netjes in de garderobe opborg. Mitchell en zijn broers, met nepdasjes om, zaten stil aan tafel zoals kinderen dat toen nog deden, terwijl zijn grootouders en oudooms en -tantes zich in het Grieks met elkaar onderhielden. Om de tijd door te komen bestudeerde hij hun gigantische oorlellen en tunnelachtige neusgaten. Hij was het enige wat de ouderen kon doen glimlachen: daarvoor hoefden ze hem alleen maar over zijn wang te aaien of met hun handen door zijn golvende haar te gaan. Omdat hij zich bij die lange diners zo verveelde, mocht Mitchell als de ouderen hun koffie dronken van tafel om bij de vitrine een pepermuntje van de schaal naast de kassa te pakken en met zijn gezicht tegen het glas gedrukt de collectie sigaren te bekijken die ze er verkochten. In het café aan de overkant zaten mannen backgammon te spelen of Griekse kranten te lezen, precies zoals ze in Athene of Constantinopel gedaan zouden hebben. Inmiddels waren zijn Griekse grootouders overleden, was Greektown een hippe toeristische trekpleister geworden en Mitchell een bewoner van de buitenwijken, net zomin Grieks als de kunstdruiven die aan het plafond hingen.

Zijn uniform bestond uit een bruine polyester broek met wijde pijpen, een bruin polyester overhemd met een gigantische kraag en een oranje vest in dezelfde kleur als de bekleding van het meubilair. Elke avond zaten hemd en vest onder het vet en moest zijn moeder ze midden in de nacht wassen opdat hij ze de volgende dag weer kon dragen.

Op een avond kwam Coleman Young, de burgemeester, binnen in het gezelschap van een paar maffialeden. Een van hen had een gemene dronk en richtte zijn troebele blik op Mitchell.

'Hé, jij daar. Zakkenwasser. Kom eens hier.'

Mitchell liep naar hun tafeltje.

'Schenk eens wat water bij, zakkenwasser.'

Mitchell schonk zijn water bij.

De man gooide zijn servet op de grond. 'Hé, zakkenwasser, raap mijn servet even op.'

De burgemeester leek niet erg gelukkig met zijn gezelschap. Maar dat soort diners hoorde bij zijn werk.

Thuis telde Mitchell zijn fooien terwijl hij zijn ouders vertelde hoe goedkoop India was. 'Je kunt daar rondkomen van vijf dollar per dag, misschien nog wel minder.'

'Wat is er mis met Europa?' vroeg Dean.

'Maar we gaan ook naar Europa.'

'Londen is mooi. Of Frankrijk. Jullie zouden naar Frankrijk kunnen gaan.'

'We gáán ook naar Frankrijk.'

'Ik weet het niet met dat India,' zei Lillian hoofdschuddend. 'Je loopt daar zo een ziekte op.'

'Ik neem aan dat je je ervan bewust bent dat India een van de zogenaamde niet-gebonden landen is,' zei Dean. 'Weet je wat dat betekent? Dat betekent dat ze niet willen kiezen tussen de Verenigde Staten en Rusland. Ze vinden dat Amerika en Rusland moreel gelijk aan elkaar zijn.'

'Hoe kunnen we je daar bereiken?' vroeg Lillian.

'Jullie kunnen brieven naar American Express sturen. Die houden ze dan vast.'

'Engeland is mooi,' zei Dean. 'Kun je je nog herinneren dat we daar ooit zijn geweest? Hoe oud was je toen?'

'Acht jaar,' antwoordde Mitchell. 'Dus ik ben al eens in Engeland geweest. Larry en ik willen ergens anders heen. Naar een niet-westers land.'

'Niet-westers, zeg je? Dan weet ik wel wat. Wat dacht je van Siberië? Waarom ga je niet naar een van die goelags die ze daar hebben in het rijk van het kwaad?'

'Siberië zou inderdaad best interessant zijn.'

'En als je ziek wordt?' vroeg Lillian.

'Ik word niet ziek.'

'Hoe kun je dat nou weten?'

'Ik heb een vraag voor je,' zei Dean. 'Hoe lang denk je dat die reis zal duren? Een maand of twee, drie?'

'Eerder acht,' zei Mitchell. 'Hangt ervan af hoe lang we met ons geld toekunnen.'

'En wat wil je daarna gaan doen? Met je diploma religieuze studies?'

'Ik denk erover om theologie te gaan studeren.'

'Theologie?'

'Je hebt twee verschillende richtingen. Je kunt predikant worden of theoloog. Ik zou de wetenschappelijke kant op gaan.'

'En dan? Een aanstelling als docent ergens?'

'Misschien.'

'Wat verdient een universitair docent?'

'Ik zou het niet weten.'

Dean richtte zich tot Lillian: 'Hij denkt dat het niet belangrijk is. De hoogte van je salaris. Niet belangrijk.'

'Ik denk dat je een heel goede docent zou zijn.'

'O ja?' zei Dean en hij leek het voor het eerst even in overweging te nemen. 'Mijn zoon de docent. Ik neem aan dat je dan een vaste aanstelling kunt krijgen.'

'Als ik geluk heb.'

'Zo'n vaste aanstelling is mooi. On-Amerikaans. Maar mooi als je het voor elkaar kunt krijgen.'

'Ik moet gaan,' zei Mitchell. 'Anders kom ik te laat op mijn werk.'

In werkelijkheid was hij te laat voor zijn catechismusles. Heimelijk, alsof hij drugs kocht of een massagesalon frequenteerde, ging Mitchell zonder dat iemand ervan wist elke week naar pastoor Marucci in St. Mary's, de katholieke kerk aan het eind van Monroe Street. Toen hij de eerste keer bij de pastorie aanbelde en zijn beweegredenen uit de doeken deed, had de dikbuikige pastoor hem wantrouwig aangekeken. Mitchell verklaarde dat hij erover dacht om zich tot het katholicisme te bekeren. Hij sprak over zijn interesse voor Merton, en dan vooral diens verhaal over zijn eigen bekering: *Louteringsberg*. Tegen pastoor Marucci zei hij in grote lijnen hetzelfde als destijds tegen professor Richter. Maar of het nu was omdat pastoor Marucci niet zo bezig was met zieltjes winnen of omdat hij Mitchells type wel kende, hij had er niet erg veel werk van gemaakt. Hij had Mitchell wat leeswerk meegegeven en hem weer weggestuurd, met de toezegging dat hij altijd kon terugkomen om te praten als hij dat wilde.

Pastoor Marucci leek rechtstreeks uit de film *Boys Town* te zijn gestapt; hij was net zo nors als Spencer Tracy. Mitchell zat in zijn werkkamer, geïmponeerd door het grote kruis aan de muur en de schildering van het Heilige Hart van Jezus boven de deur. De ouderwetse radiatoren waren versierd met filigrein. Het meubilair was massief en zwaar, de gordijnringen waren net kleine reddingsboeien.

Met toegeknepen blauwe ogen nam de pastoor hem aandachtig in zich op.

'Hebt u de boeken gelezen die ik u had meegegeven?'

'Jawel, eerwaarde.'

'Vragen?'

'Meer een zorg dan een vraag.'

'Laat maar horen.'

'Nou, het leek me zo dat ik me wel aan de regels moet kunnen houden als ik katholiek word.'

'Geen gek idee.'

'De meeste lijken me niet zo'n probleem. Maar ik ben ongetrouwd. Ik ben pas tweeëntwintig. Ik weet niet wanneer ik gá trouwen. Dat zou nog best een tijdje kunnen duren. Dus de regel waar ik me vooral zorgen over maak betreft seks voor het huwelijk.'

'Helaas kun je niet gewoon maar nemen wat je bevalt.'

'Ik weet het.'

'Een meisje is geen watermeloen waar je een gaatje in prikt om te kijken of ze zoet is.'

Dat beviel Mitchell wel. Dit was het soort onopgesmukte spirituele advies dat hij nodig had. Tegelijkertijd zag hij niet in hoe dat zijn celibaat zou vergemakkelijken.

'Denk er nog maar eens over na,' zei pastoor Marucci.

Buiten gingen de neonlichten van Greektown net aan. Verder was het centrum van Detroit uitgestorven, alleen dit ene oplichtende blok en, tegenover Woodward, het Tiger Stadium, waar een avondwedstrijd in volle gang was. De warme zomeravondbries voerde de geur van de rivier met zich mee. Mitchell stak het catechismusfoldertje in de zak van zijn vest, wandelde naar het restaurant en ging aan het werk.

De volgende acht uur bediende hij tafels. Hij assisteerde mensen bij hun maaltijd. Klanten lieten uitgekauwde stukken vlees op hun bord liggen, kraakbeen. Als hij een kinderbeugeltje in een berg *pilafi* vond, gaf hij het terug in een meeneembakje om niemand in verlegenheid te brengen. Nadat hij de tafels had afgeruimd, dekte hij ze weer. Hij kon een tafel van vier personen in één keer leegruimen, met al het servies opgestapeld in zijn armen.

V: Wat betekent het woord 'vlees' als het verwijst naar de gehele mens?

A: Als het verwijst naar de gehele mens duidt het woord 'vlees' de mens aan in zijn zwakte en sterfelijkheid.

Geri, de vrouw van de eigenaar, nam graag een tafeltje achter in het restaurant in beslag. Ze was een grote, wanordelijke vrouw, als een kindertekening die niet binnen de lijntjes is gebleven. De kelners voorzagen haar van een gestage stroom whisky-soda. Geri begon de avond altijd opgetogen van de drank, alsof ze een feest verwachtte. Later verviel ze dan in somberheid. Op een avond zei ze tegen Mitchell: 'Ik had nooit met een Griek moeten trouwen. Weet je hoe Grieken zijn? Ik zal het je zeggen. Het zijn net zandnegers. Geen enkel verschil. Ben jij Grieks?'

'Half,' antwoordde Mitchell.

'Dat spijt me voor je.'

V: In welke vorm zullen de doden verrijzen?

A: De doden zullen verrijzen in hun eigen lichaam.

Dat was slecht nieuws voor Geri. Bij vorige baantjes had Mitchell altijd wel kans gezien om af en toe even een pauze in te lassen, maar dat was in het restaurant onmogelijk. Zijn enige werkonderbreking was het kwartier waarin hij zijn eten naar binnen werkte. Hij nam haast nooit de gyros. Het was geen lamsvlees maar een mengsel van rund- en varkensvlees, als een blik spam van vijfendertig kilo. Drie verschillende spitten draaiden achter de etalageruit in de rondte, terwijl de koks erin prikten en pookten en er plakjes van afsneden. De vrouw van Stavros, een van de koks, had een hartkwaal. Twee jaar geleden was ze in coma geraakt. Elke dag ging hij op weg naar zijn werk langs het ziekenhuis om aan haar bed te zitten. Hij koesterde geen enkele illusie omtrent haar kans op herstel.

V: Wie zegt dat je altijd kunt bidden, zelfs tijdens het koken?

A: De heilige Johannes Chrystosomus (± 400 n.Chr.) zegt dat je altijd kunt bidden, zelfs tijdens het koken.

En zo ging die eindeloze zomer voorbij. Hij werkte zeven avonden per week; hij serveerde en ruimde tafels af, schraapte etensresten, botjes, gestolde jus en servetten waar mensen hun neus in hadden genoten van de borden in de enorme vuilnisbak, stapelde vette borden op de eeuwig aangroeiende stapel afwas waarachter de Jemenitische afwasser schuilging (de enige met een nog beroerder baantje dan hij), tot hij genoeg had verdiend om een ticket naar Parijs en voor 3280 dollar aan American Express-travellercheques te kopen. Toen was hij binnen een week vertrokken, eerst naar New York en drie dagen later naar Parijs, waar hij nu zonder onderdak in de regen over de Avenue Rapp liep.

De goten stroomden over. De regen kletterde op zijn hoofd, liep langs zijn kraag naar beneden. Een nachtelijke werkploeg was met zandzakken in de weer om de waterstroom in goede banen te leiden. Drie straten verder zag Mitchell op de hoek aan de overkant een hotel. Toen hij het voorportaal inschoot, bleek dat er al een andere ongelukkige rugzaktoerist stond, een jongen in een regenponcho bij wie het water in straaltjes van zijn lange neus druppelde.

'Alle hotels in Parijs zitten vol,' zei de jongen. 'Ik heb ze echt allemaal geprobeerd.'

'Heb je aangebeld?'

'Al drie keer.'

Ze moesten nog twee keer bellen voordat de conciërge kwam opdagen. Ze deed volledig gekleed de deur open, met haar haar perfect in de plooi. Ze keek hen koel aan en zei iets in het Frans.

'Ze heeft nog maar één kamer,' zei de jongen. 'Ze vraagt of we die willen delen.'

'Jij was hier als eerste,' zei Mitchell genereus.

'Delen is goedkoper.'

De vrouw ging hun voor naar de tweede etage. Ze opende een deur en deed een stap opzij om hen de kamer te laten inspecteren.

Er stond maar één bed.

'*C'est bien?*' vroeg de vrouw.

'Ze vraagt of het goed is,' zei de jongen tegen Mitchell.

'We hebben niet veel keus.'

'*C'est bien,*' zei de jongen.

'*Bonne nuit,*' zei de vrouw en ze trok zich terug.

Ze deden hun rugzak af en zetten die op de vloer, waar zich een plasje water vormde.

'Ik ben Clyde,' zei de jongen.

'Mitchell.'

Terwijl Clyde zich waste boven het minuscule gootsteentje in de kamer, pakte Mitchell een handdoek en liep door de gang naar de wc. Na het plassen trok hij aan de ketting van de stortbak en voelde zich net een treinmachinist. Toen hij terugkwam in de kamer zag hij tot zijn opluchting dat Clyde al in bed lag, met zijn gezicht naar de muur. Mitchell kleedde zich uit tot op zijn onderbroek.

Nu moest hij alleen nog verzinnen waar hij zijn geldbuidel zou laten.

Omdat hij niet als de eerste de beste toerist met een buiktasje wilde rondlopen, maar ook geen waardepapieren in zijn rugzak wilde vervoeren, had hij een vissersportemonnee gekocht. Die was waterdicht, met een dessin van springende forellen, en met een extra stevige rits en elastieken lussen waarmee je hem aan je riem kon dragen. Maar omdat je dan net zo goed een buiktasje zou kunnen dragen, had Mitchell hem met een touwtje aan een van de riemlusjes van zijn broek gebonden en in zijn broekband gestoken. Daar zat hij veilig. Maar nu moest hij een plek vinden om hem deze nacht te bewaren, terwijl hij met een wildvreemde een kamer deelde.

Behalve zijn travellercheques bevatte die portemonnee zijn paspoort, zijn inentingsbewijzen, vijfhonderd franc die hij de vorige dag had gewisseld voor zeventig dollar, en een onlangs geactiveerde MasterCard. Nadat het hun niet was gelukt om Mitchell India uit zijn hoofd te praten, hadden Dean en Lillian erop gestaan om hem iets voor noodgevallen mee te geven. Maar Mitchell wist dat het gebruik van die creditcard een lopende rekening van kinderlijke verplichtingen zou openen, die hij dan zou moeten afbetalen met maandelijkse of wekelijkse telefoontjes naar huis. De MasterCard fungeerde als volgsysteem. Pas nadat hij Deans aandringen een volle maand had weerstaan, had Mitchell toegegeven en de kaart van hem aangenomen, maar hij was niet van plan hem ooit te gebruiken.

Met zijn rug naar het bed maakte hij de beurs los van zijn broeklus. Hij overwoog even om hem onder de kast of achter de spiegel te verstoppen, maar nam hem uiteindelijk mee naar bed en legde hem onder zijn kussen. Hij klom in bed en deed het licht uit.

Clyde bleef met zijn gezicht naar de muur liggen.

Een hele poos lagen ze zwijgend naast elkaar. Toen zei Mitchell: 'Heb jij *Moby Dick* gelezen?'

'Een hele tijd geleden.'

'Herinner je je die passage in het begin, dat Ismaël in dat pension naar bed gaat en dat hij dan een lucifer afstrijkt en een volgetatoeëerde indiaan naast zich ziet liggen?'

Clyde dacht er in stilte even over na. 'Wie van ons is de indiaan?' vroeg hij toen.

'Noem me Ismaël,' zei Mitchell in het donker.

Zijn biologische klok wekte hem vroeg. De zon was nog niet op, maar het regende niet meer. Hij hoorde Clydes diepe, nachtelijke ademhaling naast zich. Het lukte hem om weer in slaap te vallen, en toen hij voor de tweede keer wakker werd was het volop dag en was Clyde gevlogen. Hij keek onder zijn kussen en zijn portemonnee was verdwenen.

In acute paniek sprong hij uit bed. Terwijl hij de dekens en lakens van het bed trok en onder de matras voelde, bedacht hij iets. Travellercheques maakten het reizen gemakkelijk. In geval van diefstal of verlies gaf je American Express de serienummers door en dan voorzagen ze je van nieuwe cheques. Dat betekende wel dat de serienummers net zo belangrijk waren als de cheques zelf. Als je cheques werden gestolen en je had de serienummers niet, dan had je een probleem. Aangezien de cheques vergezeld gingen van een waarschuwing om ze niet in je bagage te bewaren, leek het logisch dat je de serienummers daar ook niet bewaarde. Maar waar dan wel? De enige veilige plek, zo had Mitchell geredeneerd, was in de vissersportemonnee bij de cheques zelf. En dus had hij ze daar opgeborgen tot hij iets beters zou verzinnen.

Hij was zich wel bewust geweest van een belangrijke zwakke plek in deze redenatie, maar die had hem tot op dit moment hanteerbaar geleken.

Het vernederende vooruitzicht om huiswaarts te moeten keren terwijl zijn wereldreis pas twee dagen oud was, drong zich in al zijn afschrikwekkendheid aan hem op. Maar toen keek hij achter het bed en zag de geldbuidel op de vloer liggen.

Onderweg naar buiten werd hij door de conciërge staande gehouden. Ze praatte tegen hem in rad Frans, maar hij begreep de essentie van haar verhaal: Clyde had de helft van de kamerprijs betaald; hij was haar de andere helft nog schuldig.

De koers was iets meer dan 7 franc voor een dollar. Zijn deel van de kamer kostte 280 franc, oftewel ongeveer 40 dollar. Als hij de kamer nog een nacht wilde hebben, zou hij nog eens 80 dollar moeten betalen. Hij had gehoopt in Europa van 10 dollar per dag rond te kunnen komen, dus 120 dollar kwam neer op ongeveer twee weken van zijn budget. Hij vocht tegen de verleiding om toe te geven en met de MasterCard voor het hotel te betalen. Maar de gedachte aan het bankafschrift dat bij zijn ouders in de brievenbus zou vallen, waaruit zij zouden kunnen opmaken dat hij de eerste nacht van zijn reis al in een hotel had geslapen, gaf hem de kracht om niet te zwichten. Hij haalde 280 franc uit zijn geldbuidel en gaf het aan de vrouw. Nadat hij haar duidelijk had gemaakt dat hij niet nog een nacht wilde blijven, haalde hij zijn rugzak van zijn kamer en verliet het hotel om iets goedkopers te zoeken.

In het eerste huizenblok kwam hij al langs twee patisserieën. Achter de etalageruiten lagen kleurige cakejes in geplooide papieren bakjes, als edelen met een plooikraag. Hij had nog 80 franc, ongeveer 11 dollar, en hij was vastbesloten om pas de volgende dag weer een cheque te verzilveren. Nadat hij de Avenue Rapp was overgestoken, vond hij in een park een ijzeren bank waar hij in de schaduw kon zitten zonder geld uit te geven.

Het was warmer geworden, na de regenbui was de lucht opengetrokken. Net als de vorige dag verwonderde Mitchell zich over de schoonheid van de omgeving, de beplanting en paden van het park. Omdat de mensen om hem heen een hem vreemde taal spraken, kon hij zich inbeelden dat ze allemaal intelligente gesprekken voerden, zelfs de kalende vrouw die eruitzag als Mussolini. Hij keek op zijn horloge. Het was halftien. Hij had pas om vijf uur 's middags met Larry afgesproken.

Mitchell had (heel slim, vond hij zelf) gevraagd om travellercheques ter waarde van 20 dollar per stuk. Kleine bedragen zouden hem dwingen zuinig te zijn tussen twee bezoeken aan het kantoor van AmEx door. Maar 164 aparte 20 dollarcheques vormden samen wel een flinke stapel. Samen met zijn paspoort en andere documenten zat zijn vissersportemonnee propvol, waardoor die een zichtbare bobbel in zijn broek veroorzaakte. Als hij hem wat naar zijn heup verschoof, leek hij minder op een toque, maar weer meer op een stoma.

Van een *boulangerie* aan de overkant van de straat kwam de hemelse geur van versgebakken brood aangedreven. Mitchell stak zijn neus in de lucht, als een hond. In zijn Europese reisgids vond hij het adres van een jeugdherberg in Pigalle, in de buurt van de Sacré-Coeur. Het was een hele wandeling, en toen hij daar aankwam was hij bezweet en licht in zijn hoofd. De pokdalige man achter de balie deelde Mitchell van achter zijn getinte vliegeniersbril mee dat ze helemaal vol zaten en verwees hem naar een goedkoop pension verderop in de straat. Daar kostte een kamer 330 franc, oftewel een kleine 50 dollar, maar Mitchell wist niet wat hij anders moest doen. Nadat hij bij een bank meer geld had gewisseld, nam hij een kamer, liet zijn rugzak achter en ging naar buiten in een poging nog iets van zijn dag te maken.

Pigalle was zowel sjofel als toeristisch. Twee Amerikaanse koppels met een zuidelijk accent stonden voor de Moulin Rouge; de mannen bekeken de foto's van de danseressen terwijl een van de vrouwen botweg zei: 'Als jullie iets van Cartier voor ons kopen, mogen jullie naar de show.' Voorbij de art-nouveau-ingang van het metrostation probeerde een straathoer met heupbewegingen de aandacht van de automobilisten te trekken. Waar hij ook ging in de glooiende straten van de buurt, de witte koepel van de Sacré-Coeur bleef aldoor zichtbaar. Uiteindelijk beklom hij de heuvel en ging door de enorme deuren de kerk binnen. Het was net of hij door het gewelf omhoog werd getrokken, als vloeistof in een spuit. In navolging van de andere kerkgangers sloeg hij een kruis en maakte een kniebuiging terwijl hij in een kerkbank schoof; de gebaren vervulden hem onmiddellijk met eerbied. Het was ongelooflijk dat dit allemaal nog steeds gebeurde. Met gesloten ogen reciteerde hij ruim vijf minuten lang het Jezusgebed.

Onderweg naar buiten ging hij de cadeauwinkel in om de parafernalia te bekijken. Ze hadden gouden kruisen, zilveren kruisen, scapulieren in allerlei kleuren en vormen, iets wat een 'Veronica' werd genoemd en nog iets wat 'Het zwarte scapulier van de zeven smarten van Maria' heette. In de vitrine lagen rozenkransen te glimmen, met zwarte kralen, elk een ronde uitnodiging met aan het eind een kruis.

Naast de kassa lag een klein boekje prominent uitgestald. Het heette *Iets moois voor God* en op het omslag stond een foto van moeder Teresa met haar ogen opwaarts naar de hemel gericht. Hij pakte het boekje op en las de eerste bladzij:

Ik dien hier in de eerste plaats uit te leggen dat moeder Teresa me heeft verzocht geen poging te doen iets als een biografie of een biografische studie van haar te maken. 'Het leven van Christus,' zo schreef ze me, 'werd niet tijdens zijn leven geschreven en toch verrichtte Hij het grootste werk op aarde: Hij verloste de wereld en leerde de mensheid Zijn Vader lief te hebben. Het Werk is Zijn Werk en om dat in stand te houden, zijn wij allen slechts zijn instrumenten, die ons kleine steentje bijdragen in de korte tijd die ons gegeven is.' Ik respecteer haar wensen in deze, alsook in alle andere zaken. Wij behandelen hier uitsluitend de werken die zij en haar Missionarissen van Naastenliefde – een orde die zij heeft gesticht – samen verrichten, en het leven dat ze samen leiden, in dienst van Christus, in Calcutta en elders. Zij zijn vooral de armsten onder de armen toegedaan; voorwaar een breed gebied.

Een paar jaar geleden zou Mitchell het boek weer hebben teruggelegd, als hij het überhaupt al had opgepakt. Maar in zijn huidige gemoedstoestand, nog versterkt door zijn bezoek aan de kathedraal, bladerde hij langs de illustraties, die titels droegen als: 'Een bord voor het Huis der Stervenden', 'Een kwetsbare zuigeling in de armen van moeder Teresa', 'Een zieke vrouw omhelst moeder Teresa', 'De nagels van een leprapatiënt worden geknipt', 'Moeder Teresa helpt een jongetje dat te zwak is om zelf te eten'.

Voor de tweede keer die ochtend overschreed hij zijn budget en hij kocht het boek voor 28 franc.

In een stille zijstraat van de Rue des Trois-Frères haalde hij de AmEx-serienummers uit zijn geldbuidel en noteerde ze achter in *Iets moois voor God*.

Zijn honger kwam en ging de hele ochtend. Maar tegen het middaguur kwam hij weer opzetten en dit keer ging het gevoel niet meer over. In het voorbijgaan staarde hij verlekkerd naar het eten op de borden van de mensen in de brasseries. Even na halfdrie hield hij het niet meer en bestelde een *café au lait*, die hij staand aan de bar opdronk om twee franc uit te sparen. De rest van de dag bracht hij door in het Musée Jean Moulin, omdat het gratis was.

Toen hij die namiddag bij Claires appartement aankwam, deed Larry de deur open. Binnen bespeurde Mitchell, in plaats van een zwoele postcoïtale sfeer, een zekere spanning. Larry had een fles wijn opengetrokken, waar hij als enige van dronk. Claire lag op bed te lezen. Ze glimlachte vluchtig naar Mitchell, maar kwam niet overeind om hem te begroeten.

Larry vroeg: 'En, heb je een hotel gevonden?'

'Nee, ik heb op straat geslapen.'

'Je liegt.'

'Alle hotels zaten vol! Ik heb uiteindelijk een kamer en zelfs een bed moeten delen met een of andere gozer.'

Larry vermaakte zich zichtbaar met dat nieuws. 'Dat spijt me, jongen,' zei hij.

'Heb je met een jongen geslapen?' zei Claire vanaf het bed. 'Op je eerste nacht in Parijs?'

'Gay Parie,' zei Larry terwijl hij een glas wijn voor Mitchell inschonk.

Een paar minuten later ging Claire naar de badkamer om zich op te frissen voor het avondeten. Zodra ze de deur achter zich had dichtgedaan, boog Mitchell zich naar Larry toe. 'Oké, we hebben Parijs gezien. Nu kunnen we verder.'

'Heel grappig, Mitchell.'

'Je zei dat we een slaapplaats zouden hebben.'

'Die hebben we toch ook?'

'Jíj, ja.'

Larry liet zijn stem zakken. 'Ik zal Claire zes maanden niet meer zien, misschien nog wel langer. Wat wil je nou? Dat ik haar na één nacht alweer laat zitten?'

'Goed idee.'

Larry liet zijn blik op Mitchell rusten. 'Je ziet er behoorlijk pips uit,' zei hij.

'Dat komt omdat ik de hele dag niets gegeten heb. En weet je waarom? Omdat ik veertig dollar aan een kamer heb uitgegeven!'

'Ik betaal het je wel terug.'

'Dit was niet volgens plan.'

'Het plan was om niets te plannen.'

'Met dit verschil dat jij wel degelijk een plan had: neuken!'

'Zou jij dat niet hebben gedaan, dan?'

'Natuurlijk wel.'

'Nou dan.'

De twee vrienden keken elkaar aan, niet van zins toe te geven.

'Drie dagen, op zijn langst, dan zijn we hier pleite,' zei Mitchell.

Claire kwam de badkamer uit met een borstel in haar hand. Ze boog voorover zodat haar lange lokken voorover vielen en bijna de grond raakten. Wel een halve minuut borstelde ze met lange neerwaartse halen haar manen, toen kwam ze weer overeind en gooide haar nu zachte en volle haar met een zwaai naar achter.

Ze vroeg waar ze wilden eten.

Larry was zijn uniseksgympen aan het aantrekken. 'Wat dachten jullie van couscous?' zei hij. 'Heb je wel eens couscous gegeten, Mitchell?'

'Nee.'

'O, dat moet je echt eens proeven.'

Claire trok een zuur gezicht. 'Iedereen die naar Parijs komt, moet zo nodig naar het Quartier Latin om couscous te eten,' zei ze. 'Couscous in het Quartier Latin is zo'n cliché.'

'Wil je liever ergens anders heen?' vroeg Larry.

'Nee, hoor,' zei Claire. 'Laten we lekker onorigineel zijn.'

Toen ze buiten op straat liepen, sloeg Larry zijn arm om Claire heen en fluisterde iets in haar oor. Mitchell volgde hen.

Het restaurant in de nauwe straatjes van het Quartier Latin waar Claire hen mee naartoe nam, was klein en druk en de muren waren bedekt met Marokkaanse tegels. Mitchell ging met zijn gezicht naar het raam zitten en keek naar de mensen die voorbijstroomden. Op een gegeven moment liep er een meisje van een jaar of twintig met een Jeanne d'Arc-kapsel vlak langs het raam voorbij. Toen Mitchell naar haar keek, deed ze iets wat hem volledig verraste: ze keek terug. De blik waarmee ze de zijne beantwoordde, had een onverbloemd seksuele lading. Ze zei er niet direct mee dat ze met hem naar bed wilde, maar dat ze op deze nazomeravond met genoegen onderkende dat hij een man was en zij een vrouw en dat ze er geen enkel bezwaar tegen had als hij haar aantrekkelijk vond. Geen enkel Amerikaans meisje had ooit zo naar hem gekeken.

Deanie had gelijk: Europa was zo gek nog niet.

Mitchell keek haar na tot ze verdwenen was. Toen hij zijn ogen weer op de tafel richtte, zat Claire hem hoofdschuddend aan te staren.

'Je hebt vast kramp in je nek,' zei ze.

'Hoezo?'

'Onderweg hierheen heb je elke vrouw die we tegenkwamen met je ogen uitgekleed.'

'Welnee.'

'O, jazeker wel.'

'Een ander land, hè,' probeerde Mitchell er een grapje van te maken. 'Puur antropologische interesse.'

'O, dus je ziet vrouwen als een exotische stam die bestudeerd moet worden?'

'Nu ga je het krijgen, Mitchell,' zei Larry. Het was duidelijk dat er van hem geen enkele hulp viel te verwachten.

Claire keek Mitchell aan met onverholen minachting. 'Reduceer je vrouwen altijd tot lustobject of doe je dat alleen in Europa?'

'Dat ik naar vrouwen kijk wil toch nog niet zeggen dat ik ze alleen als lustobject zie?'

'Wat doe je dán met ze?'

'Ik kíjk naar ze.'

'Omdat je met ze naar bed wilt.'

Dat was min of meer waar. Onder Claires kastijdende blik voelde hij ineens schaamte opkomen. Hij wilde dat vrouwen van hem hielden, alle vrouwen; het was begonnen bij zijn moeder en daarna was het nooit meer opgehouden. Daarom voelde hij zich bij iedere vrouw die kwaad op hem werd, overdonderd door moederlijke afkeuring, alsof hij stout was geweest.

Als reactie op zijn schaamte deed Mitchell nog iets wat jongens altijd doen. Hij viel stil. Nadat ze hadden besteld en de wijn en het eten waren gebracht, concentreerde hij zich op zijn eten en drinken en zei bijna niets meer. Claire en Larry leken vergeten dat hij er was. Ze praatten en lachten. Ze voerden elkaar hapjes eten.

Buiten werd het alleen maar drukker. Mitchell deed zijn best om niet uit het raam te staren, maar ineens werd zijn aandacht getrokken door een zwartgelaarsde vrouw in een strakke jurk.

'O god!' riep Claire. 'Nou doet-ie het weer!'

'Ik keek alleen maar uit het raam!'

'Wat ben jij een gluurder!'

'Wat moet ik dan, een blinddoek omdoen?'

Maar Claire was tevreden. Ze was verrukt over haar overwinning op Mitchell, die duidelijk bleek uit zijn zichtbare ongemak. Ze bloosde van genoegen.

'Je vriend heeft de pest aan me,' zei ze terwijl ze haar hoofd op Larry's schouder legde. Larry sloeg zijn ogen op naar Mitchell en keek hem niet onwelwillend aan. Hij legde een arm om Claire heen.

Mitchell nam het hem niet kwalijk. Hij zou in Larry's positie hetzelfde hebben gedaan.

Zodra ze klaar waren met eten verontschuldigde Mitchell zich en zei dat hij zin had om een stukje te wandelen.

'Wees alsjeblieft niet kwaad op me!' smeekte Claire. 'Je mag naar zo veel vrouwen kijken als je maar wilt. Ik beloof dat ik er niets meer van zal zeggen.'

'Dat zit wel goed,' zei Mitchell. 'Ik wil gewoon naar mijn hotel.'

'Kom morgenochtend maar naar ons toe,' zei Larry in een poging de lucht wat op te klaren. 'Dan gaan we naar het Louvre.'

Eerst werd hij door pure woede voortgedreven. Claire was niet de eerste studente die hem van seksisme betichtte. Dat overkwam hem al jaren. Hij was er altijd van uitgegaan dat de mannen van zijn vaders generatie de slechteriken waren. Die oude lullen die nooit eens de afwas deden of hun sokken oprolden: zij vormden het echte doelwit van de feministische woede. Maar dat was slechts de eerste aanval geweest. Tegenwoordig, in de jaren tachtig, waren discussies over eerlijke verdeling van huishoudelijke taken of het intrinsieke seksisme van gebaren als het openhouden van een deur voor een 'dame', achterhaald. De beweging was minder pragmatisch en veel theoretischer geworden. Vrouwenonderdrukking door mannen was niet alleen een kwestie van bepaalde daden, maar van een hele manier van kijken en denken. Collegefeministen staken de draak met wolkenkrabbers door ze weg te zetten als fallussymbolen. Hetzelfde zeiden ze over ruimteraketten, ook al was het, als je er even over nadacht, overduidelijk dat raketten zo gevormd waren vanwege de aerodynamica en dat het niets met fallocentrisme te maken had. Zou de Apollo 11 de maan hebben bereikt als hij de vorm van een vagina had gehad? De penis was het gevolg van de evolutie. Het was een bruikbare constructie om bepaalde dingen mee voor elkaar te krijgen. En als het werkte voor zowel de stampers van bloemen als de insemineerende organen van de homo sapiens, dan lag de schuld toch uitsluitend bij de biologie? Maar nee – elk groot of groots ontwerp, elke lijvige roman, elk groot beeld of hoog gebouw werd in de opinie van de 'vrouwen' die hij op college kende een manifestatie van mannelijke onzekerheid over de grootte van hun pik. Meisjes hadden het ook altijd over 'mannelijke verbondenheid'. Zodra twee of meer jongens het naar hun zin hadden, moest een meisje daar weer zo nodig een pathologische draai aan geven. Hij wilde wel eens weten wat er dan zo geweldig was aan vrouwenvriendschappen. Misschien konden ze wel wat 'vrouwelijke verbondenheid' gebruiken.

En zo, zachtjes in zichzelf foeterend, kwam Mitchell bij de Seine aan. Hij liep een van de bruggen op, de Pont Neuf. De zon was ondergegaan en de straatlantaarns brandden. Halverwege de brug, in een van de halfronde uitbouwtjes, hadden zich een paar tieners verzameld. Een jongen met een nogal verwijfd Jean-Luc Ponty-kapsel tokkelde op een akoestische gitaar terwijl zijn vrienden om hem heen zaten te luisteren en te roken en elkaar een fles wijn doorgaven.

In het voorbijgaan keek Mitchell naar hen. Zelfs als tiener was hij niet zo geweest. Even verderop leunde hij over de rand van de brug en staarde in het zwarte water. Zijn woede was gezakt en had plaatsgemaakt voor een algeheel ongenoegen met zichzelf.

Het was waarschijnlijk waar dat hij vrouwen als lustobject zag. Hij dacht tenslotte aan niets anders. Hij keek de hele tijd naar ze. En draaide al dat denken en kijken niet om hun borsten en lippen en benen? Vrouwelijke exemplaren van het menselijk ras waren wat hem betreft hoogst interessante wezens, die nauwkeurig onderzocht dienden te worden. En toch vond hij niet dat een woord als 'objectivering' de lading dekte van de gevoelens die deze bekoorlijke – maar intelligente! – schepsels bij hem teweegbrachten. Wat hij voelde als hij een mooi meisje zag, was meer iets uit een Griekse mythe, alsof hij, bij de aanblik van zo veel schoonheid, in een boom veranderde en ter plekke wortel schoot, voor altijd, uit puur verlangen. Je kon voor een object niet voelen wat hij voor meisjes voelde.

Excusez-moi: vrouwen.

En Claire had nog een punt. De hele tijd dat zij hem ervan beschuldigde dat hij vrouwen objectiveerde, had hij dat stiekem met haar ook gedaan. Ze had zo'n ongelooflijk lekker kontje! Rond en perfect en lévend. Elke keer dat hij een steelse blik op haar kontje wierp, had hij het merkwaardige gevoel dat zijn blik werd beantwoord, dat Claires kontje het niet noodzakelijkerwijs eens was met de feministische opvattingen van zijn eigenares en het helemaal niet erg vond om bewonderd te worden, dat Claires kontje er, met andere woorden, een eigen mening op na hield. Daar kwam nog bij dat Claire de vriendin van zijn beste vriend was. Ze was verboden terrein. Dat maakte haar nog veel aantrekkelijker.

Er voer een helverlichte rondvaartboot onder de brug door.

Hoe meer Mitchell over religie had gelezen, de wereldreligies in het algemeen en het christendom in het bijzonder, hoe meer hij zich realiseerde dat de mystici allemaal hetzelfde zeiden. Verlichting bereikte je door het uitbannen van verlangen. Verlangen gaf geen voldoening, maar slechts kortstondige bevrediging, tot de volgende verleiding zich aandiende. En dat dan nog alleen als je de mazzel had dat je kreeg wat je wilde. Als dat niet het geval was, bracht je je leven door in onvervuld verlangen.

Hoe lang hoopte hij al stiekem om ooit met Madeleine Hanna te trouwen? En hoeveel van zijn verlangen om met Madeleine te trouwen kwam voort uit echte en oprechte liefde voor haar als persoon, en hoeveel uit de wens haar te bezitten en zodoende zijn ego te strelen?

Misschien was het wel helemaal niet zo geweldig om met je ideaal te trouwen.

Zodra je je ideaal bereikte, zou je je waarschijnlijk gaan vervelen en een ander willen.

De troubadour speelde een nummer van Neil Young; hij zong de tekst na tot en met de laatste jammerende nasale uithaal, zonder te weten wat die betekende. Oudere, beter geklede mensen wandelden voorbij in de richting van de met schijnwerpers verlichte gebouwen aan beide oevers. Parijs was een museum dat zichzelf en niets dan zichzelf tentoonstelde.

Zou het niet fijn als je daarvan verlost was? Verlost van seks en verlangen? Mitchell kon zich die avond op de brug, met de onder hem door stromende Seine, bijna voorstellen dat het hem zou lukken. Hij keek op naar al die verlichte ramen langs de bocht van de rivier. Hij dacht aan al die mensen die naar bed gingen of zaten te lezen of naar muziek luisterden, al die levens in zo'n grote stad, en in gedachten zweefde hij omhoog tot net boven de daken en probeerde de trilling van al die miljoenen zielen op te vangen en met hen mee te vibreren. Hij had zijn bekomst van hunkeren, verlangen, hopen en verliezen.

Eeuwenlang hadden de goden in nauw contact gestaan met de mens. Toen raakten ze afkerig, of ontmoedigd, en trokken zich terug. Maar misschien zouden ze wel terugkomen om die ene dwalende ziel te benaderen die nog nieuwsgierig was.

In zijn hotel bleef hij in de lobby rondhangen in de hoop dat er misschien een vriendelijke Engelssprekende reiziger zou opdagen. Maar dat gebeurde niet. Hij ging naar zijn kamer, pakte een handdoek en nam een lauwe douche in de gemeenschappelijke badkamer. Met zijn huidige uitgavenpatroon zou zijn geld nooit lang genoeg meegaan om India te halen. Vanaf morgen zou hij anders moeten gaan leven.

In zijn kamer sloeg hij de muisgrijze sprei terug en ging naakt in bed liggen. Het bedlampje was te zwak om bij te lezen, dus haalde hij het kapje eraf.

Een onderdeel van het werk van de Zusters is het ophalen van de stervenden in de straten van Calcutta, waarna ze hen naar een gebouw brengen dat moeder Teresa voor dat doel is geschonken (een voormalige tempel die was gewijd aan de godin Kali), om daar, zoals zij het noemt, te sterven in het zicht van een paar liefhebbende ogen. Sommigen sterven er inderdaad, anderen overleven en worden verzorgd. Dit Huis der Stervenden wordt schaars verlicht door kleine raampjes hoog in de muur, en Ken liet er geen onduidelijkheid over bestaan dat filmen hier onmogelijk was. We hadden maar één kleine lamp bij ons, en het was onmogelijk om de ruimte in de ons toegemeten tijd adequaat te verlichten. We besloten dat Ken het toch zou proberen, maar voor de zekerheid schoot hij ook een paar beelden op de binnenplaats, waar een paar van de bewoners buiten in de zon zaten. Toen de film werd ontwikkeld, bleken de binnenopnames te baden in een bijzonder mooi, zacht licht, terwijl de buitenopnames vrij donker en wazig waren.

Hoe dit te verklaren? Ken heeft aldoor volgehouden dat dit resultaat technisch gesproken onmogelijk was. Om dat nog eens te bevestigen, gebruikte hij op zijn volgende filmexpeditie – in het Midden-Oosten – hetzelfde soort film in vergelijkbaar slecht licht, met een volledig negatief resultaat… Moeder Teresa's Huis der Stervenden stroomt over van liefde, wat je onmiddellijk voelt als je er binnenstapt. Het is een lichtgevende liefde, als de halo's die kunstenaars zagen en zichtbaar maakten rond de hoofden van de heiligen… Ik ben er persoonlijk van overtuigd dat Ken het eerste authentieke fotografische wonder heeft vastgelegd.

Mitchell legde het boek weg, deed het licht uit en strekte zich uit op het bobbelige bed. Hij dacht aan Claire, eerst nog kwaad, maar al snel erotisch. Hij stelde zich voor dat hij naar haar appartement ging en haar alleen thuis trof, en al snel zat ze op haar knieën voor hem en nam hem in haar mond. Hij voelde zich schuldig dat hij over de vriendin van zijn beste vriend fantaseerde, maar niet schuldig genoeg om ermee op te houden. Wat deze fantasie over Claire op haar knieën voor hem over hem zei, beviel hem niets, dus stelde hij zich voor dat hij haar uitgebreid befte en haar een orgasme bezorgde zoals ze nog nooit had beleefd. Op dat moment kwam hij zelf ook klaar. Hij draaide zich op zijn zij en liet zijn zaad op het hotelkleed druppelen.

Bijna onmiddellijk voelde zijn eikel koud aan en hij schudde zijn pik nog een keer af en viel terug in bed, diep ongelukkig.

De volgende ochtend hees hij zijn rugzak op zijn schouders, liep de trap af naar de lobby, rekende af en vertrok. Zijn ontbijt bestond uit koffie met het koekje dat erbij hoorde. Hij was van plan om de jeugdherberg nog een keer te proberen en als het echt niet anders kon een nacht op Claires vloer door te brengen. Maar toen hij bij haar huis aankwam, zag hij Larry op het stoepje voor de deur zitten, met zijn rugzak naast zich. Hij bleek een sigaret te roken.

'Jij rookt toch niet?' zei Mitchell terwijl hij op hem af liep.

'Ik ben er net mee begonnen.' Larry nam een paar verkennende trekken.

'Waarom heb je je rugzak bij je?'

Larry gunde Mitchell een inkijkje in zijn intens blauwe ogen. De filterloze sigaret bungelde aan zijn volle onderlip.

'Claire en ik zijn uit elkaar,' zei hij.

'Wat is er gebeurd?'

'Ze denkt dat ze misschien op vrouwen valt. Ze weet het niet zeker. Maar goed, we zouden elkaar toch al een tijd niet zien, dus.'

'Heeft zíj het uitgemaakt?'

Larry rilde bijna onmerkbaar. 'Ze zegt dat ze niet "exclusief" wil zijn.'

Mitchell wendde zijn blik af om Larry niet in verlegenheid te brengen. 'Logisch,' snoof hij. 'Je wordt gewoon geslachtofferd.'

'Waarom?'

'Mannelijk seksisme en meer van dat gelul.'

'Ik dacht dat jij volgens haar de seksist was, Mitchell.'

Mitchell had hiertegen in kunnen gaan, maar dat deed hij niet. Dat was niet nodig. Hij had zijn vriend terug.

Nu kon hun reis eindelijk beginnen.

*

Op haar veertiende verjaardag, in november 1974, had Madeleine een cadeautje gekregen van haar oudere zus Alwyn, die in een andere stad studeerde. Het pakje was per post gekomen, verpakt in psychedelisch papier en verzegeld met rode was met de afdruk van maansikkels en eenhoorns erin. Op de een of andere manier had ze geweten dat ze het niet moest openen waar haar ouders bij waren. Toen ze eenmaal boven in haar kamertje op haar bed lag, haalde ze het papier eraf en kwam er een schoenendoos tevoorschijn, met op het deksel in zwarte letters de woorden: 'overlevingspakket voor de jonge vrijgezellin'. Binnenin, in zo'n pietepeuterig handschrift dat het wel met een priem geschreven leek te zijn, zat het volgende briefje:

Lieve kleine zus,

Nu je veertien bent geworden en de brugklas achter je hebt gelaten, leek het me tijd om je een paar dingen te vertellen over s-e-k-s om te voorkomen dat je, zoals de Vaderfiguur het zou noemen 'in moeilijkheden raakt'. Ik moet zeggen dat ik me daar helemaal geen zorgen over maak. Ik wil alleen maar dat mijn kleine zusje wat l-o-l heeft!!! Daarom geef ik je hierbij je nieuwe, o zo handige 'overlevingspakket voor de jonge vrijgezellin', met daarin alles wat een moderne, sensuele vrouw nodig heeft voor volledige bevrediging. Vriendje niet inbegrepen.

Gefeliciteerd,
Liefs, Ally

Maddy had haar schooluniform nog aan. Ze hield de schoenendoos in haar ene hand en haalde met haar andere hand de verschillende voorwerpen eruit. Het eerste, een klein zilverpapieren pakje, zei haar niets, zelfs niet toen ze het omdraaide en het gehelmde figuurtje op de voorkant zag. Toen ze het pakje met haar vinger indrukte, voelde ze binnenin iets glibberigs.

Toen drong het tot haar door. 'O, god,' zei ze. 'O-god-het-is-niet-waar!'

Ze rende naar de deur en deed hem op slot. Daarna bedacht ze zich en haalde hem weer van het slot, rende terug naar het bed, pakte het zilverpapieren pakje en de schoenendoos en nam ze mee naar haar badkamer, waarvan ze de deur op slot kon doen zonder argwaan te wekken. Ze deed de bril omlaag en ging zitten.

Ze had nooit eerder een condoomverpakking gezien, laat staan er een vastgehouden. Ze ging er met haar duim overheen. De implicatie van de vorm daarbinnen maakte gevoelens in haar los die ze niet helemaal kon beschrijven. Het glijmiddel waar het condoom in zwom was zowel weerzinwekkend als fascinerend. De omtrek van de ring vond ze ronduit schokkend. Ze had nooit echt over de maat van een erectie nagedacht. Tot dusver waren de erecties van jongens iets geweest waar zij met haar vriendinnen over giechelde, maar waar ze haast nooit over spraken. Ze dacht er ooit eens een te hebben gevoeld toen ze op zomerkamp met iemand schuifelde, maar ze wist het niet zeker; het zou net zo goed de gesp van zijn riem geweest kunnen zijn. In haar beleving waren erecties mysterieuze verschijnselen uit een andere wereld, zoals het opzwellen van de keel van een brulkikker in een ver moeras of een kogelvis die zichzelf opblaast in een koraalrif. De enige erectie die ze met eigen ogen had gezien, was die van Wylie, de labrador van haar grootmoeder; naakt en roze was hij uit zijn bontomhulsel tevoorschijn gefloept terwijl de hond als een waanzinnige tegen haar been opreed. Zoiets was genoeg om nooit van je leven meer aan erecties te willen denken. Maar hoe onsmakelijk dat beeld ook was, het vormde geen belemmering voor het onthullende karakter van het condoom dat ze nu in haar hand hield. Het condoom was een artefact uit de wereld der volwassenen. Buiten haar leven, buiten haar school, bestond een algemeen aanvaard systeem waar niemand over sprak, waarin farmaceutische bedrijven preservatieven vervaardigden die mannen konden kopen om over hun penis te rollen; legaal, in de Verenigde Staten van Amerika.

De volgende voorwerpen die Madeleine uit de doos haalde, maakten deel uit van een set speeltjes zoals je die wel in automaten op herentoiletten vond, waar Alwyn, of waarschijnlijker nog haar vriendje, ze ook wel vandaan zou hebben, samen met het condoom. In het setje zaten een rode rubberen ring vol wriemelende steeltjes, genaamd de 'Franse kittelaarkietelaar'; een flauwigheidje van blauw plastic dat bestond uit twee bewegende figuurtjes, een mannetje met een stijve en een vrouwtje op handen en knieën, met een hefboompje waarmee je, merkte Maddy toen ze het heen en weer bewoog, het miniatuurdekhengstje zijn vrouwtje op zijn hondjes kon laten penetreren; een tubetje Prolong-crème, dat ze niet eens open wilde maken en twee holle, zilveren Ben Wa-ballen waar verder geen instructie bij zat en die er eerlijk gezegd uitzagen als ballen uit een flipperkast. Op de bodem van de doos lag het merkwaardigste ding van allemaal: een dunne minisoepstengel met zwart dons eraan. De soepstengel zat met plakband aan een kaartje vast. Madeleine bracht hem naar haar gezicht om het handgeschreven etiket te lezen: 'Gedroogde pik. Water toevoegen en klaar'. Ze keek nog eens naar het soepstengeltje, en weer naar het dons, en toen liet ze het kaartje met een gil uit haar handen vallen: 'Gátver!'

Het duurde even voordat ze het weer opraapte, waarbij ze het kaartje zo ver mogelijk bij het dons vandaan tussen haar vingers nam. Met haar hoofd naar achter bekeek ze het dons opnieuw en stelde vast dat het inderdaad schaamhaar was. Van Alwyn waarschijnlijk, hoewel het ook van haar vriendje kon zijn. Het zou Alwyn niet te ver gaan om die mate van natuurgetrouwheid te betrachten. Het haar was zwart en krullerig en het was kortgeknipt en aan het uiteinde van de soepstengel gelijmd. Het idee dat het mogelijkerwijs het schaamhaar van een jongen was, vond ze tegelijkertijd afstotend en opwindend. Maar waarschijnlijk was het van Alwyn, die halvegare. Wat een rare, leuke zus had ze toch! Alwyn was volstrekt tegendraads en onvoorspelbaar; ze was non-conformist, vegetariër en antioorlogsdemonstrant, en aangezien Madeleine sommige van die dingen ook wel wilde zijn, hield ze van haar zus en bewonderde ze haar (hoewel ze haar nog steeds compleet gestoord vond). Ze stopte de gedroogde pik terug in de doos en pakte het plastic paartje weer op. Ze bewoog het hefboompje en keek toe hoe de pik van de man in de voorovergebogen vrouw verdween.

Nu ze hier, in oktober, op het luchthaventje van Provincetown stond te wachten op Phyllida en Alwyn, die uit Boston zouden komen, kwam de herinnering aan het overlevingspakket voor de jonge vrijgezellin weer bij haar boven. De vorige avond had Phyllida haar onverwachts opgebeld met het nieuws dat Alwyn haar man, Blake, had verlaten, en dat zij, Phyllida, naar Boston was gevlogen om een bemiddelingspoging te wagen. Het bleek dat Alwyn haar intrek in het Ritz Hotel had genomen (waarmee ze de gezamenlijke bankrekening leegtrok), en een koerier flesjes moedermelk naar het huis in Beverly liet brengen, waar ze haar zes maanden oude baby, Richard, in de zorg van zijn vader had achtergelaten. Aangezien ze er niet in was geslaagd Alwyn over te halen naar huis terug te keren, had Phyllida besloten haar mee te nemen naar Cape Cod in de hoop dat Madeleine haar weer tot rede zou kunnen brengen. 'Ally wil alleen mee op voorwaarde dat we niet blijven slapen,' zei Phyllida. 'Ze wil niet dat we tegen haar samenspannen. We komen 's ochtends en we gaan 's avonds weer weg.'

'Wat moet ik dan tegen haar zeggen?' had Madeleine gevraagd.

'Zeg gewoon tegen haar wat je denkt. Naar jou luistert ze wel.'

'Waarom praat papa niet met haar?'

'Dat heeft hij al gedaan. Dat eindigde in een schreeuwpartij. Ik weet niet meer waar ik het zoeken moet, Maddy. Je hoeft helemaal niets te doen. Wees gewoon je zinnige, redelijke zelf.'

Toen ze dat hoorde, had Madeleine wel in lachen willen uitbarsten. Ze was wanhopig verliefd op een jongen die al twee keer was opgenomen omdat hij manisch-depressief was. De afgelopen vier maanden had ze, in plaats van zich op haar 'carrière' te richten, Leonard verzorgd totdat hij er weer bovenop was gekomen; ze had zijn maaltijden gekookt, zijn kleren gewassen, zijn angsten gesust en hem opgemonterd tijdens zijn veelvuldige sombere buien. Ze had het hoofd geboden aan de ernstige bijverschijnselen die het gevolg waren van zijn nieuwe, hogere dosis lithium. Ongetwijfeld voor een groot deel vanwege al die dingen had ze op een avond, ergens eind augustus, met Mitchell Grammaticus staan zoenen voor Chumley's in Bedford Street; met hem gezoend en ervan genoten, voordat ze weer terug vluchtte naar Providence, naar Leonards ziekbed. Ze voelde zich allesbehalve zinnig en redelijk. Ze was net aan haar volwassen leven begonnen en ze had zich nog nooit zo kwetsbaar, bang en verward gevoeld.

Nadat ze in juni uit het appartement in Benefit Street was vertrokken, had Madeleine tot Leonards ontslag uit het ziekenhuis in haar eentje in zijn kamer gewoond. Ze was er vol van dat zij de zorg voor zijn spullen droeg. Ze luisterde met haar ogen dicht op de bank naar zijn Arvo Pärt-elpees, precies zoals hij dat altijd deed. Ze bladerde door zijn boeken en las zijn kanttekeningen. Naast doorwrochte passages van Nietzsche en Hegel had Leonard lachende of fronsende gezichten getekend of alleen een uitroepteken gezet. 's Nachts sliep ze in een van zijn hemden. Alles in zijn kamer was nog precies zoals het was toen hij in het ziekenhuis werd opgenomen. Er lag een open notitieboekje op de vloer, waarin hij blijkbaar had proberen uit te rekenen hoe lang hij nog met zijn geld toe zou kunnen. De badkuip lag vol kranten. Soms maakte de leegte van het appartement haar bijna aan het huilen omdat eruit sprak hoe alleen op de wereld Leonard was. Nergens een foto van zijn ouders of zijn zus te bekennen. Toen haalde ze op een ochtend een boek van zijn plaats, waaronder een foto bleek te liggen. Het was een foto die hij van haar had genomen op hun eerste reisje naar Cape Cod; ze lag met een reep chocola in haar hand op een motelbed te lezen.

Na drie dagen hield ze het niet meer uit tussen alle vuiligheid en begon ze het appartement schoon te maken. Bij de supermarkt kocht ze een zwabber en een emmer, een paar rubberhandschoenen en een hele trits schoonmaakmiddelen. Ze wist, zelfs terwijl ze ermee bezig was, dat ze een grens overschreed. Ze dweilde de vloer en spoelde emmers vol zwart water door de wc. Ze verbruikte zeven rollen keukenpapier om aangekoekt vuil van de badkamervloer te verwijderen. Ze gooide het beschimmelde douchegordijn weg en kocht een nieuw, hardroze, uit wraak. Ze haalde de ijskast leeg en boende de planken. Nadat ze zijn matras had afgehaald, rolde ze de lakens tot een bal, met de bedoeling ze naar de wasserette op de hoek te brengen, maar ze bedacht zich en gooide ze in een vuilnisbak aan de achterkant van het huis en legde haar eigen schone lakens op het bed. Ze hing gordijnen voor de ramen en kocht een papieren lampenkap voor het kale peertje aan het plafond.

Een paar bladeren van de ficus begonnen bruin te worden. Ze voelde aan de aarde in de pot en constateerde dat hij droog stond. Bij het eerstvolgende bezoekuur liet ze dit aan Leonard weten.

'Je mag mijn plant water geven.'

'Geen denken aan. De laatste keer dat ik dat deed was het huis te klein.'

'Je hebt toestemming om mijn plant water te geven.'

'Dat klinkt nog niet echt als een vraag.'

'Zou je alsjeblieft mijn ficus water willen geven?'

Ze gaf de plant water. Aan het eind van de middag, als de zon door het raam aan de voorkant naar binnen viel, zette ze hem in het licht en besproeide ze de bladeren.

Elke middag ging ze bij hem langs in het ziekenhuis.

De dokter had Leonards medicatie aangepast waardoor de zenuwtic in zijn gezicht was verdwenen, en alleen daardoor leek hij al flink opgeknapt. Hij had het hoofdzakelijk over alle medicijnen die hij slikte, hun toepassingen en contra-indicaties. Het opnoemen van al die namen leek hem te kalmeren, alsof hij een toverspreuk uitsprak: lorazepam, diazepam, chloorpromazine, chloordiazepoxide, haloperidol. Madeleine kon ze niet uit elkaar houden. Ze wist niet zeker of dit Leonards medicijnen waren of die van anderen op de afdeling. Intussen was hij goed ingevoerd in de klinische geschiedenis van het grootste deel van zijn medepatiënten. Ze behandelden hem alsof hij een van de assistenten was, bespraken hun toestand met hem en vroegen hem om informatie over de medicijnen die ze slikten. Leonard bekleedde in het ziekenhuis dezelfde functie als op college. Hij was een bron van informatie: de antwoordenman. Af en toe had hij een slechte dag. Dan trof Madeleine hem somber in het dagverblijf aan, wanhopig over het feit dat hij niet was afgestudeerd en vol twijfel of hij wel was opgewassen tegen zijn taken in Pilgrim Lake: de gebruikelijke klachtenlijst. Hij herhaalde ze keer op keer.

Leonard had gehoopt maar twee weken in het ziekenhuis te hoeven blijven. Maar uiteindelijk zat hij er tweeëntwintig dagen. Op de dag van zijn ontslag, ergens eind juni, haalde Madeleine hem op in haar nieuwe auto, een Saab cabriolet met twintigduizend kilometer op de teller. Een cadeau van haar ouders omdat ze geslaagd was. 'Ook al hebben we je niet zien afstuderen,' grapte Alton, doelend op Madeleines verdwijning van die dag. Alton en Phyllida hadden tussen al die andere ouders voor de Van Wickle Gates staan wachten tot Madeleine voorbij zou komen, en toen dat niet gebeurde, hadden ze gedacht dat ze haar op de een of andere manier gemist moesten hebben. Nadat ze haar in College Street hadden proberen te vinden, hadden ze naar haar appartement gebeld, maar daar werd niet opgenomen. Uiteindelijk waren ze bij haar huis langsgegaan en hadden een briefje voor haar achtergelaten waarin stond dat ze zich zorgen maakten en dat ze besloten hadden om niet 'volgens plan' terug naar Prettybrook te rijden, maar op haar zouden wachten in de lobby van het Biltmore, waar Madeleine hen die middag ook trof. Ze zei tegen hen dat ze de optocht gemist had omdat Kelly Traub, die naast haar liep, was gevallen en haar enkel had verstuikt, en dat zij haar naar de studentenartsenpost had moeten brengen. Ze wist niet zeker of haar ouders haar geloofden, maar opgelucht als ze waren dat haar niets mankeerde, hadden ze niet verder doorgevraagd. Alton had haar een paar dagen later zelfs opgebeld met de opdracht een auto te kopen. 'Tweedehands,' stipuleerde hij. 'Een of twee jaar oud. Op die manier ontloop je een groot deel van de waardevermindering.' Madeleine had gedaan wat haar was opgedragen en had de cabriolet gevonden in de advertentiebijlage van de *Providence Journal*. Hij was wit met beige kuipstoelen, en terwijl ze voor het ziekenhuis stond te wachten, deed ze de kap omlaag, zodat Leonard haar kon zien als hij in zijn rolstoel door de verpleegkundige naar buiten werd geduwd.

'Mooooie auto,' zei hij toen hij instapte.

Er volgde een lange omhelzing, waarbij Madeleine een beetje moest snikken, en uiteindelijk maakte Leonard zich van haar los.

'Oké, rijden maar. Ik heb het hier wel gehad.'

De rest van de zomer was Leonard aandoenlijk broos. Hij sprak heel zachtjes. Hij keek naar honkbal op tv terwijl hij haar hand vasthield.

'Weet je wat paradijs betekent?' vroeg hij.

'Betekent het niet gewoon paradijs, dan?'

'Het betekent "ommuurde tuin". Komt uit het Arabisch. Dat is wat een honkbalstadion is. En Fenway helemaal. Een ommuurde tuin. Moet je kijken hoe groen het is! Het is zo rustgevend om hier gewoon maar te zitten en naar dat veld te kijken.'

'Misschien zou je naar golf moeten kijken,' zei Madeleine.

'Nog groener.'

Door de lithium had hij aldoor dorst en soms last van misselijkheid. Hij ontwikkelde een lichte tremor in zijn rechterhand. In die drie weken in het ziekenhuis was hij bijna acht kilo aangekomen en in de maanden juli en augustus bleef hij maar zwaarder worden. Zijn gezicht en lijf maakten een pafferige indruk en in zijn nek zat, als een soort bizonbult, een dikke vetrol. Als gevolg van zijn dorst moest hij om de haverklap plassen. Hij werd gekweld door maagkrampen en plotselinge diarreeaanvallen. En het ergste van alles: de lithium gaf hem het gevoel dat zijn hersens traag werkten. Hij beweerde dat er een 'hoger register' was waar hij niet meer bij kon, intellectueel gezien. In de hoop dat tegen te gaan was hij nog meer tabak gaan pruimen en zelfs begonnen met roken: sigaretten en stinkende sigaartjes waarvan hij de smaak in het ziekenhuis te pakken had gekregen. Zijn kleren stonken naar rook. Zijn mond smaakte als een asbak en naar nog iets anders ook, een chemische metaalachtige smaak. Madeleine vond het maar niks.

Dit alles had tot gevolg, als bijverschijnsel van de bijverschijnselen, dat Leonards libido afnam. Nadat ze in de aanvankelijke opwinding van hun hereniging twee of drie keer per dag met elkaar naar bed waren gegaan, was dat langzaamaan minder geworden, tot ze zo goed als geen seks meer hadden. Madeleine wist niet wat ze daaraan kon doen. Moest ze meer aandacht aan zijn probleem schenken, of juist minder? Ze was nooit erg initiatiefrijk geweest in bed. Dat was nooit nodig geweest. Het leek jongens niet uit te maken of op te vallen, omdat ze zelf zo druk bezig waren. Op een avond ging ze het probleem te lijf zoals ze gedaan zou hebben bij een dropshot op de tennisbaan: ze zette een sprint in, leek het te gaan halen, boog zich diep voorover en mepte de bal terug – maar die raakte het net en viel dood op haar eigen helft.

Daarna probeerde ze het niet meer. Ze bleef passief en speelde haar gebruikelijke baselinespel.

Dit alles had haar meer dwars kunnen zitten als ze Leonards hulpeloosheid niet zo aantrekkelijk had gevonden. Het had iets bevredigends om haar grote lobbes helemaal voor zichzelf te hebben. Hij wilde niet eens meer de deur uit om naar de film te gaan. Hij was alleen nog maar geïnteresseerd in zijn mand, zijn etensbak en zijn baasje. Hij legde zijn hoofd in haar schoot en wilde geaaid worden. Hij begon te kwispelen zodra ze binnenkwam. Altijd zo overduidelijk aanwezig, haar grote pluizige maatje, haar ouwe trouwe kwijlende pluizenbol.

Ze hadden geen van beiden werk. De lange zomerdagen kropen voorbij. Nu alle studenten vertrokken waren, was College Hill gezapig en groen. Leonard bewaarde zijn medicijnen in zijn toilettas onder de wastafel in de badkamer. Hij sloot altijd de deur als hij ze innam. Twee keer per week ging hij naar zijn psychiater, Bryce Ellis, waar hij emotioneel uitgeput en gemangeld weer vandaan kwam. Hij liet zich voor nog eens een uur of twee op de matras vallen en stond dan op om een plaat op te zetten.

'Weet je hoe oud Einstein was toen hij met de relativiteitstheorie kwam?' vroeg hij Madeleine op een dag.

'Nee, hoe oud?'

'Zesentwintig.'

'Ja, en?'

'De meeste wetenschappers doen hun beste werk tussen hun twintigste en hun dertigste. Ik ben tweeëntwintig, bijna drieëntwintig. Ik ben nu in de intellectuele bloei van mijn leven. Alleen moet ik elke ochtend en elke avond een medicijn innemen dat mijn hersens aantast.'

'Het tast je hersens niet aan, Leonard.'

'Jawel.'

'Het lijkt me niet erg wetenschappelijk,' zei ze, 'om te concluderen dat je nooit een groot wetenschapper zult worden, alleen omdat je op je tweeëntwintigste nog geen grote ontdekking hebt gedaan.'

'Zo liggen de feiten,' zei Leonard. 'Vergeet die medicijnen. Zelfs in mijn gewone doen lig ik in de verste verte niet op koers om een wetenschappelijke doorbraak te maken.'

'Stel dat je geen grote ontdekking doet,' zei Madeleine. 'Hoe weet je nou dat je niet iets kleins zult bedenken waar de mensheid uiteindelijk van zal profiteren? Ik bedoel, misschien dat je niet uitdoktert wat de kromming van de ruimte is. Maar misschien vind je wel een manier om auto's op water te laten rijden, zodat er geen vervuiling meer is.'

'De uitvinding van een waterstofmotor zou een enorme doorbraak betekenen,' zei Leonard mistroostig terwijl hij een sigaret opstak.

'Oké, maar niet alle wetenschappers waren jong. Wat dacht je van Galileo? Hoe oud was hij wel niet? Of Edison?'

'Kunnen we hierover ophouden?' zei Leonard. 'Ik word er depri van.'

Daarop hield Madeleine haar mond.

Leonard nam een diepe hijs van zijn sigaret en blies de rook duidelijk hoorbaar uit. 'Niet depressief-depri,' zei hij na een tijdje.

Hoe toegewijd ze Leonard ook verzorgde en hoe bevredigend het ook was om hem beter te zien worden, toch moest Madeleine soms even uit die verstikkende kamer weg. Om aan de drukkende vochtigheid te ontsnappen, zocht ze haar toevlucht in de geklimatiseerde bibliotheek. Ze tenniste met twee jongens uit het tennisteam van Brown. Op sommige dagen, als ze geen zin had om terug te gaan naar het appartement, liep ze over de lege campus en deed haar best om een paar minuutjes over zichzelf na te denken. Ze liep even aan bij professor Saunders en schrok van de aanblik van de oude geleerde in korte broek en op sandalen. Ze struinde langs de kasten van de College Hill Bookstore, waar ze braaf tweedehandsexemplaren van *Little Dorrit* en *The Vicar of Bullhampton* uitzocht, met het stellige voornemen ze ook echt te lezen. Af en toe trakteerde ze zichzelf op een ijshoorntje en ging op de trappen van Hospital Trust zitten kijken naar andere jonge stelletjes die voorbijkwamen, hand in hand of zoenend. Ze at haar ijsje op en begon aan de terugweg naar het appartement, waar Leonard op haar wachtte.

De hele maand juli bleef zijn toestand precair. Maar in augustus leek hij het ergste achter de rug te hebben. Af en toe klonk hij weer als zijn oude zelf. Op een ochtend, toen hij brood aan het roosteren was, hield hij een pakje Land O'Lakes-boter omhoog. 'Heb je je ooit afgevraagd wie de eerste was die het opviel dat de knieën van de Land O'Lakes-squaw op borsten lijken? Een of andere gozer in Terre Haute zit te ontbijten, kijkt naar het pakje boter en denkt: moet je die knieën eens zien. Maar dat is nog niet het hele verhaal. Daarna moest iemand anders nog bedenken om van de achterkant van de verpakking een ánder paar knieën uit te knippen en die achter het pakje boter dat de squaw voor haar borst houdt te plakken, vervolgens de omtrek van dát pakje boter los te snijden, zodat je het omhoog kunt klappen alsof ze haar tieten *flasht*. En van die hele gebeurtenis is niets vastgelegd. De hoofdrolspelers zijn voor de geschiedenis verloren gegaan.'

Ze begonnen weer uitstapjes te maken. Op een dag reden ze naar Federal Hill om pizza te eten. Later stond Leonard erop dat ze een kaaswinkeltje in gingen. Binnen was het donker, de rolgordijnen waren neergelaten. De geur was haast lijfelijk aanwezig in de ruimte. Achter de toonbank was een oude witharige man bezig met iets wat ze niet konden zien. 'Het is bijna dertig graden buiten,' fluisterde Leonard, 'en hij wil zijn ramen niet opendoen. Dat komt omdat hij hierbinnen een perfecte mix van bacteriën heeft, die hij er niet uit wil laten. Ik heb eens een artikel van een paar scheikundigen aan Cornell gelezen die meer dan tweehonderd verschillende bacteriestammen hadden geïdentificeerd in een kuip met stremsel. Het is een aerobische reactie, dus alles wat zich in de lucht bevindt, beïnvloedt de smaak. Italianen weten dat soort dingen instinctief. Deze man weet niet eens wat hij weet.'

Leonard liep naar de toonbank. 'Ha, Vittorio, hoe staan de zaken?'

De oude man draaide zich om en kneep zijn ogen half dicht. 'Hé, makker! Waar heb jij gezeten? Tijd niet gezien.'

'Ik ben een tijdje ziek geweest.'

'Niets ernstigs, hoop ik? Bespaar me de details! Ik wil het niet weten. Ik heb al genoeg aan mijn hoofd.'

'Wat raad je ons aan vandaag?'

'Wat is dat nou weer voor vraag? Kaas natuurlijk, net als altijd. Het beste van het beste. Wie heb je daar bij je?'

'Dit is Madeleine.'

'Hou je van kaas, jongedame? Hier, proef maar eens. Neem maar een stuk mee naar huis. En zorg dat je hem ergens loost. Hij deugt nergens voor.'

De zoveelste onverwachte kant van Leonard: hij was bevriend met de oude Italiaanse kaasmaker op Federal Hill. Misschien ging hij daar wel heen toen Madeleine hem destijds steeds in de regen op de bus had zien wachten. Naar zijn vriend Vittorio.

Eind augustus pakten ze hun spullen, zetten een deel in dozen in de opslag, propten de rest in de achterbak en op de achterbank van de Saab en vertrokken naar Cape Cod. Het was heet, rond de dertig graden, en ze reden met de kap omlaag helemaal naar Rhode Island. Maar de wind maakte het vrijwel onmogelijk om een gesprek te voeren of naar muziek te luisteren, dus deden ze de kap weer omhoog toen ze Massachusetts in reden. Madeleine had een bandje van Pure Prairie League bij zich dat Leonard verdroeg tot hij bij een tankstation een bandje met *Led Zeppelin's Greatest Hits* kocht, dat hij de rest van de weg – over de Sagamore Bridge en verder het schiereiland op – draaide. Ze stopten bij een wegrestaurant in Orleans om een broodje kreeft te eten. Leonard leek goedgehumeurd. Maar toen ze weer onderweg waren en de dwergdennen aan weerszijden van de weg voorbijflitsten, begon hij zenuwachtig zijn vieze sigaartjes te roken en in de passagiersstoel heen en weer te schuiven. Het was zondag. Het meeste verkeer reed in tegenovergestelde richting, mensen met een weekend- of zomerhuisje die teruggingen naar het vasteland, met sportuitrustingen op het dak van hun auto gebonden. In Truro splitste Highway 6 zich in 6A, die ze behoedzaam volgden, en ze minderden vaart toen Pilgrim Lake in zicht kwam. Tegen het einde van het meer zagen ze het bord voor Pilgrim Lake Laboratory en sloegen het grindpad in dat door de duinen in de richting van Cape Cod Bay liep.

'Wie is er met mijn speeksel vandoor?' vroeg Leonard toen de gebouwen opdoemden waar ze de komende negen maanden zouden wonen. 'Heb jij mijn speeksel? Want ik kan het even nergens vinden.'

Tijdens hun korte bezoekje in de lente was Madeleine zozeer in beslag genomen door haar nieuwe relatie dat haar aan Pilgrim Lake Laboratory niet veel meer was opgevallen dan de mooie ligging aan zee. Het was een opwindende gedachte dat legendarische figuren als Watson en Crick hier in deze voormalige walvisvaardersnederzetting hadden gewoond en gewerkt, maar de meeste namen van de biologen die nu in Pilgrim Lake werkten – inclusief die van David Malkiel, de huidige laboratoriumdirecteur – waren nieuw voor haar. Het enige laboratorium dat ze toen daadwerkelijk hadden bezocht, had er niet veel anders uitgezien dan de scheikundelaboratoria van haar middelbare school.

Maar toen ze er eenmaal hun intrek hadden genomen en er echt woonden, realiseerde ze zich al snel hoe ver ze er met haar eerste indruk naast had gezeten. Ze had niet verwacht dat er zes overdekte tennisbanen zouden zijn en een sportzaal vol Nautilus-apparatuur en een filmzaal waar in het weekend de nieuwste films werden vertoond. Ze had niet verwacht dat de bar vierentwintig uur per dag open zou zijn en dat die om drie uur 's nachts vol zou zitten met wetenschappers die op hun testresultaten wachtten. Ze had zich geen voorstelling kunnen maken van de limousines die vanuit Logan kopstukken uit de farmaceutische industrie en beroemdheden kwamen brengen om met Malkiel in zijn privé-eetzaal te dineren. Ze had zich geen voorstelling kunnen maken van het eten; de dure Franse wijnen, broden en verschillende soorten olijfolie, door Malkiel eigenhandig uitgezocht. Malkiel wist enorme bedragen voor het laboratorium in te zamelen, waarin hij de inwonende wetenschappers rijkelijk liet delen en waarmee hij anderen tot een bezoek verleidde. En hij was ook degene die het schilderij van Cy Twombly had gekocht dat in de eetzaal hing en het beeld van Richard Serra had besteld dat achter het proefdierenverblijf stond.

Madeleine en Leonard arriveerden in Pilgrim Lake tijdens het zomerseminar over genetica. Leonard moest meedoen aan de beroemde 'gistcursus' die werd gegeven door Bob Kilimnik, de bioloog bij wiens team hij was ingedeeld. Elke morgen ging hij er als een bang schooljongetje naartoe. Hij klaagde dat zijn hersens niet goed werkten en dat de twee andere onderzoeksassistenten, Vikram Jaitly en Carl Beller, die allebei van het Massachusetts Institute of Technology kwamen, veel slimmer waren dan hij. Maar de lessen duurden maar twee uur. De rest van de dag was hij vrij. Er heerste een ontspannen sfeer in het lab. Er liepen veel studenten rond (die 'Urts' werden genoemd, wat stond voor *undergraduate research technician*) onder wie veel vrouwen van Madeleines leeftijd. Bijna elke avond was er wel een feest waarop er nogal suffe, typische bètagrappen werden uitgehaald, zoals het serveren van daiquiri's in erlenmeyers of indampschaaltjes, of het bereiden van zoetwatermossels in een autoclaaf in plaats van ze te stomen in een gewone pan. Toch was het gezellig.

Na Labor Day begon het serieuzer te worden. Met het vertrek van de Urts was de vrouwelijke bevolking aanzienlijk afgenomen en was er een eind gekomen aan de zomerfeesten en de zweem van romantiek die in de lucht had gehangen. Eind september begon *The Sunday Telegraph* de lijstjes af te drukken met de kansen die Ladbrokes de verschillende potentiële Nobelprijswinnaars toekende. Terwijl de dagen voorbijgingen en de winnaars voor de andere wetenschappen al waren bekendgemaakt – Kenneth Wilson voor natuurkunde en Aaron Klug voor scheikunde – begon men tijdens het diner te speculeren over wie de prijs voor fysiologie of geneeskunde zou winnen. De belangrijkste kandidaten waren Rudyard Hill, van de universiteit van Cambridge, en Michael Zolodnek. Laatstgenoemde was verbonden aan Pilgrim Lake en woonde in een van de traditionele houten huizen aan de Truro-kant van het terrein. Vroeg in de morgen van de achtste oktober werden Madeleine en Leonard door een ratelend lawaai uit een diepe slaap gewekt. Toen ze uit het raam keken, zagen ze een helikopter landen op het strand voor hun huis. Op de parkeerplaats stonden drie busjes van de pers, met satellietverbinding. Ze schoten hun kleren aan en haastten zich naar het conferentiecentrum, waar ze tot hun genoegen te horen kregen dat niet Michael Zolodnek, maar Diane MacGregor de Nobelprijs had gewonnen. Alle plaatsen in de gehoorzaal waren al bezet door verslaggevers en werknemers van Pilgrim Lake. Madeleine en Leonard stonden achter in de zaal en keken toe terwijl professor Malkiel MacGregor naar het spreekgestoelte begeleidde waarop een woud aan microfoons stond opgesteld. MacGregor ging gekleed in een oude regenjas en liep op rubberlaarzen, net als die paar keer dat Madeleine haar met haar zwarte poedel op het strand had zien wandelen. Ze had gepoogd haar witte haar te fatsoeneren voor de persconferentie. Samen met haar geringe lichaamslengte gaf dit detail haar – ondanks haar leeftijd – het voorkomen van een klein kind.

Ze beklom het spreekgestoelte, glimlachte, knipperde met haar ogen en zag er overdonderd uit, allemaal tegelijk.

De vragen begonnen: 'Professor MacGregor, waar was u toen u het nieuws hoorde?'

'Ik sliep. En dat doe ik volgens mij nog steeds.'

'Zou u ons kunnen vertellen waar uw wetenschappelijke werk over gaat?'

'Jawel, maar dan zouden júllie in slaap vallen.'

'Wat bent u van plan met het geld te doen?'

'Uitgeven.'

Het was dat Madeleine al een zwak voor Diane MacGregor had, maar anders zou ze het door deze antwoorden onmiddellijk hebben gekregen. Hoewel ze haar nooit had gesproken, was de drieënzeventigjarige kluizenaarster door alle verhalen die Madeleine over haar had gehoord haar favoriete bioloog geworden. In tegenstelling tot de andere wetenschappers in het lab, nam MacGregor geen assistenten in dienst. Ze werkte helemaal alleen, zonder ingewikkelde apparatuur, aan de analyse van de geheimzinnige kleurpatronen in de maïs die ze had geplant op een stukje land achter haar huis. Uit gesprekken met Leonard en anderen had Madeleine een globaal idee gekregen van waarmee MacGregor zich bezighield – het had te maken met de informatieoverdracht van genen en de manier waarop bepaalde eigenschappen worden gekopieerd, veranderd of gewist – maar waar Madeleine haar echt om bewonderde, was de eenzame toewijding waarmee ze haar werk deed. (Als Madeleine ooit bioloog zou worden, zou ze er zo een willen zijn als Diane MacGregor.) Andere wetenschappers in het lab dreven de spot met haar omdat ze geen telefoon had of vanwege haar algehele excentriciteit. Maar als MacGregor echt zo wereldvreemd was, waarom had iedereen het dan voortdurend over haar? Madeleine vermoedde dat MacGregor mensen een ongemakkelijk gevoel gaf door de puurheid van haar niet-materialistische levensstijl en de eenvoud van haar wetenschappelijke methode. Ze gunden haar haar succes niet omdat het de legitimiteit van hun onderzoekspersoneel en opgeblazen budgetten onderuit zou halen. Ook kon ze erg bot en koppig zijn. Dat werd bij niemand op prijs gesteld en bij vrouwen al helemaal niet. Ze had langzaam weg zitten kwijnen op de faculteit voor biowetenschappen van de universiteit van Florida, in Gainesville, toen Malkiels voorganger haar genialiteit herkende en het geld bij elkaar bracht om haar naar Pilgrim Lake te halen en haar een positie voor het leven te geven. Dat was nog iets wat Madeleine aan haar bewonderde. Ze werkte al sinds 1947 in Pilgrim Lake! Al vijfendertig jaar bestudeerde ze met mendeliaans geduld haar maïs, zonder aanmoediging of commentaar van buitenaf begon ze gewoon elke dag weer opnieuw, verzonken in haar eigen onderzoeksmethode, vergeten door de wereld, waaraan ze zich niets gelegen liet liggen. En nu dit, eindelijk, de Nobelprijs, de erkenning van haar levenswerk, en hoewel ze het wel degelijk leek te waarderen, zag je wel dat ze zich nooit met die prijs had beziggehouden. Haar beloning had in het werk zelf gelegen, in de dagelijkse bezigheid, het resultaat van duizenden doodgewone dagen.

Op haar eigen kleine manier begreep Madeleine waar Diane MacGregor mee te kampen had gehad in het door mannen gedomineerde laboratorium. Bij elk etentje waar ze met Leonard naartoe ging, eindigde ze onherroepelijk in de keuken met de andere vrouwen en vriendinnen. Ze had natuurlijk kunnen weigeren om daaraan mee te doen, maar dan zou het alleen maar hebben geleken alsof ze zo nodig iets moest bewijzen. Bovendien was het behoorlijk vervelend om naar de competitieve discussies van de mannen te luisteren. En dus stond ze af te wassen, waar ze dan later weer verbolgen over was. De enige andere sociale interactie bestond uit tennissen met Greta, de jonge vrouw van Malkiel – die haar gebruikte om haar slagenarsenaal te verbeteren – of ontmoetingen met de andere slaapkamerassistentes. Dat was de term waarmee de partners van de onderzoeksassistenten werden aangeduid: slaapkamerassistentes. Bijna alle onderzoekassistenten waren mannen. Net als de meeste gepromoveerde biologen, en dus hield Madeleine, als je die paar laboratoriumassistentes niet meetelde, alleen Diane MacGregor nog over om te bewonderen en, op haar eigen manier, te imiteren.

Aangezien eten en onderdak bij Leonards aanstelling waren inbegrepen, was er geen enkele reden waarom Madeleine niet al haar tijd lezend, slapend en etend door zou kunnen brengen. Maar daar moest ze niet aan denken. Ondanks haar stuurloosheid van de afgelopen zomer had haar academische toekomst een stimulans gekregen. Samen met een prachtig cijfer voor haar eindscriptie had ze een persoonlijk briefje van Saunders gekregen waarin hij haar aanspoorde haar scriptie om te werken tot een korter artikel en dat op te sturen naar ene M. Myerson van *The Janeite Review*. 'Het zou heel goed gepubliceerd kunnen worden!' had hij geschreven. M. Myerson mocht dan in werkelijkheid Mary, de vrouw van Saunders zijn, wat de aanbeveling een nepotistisch tintje gaf, maar een publicatie bleef een publicatie. Die keer dat ze hem in zijn werkkamer had opgezocht, had hij ook luidkeels zijn ongenoegen uitgesproken over het feit dat Yale haar niet had toegelaten en gezegd dat ze het slachtoffer was van een intellectuele mode.

Maar toen Madeleine half september een door Boston College georganiseerde weekendconferentie over victoriaanse literatuur bijwoonde, werd haar een nieuwe richting gewezen. Op die conferentie, die werd gehouden in een Hyatthotel met een lobby vol planten en ronde glazen liften, ontmoette ze twee mensen die net zo bezeten waren van negentiende-eeuws literatuur als zij. Meg Jones was een sportieve collegesoftbalster met kortgeknipt haar en brede kaken. Anne Wong was een Stanford-studente met een paardenstaart, een halsketting met hartje van Elsa Peretti en een Seiko-horloge, en een nog vaag hoorbaar Taiwanees accent. Anne deed momenteel een masterstudie poëzie aan de universiteit van Houston, maar ze was van plan haar doctorstitel Engelse taal- en letterkunde te gaan halen, om haar ouders tevreden te stellen en ook nog wat geld te kunnen verdienen. Meg werkte al aan haar dissertatie op Vanderbilt. Ze noemde Austen 'de goddelijke Jane' en strooide met feiten en cijfers over haar als een doorgewinterde paardengokker. Jane kwam uit een gezin met acht kinderen, van wie zij de jongste was. Ze leed aan de ziekte van Addison, net als John F. Kennedy. In 1783 kreeg ze tyfus. *Sense and Sensibility* werd oorspronkelijk uitgegeven als *Elinore and Marianne*. Austen had ooit een huwelijksaanzoek geaccepteerd van een man die luisterde naar de naam Bigg-Wither, maar was daar na er een nachtje over geslapen te hebben op teruggekomen. Ze was begraven in de kathedraal van Winchester.

'Ben je van plan om je te specialiseren in Jane Austen?' vroeg Anne aan Madeleine.

'Dat weet ik nog niet. Een hoofdstuk van mijn scriptie ging over haar. Maar weet je wie ik ook erg goed vind? Eigenlijk schaam me ik er een beetje voor...'

'Wie dan?'

'Elizabeth Gaskell.'

'Ik ben helemaal weg van Gaskell!' riep Anne uit.

'Elizabeth Gaskell?' zei Meg. 'Ik weet even niet wat ik daarop moet zeggen.'

Madeleine had op de conferentie echt het gevoel dat er een nieuwe generatie academici aan zat te komen. Ze behandelden alle oude boeken waar ze zo van hield, maar op een nieuwe manier. De thema's waren onder meer 'Vermogende vrouwen in de victoriaanse roman', 'Victoriaanse schrijfsters en het vrouwenvraagstuk', 'Masturbatie in de victoriaanse literatuur' en 'De gevangenis van het vrouw-zijn'. Madeleine en Anne woonden een lezing bij van Terry Castle over 'de onzichtbare lesbienne' in de victoriaanse literatuur en ze zagen van een afstandje Sandra Gilbert en Susan Gubar uit een tot de laatste stoel bezet zaltje komen waar de voordracht 'De gekkin op zolder' werd gegeven.

Madeleine leerde dat de victorianen veel minder victoriaans waren dan ze dacht. Frances Power Cobbe had openlijk samengewoond met een andere vrouw, die ze 'haar vrouw' noemde. In 1868 had ze een artikel in *Fraser's Magazine* gepubliceerd met de titel: 'Criminelen, zwakzinnigen, vrouwen en minderjarigen. Is die classificatie juist?' In het vroegvictoriaanse Engeland was het vrouwen niet toegestaan onroerend goed te bezitten of te erven. Ze mochten geen politiek bedrijven en hadden geen stemrecht. Onder die omstandigheden, waarbij ze letterlijk in dezelfde categorie werden ingedeeld als zwakzinnigen, hadden Madeleines favoriete schrijfsters hun boeken geschreven.

Zo bezien was de achttiende- en negentiende-eeuwse literatuur, en zeker het door vrouwen geschreven deel ervan, allesbehalve ouwe koek. Tegen alle verwachting in, terwijl hun het recht werd ontzegd de pen ter hand te nemen of een goede opleiding te volgen, hadden vrouwen als Anne Finch, Jane Austen, George Eliot, de gezusters Brontë en Emily Dickinson de pen desondanks ter hand genomen en zich zo niet alleen een plaats verworven in de literaire wereld, maar, als je Gilbert en Gubar moest geloven, tegelijkertijd een nieuwe literatuur geschapen, en daarmee het mannelijk bolwerk ondermijnd. Er waren twee zinnen uit *The Madwoman in the Attic* die erg veel indruk op Madeleine hadden gemaakt. 'Terwijl mannelijke schrijvers de laatste tijd in toenemende mate vermoeid leken te raken door de behoefte aan vernieuwing, zoals in Blooms theorie "Angst voor invloed" nauwkeurig wordt beschreven, zagen vrouwelijke schrijvers zichzelf als wegbereiders in een scheppingsproces van een intensiteit die hun mannelijke tegenhangers waarschijnlijk niet meer hebben ervaren sinds de Renaissance of op zijn minst sinds de Romantiek. Als zoon van vele vaders voelt de hedendaagse mannelijke schrijver zich hopeloos gedateerd; als dochter van maar al te weinig moeders heeft de hedendaagse vrouwelijke auteur het idee dat ze meehelpt aan de verwezenlijking van een levensvatbare traditie, die eindelijk definitief de kop opsteekt.'

In tweeënhalve dag bezochten Madeleine en haar nieuwe vriendinnen zestien seminars. Ze glipten naar binnen op een cocktailparty van een verzekeraarscongres waar ze zich aan het eten te goed deden. Anne bleef maar 'sex on the beach' bestellen bij de bar van het Hyatt, waarbij ze elke keer moest giechelen. In tegenstelling tot Meg, die gekleed ging als een bootwerker, droeg Anne gebloemde jurkjes van Filene's Basement en hoge hakken. Op hun laatste avond legde Anne in haar hotelkamer haar hoofd op Madeleines schouder en bekende dat ze nog maagd was. 'Ik ben niet alleen Taiwanees,' riep ze, 'maar ook nog maagd! Hopeloos!'

Hoe weinig ze ook gemeen had met Meg en Anne, Madeleine kon zich niet herinneren wanneer ze zich voor het laatst zo had geamuseerd. Ze hadden haar het hele weekend niet één keer gevraagd of ze een vriendje had. Ze wilden alleen maar over literatuur praten. Op de laatste ochtend van de conferentie wisselden ze telefoonnummers en adressen uit, sloegen gedrieën hun armen om elkaar heen en beloofden contact te zullen houden.

'Misschien eindigen we alle drie wel op dezelfde werkplek!' zei Anne vrolijk.

'Het lijkt me stug dat ze ergens drie specialisten victoriaanse literatuur nodig hebben,' zei Meg nuchter.

Op de terugweg naar Cape Cod, en nog dagen daarna, werd Madeleine door vreugde overspoeld als ze eraan dacht dat Meg hen alle drie 'specialisten victoriaanse literatuur' had genoemd. Dat begrip maakte haar vage aspiraties ineens concreet. Ze had nooit kunnen benoemen wat ze wilde worden. Bij een parkeerplaats langs de weg stopte ze vier kwartjes in een munttelefoon en belde haar ouders in Prettybrook.

'Ha pap, ik weet wat ik wil worden.'

'Wat dan?'

'Ik wil me specialiseren in victoriaanse literatuur. Ik kom net bij een geweldige conferentie vandaan.'

'Moet je je nu al specialiseren? Je bent nog niet eens begonnen met je masterstudie.'

'Nee, maar dit is het. Ik weet het zeker! Het is zo'n breed onderwerp.'

'Zorg eerst maar dat je ergens wordt toegelaten,' zei Alton lachend. 'Dan hebben we het er nog wel over.'

Thuis in Pilgrim Lake probeerde ze achter haar bureau aan het werk te gaan. Ze had vrijwel al haar favoriete boeken meeverhuisd. Austen, Eliot, Wharton en James. Via Alton, die nog altijd connecties had bij de bibliotheek van Baxter, had ze voor langere tijd een enorme voorraad victoriaanse recensies kunnen lenen. Na het vereiste leeswerk en het maken van aanvullende aantekeningen probeerde ze haar scriptie tot een publicabel formaat in te korten. De Royal-schrijfmachine waar ze op werkte was dezelfde als waarop ze haar eindscriptie geschreven had. Het was dezelfde schrijfmachine als waarop Alton zijn werkstukken voor zíjn college had geschreven. Madeleine was aan het zwarte stalen apparaat verknocht, maar de toetsen begonnen vast te zitten. Als ze te snel typte, grepen soms de pootjes van twee of drie letters in elkaar en moest ze die met haar vingers uit elkaar halen, wat haar met nieuwe ogen naar het begrip *schrijfmachine* deed kijken. Als ze de letters had losgepeuterd of het lint had vervangen, zaten haar vingers onder de inkt. Het binnenwerk van de schrijfmachine was hoogst onsmakelijk: hij zat vol stof, brokjes Tipp-Ex, stukjes papier, koekkruimels en haar. Ze was verbaasd dat hij het überhaupt nog deed. Toen ze zich er eenmaal van bewust was hoe vies haar schrijfmachine was, kon ze nergens anders meer aan denken. Alsof je probeerde te slapen in het gras nadat iemand het net over wormen had gehad. Het schoonmaken van de Royal was nog een hele klus. Hij was loeizwaar. Hoe vaak ze het apparaat ook naar de gootsteen wist te zeulen om hem daar ondersteboven te houden, er bleef maar troep uit lekken. Nadat ze hem terug naar haar bureau had getild, draaide ze er een vel papier in en toog weer aan het werk, maar de zeurende gedachte dat het apparaat nog steeds vol viezigheid zat zorgde er samen met de voortdurend vastzittende letters voor dat ze vergat wat ze zojuist had geschreven. En dus sleepte ze hem opnieuw naar de gootsteen en verwijderde de rest van de smurrie met een oude tandenborstel.

Zo probeerde Madeleine zich te specialiseren in de victoriaanse literatuur.

Ze hoopte haar verkorte essay in december af te hebben, op tijd om het als proeve van haar schrijfvaardigheid in te sluiten bij haar aanmeldingsbrieven naar universiteiten. Het zou mooi meegenomen zijn als haar artikel tegen die tijd was geaccepteerd door *The Janeite Review* en ze het als 'te verschijnen' op haar cv kon zetten. Door de afwijzing was Yale, net als een vriendje van wie ze niet zeker wist of ze hem wel leuk vond, natuurlijk alleen maar aantrekkelijker geworden. Maar ze ging niet thuis naast de telefoon zitten wachten. Dit keer zou ze zich niet tot één kandidaat beperken, en dus had ze geflirt met het rijke oude Harvard, het hoffelijke Columbia, het verstandelijke Chicago en het betrouwbare Michigan, en zich zelfs verwaardigd contact op te nemen met het bescheiden Baxter College. (Als Baxter haar – als dochter van het voormalige hoofd van het bestuur – niet tot hun middelmatige Engelse programma zou toelaten, zou ze dit zien als een teken dat ze het hele idee van een masterstudie uit haar hoofd moest zetten.) Maar ze verwachtte niet naar Baxter te zullen gaan. Ze hoopte vurig dat ze niet naar Baxter zou hoeven. En daarom begon ze weer voor het universitair toelatingsexamen te studeren, in de hoop haar score voor de logische sectie op te schroeven. Als voorbereiding op het toelatingsexamen Engelse literatuur vulde ze de lacunes in haar kennis op door *The Oxford Book of English Verse* door te lezen.

Maar geen van deze dingen – noch het schrijven, noch het lezen – schoot erg op, om de doodeenvoudige, onweerlegbare reden dat de zorg voor Leonard voorging. Nu ze op Cape Cod woonden, had Leonard geen psychiater meer in de buurt. Hij moest zich behelpen met een wekelijkse telefonische therapiesessie met Bryce Ellis in Providence. Daarnaast liep hij ook bij een nieuwe therapeut, dokter Perlmann, in het Massachusetts General Hospital in Boston, met wie het niet klikte. Vanwege de prestatiedruk in het lab begon Leonard elke avond als hij thuiskwam tegen Madeleine over zijn problemen. Hij behandelde haar als het eerste het beste surrogaat voor therapie. 'Ik trilde vandaag weer als een gek. Ik kan nauwelijks nog een kweekje opzetten vanwege mijn tremor. Ik laat de hele tijd van alles uit mijn handen vallen. Vandaag nog een erlenmeyer, overal lag agarkweek. Ik weet wel wat Kilimnik denkt. Hij denkt: waarom hebben ze deze jongen een assistentschap aangeboden?'

Leonard had zijn toestand geheim gehouden. Hij wist uit ervaring dat mensen hem anders behandelden als ze erachter kwamen dat hij opgenomen was geweest, laat staan twee keer per dag medicijnen slikte om zijn stemming te stabiliseren. Soms schreven ze hem zelfs helemaal af, of ze meden hem. Madeleine had hem beloofd dat ze het aan niemand zou vertellen, maar toen ze in augustus in New York was, had ze het opgebiecht aan Kelly Traub. Ze had Kelly geheimhouding laten beloven, maar het was onontkoombaar dat zij het aan een ander zou vertellen, en die ander weer aan een ander, en zo voort en zo verder, tot Leonards conditie algemeen bekend was.

Daar kon Madeleine zich nu niet druk over maken. Het belangrijkste op deze oktoberdag was dat ze ervoor zorgde dat Phyllida en Alwyn, die onderweg waren met de cityhopper uit Boston waar ze nu op zat te wachten, het niet te weten kwamen. Hopelijk zou Alwyns huwelijkscrisis de aandacht afleiden van haar eigen relatieproblemen, maar voor de zekerheid had Madeleine bedacht om het directe contact tussen haar familieleden en Leonard zo kort mogelijk te houden.

Het minuscule vliegveldje bestond uit één enkele landingsbaan en een golfplaten barak als terminal. Buiten stond een klein groepje mensen in het herfstzonnetje te wachten; ze babbelden wat met elkaar of keken naar de lucht of ze het vliegtuig al zagen.

Om haar moeder tegemoet te komen droeg ze een korte kakibroek, met daarop een witte blouse en een marineblauwe sweater met een wit gestreepte v-hals. Een van de voordelen van niet meer op college zitten – en van op Cape Cod wonen, niet ver van Hyannisport – was dat niets haar er nu nog van weerhield om zich te kleden in de Kennedy-achtige stijl waarin ze zich het prettigst voelde. Als bohemien was ze toch al nooit erg geslaagd geweest. In het tweede jaar op het college had ze een felblauw bowlingshirt gekocht met de naam 'Mel' op de zak gestikt, dat ze begon te dragen als ze naar de feesten bij Mitchell ging. Maar waarschijnlijk had ze het een keer te vaak aangetrokken, want op een avond trok hij een gezicht en vroeg: 'Is dat je artistieke shirt of zo?'

'Hoezo?'

'Je hebt dat shirt altijd aan als je hier komt.'

'Larry heeft er precies zo een,' verdedigde ze zich.

'Ja, maar dat van hem is helemaal versleten. Het jouwe is gloednieuw. Het lijkt wel het bowlingshirt van Lodewijk XIV. Er zou "De Zonnekoning" op die zak moeten staan in plaats van "Mel".'

Ze glimlachte in zichzelf bij die herinnering. Ondertussen zat Mitchell in Frankrijk of Spanje of wist zij veel waar. Op die avond dat ze hem in New York was tegengekomen, had Kelly haar eerst meegenomen naar een *off-off*-Broadwayvoorstelling van *De kersentuin*. De vindingrijkheid van de voorstelling – ze hadden manden met kersenbloesem tussen de stoelen gezet, zodat de toeschouwers de geur konden ruiken van de boomgaard die de Ranevski's samen met hun landgoed verkochten – en de interessante gezichten in het publiek maakten Madeleine duidelijk dat ze zich in een wereldstad bevond. Na de voorstelling had Kelly haar meegenomen naar een bar die populair was bij pas afgestudeerde Brown-studenten. Meteen bij binnenkomst waren ze Mitchell en Larry tegen het lijf gelopen. De jongens zouden de volgende dag naar Parijs vertrekken en waren in de stemming voor een feestelijk afscheid. Madeleine dronk twee wodka-tonic en Mitchell zat aan de tequila, en toen wilde Kelly naar Chumley's in de Village. Ze persten zich met zijn vieren in een taxi en Madeleine kwam bij Mitchell op schoot terecht. Het was al ver na middernacht, met de raampjes open reden ze door de tropisch warme straten en in plaats van het fysieke contact met Mitchell tot een minimum te beperken, leunde ze vol tegen hem aan. Dat ze allebei de seksuele lading negeerden van het feit dat ze bij hem op schoot zat, maakte het des te opwindender. Madeleine keek uit het raampje terwijl Mitchell met Larry praatte. Elke hobbel in de weg onthulde geheime informatie. De hele rit dwars door de stad over East Ninth Street. Als ze zich al schuldig voelde, dan suste ze haar geweten door zichzelf voor te houden dat ze na die brave zomer wel een nachtje uit de band mocht springen. Trouwens, niemand in de taxi ging voor politieagent spelen. Zeker Mitchell niet, die, terwijl de taxirit voortduurde, iets heel gewaagds deed. Hij ging met zijn handen onder haar blouse en begon haar huid te strelen, liet een vinger over haar ribben gaan. Niemand kon zien wat hij deed. Madeleine liet hem begaan; ze deden allebei net of ze helemaal opgingen in hun respectieve gesprekken met Kelly en Larry. Na een paar honderd meter ging Mitchells hand langzaam omhoog. Hij probeerde een vinger onder de rechtercup van haar beha door te wurmen, waarop zij haar arm tegen haar lichaam klemde en hij zijn hand terugtrok.

In Chumley's vermaakte Mitchell de anderen met het verhaal over zijn schamele zomerbaantje als taxichauffeur. Madeleine praatte een poosje met Kelly, maar het duurde niet lang voor ze met Mitchell in een hoekje zat. Ondanks haar wodkawaas was ze zich ervan bewust dat ze expres vermeed de naam Leonard te noemen. Mitchell liet haar de plekken op zijn bovenarm zien waar hij die middag was ingeënt. Daarna stuiterde hij ervandoor om nog meer drank te halen. Ze was vergeten hoe leuk Mitchell kon zijn. Vergeleken met Leonard was hij ongelooflijk makkelijk in de omgang. Ongeveer een uur later, toen ze naar buiten ging om een taxi aan te houden, liep Mitchell haar achterna en voor ze in de gaten had wat er gebeurde, kuste hij haar en kuste zij hem terug. Het duurde niet heel lang, maar wel veel langer dan de bedoeling was. Uiteindelijk wurmde ze zich los en riep: 'Jij wilde toch monnik worden?!'

'Het vlees is zwak,' zei Mitchell met een grijns.

'Wegwezen, jij,' zei Madeleine terwijl ze hem een por tussen zijn ribben gaf. 'Ga maar lekker naar India!'

Hij keek haar met zijn grote ogen aan. Hij stak zijn armen uit en pakte haar handen. 'Ik hou van je!' zei hij. En tot haar eigen verbazing antwoordde ze: 'Ik ook van jou.' Ze bedoelde dat ze van hem hield, maar niet op díe manier. Dat was in elk geval een mogelijk interpretatie, en om drie uur 's nachts in Bedford Street besloot ze het daar maar bij te laten. Ze gaf Mitchell nog een kus, droog en kort ditmaal, hield een taxi aan en maakte zich uit de voeten.

Toen Kelly haar de volgende ochtend vroeg of er iets tussen hen was gebeurd, had Madeleine gelogen.

'Nee, niets.'

'Ik vond hem leuk,' zei Kelly. 'Hij was veel knapper dan ik me herinnerde.'

'Vond je?'

'Ja, ik viel eigenlijk wel op hem.'

Toen Madeleine dit hoorde, kreeg ze een nieuwe verrassing te verwerken: ze was jaloers. Blijkbaar wilde ze Mitchell voor zichzelf houden, ook al wees ze hem af. Haar egoïsme kende geen grenzen.

'Hij zit nu waarschijnlijk al in het vliegtuig,' zei ze, en daar liet ze het bij.

In de trein terug naar Rhode Island begon Madeleine last van haar geweten te krijgen. Ze besloot dat ze Leonard moest vertellen wat er was gebeurd, maar tegen de tijd dat de trein in Providence aankwam, realiseerde ze zich dat dat de boel alleen maar erger zou maken. Leonard zou vast denken dat hij haar kwijt zou raken vanwege zijn ziekte. Hij zou het idee hebben dat hij seksueel tekortschoot, en niet geheel ten onrechte, overigens. Mitchell was er niet meer, hij was het land uit, en Leonard en zij zouden binnenkort naar Pilgrim Lake verhuizen. Met die gedachte in haar achterhoofd besloot ze van een bekentenis af te zien. Ze stortte zich weer op de taak om Leonard met liefde en zorg te omringen, en na een tijdje was het net of die kus met Mitchell in een andere wereld had plaatsgevonden, onwezenlijk en kortstondig.

Nu kwam van over de baai van Boston het tienpersoonsforensenvliegtuigje in zicht, zijn weg zoekend tussen kleine schapenwolkjes verscheen het aan de hemel boven Cape Cod en zette de landing naar het schiereiland in. Tussen de andere wachtenden zag Madeleine het vliegtuig landen en over de baan taxiën; het helmgras aan weerszijden van de baan werd door de kracht van de propellers platgedrukt.

Het grondpersoneel rolde een metalen trap naar de voorste deur van het vliegtuig, die van binnenuit werd opengemaakt, waarna de passagiers naar buiten kwamen.

Madeleine wist dat het huwelijk van haar zus overhoop lag. Ze wist dat ze zich vandaag behulpzaam en begripvol moest tonen. Maar toen Phyllida en Alwyn naar buiten kwamen, had ze daar eigenlijk veel liever gestaan om hen uit te zwaaien dan om hen te verwelkomen. Ze had gehoopt een ouderlijk bezoek uit te kunnen stellen tot Leonards bijverschijnselen waren verdwenen, wat volgens al zijn artsen niet lang meer kon duren. Het was niet zozeer dat Madeleine zich voor Leonard schaamde, maar ze was teleurgesteld dat Phyllida hem in zijn huidige staat zou zien. Leonard was zichzelf niet. Phyllida zou vast een verkeerde indruk van hem krijgen. Madeleine wilde dat haar moeder de echte Leonard zou leren kennen, de jongen op wie ze verliefd was geworden, die zich nu elk moment weer zou kunnen laten zien.

Daar kwam nog bij dat het weerzien met Alwyn hoogstwaarschijnlijk onprettig zou zijn. In de tijd dat haar grote zus haar het overlevingspakket voor de jonge vrijgezellin had gestuurd, toen Alwyn nog deel uitmaakte van de wilde sixties en het geboorterecht dat daarbij hoorde om alles aan te klagen wat haar niet beviel en alles te doen waar ze maar zin in had – bijvoorbeeld na één jaar de studie eraan geven, om achter op de motor van haar vriendje Grimm het land te doorkruisen of een verrassend lieve witte rat als huisdier nemen en die Hendrix noemen of in de leer gaan bij een kaarsenmaker die erop stond oude Keltische methodes te volgen – leek het of ze een antimaterialistische, moreel geëngageerde, creatieve richting in was geslagen. Maar tegen de tijd dat Madeleine de leeftijd had bereikt die haar zus toen had, besefte ze dat Alwyns iconoclasme en betrokkenheid bij de vrijheidsstrijd maar een modegril was geweest. Haar zus had gedaan wat ze deed en de politieke meningen verkondigd die ze verkondigde omdat al haar vrienden die dingen ook deden en zeiden. Je hoorde het erg te vinden dat je de sixties had gemist, maar daar had Madeleine helemaal geen last van. Ze had het idee dat haar een hoop onzin bespaard was gebleven, dat haar generatie, hoewel ze veel van de goede dingen uit dat tijdperk had geërfd, er tegelijkertijd een gezonde afstand toe bewaarde, waardoor ze de mentale spagaat kon vermijden waar je in terechtkwam als je van de ene op de andere dag veranderde van een maoïste in een moedertje in de buitenwijken van Beverly, Massachusetts. Toen duidelijk werd dat Alwyn niet haar hele leven achter op Grimms motor zou doorbrengen, omdat hij haar zonder ook maar een woord van afscheid op een kampeerterrein ergens in Montana had laten zitten, belde ze naar huis en vroeg Phyllida om geld over te maken voor een vliegticket naar Newark, en anderhalve dag later nam ze weer haar intrek in haar oude kamer in Prettybrook. De daaropvolgende twee jaar (waarin Madeleine haar middelbare school afmaakte) had ze allerlei horecabaantjes terwijl ze grafische vormgeving studeerde aan de open hogeschool. In die tijd was de allure die Alwyn in de ogen van haar jongere zusje had gehad aanzienlijk afgenomen, zo niet geheel verdwenen. Eens te meer paste Alwyn zich aan haar omgeving aan. Ze zat vaak in het plaatselijke café met vrienden van haar die ook in Prettybrook waren blijven hangen en die zich allemaal weer net zo quasinonchalant kleedden als toen ze nog op de middelbare school zaten: ribfluwelen broeken, t-shirts met ronde hals en instappers van L.L. Bean. Op een avond had ze daar Blake Higgins ontmoet, een redelijk goeduitziende, middelmatige jongen die aan Babson had gestudeerd en in Boston woonde. Al snel zocht Alwyn hem daar regelmatig op en begon ze zich te kleden zoals Blake, of zijn familie, dat graag zag, eleganter, duurder, in bloesjes of jurkjes van Gucci of Oscar de la Renta; ze bereidde zich voor om iemands vrouw te worden. In haar meest recente incarnatie was Alwyn vier jaar getrouwd geweest en nu dreigde deze poging om iets van een coherente persoonlijkheid te vormen blijkbaar ook te mislukken en werd Madeleine, als het stabielere zusje, erbij geroepen om de boel van de ondergang te redden.

Ze zag haar moeder en haar zus van de vliegtuigtrap af komen, Phyllida met een hand op de trapleuning, Alwyns lange Janis Joplin-haar, het enige overblijf-sel van haar vroegere hippieschap, wapperend in de wind. Terwijl ze over het as-falt op haar af liepen, riep Phyllida opgewekt: 'Wij zijn van de Zweedse Acade-mie. We komen voor Diane MacGregor.'

'Ongelooflijk hè, dat ze heeft gewonnen,' zei Madeleine.

'Het was vast heel bijzonder om daar getuige van te zijn.'

Na de omhelzing zei Phyllida: 'We hadden van de week een etentje met de Snyders. Professor Snyder is bioloog en was voor zijn pensionering verbonden aan Baxter, en op mijn verzoek heeft hij me alles uitgelegd over MacGregors werk. Dus ik ben helemaal op de hoogte! "Springende genen." Ik kan haast niet wachten om het er met Leonard over te hebben.'

'Hij heeft het vandaag erg druk,' zei Madeleine zo terloops mogelijk. 'Omdat we pas gisteravond hoorden dat jullie zouden komen, moet hij vandaag gewoon werken.'

'Natuurlijk. We willen hem niet van zijn werk houden. Alleen maar even ge-dag zeggen.'

Alwyn had twee tasjes bij zich, een over elke schouder. Ze was aangekomen en haar gezicht was sproetiger dan ooit. Ze liet zich heel even door Madeleine om-helzen.

'Wat heeft mam je verteld?' vroeg ze. 'Heeft ze gezegd dat ik bij hem wég ben?'

'Ze zei dat jullie problemen hadden.'

'Nee, hoor. Ik ben bij hem weg. Ik heb het gehad. Dit huwelijk is afgelopen.'

'Niet overdrijven, schat,' zei Phyllida.

'Ik overdrijf niet, mam,' zei Alwyn. Ze keek Phyllida dreigend aan, maar om-dat ze haar waarschijnlijk niet rechtstreeks durfde aan te spreken, draaide ze zich om en stak haar verhaal tegen Madeleine af: 'Blake is altijd aan het werk. En in het weekend gaat hij golfen. Hij is net een vader uit de jaren vijftig. En we heb-ben haast nooit een oppas. Ik wilde een inwonend kindermeisje, maar hij zei dat hij niet de hele tijd iemand in huis wil hebben. Toen zei ik: "Maar je bent nooit thuis! Probeer jij maar eens fulltime voor Richard te zorgen. Ik ben weg."' Ze trok een grimas. 'Nu staan alleen mijn tieten constant op springen.'

Openlijk, terwijl iedereen het kon zien, pakte ze met beide handen haar opgezwollen borsten.

'Ally, alsjeblieft,' zei Phyllida.

'Wat nou? Ik mocht van jou in het vliegtuig niet kolven. Dan krijg je dit.'

'Er was nou niet bepaald veel privacy. En het was maar een korte vlucht.'

'Mam was bang dat de mannen in de andere rij zouden klaarkomen in hun broek,' zei Alwyn.

'Het is al erg genoeg dat je Richard in het openbaar de borst geeft. Maar dat apparaat…'

'Dat heet een kolf, mam. Die gebruikt iedereen. Dat jij dat nooit gedaan hebt komt doordat jouw generatie al hun kinderen flesvoeding gaf.'

'Nou, dat heeft jullie blijkbaar geen kwaad gedaan.'

Toen Alwyn ruim een jaar geleden zwanger bleek te zijn, was Phyllida in de wolken. Ze was naar Beverly gegaan om mee te helpen met het inrichten van de babykamer. Zij en Alwyn waren er samen op uit gegaan om babykleertjes te kopen en Phyllida had het oude wiegje van Alwyn en Maddy uit Prettybrook meegenomen. De moeder-dochtersolidariteit duurde tot de geboorte. Toen Richard eenmaal ter wereld was gekomen, veranderde Alwyn ineens in een expert op het gebied van zuigelingenzorg en keurde alles af wat haar moeder deed. Toen Phyllida een keer met een speen kwam aanzetten, reageerde Alwyn alsof ze had voorgesteld de baby gemalen glas te voeren. Ze zei dat het merk babydoekjes dat Phyllida had gekocht giftig was. En toen Phyllida borstvoeding een modeverschijnsel noemde, was ze haar naar de keel gevlogen. Waarom Alwyn erop stond Richard zo lang aan de borst te houden, was Phyllida een raadsel. Toen zijzelf een jonge moeder was, was haar IJslandse buurvrouw Katja Fridliefsdottir de enige geweest die ze kende die haar kinderen borstvoeding gaf. Volgens Phyllida was het hele proces van een kind krijgen ongelooflijk ingewikkeld geworden. Waarom las Alwyn zo veel boeken over baby's? Wat moest ze met een borstvoedingscoach? Als borstvoeding zo 'natuurlijk' was als Alwyn altijd beweerde, dan had je die toch helemaal niet nodig? Of had ze soms ook een slaapcoach en een ademcoach?

'Dat moet je afstudeercadeau zijn,' zei Phyllida toen ze de auto naderden.

'Ja. Ik ben er dolblij mee. Ontzettend bedankt, mam.'

Alwyn klom met haar tassen op de achterbank. 'Ik heb nooit een auto van jullie gekregen,' zei ze.

'Jij bent dan ook niet afgestudeerd,' zei Phyllida. 'Maar jou hebben we bijgestaan met de aanbetaling voor je huis.'

Toen Madeleine de auto startte, vervolgde Phyllida: 'Ik wou dat ik je vader zover kon krijgen om eens een nieuwe auto te kopen. Hij rijdt nog steeds in die afschuwelijke Thunderbird rond. Dat is toch niet te geloven? Ik las laatst een artikel in de krant over een of andere artiest die zich in zijn auto had laten begráven. Dat had ik voor hem uitgescheurd.'

'Dat leek pap zeker ook wel wat,' zei Madeleine.

'Nee, helemaal niet. Sinds zijn zestigste verjaardag is de dood een heel beladen onderwerp geworden. Hij doet allerlei gymnastiekoefeningen in de kelder.'

Alwyn ritste een van de tasjes open en haalde er de kolf en een leeg flesje uit. Ze begon haar blouse los te knopen. 'Hoe ver is het naar je huis?' vroeg ze aan Madeleine.

'Een minuut of vijf.'

Phyllida keek achterom om te zien wat Alwyn aan het doen was. 'Zou je misschien het dak dicht kunnen doen, Madeleine?' vroeg ze.

'Maak je niet dik, mam,' zei Alwyn. 'Dit is p-town. Alle mannen zijn homo. Het interesseert niemand.'

Haar moeders verzoek opvolgend, deed Madeleine het dak omhoog. Toen het niet meer bewoog en met een klik op zijn plaats was gesprongen, reed ze van de parkeerplaats van het vliegveld Race Point Road op. De weg voerde door een beschermd duingebied, dat wit afstak tegen de blauwe lucht. Voorbij de volgende bocht verschenen een paar losstaande moderne villa's met zonneterrassen en schuifpuien, en kort daarna reden ze door de met heggen omzoomde lanen van Provincetown.

'Zeg, Ally, nu je toch zoveel aan je hoofd hebt, zou dit misschien een goed moment zijn om Richard Leeuwenhart van de borst te halen.'

'Ze zeggen dat het op zijn minst een halfjaar duurt voordat een kind alle afweerstoffen heeft aangemaakt,' zei Alwyn al kolvend.

'Ik vraag me af of dat wetenschappelijk bewezen is.'

'Volgens alle onderzoeken op zijn minst zes maanden, maar ik ga een jaar door.'

'Nou,' zei Phyllida, met een heimelijke blik naar Madeleine, 'in dat geval kun je maar beter zorgen dat je snel weer thuis bij je kind bent.'

'Ik wil het er niet meer over hebben,' zei Alwyn.

'Goed dan. Ander onderwerp. Hoe bevalt het je hier, Madeleine?'

'Ik vind het geweldig. Behalve dat ik me soms nogal dom voel. Iedereen hier had minstens een acht voor wiskunde. Maar het is hier prachtig en het eten is fantastisch.'

'En heeft Leonard het naar zijn zin?'

'Ja, hij vindt het leuk,' loog Madeleine.

'En heb jij genoeg omhanden?'

'Ik? Ik kom om in het werk. Ik ben mijn scriptie aan het herschrijven om die aan *The Janeite Review* aan te bieden.'

'Wat, word je gepubliceerd? Geweldig! Hoe kan ik abonnee worden?'

'Ze hebben mijn artikel nog niet geaccepteerd,' zei Madeleine, 'maar de redacteur wil het graag zien, dus ik heb goede hoop.'

'Als je een carrière wilt, dan raad ik je aan om niet te trouwen,' zei Alwyn. 'Als je soms denkt dat het is veranderd en er nu een soort seksegelijkheid heerst, dat de man een ontwikkeling heeft doorgemaakt, dan heb je het mis. Ze zijn nog precies zo labbekakkerig en egoïstisch als papa vroeger was. En nog is.'

'Ally, ik wil niet hebben dat je zo over je vader praat.'

'*Jawohl,*' zei Alwyn en ze deed er verder het zwijgen toe.

Het schilderachtige dorp met zijn verweerde huizen, kleine, zanderige tuintjes en weelderige rozenstruiken was na Labor Day gestaag leeggelopen en de stroom vakantiegangers in Commercial Street was uitgedund tot een populatie van plaatselijke bewoners en permanente import. Toen ze langs het monument voor de Pelgrims kwamen, minderde Madeleine even vaart zodat Phyllida en Alwyn het konden zien. Op een gezin van vier personen na, dat naar de stenen pilaar stond te kijken, waren er verder geen toeristen in de buurt.

'Mag je er niet in klimmen?' vroeg een van de kinderen.

'Het is alleen om naar te kijken,' zei de moeder.

Madeleine gaf weer gas. Even later waren ze aan de andere kant van het dorp.

'Woont Norman Mailer hier niet ergens?' vroeg Phyllida.

'Hij heeft een huis aan het water,' antwoordde Madeleine.

'Papa en ik hebben hem een keertje ontmoet. Hij was ontzettend dronken.'

Nog een paar minuten later sloeg Madeleine af en reed door de poort van het Pilgrim Lake Laboratory de lange oprijlaan af naar de parkeerplaats vlak bij de eetzaal. Zij en Phyllida stapten uit, maar Alwyn bleef zitten met de kolf. 'Even deze kant afmaken,' zei ze. 'De andere doe ik later wel.'

Ze wachtten in de heldere herfstzon. Het was twaalf uur 's middags, midden in de week. De enige persoon die buiten te zien was, was een jongen met een honkbalpetje die een voorraad zeebanket afleverde bij de keuken. De oude Jaguar van Malkiel stond een paar vakken verderop.

Alwyn was klaar en schroefde de dop op het flesje. Haar moedermelk had een merkwaardig groene kleur. Ze ritste de andere tas open, borg het flesje op in de koeltas die daarin bleek te zitten, en kwam de auto uit.

Madeleine gaf haar moeder en zus een snelle rondleiding over het terrein. Ze liet hun het beeld van Serra zien en het strand en de eetzaal, waarna ze met hen over de promenade terugliep naar haar woning.

Toen ze langs het geneticalab kwamen, wees Madeleine: 'Daar werkt Leonard.'

'Zullen we hem even gedag gaan zeggen?' opperde Phyllida.

'Ik moet echt eerst naar Maddy's huis,' zei Alwyn.

'Dat kan wel even wachten. We zijn hier nu toch.'

Madeleine vroeg zich af of Phyllida Alwyn zo probeerde te straffen, te laten lijden voor haar zonden. Maar aangezien ze toch niet lang in het lab wilde blijven, kwam dat haar wel goed uit, en ze ging hun voor naar binnen. Ze had enige moeite om de weg te vinden. Ze was maar een paar keer in het lab geweest en de gangen zagen er allemaal hetzelfde uit. Uiteindelijk zag ze het handgeschreven bordje KILIMNIK-LAB.

Het laboratorium was een helder verlichte ruimte waar een georganiseerde wanorde heerste. Kartonnen dozen stonden hoog opgetast in kasten en zelfs in de hoeken van het vertrek. Reageerbuizen en glazen vulden de wandkasten en stonden strak in het gelid op de onderzoekstafels. Naast een wasbak was een spuitbus desinfecterend middel achtergelaten, samen met een doos waar KIMWIPES op stond.

Vikram Jaitly zat gehuld in een dikke Cosby-trui achter zijn bureau. Hij keek op, voor het geval Kilimnik binnenkwam, maar toen hij zag dat het Madeleine was, ontspande hij weer. Ze vroeg hem waar Leonard was.

'Hij zit in de dertiggradenkamer,' zei Vikram en hij wees naar de andere kant van het lab. 'Ga maar naar binnen, hoor.'

Naast de deur stond een ijskast met een hangslot. Madeleine gluurde door het raam en zag Leonard met zijn rug naar haar toe voor een trillende machine staan. Hij had een bandana om zijn hoofd en droeg een T-shirt en een korte broek; niet precies wat ze gehoopt had. Maar er was nu geen tijd meer om hem iets anders aan te laten trekken, dus deed ze de deur open en liepen ze alle drie naar binnen.

Vikram had het over graden Celsius gehad. Het was erg warm in de ruimte en het rook er naar een bakkerij.

'Hoi,' zei Madeleine, 'we zijn er.'

Leonard draaide zich om. Hij had zich niet geschoren en zijn gezicht was uitdrukkingsloos. De machine achter hem ratelde luid.

'Leonard!' zei Phyllida. 'Wat leuk om je eindelijk eens te ontmoeten.'

Daardoor kwam Leonard weer bij zijn positieven. 'O, hoi,' zei hij. Hij deed een stap naar voren en stak zijn hand uit. Phyllida leek even van haar stuk gebracht, maar toen schudde ze hem de hand en zei: 'We storen toch niet, hoop ik?'

'O, nee hoor, ik deed gewoon een simpel klusje. Excuses voor de geur hier. Sommige mensen houden er niet van.'

'Alles in naam der wetenschap,' zei Phyllida. Ze stelde Alwyn voor.

Als Phyllida verbaasd was over Leonards uiterlijk, dan liet ze dat niet merken. Ze begon onmiddellijk over de springende genen van MacGregor en somde alles op wat ze tijdens dat etentje had opgestoken. Daarna vroeg ze Leonard om zijn werk uit te leggen.

'Eh, we werken met gist,' zei Leonard, 'en die kweken we hier. Dit geval hier noemen we een schudtafel. Daar stoppen we de gist in om te luchten.' Hij deed het deksel open en haalde er een met gele vloeistof gevulde erlenmeyer uit. 'Wacht, ik zal het u laten zien.'

Hij ging hun voor naar de hoofdruimte en zette de erlenmeyer op tafel. 'Het experiment waar we nu mee bezig zijn, heeft te maken met de voortplanting van gist.'

Phyllida trok haar wenkbrauwen op. 'Ik wist niet dat gist zo interessant was. Zou je wat meer in detail kunnen treden?'

Terwijl Leonard begon uit te leggen over het onderzoek waarbij hij betrokken was, kwam Madeleine tot rust. Hier hield Phyllida van: informatie krijgen van specialisten in het veld, ongeacht welk veld.

Leonard had een glazen rietje uit een lade gepakt en stak het in de erlenmeyer. 'Nu zal ik met dit pipet wat druppels op een glaasje doen, zodat we een kijkje kunnen nemen.'

'Mijn god, pipet!' zei Alwyn. 'Dat woord heb voor het laatst gehoord toen ik nog op de middelbare school zat.'

'Er zijn twee soorten gistcellen, haploïde cellen en diploïde cellen. Alleen haploïde cellen planten zich voort door middel van paring. Je hebt twee typen: a-cellen en alfacellen. Voor de paring zoeken de a-cellen een alfacel en andersom.' Hij legde het glaasje onder de microscoop. 'Kijkt u maar even.'

Phyllida stapte naar voren en boog haar gezicht naar de lens.

'Ik zie helemaal niets,' zei ze.

'U kunt hem hier scherp stellen.' Toen Leonard zijn hand optilde om het haar te laten zien, trilde die lichtjes, en hij pakte de tafelrand vast.

'Ah, daar zijn ze,' zei Phyllida, die zelf scherp stelde.

'Ziet u ze? Dat zijn de gistcellen. Als u goed kijkt, ziet u dat sommige groter zijn dan andere.'

'Ja, inderdaad!'

'De grote zijn de diploïde cellen. De haploïde cellen zijn kleiner. Concentreert u zich op de kleintjes, de haploïden. Sommige zouden langer moeten worden. Dat doen ze voorafgaand aan de paring.'

'Ik zie er een met een… soort uitstulpinkje aan het eind.'

'Dat noemen we een *shmoo*. Dat is een haploïde cel die zich klaarmaakt om te paren.'

'Een shmoo?' vroeg Alwyn.

'Dat komt van Li'l Abner,' verklaarde Leonard. 'De stripfiguur.'

'Zie ik er zo oud uit?' vroeg Alwyn.

'Ik ken Li'l Abner nog wel,' zei Phyllida, nog steeds in de microscoop turend. 'Zo'n botte boer. Niet erg grappig, voor zover ik me herinner.'

'Je moet over de feromonen vertellen,' zei Madeleine.

Leonard knikte. 'Gistcellen geven feromonen af, een soort chemisch parfum. A-cellen scheiden een a-feromoon af en alfacellen een alfaferomoon. Zo trekken ze elkaar aan.'

Phyllida bleef nog een minuut in de microscoop staren, zonder al te mededeelzaam te zijn over wat ze zag. Uiteindelijk tilde ze haar hoofd op. 'Nou, mijn ideeën over gist zijn voorgoed veranderd. Wil jij even kijken, Ally?'

'Nee, dank je. Ik heb mijn buik vol van voortplanting,' zei Alwyn knorrig.

Zonder daar aandacht aan te schenken zei Phyllida: 'Ik begrijp je verhaal over de haploïden en de diploïden, Leonard, maar zou je me kunnen uitleggen wat jullie hopen te ontdekken?'

'We proberen erachter te komen waarom het product van een bepaalde celdeling verschillende ontwikkelingsdoelen kan hebben.'

'O jee. Misschien had ik het beter niet kunnen vragen.'

'Zo ingewikkeld is het niet. Er waren toch twee typen haploïde cellen, het a-type en het alfatype?'

'Ja.'

'Nou, die a-cellen en alfacellen zijn ook weer in twee typen onder te verdelen, moeder- en dochtercellen noemen we die. Moedercellen kunnen aan knopvorming doen en nieuwe cellen vormen. Dochtercellen kunnen dat niet. Moedercellen kunnen ook van *mating type* veranderen – van a naar alfa – om te kunnen paren. Wij proberen erachter te komen waarom de moedercellen dat wel kunnen maar hun dochters niet.'

'Ik weet wel waarom,' zei Phyllida. 'Omdat moeders weten wat goed voor hun kinderen is.'

'Er zijn wel duizenden mogelijke oorzaken voor die asymmetrie,' vervolgde Leonard. 'Maar wij onderzoeken een mogelijkheid die te maken heeft met het gen dat codeert voor *heme oxygenase*. Het is vrij ingewikkeld, maar waar het in feite op neerkomt, is dat we het gen verwijderen dat voor heme oxygenase codeert en het omgekeerd terugplaatsen, zodat het in de andere richting gelezen kan worden. Als dit invloed heeft op het veranderingsvermogen van de dochtercel, dan weten we dat dat gen voor die asymmetrie verantwoordelijk is.'

'Ik ben bang dat ik je niet meer helemaal kan volgen.'

Dit was de eerste keer dat Madeleine Leonard zo enthousiast over zijn werk hoorde praten. Tot nog toe had hij alleen maar geklaagd. Hij was niet te spreken over Bob Kilimnik, die hem behandelde als een uitzendkracht. Hij beweerde dat het eigenlijke laboratoriumwerk ongeveer net zo interessant was als luizen kammen. Maar nu leek hij oprecht geïnteresseerd in wat hij aan het doen was. Zijn gezicht kreeg een geanimeerde uitdrukking terwijl hij sprak. Madeleine was zo blij om hem weer zo levendig te zien, dat ze helemaal vergat dat hij te dik was en een bandana droeg in het bijzijn van haar moeder, en alleen maar luisterde naar wat hij te zeggen had.

'De reden dat we gistcellen bestuderen, is dat ze in essentie hetzelfde zijn als menselijke cellen, alleen veel simpeler. Haploïden lijken op gameten, onze geslachtscellen. De hoop is dat wat we hier te weten komen over gistcellen ook op menselijke cellen van toepassing is. Als we erachter kunnen komen hoe en waarom de knopvorming plaatsvindt, dan kunnen we misschien iets ontdekken over manieren om dat proces tot staan te brengen. Er zijn aanwijzingen dat de knopvorming van gistcellen analoog is aan de deling van kankercellen.'

'Dus jullie zijn op zoek naar een middel tegen kanker?' vroeg Phyllida opgewonden.

'Niet in dit onderzoek,' antwoordde Leonard. 'Ik bedoelde het meer in het algemeen. Hier onderzoeken we maar één hypothese. Als Bob gelijk heeft, zal dat grote gevolgen hebben. Zo niet, dan hebben we in elk geval weer een mogelijkheid uitgesloten. En dan kunnen we van daaruit weer verder zoeken.' Hij liet zijn stem dalen. 'Als je het mij vraagt is de hypothese voor dit onderzoek nogal vergezocht. Maar niemand vraagt mij iets.'

'Wanneer bedacht je dat je wetenschapper wilde worden, Leonard?'

'Op de middelbare school. Ik had een geweldige biologieleraar.'

'Kom je uit een familie van wetenschappers?'

'Helemaal niet.'

'Wat doen je ouders dan?'

'Mijn vader had een antiekwinkel.'

'O ja? Waar?'

'In Portland. Oregon.'

'En wonen je ouders daar nog?'

'Mijn moeder wel. Mijn vader woont tegenwoordig in Europa. Ze zijn gescheiden.'

'Juist, ja.'

Op dit punt zei Madeleine: 'Mam, we moesten maar weer eens gaan.'

'Wat?'

'Leonard moet weer verder met zijn werk.'

'O, natuurlijk. Nou, het was me een genoegen. Jammer dat we vandaag zo weinig tijd hebben. We hadden zomaar ineens bedacht om langs te komen.'

'Blijf de volgende keer dan wat langer.'

'Heel graag. Misschien dat ik dan met Madeleines vader kan komen.'

'Dat lijkt me leuk. Het spijt me dat ik het vandaag zo druk heb.'

'Je hoeft je niet te verontschuldigen, hoor. De vooruitgang roept!'

'Het is eerder fluisteren,' zei Leonard.

Zodra ze buiten waren stond Alwyn erop dat ze direct naar Madeleines huis zouden gaan. 'Anders lek ik mijn hele jurk onder.'

'Gebeurt dat echt?' vroeg Madeleine huiverend.

'Ja. Ik ben net een koe.'

Madeleine lachte. Ze was zo opgelucht dat de ontmoeting met Leonard voorbij was dat ze het haast niet erg meer vond om zich nu met de problemen binnen haar familie bezig te moeten houden. Ze leidde Alwyn en Phyllida over de parkeerplaats naar haar huis. Alwyn begon haar blouse al los te knopen voor ze de deur door was. Binnen plofte ze op de bank neer en haalde de kolf weer tevoorschijn. Ze maakte de linkerkant van haar voedingsbeha los en zette de zuignap op haar tepel.

'Het plafond is wel erg laag,' zei Phyllida, die demonstratief de andere kant op keek.

'Ja, dat is zo,' zei Madeleine. 'Leonard moet de hele tijd bukken.'

'Maar het uitzicht is schitterend.'

'Halleluja,' zei Alwyn zuchtend van genot. 'Wat een opluchting. Wist je dat sommige vrouwen een orgasme krijgen als ze de borst geven?'

'Er gaat niets boven een uitzicht op de oceaan.'

'Zie je nu wat je hebt gemist door ons geen borstvoeding te geven, mam?'

Met dichtgeknepen ogen zei Phyllida op bevelende toon: 'Doe dat ergens anders, wil je?'

'We zijn toch familie,' zei Alwyn.

'Je zit voor pal voor een enorm raam,' zei Phyllida. 'Iedereen die voorbijloopt, kan zo naar binnen kijken.'

'Goed dan. Jezus. Ik ga wel naar de badkamer. Ik moet trouwens toch pissen.' Ze kwam overeind met de kolf en het in hoog tempo vollopende flesje in haar hand, en verdween in de badkamer. Ze sloot de deur achter zich.

Phyllida streek haar rok glad en ging zitten. Met een toegeeflijke glimlach om haar lippen sloeg ze haar ogen naar Madeleine op. 'Elk huwelijk krijgt het moeilijk als er een kindje komt. Het is iets schitterends, maar het veroorzaakt spanning binnen de relatie. Daarom is het zo belangrijk om de juiste persoon te vinden om een gezin mee te stichten.'

Madeleine was vastbesloten om elke subtekst te negeren. Ze zou een en al tekst zijn. 'Blake is geweldig,' zei ze.

'Hij is fantastisch,' beaamde Phyllida. 'En Ally ook. En Richard Leeuwenhart is gewoonweg goddelijk! Maar de thuissituatie daar is verschrikkelijk.'

'Hebben jullie het over mij?' kwam Alwyns stem vanuit de badkamer. 'Ik wil niet dat jullie het over mij hebben!'

'Als je daar klaar bent,' riep Phyllida terug, 'wil ik eens rustig praten met zijn drieën.'

De wc werd doorgetrokken. Een paar seconden later kwam Ally naar buiten, nog steeds kolvend. 'Je kunt voor mijn part praten tot je een ons weegt, ik ga niet terug,' zei ze.

'Ally,' zei Phyllida op haar begripvolste toon, 'ik begrijp best dat jullie huwelijksproblemen hebben. Ik kan me goed voorstellen dat Blake, zoals alle leden van het mannelijk geslacht, bepaalde tekortkomingen heeft waar het de zorg voor zijn kind betreft. Maar degene die het meest te lijden heeft van je vertrek...'

'Bepaalde tekortkomingen!'

'...is Richard!'

'Er is geen andere manier om hem ervan te overtuigen dat ik het meen.'

'Maar om je kind achter te laten!'

'Bij zijn váder. Ik heb mijn kind achtergelaten bij zijn vader.'

'Maar op deze leeftijd heeft hij zijn moeder nodig.'

'Je bent alleen maar bang dat Blake niet goed voor hem kan zorgen. En dat is nu precies mijn punt.'

'Blake moet werken,' zei Phyllida. 'Hij kan moeilijk thuisblijven.'

'Hij zal nu wel moeten.'

Phyllida kwam geërgerd weer overeind en liep naar het raam. 'Madeleine,' zei ze, 'praat jij eens met je zuster.'

Als jongste dochter had Madeleine nog nooit in deze positie verkeerd. Ze wilde Alwyn niet vernederen. Toch had het iets bedwelmends om haar oordeel over haar te mogen uitspreken.

Alwyn had de zuignap van haar borst gehaald en depte de tepel met een prop wc-papier; haar gebogen hoofd bezorgde haar een onderkin.

'Vertel eens wat er de laatste tijd gebeurd is tussen jullie,' zei Madeleine zachtjes.

Alwyn keek verongelijkt op en veegde met een vrije hand haar manen uit haar gezicht. 'Ik ben mezelf niet meer!' riep ze. 'Ik ben "moeders". Bláke noemt me "moeders". Eerst zei hij het alleen als ik Richard vasthield, maar nu zegt hij het ook als we alleen zijn. Alsof ik nu meteen ook zíjn moeder ben. Het is gewoon heel raar allemaal. Voor ons trouwen verdeelden we alle huishoudelijke taken altijd. Maar Richard was nog niet geboren of Blake deed alsof het de normaalste zaak van de wereld was dat ik aldoor opdraaide voor de was en de boodschappen. Het enige wat hij doet is werken, de hele tijd. Hij maakt zich constant zorgen over geld. Hij doet thuis helemaal niets meer. En als ik zeg niets, bedoel ik ook niets. We hebben zelfs geen seks meer.' Ze gluurde even naar Phyllida. 'Sorry hoor, mam, maar Madeleine vroeg hoe het ging.' Ze keek Madeleine weer aan. 'Zo gaat het dus. Níet.'

Madeleine hoorde haar zus welwillend aan. Ze begreep dat de klaagzang van Alwyn het huwelijk en de mannen in het algemeen betrof. Maar ze geloofde – zoals iedereen die verliefd is – dat haar eigen relatie daarop een uitzondering vormde en immuun was voor dat soort problemen. Zodat het voornaamste gevolg van Alwyns woorden was dat Madeleine zich heimelijk intens gelukkig voelde.

'Wat ga je daarmee doen?' vroeg ze, wijzend op het flesje.

'Ik neem het mee terug naar Boston en dan laat ik het bij Blake bezorgen.'

'Dat is belachelijk, Ally.'

'Bedankt voor je begrip.'

'Sorry. Ik bedoel, het lijkt me dat Blake zich als een totale hork gedragen heeft. Maar ik ben het wel met mam eens. Je moet aan Richard denken.'

'Waarom is dat míjn verantwoordelijkheid?'

'Dat is toch overduidelijk?'

'Waarom? Omdat ik een kind heb gebaard? Omdat ik nu "huisvrouw" ben? Daar weet jij helemaal niets van. Je komt net van college.'

'O, betekent dat soms dat ik geen mening kan hebben?'

'Dat betekent dat je nog volwassen moet worden.'

'Ik denk eerder dat jij degene bent die weigert volwassen te worden,' zei Madeleine.

Alwyns ogen vernauwden zich. 'Waarom ben ik altijd meteen gekke Ally als ik iets doe? Gekke Ally vlucht naar een hotel. Gekke Ally laat haar kind in de steek. Ik ben altijd maar de gek en Maddy is altijd zo verstandig. Lekker is dat.'

'Ik ben hier anders niet degene die haar moedermelk laat bezorgen!'

Alwyn schonk haar een vreemde, wrede glimlach. 'Met jouw leven is zeker helemaal niets mis.'

'Dat zei ik niet.'

'In jouw leven is helemaal niets geks aan de hand.'

'Als ik ooit een kind krijg en ervandoor ga, mag je me gek noemen.'

Alwyn zei: 'En als je een relatie hebt met een gek?'

'Waar heb je het over?' vroeg Madeleine.

'Je weet best waar ik het over heb.'

'Ally,' zei Phyllida, zich naar hen omdraaiend, 'de toon die je tegen je zusje aanslaat, bevalt me niets. Ze probeert je alleen maar te helpen.'

'Misschien zou je haar eens moeten vragen naar de medicijnen in de badkamer.'

'Welke medicijnen?'

'Je weet best waar ik het over heb.'

'Heb je in mijn medicijnenkastje zitten neuzen?' vroeg Madeleine met overslaande stem.

'Het stond gewoon op het plankje boven de wastafel!'

'Je hebt lopen snuffelen!'

'Hou op,' zei Phyllida. 'Ally, wat het ook was, het zijn jouw zaken niet. En ik wil er geen woord meer over horen.'

'Nee, nou wordt-ie helemaal mooi!' riep Alwyn. 'Je komt hierheen om te kijken of Leonard een goede schoonzoon zou kunnen zijn, en als je een serieus probleem tegenkomt – bijvoorbeeld dat hij lithium slikt – wil je er niets van weten. Terwijl míjn huwelijk…'

'Je had niet op het etiket van dat potje mogen kijken.'

'Maar jíj stuurde me naar de badkamer!'

'Niet om door Maddy's spullen te snuffelen. Genoeg nu – jullie allebei.'

De rest van de middag brachten ze door in Provincetown. Ze gebruikten de lunch in een restaurant met visnetten aan de muur, vlak bij Whaler's Wharf. Op een bordje achter het raam stond dat het etablissement over een week zou sluiten. Na de lunch liepen ze met zijn drieën zwijgend door Commercial Street, waar ze de gebouwen bekeken en de souvenirwinkels en kantoorboekhandels binnengingen die nog open waren. Daarna liepen ze naar de pier om de vissersboten te bekijken. Plichtmatig werkten ze het hele programma van een normaal bezoek af (ook al keurden Madeleine en Alwyn elkaar nog nauwelijks een blik waardig), want ze waren Hanna's en zo diende een Hanna zich te gedragen. Phyllida stond er zelfs op om nog ergens een *plombière* te gaan eten, wat niets voor haar was. Om vier uur zaten ze allemaal weer in de auto. Onderweg naar het vliegveld drukte Madeleine het gaspedaal in alsof ze een insect plette, en Phyllida moest haar vragen om wat langzamer aan te doen.

Toen ze aankwamen, stond het vliegtuig naar Boston al met draaiende propellers op de landingsbaan. Gelukkiger families die afscheid namen, omhelsden elkaar en zwaaiden elkaar uit. Alwyn ging zonder afscheid van Madeleine te nemen in de rij staan en knoopte snel een gesprek aan met een medereiziger om te laten zien hoe vriendelijk en aardig anderen haar vonden.

Phyllida zei pas weer iets toen ze bijna door de gate moest.

'Ik hoop dat de wind is gaan liggen, er was nogal wat turbulentie op de heenweg.'

'Het lijkt rustiger,' zei Madeleine met een blik op de lucht.

'Bedank Leonard nog eens namens ons. Het was echt heel aardig van hem om tijd voor ons te maken.'

'Dat zal ik doen.'

'Tot ziens, lieverd,' zei Phyllida, waarna ze de landingsbaan overstak en de trap van het pendelvliegtuig besteeg.

Vanuit het westen kwamen wolken opzetten toen Madeleine terugreed naar Pilgrim Lake. De zon was al aan het zakken, de schuine stralen zetten de duinen in een geelbruine gloed. Cape Cod was een van de weinige plekken aan de oostkust waar je de zon kon zien ondergaan. Meeuwen stortten zich loodrecht op het water alsof ze hun schedeltjes wilden kraken.

Thuis ging ze op bed liggen en staarde naar het plafond. Na een tijdje liep ze naar de keuken om theewater op te zetten, maar uiteindelijk zette ze geen thee en at een halve reep chocola. Ten slotte nam ze een lange douche. Ze kwam er net onder vandaan toen ze Leonard thuis hoorde komen.

Ze wikkelde een handdoek om zich heen en ging hem tegemoet, sloeg haar armen om zijn nek. 'Dankjewel,' zei ze.

'Waarvoor?'

'Dat je tijd voor mijn familie hebt gemaakt. Dat je zo aardig was.'

Ze wist niet zeker of Leonards t-shirt zo vochtig was of dat zij het zelf was. Ze draaide hem haar gezicht toe, vragend om een zoen. Hij leek haar niet te willen kussen, dus ging ze op haar tenen staan en begon er zelf mee. Ze negeerde de licht metalige smaak en stak een hand onder zijn t-shirt. Ze liet de handdoek op de grond glijden.

'Oké, oké,' zei hij. 'Is dit mijn beloning omdat ik me zo goed gedragen heb?'

'Hoe raad je het,' zei ze.

Hij duwde haar nogal onhandig achteruit de slaapkamer in, liet haar op het bed zakken en begon zich uit te kleden. Madeleine lag in stille afwachting op haar rug. Toen hij boven op haar klom reageerde ze door hem te kussen en zijn rug te strelen. Ze bracht haar arm naar beneden en legde haar hand op zijn penis. Door de verrassende stijfheid, voor het eerst sinds maanden, leek hij twee keer zo groot als in haar herinnering. Ze had zich niet gerealiseerd hoezeer ze dat gemist had. Leonard ging op zijn knieën zitten en zoog elk detail van haar lichaam in zich op. Steunend op één arm pakte hij zijn pik beet en draaide hem rond, stopte hem er bijna in, maar net niet helemaal. Eén waanzinnig ogenblik overwoog ze hem zijn gang te laten gaan. Ze wilde het moment niet verpesten. Ze wilde zich overgeven aan het gevaar om hem te laten zien hoeveel ze van hem hield. Ze kromde haar rug en leidde hem naar binnen. Maar toen hij dieper in haar binnendrong, bedacht ze zich en zei: 'Wacht even.'

Ze deed het zo snel mogelijk. Ze gooide haar benen over de rand van het bed, opende het laatje van het nachtkastje en haalde het doosje met haar pessarium eruit. Ze verwijderde het naar rubber ruikende schijfje. De tube zaaddodende pasta was helemaal opgefrommeld. In haar haast kneep ze er te veel uit en er druppelde wat op haar dij. Ze deed haar knieën uit elkaar, kneep het geval tot een achtje en bracht het diep bij zichzelf in, tot ze het open voelde springen. Ze veegde haar hand af aan het laken en rolde weer naar Leonard toe.

Toen hij haar zoende, proefde ze die zure, metalige smaak weer, sterker dan ooit. Teleurgesteld besefte ze dat ze niet langer opgewonden was. Maar dat was niet van belang. Van belang was dat ze deze daad tot een goed einde zouden brengen. Met deze gedachte in haar hoofd bracht ze haar hand naar beneden om hem een beetje te helpen, maar hij was niet stijf meer. Ze bleef hem kussen alsof ze niets had gemerkt. Wanhopig stortte ze zich op zijn mond, deed alsof ze opgewonden was om hem op zijn beurt weer op te winden, maar na een halve minuut wendde hij zich van haar af. Hij rolde log op zijn zij, met zijn rug naar haar toe, en zweeg.

Een koude stilte daalde neer. Voor de eerste keer speet het haar dat ze Leonard had ontmoet. Hij was beschadigd en zij niet, en daar kon ze niets aan doen. De wreedheid van die gedachte smaakte rijk en zoet en ze gaf zich er nog een volle minuut aan over.

Maar toen ebde ook dat gevoel weer weg en kreeg ze medelijden met hem en voelde ze zich schuldig dat ze zo egoïstisch was geweest. Ze stak haar hand uit en streelde zijn rug. Hij huilde en zij probeerde hem te troosten, fluisterde de benodigde woordjes, kuste zijn gezicht en zei dat ze van hem hield, heel veel van hem hield, en dat alles goed zou komen.

Ze krulde zich naast hem op; beiden alleen met hun eigen gedachten.

En daarna waren ze blijkbaar in slaap gevallen, want toen ze wakker werd was het donker. Ze stond op en kleedde zich aan. Ze schoot in haar duffel en liep vanuit het huis het strand op.

Het was net tien uur geweest. In de eetzaal en de bar brandden alle lichten nog. Recht voor haar verlichtte een klein maantje de wolkenflarden die met grote vaart over de donkere baai trokken. Er stond een harde wind. Het leek wel alsof hij het op haar persoonlijk voorzien had, zoals hij haar in het gezicht woei. Hij was de hele wereld over gewaaid om haar een boodschap te brengen.

Ze probeerde zich te herinneren wat de dokter in het Province Hospital had gezegd, die ene keer dat ze haar had gesproken. Het duurt vaak even voordat de juiste dosering gevonden is, had ze gezegd. In het begin waren de bijwerkingen vaak het ergst. Gezien het feit dat Leonard in het verleden goed op lithium had gereageerd, was er geen enkele reden om aan te nemen dat hij dat in de toekomst niet weer zou doen. Het was slechts een kwestie van het opnieuw afstemmen van de dosering. De meeste manisch-depressieve patiënten waren in staat om een lang en productief leven te leiden.

Ze hoopte dat het allemaal waar was. Door haar relatie met Leonard voelde Madeleine zich bijzonder. Het was alsof haar bloed altijd kleurloos door haar aderen was gestroomd en pas sinds ze hem had leren kennen zuurstofrijk en rood was geworden.

Ze was doodsbang om weer in die halve dode van vroeger te veranderen.

Terwijl ze over de zwarte golven stond uit te kijken, hoorde ze iets naderen. Een zacht ploffen dat over het zand haar richting uit kwam. Ze draaide zich om en zag laag boven de grond iets zwarts voorbijschieten. Het volgende moment herkende ze de poedel van Diane MacGregor. Met open bek en wapperende tong, het lichaam gestrekt en strak als een pijl, vloog het dier over het strand.

Even later verscheen MacGregor zelf.

'Uw hond liet me schrikken,' zei Madeleine. 'Ik dacht dat ik een paard hoorde galopperen.'

'Ik begrijp precies wat u bedoelt,' zei MacGregor.

Ze had dezelfde regenjas aan als op de persconferentie van twee weken geleden. Haar grijze haar hing slap aan weerskanten van haar intelligente, gerimpelde gezicht.

'Welke kant ging ze op?' vroeg ze.

'Die kant op,' wees Madeleine.

MacGregor tuurde met samengeknepen ogen het donker in.

Ze stonden samen op het strand zonder iets te hoeven zeggen. Na een tijdje verbrak Madeleine de stilte. 'Wanneer gaat u naar Zweden?'

'Wat? O, in december.' Het leek MacGregor niet bijster te interesseren. 'Ik begrijp niet waarom de Zweden iemand uitnodigen om in december naar Zweden te komen.'

'In de zomer zou prettiger zijn.'

'In december is het daar bijna continu donker! Ik neem aan dat ze daarom die prijzen hebben verzonnen. Om 's winters iets te doen te hebben.'

Ineens sjeesde de hond weer voorbij en liet het zand opstuiven.

'Ik weet niet waarom ik er zo gelukkig van word mijn hond te zien rennen,' zei MacGregor. 'Het is alsof ik zelf gedeeltelijk mee ren.' Ze schudde haar hoofd. 'Zover is het met me gekomen. Plaatsvervangende ervaring door middel van mijn poedel.'

'Er zijn ergere dingen.'

Nadat ze nog een paar keer voorbij was gerend, keerde de poedel terug en bleef voor haar baasje rondspringen. Toen het dier Madeleine in de gaten kreeg, liep het naar haar toe om haar te besnuffelen en wreef haar kop langs haar benen.

'Ze is niet erg aan me gehecht,' zei MacGregor die neutraal toekeek. 'Ze loopt met iedereen mee. Als ik dood zou gaan, zou ze me binnen een seconde vergeten zijn. Ja, hè?' zei ze en ze krauwde de poedel, die weer naar haar toe was gelopen, krachtig onder de kin. 'Ja, je zou me onmiddellijk vergeten. Ja.'

*

Nadat ze uit Parijs waren vertrokken en van Frankrijk naar Ierland waren gereisd en daarna weer naar het zuiden, helemaal door Andalusië en zelfs in Marokko waren geweest, begon Mitchell zodra de kans zich voordeed stiekem kerken te bezoeken. Dit was Europa en overal waren kerken, zowel indrukwekkende kathedralen als stille kapelletjes, allemaal nog steeds in gebruik (hoewel meestal leeg), en allemaal vrij toegankelijk voor een rondreizende pelgrim, zelfs zo een als Mitchell, die niet zeker wist of hij er wel een was. Hij ging die donkere bijgelovige ruimtes binnen en staarde naar vervaagde fresco's of primitieve, bloederige schilderijen van Jezus. Hij tuurde in stoffige reliekkruiken met het gebeente van een of andere heilige erin. Ontroerd en plechtig brandde hij een kaarsje, altijd met dezelfde ongepaste wens: dat ooit, op een dag, Madeleine zijn vrouw zou zijn. Hij geloofde niet dat die kaarsen werkten. Hij was tegen smeekbedes. Maar hij knapte ervan op als hij een kaarsje brandde voor Madeleine en in de vredige stilte van een Spaans kerkje even aan haar dacht terwijl buiten de zee van het geloof zich terugtrok 'naar eindeloos sombere wereldeinders, naar naakte kiezelstranden'.

Mitchell was zich volledig bewust van zijn vreemde gedrag. Maar het maakte niets uit omdat er niemand in de buurt was om het op te merken. In de geur van kaarsvet zat hij zo stil mogelijk met zijn ogen dicht in harde kerkbanken en stelde zich open voor ieder mogelijk opperwezen dat in hem geïnteresseerd zou kunnen zijn. Misschien was er wel niets. Maar hoe kon je daar ooit achter komen als je geen signaal uitzond? Dat is wat Mitchell deed: hij zond een signaal uit naar het hoofdkantoor.

In de treinen, bussen en boten die hen naar al die plaatsen brachten, las hij één voor één de boeken uit zijn rugzak. De geest van Thomas à Kempis, de schrijver van *De Imitatione Christi*, was moeilijk te volgen. Bepaalde gedeeltes van *Confessiones* van Augustinus, vooral de informatie over zijn hedonistische jeugd en zijn Afrikaanse vrouw, waren hoogst verrassend. Maar *De innerlijke burcht* van Theresia van Ávila bleek ontzettend boeiend te zijn. Mitchell verslond het tijdens de nachtelijke bootreis van Le Havre naar Rosslare. Vanaf het Gare St. Lazare waren ze naar Normandië gegaan om het restaurant te bezoeken waar Larry in zijn middelbareschooltijd gewerkt had. Na een gigantische lunch met de familie van de eigenaar hadden ze de nacht bij hen thuis doorgebracht en waren de volgende dag verder gereisd naar Le Havre voor de oversteek. Er stond een zware zee. De passagiers haalden door aan de bar of probeerden te slapen op de vloer van het open dekhuis. Mitchell en Larry waren benedendeks op onderzoek uit gegaan en hadden zich toegang verschaft tot een lege officiershut met een bubbelbad en bedden, en te midden van die ongewettigde luxe had Mitchell over de zielsreis naar een mystieke eenheid met God gelezen. In *De innerlijke burcht* beschreef de heilige Theresia een visioen dat ze had gehad aangaande de ziel. 'Wij kunnen namelijk onze ziel beschouwen als een burcht bestaande uit één enkele diamant of zeer helder kristal. Daarin zijn veel zalen zoals er ook in de hemel veel woningen zijn.' In het begin lag de ziel in het duister buiten de muren van de burcht, gekweld door de giftige slangen en stekende insecten van zijn zonden. Door de kracht van de genade wisten sommige zielen echter uit dit moeras te kruipen en aan de poorten van de burcht te kloppen. 'Eindelijk komen ze dan in de eerste verblijven, die van beneden. Maar al het ongedierte dat met hen mee binnendringt, belet hun van de schoonheid van de burcht te genieten en tot rust te komen. Toch deden ze reeds veel met binnen te gaan.' De hele nacht, terwijl de veerboot stampte en slingerde en Larry lag te slapen, las Mitchell over de voortgang van de ziel door de andere zes kamers, waarbij deze zich liet verheffen door stichtelijke preken en zich verootmoedigde door boetedoening en vasten, door het geven van aalmoezen, door meditatie, gebed en periodes van retraite, door het afwerpen van oude gewoontes en door zich te vervolmaken, totdat ze zich mocht verenigen met de Bruidegom. 'Wanneer de Heer zich wil ontfermen over deze ziel die geleden heeft en nog lijdt van verlangen, die hij reeds geestelijk als bruid tot zich nam, brengt Hij haar voordat het geestelijk huwelijk voltrokken wordt, in zijn verblijf, het Zevende. Evenals Hij een verblijf heeft in de hemel, moet Hij ook in de ziel een woning vinden waar Zijne Majesteit alleen vertoeft. We mogen het een andere hemel noemen.' Wat Mitchell zo aansprak in het boek was niet zozeer die beeldspraak, die leek te zijn geënt op het Hooglied, maar juist het praktische ervan. Het was een uiterst nauwkeurig geschreven handleiding voor een spiritueel leven. Over mystieke eenwording zei ze bijvoorbeeld het volgende: 'Bij dit alles zult ge denken dat ze wel buiten zichzelf moet zijn, zo in beslag genomen dat ze nergens meer weet van heeft. In feite is ze meer dan voorheen bedacht op alles wat de dienst van God betreft.' Of, even verderop: 'Deze tegenwoordigheid waarin ze leeft openbaart zich niet altijd zo ten volle, ik bedoel zo volkomen en helder, als de eerste keer – en soms ook latere malen – waarop God haar deze gunst wou schenken. Indien het zo was, zou het onmogelijk zijn zich bezig te houden met wat dan ook, of zelfs met mensen om te gaan.' Dat klonk authentiek. Dat klonk als iets wat de heilige Theresa, voordat ze het vijfhonderd jaar geleden opschreef, zelf ervaren had, net zo werkelijk als de tuin die ze zag als ze vanuit haar kloosterraam in Ávila naar buiten keek. Er was een groot verschil tussen iemand die van alles uit zijn duim zoog en iemand die beeldspraak gebruikte om een onbenoembare maar werkelijke ervaring te beschrijven. Vlak na zonsopgang ging Mitchell aan dek. Hij was licht in zijn hoofd door slaapgebrek en het duizelde hem door het boek. Uitkijkend over de grijze oceaan en de mistige Ierse kust vroeg hij zich af in welke kamer zijn ziel zich bevond.

Ze brachten twee dagen door in Dublin. Mitchell sleepte Larry mee langs de gedenkplaatsen van Joyce; Eccles Street en de Martellotoren. En Larry nam Mitchell mee naar een voorstelling van Jerzy Grotovski's 'sobere theater'. De volgende dag liftten ze naar het westen. Mitchell probeerde interesse op te brengen voor Ierland, vooral voor County Cork, waar zijn familie van moederskant vandaan kwam. Maar het regende voortdurend, de velden waren in mist gehuld en ondertussen was hij aan Tolstoj begonnen. Sommige boeken waren zo waar dat ze je dwars door het kabaal van het leven heen bij de strot grepen. *Mijn biecht* was zo'n boek. Op een gegeven moment haalt Tolstoj een Russische fabel aan over een man die op de vlucht voor een monster in een put springt. Maar tijdens zijn val blijkt er een draak op de bodem te zitten, klaar om hem te verslinden. Op dat moment ziet hij een tak uit de wand steken, grijpt hem vast en blijft hangen. Hierdoor valt hij niet in de opengesperde muil van de draak en blijft hij buiten bereik van de klauwen van het monster boven hem, maar dan doet zich het volgende probleem voor. Twee muizen, een zwarte en een witte, trippelen steeds maar over de tak heen en weer, en knabbelen eraan. Het is slechts een kwestie van tijd voor ze hem zullen hebben doorgeknaagd, waardoor de man alsnog naar beneden zal vallen. Terwijl hij zijn onontkoombare lot overdenkt, ziet hij nog iets:

van het eind van de tak waaraan hij zich vastklampt druppelt honing. Hij steekt zijn tong uit om het op te likken. Dit, zegt Tolstoj, verbeeldt de menselijke conditie: wij zijn de man aan de tak. De dood wacht ons. Er is geen ontkomen aan. En dus proberen we onszelf af te leiden door elke druppel honing op te likken waar we maar bij kunnen.

Het meeste van wat Mitchell op college had gelezen had hem geen Wijsheid met een grote W bijgebracht. Maar deze Russische fabel wel. Het gold voor de mensheid in het algemeen en voor Mitchell in het bijzonder. Wat deden hij en zijn vrienden nou eigenlijk anders dan aan een tak hangen en hun tong uitsteken om de zoetigheid op te vangen? Hij dacht aan de mensen die hij kende, met hun voortreffelijke jonge lichamen, hun zomerhuizen, hun coole kleren, hun eersteklas drugs, hun progressiviteit, hun orgasmen, hun kapsels. Alles wat ze deden was óf op zich al een genieting, óf bedoeld om later genot op te leveren. Zelfs zijn 'politiek geëngageerde' kennissen die tegen de oorlog in El Salvador protesteerden, deden dat voornamelijk om zich in een gunstig actievoerderslicht te kunnen baden. En de kunstenaars waren het ergst van allemaal; de schilders en de schrijvers, omdat ze geloofden dat ze voor de kunst leefden, terwijl ze in werkelijkheid alleen maar hun eigen narcisme voedden. Mitchell had zich altijd laten voorstaan op zijn discipline. Hij studeerde harder dan iedereen die hij kende. Maar dat was alleen maar zijn manier om zijn greep op de tak niet te laten verslappen.

Hoe Larry over Mitchells leeslijst dacht bleef onduidelijk. Zijn reactie beperkte zich meestal tot het lichtjes optrekken van een van zijn keurig verzorgde bruine wenkbrauwen. Als voormalige leden van de collegekunstscene waren ze allebei wel gewend aan mensen die ineens een radicale transformatie ondergingen. Moss Runk (een meisje) was op Brown gekomen als een frisse veldloopster met appelwangetjes. Toen ze in het derde jaar zat, weigerde ze nog langer seksespecifieke kleding te dragen. In plaats daarvan hulde ze zich in vormeloze zelfgemaakte gewaden van dik grijs vilt, die er erg warm uitzagen. In het geval van Mitchell en Larry reageerde je op iemand als Moss Runk door te doen alsof het je helemaal niet opviel. Wanneer Moss in de Blue Room naar je toe kwam, op die typische bijna zwevende manier van haar door de lengte van haar gewaad, dan schoof je gewoon een stukje op om plaats voor haar te maken. Als iemand vroeg wat ze nou eigenlijk precies was, dan zei je: 'Dat is Moss!' Ondanks haar rare kleren was Moss Runk nog steeds hetzelfde vrolijke meisje uit Idoha als altijd. Andere mensen vonden haar misschien maf, maar Mitchell en Larry niet. Het hoe en waarom van deze drastische kledingkeuze was iets waar Mitchell en Larry haar nooit naar vroegen. Hun stilte was een teken van solidariteit met Moss, en tegen alle conformistische economiestudenten en toekomstige techneutjes met hun bodywarmers en Adidas-gympen, die in de laatste periode van totale vrijheid in hun leven helemaal niets deden wat ook maar enigszins van de gebaande paden afweek. Mitchell en Larry wisten dat Moss die androgyne outfits niet haar hele leven zou kunnen dragen. (Wat ook leuk was aan Moss was dat ze rectrix van een middelbare school wilde worden.) Er zou een dag komen waarop Moss, om een baan te kunnen krijgen, haar grijze vilt in de kast zou moeten laten hangen en een rok of een mantelpak zou moeten aantrekken. Die dag wilden Mitchell en Larry niet meemaken.

Larry reageerde op dezelfde manier op Mitchells interesse in de christelijke mystiek. Hij nam er notie van. Hij liet merken dat hij er notie van had genomen. Maar hij zei er niets over, althans voorlopig.

Bovendien onderging Larry onderweg zijn eigen transformaties. Hij kocht een paarse zijden sjaal. Dat roken, waarvan Mitchell had gedacht dat het een tijdelijke gril zou zijn, werd een gewoonte. In het begin kocht Larry af en toe een losse sigaret, wat blijkbaar kon, maar al snel kocht hij hele pakjes Gauloises bleues. Vreemdelingen begonnen sigaretten van hem te bietsen; magere, zigeunerachtige jongens, die op Europese wijze hun armen om Larry's schouders sloegen. Mitchell voelde zich net Larry's begeleider als hij weer eens zat te wachten tot zo'n gesprekje afgelopen was.

Daarbij leek hij niet bepaald last van een gebroken hart te hebben. Er was een moment geweest, op de veerboot naar Rosslare, dat hij kregelig aan dek was gegaan om een sigaret te roken. Mitchell had aangenomen dat hij aan Claire dacht. Maar hij gooide zijn peuk overboord, de rook vervloog, en dat was dat.

Van Ierland keerden ze terug naar Parijs, waar ze de nachttrein naar Barcelona namen. Het weer was bijna zacht te noemen. Op de Ramblas werden wilde dieren te koop aangeboden, wijs ogende makaken en veelkleurige papegaaien. Ze reisden verder naar het zuiden en sliepen een nacht in Jerez en een nacht in Ronda, waarna ze drie dagen in Sevilla bleven. Toen ze zich realiseerden hoe dicht ze bij Noord-Afrika waren, besloten ze door te reizen naar Algeciras en daar de boot naar Tanger te nemen. De eerste paar dagen in Marokko slaagden ze er niet in om aan hasj te komen. Hun reisgids vermeldde een bar in Tétouan waar je makkelijk aan hasj zou moeten kunnen komen, maar onder aan dezelfde bladzijde stond ook een waarschuwing waarin de Marokkaanse gevangenissen werden vergeleken met de Turkse gevangenis uit *Midnight Express*. Uiteindelijk kwamen ze in het bergdorpje Chaouen in de lobby van hun hotel twee Denen tegen die een klomp hasj zo groot als een softbal voor zich op tafel hadden liggen. Er volgden een paar geweldig stonede dagen. Ze dwaalden door de nauwe kronkelstraatjes, luisterden naar de emotionele oproepen van de muezzin en dronken glaasjes lichtgroene muntthee op het dorpsplein. Heel Chaouen was lichtblauw geschilderd, zodat het één geheel vormde met de lucht. Zelfs de vliegen konden het niet vinden.

In Marokko kwamen ze erachter dat hun rugzakken een vergissing waren. Reizigers met kampeerspullen waren bepaald niet de coolste gasten die ze tegen-kwamen. Dat waren degenen die net uit Ladakh kwamen met niet meer dan een boodschappentas bij zich. Een rugzak was onhandig. Je was meteen een toerist. Zelfs al was je geen dikke waggelende Amerikaan, met een rugzak om werd je er vanzelf een. Mitchell kwam voortdurend vast te zitten als hij een treincoupé bin-nenging en moest dan wild met zijn armen maaien om zich los te wringen. Maar het was onmogelijk om hun rugzakken ergens achter te laten, want toen ze in ok-tober terugkwamen in Europa begon het al kouder te worden. Van de warmte van Zuid-Frankrijk ging het naar het herfstige Lausanne en het frisse Luzern. Ze diepten hun truien op.

In Zwitserland kwam Mitchell op het idee om met de MasterCard wat spul-len te kopen die zijn ouders op stang zouden jagen als ze de afschriften zouden ontvangen. In de loop van drie weken gaf hij de volgende bedragen uit: 65 Zwit-serse franc ($ 29,57) voor een Tiroolse pijp en tabak bij Totentanz: Cigarren und Pfeifen; 72 Zwitserse franc ($ 32,75) voor een maaltijd in een restaurant in Zü-rich met de naam Das Bordell; 234 Oostenrijkse schilling ($ 13) voor een Engelse editie van Charles Colsons autobiografie *Born Again*; en 62.500 lire ($ 43,54) voor een abonnement op een communistisch tijdschrift uit Bologna, dat maan-delijks naar de familie Grammaticus in Detroit moest worden gestuurd.

Op een bewolkte namiddag aan het eind van oktober kwamen ze in Venetië aan. Omdat ze zich geen gondel konden veroorloven, dwaalden ze de eerste paar uur over bruggen en trappen die, als in een Escher-tekening, allemaal leken uit te komen op hetzelfde plein, met dezelfde klaterende fontein en dezelfde twee oude mannetjes. Nadat ze een goedkoop pension hadden gevonden, gingen ze eropuit om het San Marcoplein te bezichtigen. In het schaars verlichte museum in het Dogepaleis bleef Mitchell gebiologeerd naar een mysterieus voorwerp in een vitrine staan kijken. Het was gemaakt van zwaar verroeste metalen schakels en bestond uit een ronde gordel waaraan een andere gordel neerhing. Op het in-formatiebordje stond: CINTURA DI CASTITA.

'Die kuisheidsgordel was echt het weerzinwekkendste apparaat dat ik ooit ge-zien heb,' zei Mitchell later, toen ze in een goedkoop eethuisje zaten te eten.

'Daarom noemen ze het ook de duistere Middeleeuwen,' zei Larry.

'Ja, maar dit sloeg alles.' Hij boog zich voorover en liet zijn stem zakken.

'Er zaten twee openingen in. Een aan de voorkant voor de vagina en een aan de achterkant voor de anus. Met stalen zaagtanden. Als je met zo'n ding om moest schijten, kwam je drol eruit als door een slagroomspuit.'

'Bedankt voor je plastische beschrijving,' zei Larry.

'Stel je voor dat je maandenlang zo'n geval moet dragen. Of jarenlang! Hoe houd je zoiets schoon?'

'Nou ja, je zou dan natuurlijk wel de koningin zijn,' zei Larry. 'Je zou iemand hebben om het voor je schoon te maken.'

'Een kamenier.'

'Een van de kleine voordeeltjes.'

Ze vulden hun glazen bij. Larry was in een goede bui. Het was verbijsterend hoe snel hij over de breuk met Claire heen was gekomen. Misschien vond hij haar eigenlijk toch niet zo leuk. Misschien had hij wel net zo'n hekel aan haar als Mitchell. Het feit dat Larry binnen een paar weken over Claire heen was, terwijl Mitchell nog altijd een gebroken hart had vanwege Madeleine – met wie hij nota bene niet eens een relatie had gehad – kon twee dingen betekenen: ofwel zijn liefde voor Madeleine was puur en waarachtig en van een wereldschokkende significantie, ofwel hij was verslaafd aan de wanhoop en vond het gewoon lekker om liefdesverdriet te hebben, en de 'gevoelens' die hij voor Madeleine koesterde – nog enigszins versterkt door de rijkelijk vloeiende chianti – waren alleen maar een verwrongen vorm van eigenliefde. Met andere woorden: allesbehalve liefde.

'Mis je Claire niet?' vroeg Mitchell.

'Jawel.'

'Daar lijkt het anders niet op.'

Larry liet die opmerking op zich inwerken terwijl hij Mitchell recht aankeek, maar hij zei niets.

'Was ze goed in bed?'

'Tut tut, Mitchell,' zei Larry licht verwijtend.

'Kom op. Hoe was ze?'

'Ze was wild, ongelooflijk wild.'

'Vertel.'

Larry nam een slok wijn en dacht even na. 'Ze maakte er werk van. Ze was zo'n meisje dat zegt: "Oké, ga maar op je rug liggen."'

'En dan zoog ze je af?'

'Eh, ja.'

'"Ga maar op je rug liggen." Net als bij de dokter.'

Larry knikte.

'Dat klinkt behoorlijk goed.'

'Zo geweldig was het nou ook weer niet.'

Dat was meer dan Mitchell verdragen kon. 'Wat nou weer?' riep hij. 'Wat klaag je nou?'

'Ik geilde er gewoon niet zo op.'

Mitchell schoof een eind van de tafel vandaan, alsof hij afstand wilde nemen van een dergelijke hemeltergende blasfemie. Hij slurpte zijn glas leeg en bestelde er nog een.

'Dat gaat ons budget te boven,' waarschuwde Larry.

'Kan me niet schelen.'

Larry bestelde ook nog een glas.

Ze bleven wijn drinken tot de eigenaar kwam zeggen dat hij wilde sluiten. Nadat ze terug naar hun hotel waren gewaggeld, vielen ze samen in het grote tweepersoonsbed. Op een gegeven moment rolde Larry in zijn slaap boven op Mitchell, of misschien dat Mitchell het droomde. Hij had een erectie. Hij dacht dat hij moest overgeven. In zijn droom was iemand hem aan het pijpen, of het was Larry, en hij werd half wakker en hoorde Larry zeggen: 'Jezus, wat stink jij', maar zonder hem weg te duwen of zo. Toen ging hij weer onder zeil en de volgende ochtend deden ze allebei alsof er niets was gebeurd. Misschien was dat ook wel zo.

Eind november kwamen ze in Griekenland aan. Ze waren van Brindisi met een naar diesel stinkende veerboot naar Piraeus gevaren en hadden een kamer gevonden in een hotel niet ver van het Syntagmaplein. Toen hij vanaf het balkon van zijn hotelkamer over de stad stond uit te kijken, kreeg Mitchell een openbaring. Griekenland hoorde niet bij Europa. Het was het Midden-Oosten. Grijze flats met platte daken, zoals het gebouw waarin hij zich bevond, strekten zich uit tot aan de heiige horizon. Stalen steunbalken staken uit de daken en gevels, waardoor het leek alsof de gebouwen hun stekels hadden opgezet om zich tegen de bijtende atmosfeer te beschermen. Het zou net zo goed Beiroet kunnen zijn. De dikke smog werd dagelijks met traangas vermengd tijdens veldslagen tussen de politie en demonstranten. Er waren voortdurend demonstraties: tegen de regering, tegen CIA-bemoeienis, tegen het kapitalisme, tegen de NAVO en voor de teruggaven van de Elgin Marbles. Griekenland, de bakermat van de democratie, de voet dwars gezet door de vrije meningsuiting. In de koffiehuizen had iedereen een duidelijke mening, maar niemand kreeg iets gedaan.

Een paar van top tot teen in het zwart gehulde oude vrouwtjes deden Mitchell aan zijn grootmoeder denken. Hij herkende de zoetigheden en de pasteitjes, de klank van de taal. Maar de meeste mensen kwamen hem vreemd voor. De mannen waren over het algemeen een kop kleiner dan hij. Mitchell voelde zich net een Zweed, zoals hij boven hen uit torende. Hier en daar zag hij bekende gelaatstrekken, maar daar hield het ook mee op. Tussen de anarchisten en geeltandige dichters in de bar tegenover zijn hotel, de taxichauffeurs met hun gorillanekken die hem rondreden, de orthodoxe priesters die hij op straat en in de rokerige kerken zag, voelde hij zich Amerikaanser dan ooit.

Overal waar ze aten was het eten lauw. *Moussaka* en *pastitsio*, lamsvlees en rijst, gebakken aardappelen en *okra* in tomatensaus: alles werd een paar graden boven kamertemperatuur gehouden op schalen in open keukens. Larry stapte over op gegrilde vis, maar Mitchell bleef trouw aan de gerechten van zijn grootmoeder die hij zich uit zijn jeugd herinnerde. Hij bleef maar hopen op een lekker warm bord moussaka, maar na zijn vierde portie in drie dagen besefte hij dat de Grieken hun eten graag lauw hadden. Tegelijk met dit inzicht, alsof zijn vroegere onwetendheid hem had beschermd, begon zijn maag voor het eerst op te spelen. Hij spoedde zich terug naar zijn hotelkamer en bracht de volgende drie uur door op een merkwaardig lage pot, met de *I Kathimerini* van die dag. Er stonden foto's in van premier Papandreou, een demonstratie bij de universiteit van Athene, politieagenten die traangas afschoten en een ongelooflijk gerimpelde vrouw die volgens het onderschrift Melina Mercouri moest zijn, al leek dat hem onmogelijk. Het Griekse alfabet was het laatste wat hem de das omdeed. Op zijn twaalfde had hij als het oogappeltje van zijn oma aan haar voeten gezeten om het Griekse alfabet te leren. Maar hij was nooit verder gekomen dan sigma en nu was hij behalve α en Ω alles vergeten.

Na drie dagen Athene besloten ze met de bus de Peloponnesos in te trekken. Voordat ze afreisden gingen ze langs bij de vestiging van American Express om een paar cheques te wisselen. Maar eerst vroeg Mitchell bij de algemene inlichtingenbalie of er ook post voor hem was. De vrouw overhandigde hem twee enveloppen. Hij herkende het krullerige schuine handschrift van zijn moeder op de eerste envelop. Maar het was de tweede envelop die zijn hart deed opspringen. Zijn naam en het 'p/a American Express' waren op de envelop getypt met een schrijfmachine die aan een nieuw lint toe was. De a's en de s van zijn achternaam waren zo goed als onzichtbaar. Hij draaide hem om en las het adres van de afzender: M. Hanna, Pilgrim Lake Laboratory, Starbuck #12, Provincetown, MA 02657.

Snel, alsof de inhoud godslasterlijk was, stak hij hem in zijn achterzak. In de rij voor het kasloket opende hij de brief van Lillian.

Lieve Mitchell,

Sinds we die flat in Vero Beach hebben gekocht zijn je vader en ik echte 'sneeuwvogels', maar dit jaar kunnen we die titel pas echt met recht dragen. Afgelopen dinsdag zijn we met 'Herbie' helemaal van Detroit naar Fort Myers gevlogen. Dat was een hele belevenis, om in je eigen privévliegtuig te vliegen, en de hele reis duurde maar zes uur. (Ik weet nog dat we er met de auto wel vierentwintig uur over deden!) Het was prachtig om het land in de diepte onder je door te zien glijden. Je vliegt lang niet zo hoog als een echte lijnvlucht, dus je kunt het terrein echt zien, de rivieren die alle kanten op meanderen en de akkers natuurlijk, die me deden denken aan een van oma's lapjesdekens. Al kan ik niet zeggen dat de reis erg bevorderlijk voor de conversatie was. Je hoort nauwelijks iets boven de motor uit en je vader had bijna de hele tijd zijn koptelefoon op om contact met 'de grond' te houden, dus had ik alleen Kerbi, die bij me op schoot lag, om mee te praten. (Het valt me ineens op dat Kerbi rijmt op Herbie.)

Je vader wees me onderweg waar we waren. We vlogen recht over Atlanta, en over een paar enorme moerassen, wat ik eigenlijk wel een beetje eng vond. Als je daar zou moeten landen, zat je midden tussen de slangen en de alligators.

Zoals je wel gemerkt zult hebben, was je moeder niet bepaald een 'modelcopiloot'. Dean zei steeds dat ik me geen zorgen hoefde maken en dat hij alles onder controle had. Maar de vlucht was zo onrustig dat ik niet eens een boek kon lezen. Ik kon alleen maar uit het raampje kijken en op den duur gaat zelfs ons ouwe trouwe Amerika wel een beetje vervelen. Maar we zijn hier uiteindelijk heelhuids aangekomen en we zitten nu in Vero, waar het, zoals gewoonlijk, veel te warm is. Winston komt op eerste kerstdag vanuit Miami hierheen (hij heeft een of andere opnamesessie op kerstavond en kan dus niet eerder). Nick en Sally komen met kleine Nicky morgenavond al. Dean en ik zijn van plan om ze op te halen van het vliegveld en ze mee te nemen naar een heel leuk restaurant dat we ontdekt hebben in Fort Pierce, maar een klein stukje van de AIA, aan het water.

Het zal vreemd zijn om dit jaar kerst te moeten vieren zonder onze benjamin. Je vader en ik zijn heel blij voor jou en Larry dat jullie deze kans hebben om iets van de wereld te zien. Dat hebben jullie na al dat harde werk op college ook wel verdiend. Ik denk elke dag aan je en dan probeer ik me voor te stellen waar je bent en wat je doet. Normaal weet ik waar je woont en waar je slaapt. Zelfs toen je op college zat, wisten we meestal wel hoe je kamer eruitzag, dus was het niet moeilijk om me voor te stellen hoe je erbij zat. Maar nu weet ik het grootste deel van de tijd niet waar je uithangt en dus ben ik dankbaar voor elke kaart die je ons stuurt. We hebben je kaart uit Venetië gekregen met de pijl die naar 'ons hotel' wijst. Ik kon het hotel niet goed onderscheiden, maar ik ben blij dat het 'spotgoedkoop' was, zoals je schreef. Venetië lijkt me een betoverende stad, een perfecte locatie voor een jonge 'literator' om inspiratie op te doen.

Kerbi heeft een kale plek op zijn rug. Hij zit er steeds verwoed aan te likken. Zoals hij zich tot een pretzel omkrult om bij die jeukende plek te komen, maakt me steeds weer aan het lachen. (Ik wou dat ik dat kon als ik jeuk op <u>mijn</u> rug had!) maar als het binnen een paar dagen niet verbetert, zal ik met hem naar de dierenarts moeten.

Ik schrijf dit in onze patio, onder de parasol, omdat ik zo min mogelijk in de zon probeer te komen. Zelfs 's winters droogt de zon hier mijn huid uit, daar valt niet tegenop te smeren! Op dit moment zit je 'ouwe vaar' in de woonkamer te schelden tegen een of andere politicus op tv (ik zal het hier niet letterlijk herhalen, maar het trefwoord is '…' de behanger!). Ik begrijp niet hoe iemand zo veel nieuws op een dag kan zien. O ja, ik moest van Dean tegen je zeggen dat je als je in Griekenland bent niet moet vergeten om tegen al die socialisten daar te zeggen dat Ronald Reagan een geschenk uit de hemel is.

Nu we het toch over de hemel hebben, voordat we vertrokken werd er in ons huisje aan Lake Michigan een pakje voor je bezorgd van de 'paulinische vaders'. Ik weet dat je erover denkt om theologie te gaan studeren en dat het daar iets mee te maken zou kunnen hebben, maar het zette me toch even aan het denken. In je laatste brief – niet die kaart uit Venetië maar die op dat blauwe papier dat tot een brief wordt gevouwen (noemen ze dat niet een luchtenvelop?) – klonk je helemaal niet als jezelf. Wat bedoelde je ermee dat het 'Koninkrijk Gods' geen plaats is maar een gemoedstoestand en dat je dacht er een 'glimp' van te hebben opgevangen? Zoals je weet heb ik jaren naar een geschikte kerk gezocht om met jullie naartoe te gaan, al heb ik zelf nooit echt ergens in kunnen geloven, hoe graag ik dat ook zou willen. Dus ik denk dat ik je interesse voor religie wel begrijp. Maar al die mystiek en die 'donkere nacht van de ziel' waar je het in je brieven over hebt, dat klinkt me allemaal een beetje 'te wauws', om met je broer Winston te spreken. Je bent nu al vier maanden weg, Mitchell. Vier maanden waarin we je niet hebben gezien en we vinden het moeilijk om een duidelijk beeld te krijgen van hoe het met je gaat. Ik ben blij dat Larry bij je is, want ik denk dat ik me nog meer zorgen zou maken als je helemaal alleen zou reizen. Je vader en ik staan nog steeds niet te juichen bij het idee dat je naar India gaat, maar je bent nu volwassen en vrij om te doen wat je wilt. <u>Maar we zijn erg bezorgd dat we je niet kunnen bereiken, of dat jij ons niet kunt bereiken in geval van nood.</u>

Nou, dat was wel weer genoeg gezeur van je bezorgde moeder voor het moment. Ook al missen we je ontzettend en zul je vooral met kerst node gemist worden, toch zijn je vader en ik heel blij voor je dat je dit grote avontuur hebt kunnen ondernemen. We hebben je altijd als een dierbaar geschenk beschouwd, Mitchell, en al weet ik niet zeker of ik in 'God' geloof, elke dag dank ik 'iemand daarboven' dat hij ons een zoon heeft geschonken die zo bijzonder, liefdevol en getalenteerd is als jij. Ik heb altijd geweten dat je iets zou bereiken in het leven. Zoals oma altijd tegen je zei: 'Reik naar het hoogste, jongen, reik naar het hoogste.'

Ik heb een heel mooi schrijftafeltje gevonden in een antiekwinkel hier in Vero, dat ik in de logeerkamer zal laten zetten, zodat het voor je klaarstaat als je hier langskomt. Met alle ervaringen die je op je reis hebt gehad, zul je misschien

Verder kwam Mitchell niet, omdat degene achter hem in de rij hem op de schouder tikte. Het was een vrouw, ouder dan hij, ergens in de dertig.

'Er is een loket vrij,' zei ze.

Hij bedankte haar. Terwijl hij de brief van Lillian terugstopte in de envelop liep hij naar het vrije loket toe. Toen hij zijn cheques aan het ondertekenen was, kwam het loket naast hem vrij en stapte de vrouw die achter hem had gestaan eropaf. Ze glimlachte naar hem en hij glimlachte terug. Toen de kassier zijn drachmen had uitgeteld ging hij terug om Larry te zoeken.

Omdat hij hem nergens zag, ging hij op een stoel in de lobby zitten en haalde Madeleines brief weer tevoorschijn. Hij wist niet zeker of hij hem wel wilde lezen. Hij probeerde al de hele week – sinds die nacht dat ze in Venetië zo vreselijk dronken waren geworden – zijn geestelijk evenwicht te hervinden. Dat wilde zeggen dat hij nu nog maar twee of drie keer per dag aan Madeleine dacht, in plaats van tien of vijftien. Tijd en afstand deden hun werk. Maar de brief dreigde dat in een mum van tijd teniet te doen. In een wereld vol elektrische schrijfmachines en gestroomlijnde Olivetti's had Madeleine erop gestaan haar werkstukken op een ouderwetse schrijfmachine te tikken, zodat haar typoscripten eruitzagen alsof ze uit een archief kwamen. Die voorliefde van haar voor oude dingen zoals die schrijfmachine had Mitchell doen hopen dat ze van hem zou kunnen houden. De trouw aan haar oude schrijfmachine ging gepaard met een vreselijke onhandigheid op technisch gebied, vandaar dat ze het lint niet vervangen had en de a en de s inktloos had gelaten (want die letters waren afgesleten omdat ze het meest gebruikt werden). En kennelijk was Bankhead, ondanks zijn wetenschappelijke genialiteit, ook niet in staat om haar schrijfmachinelint te vervangen.

Bankhead was natuurlijk te veel met zichzelf bezig, of te lui, of misschien was hij er zelfs wel op tegen dat ze nog steeds een schrijfmachine gebruikte. Madeleines brief bewees maar weer eens dat Bankhead niet goed voor haar was en Mitchell wel, en hij had hem nog niet eens opengemaakt.

Hij wist wat hem te doen stond. Als hij zijn huidige geestesgesteldheid echt wilde bewaren, als hij zich echt los wilde maken van alle aardse zaken, dan moest hij nu opstaan en die brief aan de andere kant van de lobby in de vuilnisbak gooien. Dat was wat hem te doen stond.

Maar hij stopte hem diep weg in de binnenzak van zijn rugzak, waar hij er niet meer aan hoefde te denken.

Toen hij weer opkeek, zag hij de vrouw van de rij zijn kant uit komen. Ze had lang, sluik blond haar, geprononceerde jukbeenderen en kleine oogjes. Ze had geen make-up op en ging nogal vreemd gekleed. Onder een wijd T-shirt droeg ze een lange rok die tot aan haar enkels reikte. Haar voeten staken in gymschoenen.

'Voor het eerst in Griekenland?' vroeg ze met een overdreven glimlach, alsof ze iets te verkopen had.

'Ja.'

'Hoe lang ben je hier al?'

'Drie dagen.'

'Ik ben hier al drie maanden. De meeste toeristen komen om de Akropolis te zien. En die is dan ook schitterend. Echt waar. Die overblijfselen uit de Oudheid zijn echt indrukwekkend. Maar wat me echt raakt, is alle geschiedenis. En dan heb ik het niet over de oudheidkundige geschiedenis, maar over de christelijke geschiedenis. Er is hier zoveel gebeurd! Waar denk je dat de Tessalonicenzen woonden? En de Korinthiërs? De apostel Johannes heeft de Openbaringen geschreven op Patmos. En zo kan ik nog wel even doorgaan. Het evangelie is ons geopenbaard in het Heilige Land, maar in Griekenland is de evangelisatie begonnen. Wat brengt jóu hier?'

'Ik ben Grieks,' antwoordde Mitchell. 'Ik ben hier ook begonnen.'

De vrouw lachte. 'Houd je die stoel voor iemand bezet?'

'Ik wacht op mijn vriend,' zei Mitchell.

'Nou, even zitten dan,' zei de vrouw. 'Als je vriend komt, sta ik meteen weer op.'

'Geen probleem,' zei Mitchell. 'We gaan toch zo weg.'

Daarmee dacht hij van haar af te zijn. De vrouw ging zitten en begon in haar schoudertas te wroeten, op zoek naar iets. Mitchell keek de ruimte weer rond of hij Larry al zag.

'Ik ben hier gekomen om te studeren,' begon de vrouw weer. 'Aan het Nieuwe Bijbelinstituut. Ik leer Koinè. Weet je wat dat is?'

'De taal waarin het Nieuwe Testament werd geschreven. Een Oudgriekse eenheidstaal.'

'Tjonge, er zijn niet veel mensen die dat weten. Indrukwekkend.' Ze boog zich naar hem toe en zei zacht: 'Ben je christelijk?'

Mitchell twijfelde over zijn antwoord. Het ergste aan het geloof waren de gelovigen.

'Ik ben Grieks-orthodox,' zei hij uiteindelijk.

'Dat is toch ook christelijk.'

'Daar zal de patriarch blij om zijn.'

'Je hebt wel gevoel voor humor, hè?' zei de vrouw terwijl ze hem haar zoveelste glimlach schonk. 'Dat gebruik je vast om een heleboel problemen uit de weg te gaan.'

Die provocatie werkte. Mitchell draaide zijn hoofd naar haar toe om haar rechtstreeks aan te kijken.

'De orthodoxe kerk is net als de katholieke kerk,' zei ze. 'Het zijn christenen maar ze zijn niet altijd Bijbelvast. Ze hebben zo veel rituelen dat die soms een beetje afleiden van de boodschap.'

Mitchell besloot dat het tijd was om op te stappen. Hij kwam overeind. 'Leuk om even met je gesproken te hebben,' zei hij. 'Succes met je Koinè.'

'Het genoegen was geheel aan mijn kant!' zei de vrouw. 'Mag ik je nog iets vragen voordat je gaat?'

Mitchell wachtte af. De strakke blik waarmee ze hem aankeek, bracht hem van zijn stuk.

'Ben je verlost?'

Zeg gewoon ja, dacht Mitchell. Zeg gewoon ja en maak dat je wegkomt.

'Dat is moeilijk te zeggen,' zei hij.

Hij was zich onmiddellijk van zijn vergissing bewust. De vrouw stond op. Haar blauwe ogen boorden zich in de zijne. 'Nee, hoor,' zei ze. 'Het is helemaal niet moeilijk. Je hoeft alleen de Here Jezus maar te vragen om in je hart te komen en dan zal Hij daar gevolg aan geven. Dat heb ik ook gedaan. En het heeft mijn leven veranderd. Ik ben niet altijd christen geweest. Het grootste deel van mijn bestaan leefde ik gescheiden van God. Ik kende Hem niet. Ik interesseerde me niet voor Hem. Ik zat niet aan de drugs of zo. Ik dwaalde niet de hele nacht rond. Maar ik voelde een leegte in me. Omdat ik alleen voor mezelf leefde.'

Mitchell merkte tot zijn verwondering dat hij echt naar haar luisterde. Niet naar haar fundamentalistische praatje over verlossing of God toelaten in je leven, maar naar wat ze over haar eigen leven vertelde.

'Grappig eigenlijk. Je wordt geboren in Amerika. Je groeit op, en wat leren ze je? Ze leren je dat je het recht hebt om geluk na te jagen. En dat de manier om gelukkig te worden het verzamelen van zo veel mogelijk mooie spullen is, nietwaar? Heb ik allemaal gedaan. Ik had een huis, een baan, een vriend. Maar ik was niet gelukkig. Ik was niet gelukkig omdat ik de hele dag alleen maar aan mezelf dacht. Ik dacht dat de wereld om mij draaide. Maar wat bleek? Zo is het niet.'

Dat klonk overtuigend genoeg, en gemeend. Mitchell dacht dat hij haar daarin gelijk kon geven om er vervolgens vandoor te gaan.

Maar voordat hij de kans kreeg, zei de vrouw: 'Je was daarnet in de rij een brief aan het lezen. Die was van je moeder.'

Mitchell stak zijn kin omhoog. 'Hoe weet je dat?'

'Dat voelde ik gewoon.'

'Je hebt over mijn schouder gekeken.'

'Dat zou ik nooit doen!' zei ze en ze gaf hem een speels tikje. 'Kom op, zeg. God fluisterde me gewoon in dat jij een brief van je moeder aan het lezen was. Maar ik wil je nog iets vertellen. De Here heeft ook een brief voor je naar dit American Express-kantoor gestuurd. Die brief ben ik. Hij heeft me hierheen gestuurd zonder dat ik het zelfs maar wist, zodat ik achter je in de rij zou belanden om je te vertellen dat Hij van je houdt en dat Hij voor je is gestorven.'

Op dat moment verscheen Larry bij de liften.

'Daar is mijn vriend,' zei Mitchell. 'Het was me een genoegen.'

'Het was míj een genoegen. Veel plezier in Griekenland en God zegene je.'

Hij was al halverwege de lobby toen zij hem op zijn schouder tikte.

'Ik wilde je dit graag geven.'

In haar hand hield ze een bladgroen exemplaar van het Nieuwe Testament, in zakformaat.

'Hier, neem maar mee en lees de evangeliën. Lees over het goede nieuws van Jezus. En denk eraan: het is niet ingewikkeld. Het is eenvoudig. Het enige wat ertoe doet is dat je Jezus als Heer en verlosser aanvaardt en dan zul je het eeuwige leven hebben.'

Om van haar af te komen, om haar op te laten houden, pakte hij het boekje van haar aan en liep verder de lobby uit.

'Waar zat jij nou ineens?' zei hij tegen Larry toen hij voor hem stond. 'Ik heb wel een uur zitten wachten.'

Twintig minuten later waren ze onderweg naar Delphi. De bus reed kilometers door het volgebouwde stadsdal voordat hij aan de klim naar de kustweg begon. De andere reizigers hadden grote pakken op schoot: buit uit de grote stad. Om de zoveel kilometer herinnerde een gedenkteken aan een verkeersslachtoffer. De buschauffeur stopte ergens om geld in een offerbakje te doen. Later parkeerde hij de bus voor een wegrestaurant waar hij zonder nadere uitleg naar binnen ging om te lunchen terwijl de passagiers geduldig op hun plaats bleven zitten wachten. Larry stapte uit voor een sigaret en een kop koffie. Mitchell haalde Madeleines brief uit zijn rugzak, bekeek hem opnieuw en stopte hem weer terug.

In de namiddag kwamen ze in Korinthe aan. Nadat ze in een miezerbuitje langs de tempel van Apollo waren gesjokt, zochten ze hun toevlucht in een restaurant om uit de regen te zijn, en Mitchell haalde zijn Nieuwe Testament tevoorschijn om weer eens te lezen wat de apostel Paulus omstreeks 55 na Christus over de Korinthiërs had geschreven.

Hij las:

Want er staat geschreven: Verderven zal Ik de wijsheid der wijzen, en het verstand der verstandigen zal Ik verdoen.

En:

Want gij zijt nog vleselijk
Inderdaad spreekt men van hoererij onder u

Het is goed voor een mens niet aan een vrouw verbonden te zijn. Maar met het oog op de gevallen van hoererij moet ieder zijn eigen vrouw hebben en iedere vrouw haar eigen man. Maar tot de ongehuwden en de weduwen zeg ik: het is goed voor hen, indien zij blijven, zoals ik. Indien zij zich echter niet kunnen beheersen, laten zij dan trouwen. Want het is beter te trouwen dan van begeerte te branden.

De vrouw van wie hij het Nieuwe Testament had gekregen, had haar kaartje erin laten zitten, met daarop haar telefoonnummer in Athene. Haar naam was Janice P.

Ze moet over mijn schouder hebben meegelezen, besloot Mitchell.

Het begon winter te worden. Van Korinthe gingen ze met een minibusje naar het schiereiland Mani en onderweg overnachtten ze in het bergdorpje Andritsena. Het was er koud, de lucht rook naar dennen en ze hadden er hardroze retsina. De enige kamer die ze konden vinden, zat boven een bar. Hij was onverwarmd. Terwijl vanuit het noorden donderwolken optrokken, kroop Larry klagend over de kou in een van de bedden. Mitchell hield zijn trui aan. Toen hij zeker wist dat Larry sliep, haalde hij Madeleines brief uit zijn rugzak en begon hem bij het zwakke rode licht van de lamp op het nachtkastje te lezen.

Tot zijn verrassing was de brief zelf niet getypt maar in Madeleines minuscule handschrift geschreven. (Ze mocht er vanbuiten dan normaal uitzien, maar als je haar handschrift eenmaal had gezien, wist je dat ze vanbinnen heerlijk ingewikkeld was.)

31 augustus 1982

Lieve Mitchell,

Ik schrijf je dit vanuit de trein, dezelfde Amtrak waarmee we samen naar Prettybrook reden, die keer dat jij in ons tweede jaar Thanksgiving bij ons thuis kwam vieren. Toen was het kouder, de bomen waren kaal en ik had nog zo'n kapsel met van die laagjes (het waren tenslotte de jaren zeventig, mocht je dat soms vergeten zijn), maar dat scheen jij niet erg te vinden.

Ik heb je dit nog nooit verteld, maar die hele treinreis dacht ik erover hoe het zou zijn om met je naar bed te gaan. Om te beginnen wist ik dat jij het heel graag wilde. Ik wist dat ik jou daar gelukkig mee zou maken en dat wilde ik graag. Los daarvan had ik het idee dat het goed voor me zou zijn. Ik was toen nog maar één keer met iemand naar bed geweest. Ik was bang dat het met maagdelijkheid net zo werkte als met gaatjes in je oren. Als je geen oorbel in deed, groeide het gaatje weer dicht. Hoe het ook zij, ik was gaan studeren met het vaste voornemen me net zo emotieloos en laaghartig te gedragen als een jongen. En toen diende jij je aan.

En vervolgens was je natuurlijk het hele weekend verpletterend charmant. Mijn ouders waren weg van je, mijn zus begon met je te flirten – en ik werd bezitterig. Je was per slot van rekening <u>mijn</u> gast. Dus sloop ik die avond naar de zolder toe en kwam bij je op bed zitten. En jij deed hoegenaamd <u>niets</u>. Na een halfuurtje hield ik het voor gezien. Eerst was ik alleen maar beledigd. Maar na een tijdje werd ik kwaad en besloot ik dat je niet mans genoeg voor me was, enz. Ik zwoer dat ik nooit met je naar bed zou gaan, hoe graag jij het ook zou willen. De volgende dag gingen we met de trein terug naar Providence en hadden enorm veel lol met elkaar. Ik besefte dat het veel beter was zo. Voor één keer in mijn leven wilde ik een vriendschap met iemand die niet mijn vriendje of een vriendin was. En afgezien van ons recente uitglijertje ben je dat ook altijd voor me geweest. Ik weet dat jij daar niet gelukkig mee was. Maar voor mij was het ongelooflijk en ik heb altijd gedacht dat jij dat diep vanbinnen ook zo voelde.

Dat is allemaal alweer een eeuwigheid geleden. We leven in de jaren tachtig. De bomen langs de Hudson zijn groen en staan vol in blad en ik voel me wel honderd jaar ouder. En jij bent niet meer de jongen met wie ik in deze trein zat, Mitchell. Ik hoef me niet langer om je te bekommeren of uit genegenheid en medelijden met je naar bed te gaan. Je kunt het heel goed alleen af. Sterker nog, ik zal voor je op moeten passen. Je was behoorlijk opdringerig gisteravond. Jane Austen zou zeggen 'importuun'. Ik zei nog dat je me niet moest zoenen, maar je ging gewoon je gang. En ook al maakte ik toen niet bepaald bezwaar (ik was dronken!), toen ik vanmorgen bij Kelly wakker werd voelde ik me zo schuldig en in de war dat ik onmiddellijk besloot je te schrijven.

(De trein schudt nogal, ik hoop dat je dit kunt lezen.)

Ik heb een <u>vriend</u>, Mitchell. Een serieuze relatie. Ik wilde het gisteren niet over hem hebben omdat jij altijd kwaad wordt als ik over mijn vriend begin, en eerlijk gezegd was ik ook naar de stad gekomen om hem een paar dagen uit mijn hoofd te zetten. Leonard en ik hebben de laatste tijd nogal wat problemen. Daar wil ik verder niet over uitweiden. Maar het was een zware tijd voor hem, voor mij en voor onze relatie. Hoe het ook zij, als ik niet halfgek aan het worden was, zou ik gister niet zoveel hebben gedronken en zou ik jou nooit gezoend hebben. Ik zeg niet dat ik het niet zou hebben gewild. Ik zeg alleen dat ik het dan niet zou hebben gedaan.

Maar het is vreemd, want nu, op dit moment, zou een deel van me bij het eerstvolgende station willen uitstappen en de trein terug naar New York willen nemen om jou te zoeken. Maar daarvoor is het te laat. Je vliegtuig is waarschijnlijk al vertrokken. Je bent op weg naar India.

En dat is goed. <u>Want het is mislukt!</u> Je bent niet die vriend gebleken die niet mijn vriendje of een vriendin is. Je bent gewoon de zoveelste importune man geworden. Dus maak ik het in deze brief bij voorbaat met je uit. Onze relatie heeft zich altijd aan elke categorisering onttrokken, dus lijkt het me logisch als deze brief dat ook doet.

Lieve Mitchell,

Ik wil je niet meer zien (ook al zagen we elkaar toch al nooit).

Ik wil met andere mensen kunnen uitgaan (ook al ben ik al met iemand).

Ik heb wat tijd voor mezelf nodig (ook al legde je geen beslag op mijn tijd).

Duidelijk? Begrijp je het nu? Ik ben wanhopig. Dus neem ik wanhopige maatregelen.

Ik denk dat een leven zonder jou me veel pijn zal doen. Maar mijn leven is al verwarrend genoeg en mijn relatie met jou maakt het alleen nog maar ingewikkelder. Ik wil met je breken, hoe hard dat ook is – en hoe stom het ook klinkt. Ik ben altijd evenwichtig geweest. Nu heb ik het gevoel dat de grond onder mijn voeten wegzakt.

Ik hoop dat je het geweldig fantastisch ongelooflijk hebt op je reis en dat je alle steden en plaatsen ziet die je wilde zien, dat je de ervaringen opdoet waarnaar je op zoek bent. Wie weet, misschien komt er over vijftig jaar op een reünie een oud rimpelig vrouwtje glimlachend op je af, en dat ben ik dan. Misschien dat je me dan alles over India kunt vertellen.

Hou je haaks,
Maddy

PS 27 september
Ik sleep deze brief nu al bijna een maand mee en vraag me de hele tijd af of ik hem nu zal posten of niet. En ik doe het steeds maar niet. Ik ben nu in Cape Cod, tot over mijn oren in de biologen – het is nog maar de vraag of ik dit wel overleef.

PPS 6 oktober
Ik had net je moeder aan de telefoon. Ik realiseerde me ineens dat ik helemaal geen adres van je had. Je moeder zei dat je 'onderweg' en niet bereikbaar was, maar dat je op een gegeven moment je post zou ophalen bij AmEx in Athene. Ze gaf me het adres. Trouwens, misschien moet je eens naar huis bellen. Je moeder klonk ongerust.
Goed, ik ga hem op de bus doen.
M.

Ergens boven het dak van hun kamer, in de zwarte Griekse lucht, botsten twee donderkoppen op elkaar, waarna hevige slagregens zich over het dorp uitstortten en de steile straatjes in watervallen veranderden. Vijf minuten later, terwijl Mitchell de brief voor de tweede keer aan het lezen was, viel de stroom uit.

Hij lag wakker in het donker en evalueerde de situatie. Hij begreep dat Madeleines brief een vernietigend document was. Hij was er dan ook navenant kapot van. Aan de andere kant hield ze al zo lang de boot af dat haar afwijzingen iets hadden van oud nieuws waar zijn ogen overheen lazen op zoek naar mogelijke dubbelzinnigheden of verborgen betekenissen van werkelijk belang. Op dat punt zag hij nog heel wat dat hem aanstond. Zo was er de opbeurende onthulling dat Madeleine destijds tijdens dat Thanksgiving-weekend met hem naar bed had gewild. Haar epistel had iets broeierigs dat hij slecht met haar kon rijmen, maar dat de belofte van een heel nieuwe kant van haar in zich droeg. Ze was bang dat het gaatje weer dicht zou groeien? Had zíj dat geschreven? Er werd wel gezegd dat vrouwen net zo obsceen waren als mannen, maar dat had hij nooit geloofd. Maar als Madeleine tijdens die treinreis de hele tijd aan seks had zitten denken terwijl ze gewoon de *Vogue* doorbladerde, als ze naar de zolder was gekomen met het voornemen te neuken, dan was het duidelijk dat hij haar nooit goed had kunnen peilen. Die gedachte hield hem een behoorlijke tijd bezig, terwijl de storm boven hem woedde. Ze had zo veel andere dingen kunnen doen, maar ze had ervoor gekozen hem een brief te schrijven. Ze schreef dat ze het lekker had gevonden om met hem te zoenen en dat ze de behoefte had gehad om de trein terug naar New York te nemen. Ze had zijn naam getypt en de envelop dicht gelikt en haar adres op de achterkant getypt, zodat hij haar terug kon schrijven, zodat hij haar zou weten te vinden als hij haar op zou willen zoeken.

Elke brief was een liefdesbrief.

Natuurlijk viel er voor een liefdesbrief nog wel het een en ander op aan te merken. Zo was het bijvoorbeeld niet erg veelbelovend dat Madeleine beweerde dat ze hem de eerstkomende vijftig jaar niet meer wilde zien. Het was ontmoedigend dat ze volhield dat ze 'een serieuze relatie' had (maar hoopgevend dat ze 'problemen' hadden). Maar wat hij voornamelijk uit de brief haalde was het pijnlijke feit dat hij zijn kans had laten lopen. Zijn kans met Madeleine was vroeg gekomen, in hun tweede jaar, en hij had hem niet gegrepen. Dat stemde hem des te somberder omdat het de schijn wekte dat hij was voorbestemd om een toeschouwer te zijn in het leven, een figurant, een mislukkeling. Het was precies zoals ze zei: hij was niet mans genoeg voor haar.

De volgende paar dagen waren een beproeving. In Kalamata, een kustplaats die niet, zoals hij verwacht had, naar olijven rook, maar naar benzine, liep hij voortdurend dubbelgangers van zichzelf tegen het lijf. De ober in het restaurant, de man die de bootjes repareerde, de zoon van de hoteleigenaar, de caissière bij de bank: ze leken allemaal als twee druppels water op hem. Hij zag zichzelf zelfs terug op een paar iconen in de vervallen oude kerk. Maar dat gaf hem niet het gevoel dat hij thuiskwam; integendeel, de ervaring putte hem volledig uit, alsof hij tig keer gekopieerd was, een vage reproductie van een helderder, donkerder origineel.

Het werd kouder. 's Nachts daalde de temperatuur tot een graad of vijf. Overal waar ze kwamen, rezen half afgebouwde huizen uit de rotsige hellingen op. Om de bouw van nieuwe huizen te stimuleren had het Griekse parlement een wet ingevoerd die mensen met een onafgebouwd huis vrijstelde van onroerend-goedbelasting. Daar hadden de Grieken sluw op ingespeeld door de bovenste verdieping van hun huis onafgebouwd te laten, terwijl ze gezellig op de beneden-verdieping woonden. In het dorpje Itylo sliepen Mitchell en Larry twee koude nachten voor een dollar per persoon op de onvoltooide tweede verdieping van een huis dat aan de familie Lamborghos toebehoorde. De oudste zoon, Iannis, had hen aangesproken toen ze op het dorpsplein uit de bus waren gestapt. Even later bracht hij hen naar het met betonstaal en -steen bezaaide dak, waar ze onder de sterren konden slapen. Het was de eerste en tegelijk ook laatste keer dat ze gebruikmaakten van hun slaapzakken en matjes.

Ondanks de taalbarrière begon Larry veel met Iannis op te trekken. Terwijl Mitchell koffiedronk in het enige café van het dorp en in stilte de wonden likte die Madeleines brief had geslagen, maakten Iannis en Larry wandeltochten door de omliggende, door geiten bevolkte heuvels. Iannis had de inktzwarte manen en het borstonthullende overhemd van een Grieks zangidool. Hij had een slecht gebit en hij was een beetje een klaploper, maar hij leek vriendelijk genoeg, als je tenminste in de stemming was om vriendelijk te zijn, en dat was Mitchell niet. Maar toen Iannis aanbood om hen terug te rijden naar Athene omdat hij daar wat zaken te regelen had, zag Mitchell geen reden om dat te weigeren, en de volgende ochtend vertrokken ze in Iannis' kleine Joegoslavische autootje, Larry voorin en Mitchell achterin in de kattenbak.

Kerstmis naderde. De straten rond hun hotel, een onopvallend grijs gebouw dat Iannis hun had aangeraden, waren met lichtjes versierd. Alleen de temperatuur al herinnerde hen eraan dat het tijd werd om naar Azië te vertrekken. Nadat Iannis was weggegaan om zijn zaken te regelen, gingen Larry en Mitchell naar een reisbureau om hun vliegtickets aan te schaffen. Athene stond bekend om zijn goedkope vliegtickets, en niet voor niets: voor minder dan vijfhonderd dollar hadden ze allebei een open ticket Athene-Calcutta-Parijs, en ze zouden de volgende avond met Air India vertrekken.

Iannis nam hen die avond mee naar een visrestaurant en drie verschillende cafés, waarna hij ze weer bij hun hotel afleverde. De volgende ochtend gingen Mitchell en Larry naar de Plaka, waar ze nieuwe, kleinere tassen kochten. Larry koos een vrolijk gestreepte schoudertas van hennep; Mitchell een donkere plunjezak. Op hun hotelkamer pakten ze alleen de meest noodzakelijke spullen over in hun nieuwe tassen, die ze zo licht mogelijk probeerden te houden. Ze deden afstand van hun truien, hun lange broeken, hun gympen, hun slaapzakken en -matjes, hun boeken en zelfs hun shampoo. Mitchell ontdeed zich van de geschriften van de heilige Theresia, Augustinus, Thomas Merton en Pynchon; hij deed al zijn boeken weg, behalve het dunne pocketboekje *Iets moois voor God*. Alles wat ze niet nodig hadden, ging in hun rugzak en werd naar het postkantoor gebracht om met de pakketboot terug naar de States te worden gestuurd. Toen ze uit het postkantoor kwamen, gaven ze elkaar een high five en voelden ze zich eindelijk echte reizigers, vrij en ongebonden.

Mitchells goede bui duurde niet lang. Een van de dingen die hij had bewaard, was Madeleines brief, en toen ze weer in hun hotel waren, sloot hij zich op in de badkamer om hem nog eens te lezen. Ditmaal leek hij nog verpletterender, nog definitiever dan eerst. Hij kwam de badkamer uit en ging met gesloten ogen op zijn bed liggen.

Larry stond op het balkon te roken. 'We hebben de Akropolis nog niet gezien,' zei hij. 'Die moeten we wel gaan bekijken.'

'Ik heb hem al gezien,' mompelde Mitchell.

'Ja, maar we hebben hem niet beklommen.'

'Daar heb ik nu geen zin in.'

'Nou ben je eindelijk in Athene en dan ga je de Akropolis niet eens bekijken?'

'Ik zie je daar wel,' zei Mitchell.

Hij wachtte tot Larry weg was en liet toen zijn tranen de vrije loop. Het was een combinatie van factoren: in de eerste plaats Madeleines brief, maar ook de facetten van zijn persoonlijkheid waardoor zij het nodig achtte een dergelijke brief te schrijven; zijn onbeholpenheid, zijn charme, zijn agressiviteit, zijn verlegenheid – alles waardoor hij bijna, maar net niet helemaal, de man voor haar was. De brief voelde als een vonnis over zijn leven tot dusver, een vonnis dat hem veroordeelde om hier op dit bed te liggen, alleen, in een Atheense hotelkamer, te zeer overmand door zelfmedelijden om de Akropolis te beklimmen. Het idee dat hij op een soort bedevaart was, kwam hem ineens belachelijk voor. Het was allemaal één grote grap. Was hij maar niet wie hij was! Was hij maar iemand anders!

Hij ging rechtop zitten en wreef zijn ogen droog. Hij leunde op zijn zij en trok het Nieuwe Testament uit zijn kontzak. Hij sloeg het open en pakte het kaartje eruit dat de vrouw hem gegeven had. Bovenaan stond: 'Het Atheens Bijbelgenootschap', met een Griekse vlag en een gouden kruis. Daaronder had ze haar nummer geschreven.

Hij belde het met de telefoon die op hun kamer stond. De eerste twee keer kreeg hij geen verbinding (omdat hij vergat de nul te draaien om naar buiten te kunnen bellen), maar bij zijn derde poging ging hij over. Tot zijn verbazing nam de vrouw uit de rij bij AmEx, Janice P., de telefoon op; haar stem klonk heel dichtbij.

'Hallo?'

'Hoi, je spreekt met Mitchell. We hebben elkaar laatst ontmoet in het American Express-kantoor.'

'De Here zij geloofd!' zei Janice. 'Ik heb voor je gebeden. En nu bel je me. De Here zij geprezen!'

'Ik vond je kaartje, dus…'

'Ben je bereid om de Here toe te laten in je hart?'

Dat ging wel erg snel. Mitchell keek naar het plafond. Er liep een scheur over de hele lengte.

'Ja,' zei hij.

'De Here zij geprezen!' zei Janice weer. Ze klonk oprecht blij en enthousiast. Ze begon over Jezus en de Heilige Geest te vertellen terwijl Mitchell half serieus naar haar luisterde. Hij speelde het spelletje mee, en ook weer niet. Hij wilde weten hoe het voelde. 'Ik zei toch dat onze ontmoeting was voorbestemd!' zei Janice. 'God fluisterde mij in dat ik je moest aanspreken en nu ben je klaar om gered te worden. Geloofd zij Christus!' Vervolgens sprak ze over het Bijbelboek Handelingen en over Pinksteren, dat Jezus opsteeg naar de hemel, maar de christenen de gave schonk van de Heilige Geest, de Trooster, de wind die alle begrip te boven gaat. Ze legde uit wat de gaven van de Geest waren: in tongen spreken en zieken genezen. Ze klonk oprecht blij voor Mitchell, maar ook alsof ze het tegen iedereen had kunnen zeggen. 'De Geest gaat waar hij wil. Hij is zo werkelijk als de wind. Zullen we nu samen bidden, Mitchell? Wil je neerknielen en Jezus aannemen als je Heer en Heiland?'

'Dat gaat nu niet.'

'Waar ben je?'

'In mijn hotel. In de lobby.'

'Wacht dan tot je alleen bent. Ga in je eentje een kamer binnen en kniel neer en vraag de Here om in je hart te komen.'

'Heb jij ooit in tongen gesproken?' vroeg Mitchell.

'Ik heb de gave der tongen eenmaal mogen ontvangen, ja.'

'Hoe gaat dat dan?'

'Ik vroeg erom. Soms moet je om iets vragen. Ik was aan het bidden en toen begon ik gewoon te bidden om de tongen machtig te mogen worden. Ineens werd het heel warm in de kamer. Net Indiana in de zomer. Vóchtig. Er was een aanwezigheid. Dat voelde ik. Toen deed ik mijn mond open en gaf God me de gave.'

'Wat zei je dan?'

'Dat weet ik niet. Maar er was daar een man, een christen, die de taal die ik sprak herkende. Het was Aramees.'

'De taal van Jezus.'

'Dat is precies wat hij zei.'

'Zou ik ook in tongen kunnen spreken?'

'Je kunt erom vragen. Natuurlijk kan dat. Als je Jezus eenmaal hebt aanvaard als je Heer en Heiland hoef je de Vader alleen maar te vragen om je de gave der tongen te geven, in naam van Jezus.'

'En dan?'

'Dan doe je je mond open.'

'En dan gebeurt het gewoon?'

'Ik zal voor je bidden. God zij geloofd!'

Nadat hij had opgehangen ging hij eropuit om de Akropolis te bekijken. Hij had zijn beide overgebleven hemden aangetrokken om warm te blijven. In de Plaka liep hij langs de souvenirstalletjes met imitatie-Griekse vazen en borden, sandalen en bidsnoertjes. Aan een hangertje hing een t-shirt met het opschrift: KISS ME I'M GREEK. Mitchell begon aan de klim over het stoffige kronkelpaadje naar het historische plateau.

Toen hij boven was, draaide hij zich om en keek uit over Athene, een gigantische badkuip vol vuil sop. Boven hem wervelden dramatische wolken voorbij, doorboord door zonnestralen die als spotlights de zee in de verte beschenen. De majesteitelijke hoogte, de frisse dennengeur en het gouden licht gaven de hele atmosfeer een sensatie van echte Attische klaarheid. Het Parthenon stond in de steigers, net als een kleinere tempel daar vlakbij. Behalve dat en een eenzaam wachthuisje aan het andere einde van de top, viel er verder nergens een teken van officiële instanties te bespeuren, en Mitchell voelde zich vrij om te gaan en staan waar hij maar wilde.

De wind waait waar hij wil.

In tegenstelling tot andere toeristische bezienswaardigheden die hij gezien had, was de Akropolis in het echt indrukwekkender; geen ansichtkaart of foto kon er recht aan doen. Het Parthenon was zowel groter en mooier als heroïscher van opzet dan hij gedacht had.

Larry was nergens te bekennen. Mitchell liep over de rotsen achter de kleine tempel. Toen hij zeker wist dat niemand hem kon zien, knielde hij neer.

Misschien was het luisteren naar een vrouw die maar doorratelde over 'je leven in handen van Jezus stellen' wel precies het soort deemoedigheid dat hij nodig had om zijn oude, ijdele zelf te laten sterven. Als de zachtmoedigen nu eens werkelijk het aardrijk zouden beërven? Als de waarheid nu eens simpel was, zodat iedereen hem kon begrijpen, en niet zo ingewikkeld dat je er een universitaire graad voor nodig had? Zou de waarheid niet waargenomen kunnen worden door een ander orgaan dan het brein, en was dat niet juist waar het in het geloof om ging? Mitchell wist het antwoord op deze vragen niet, maar toen hij daar vanaf die historische, aan de godin Athena gewijde berg in de diepte staarde, kwam er een revolutionaire gedachte bij hem op: dat hij en al zijn verlichte vrienden niets van het leven wisten en dat die (gestoorde?) vrouw misschien wel een heel diepe kennis bezat.

Geknield op de Akropolis deed hij zijn ogen dicht.

Hij was zich bewust van een oneindige triestheid binnen in zich.

Kiss me I'm dying.

Hij deed zijn mond open. Hij wachtte.

De wind stak op, er werd vuil over de rotsen geblazen. Hij proefde stof op zijn tong. Maar daar bleef het bij.

Niets. Niet één woord Aramees. Na nog een minuut kwam hij overeind en klopte het stof van zijn kleren.

Hij daalde snel de Akropolis af, alsof hij een onheilsplek ontvluchtte. Hij voelde zich belachelijk omdat hij geprobeerd had in tongen te spreken, maar was tegelijkertijd teleurgesteld dat het was mislukt. De zon was bijna onder, het werd kouder.

De souvenirverkopers in de Plaka sloten hun kramen en de neonlichten van de restaurants en koffiehuizen in de buurt sprongen aan.

Hij liep drie keer langs zijn hotel zonder het te herkennen. Tijdens zijn afwezigheid had de lift het begeven. Mitchell klom door het trappenhuis naar de eerste verdieping en stak aan het eind van de zieloze gang zijn sleutel in het slot.

Zodra hij de deur openduwde, bespeurde hij een steelse, vlugge beweging in de donkere kamer. Hij tastte de muur af naar de lichtknop, en toen het licht aanging bleken Larry en Iannis zich midden in de kamer te bevinden. Larry lag op het bed, met zijn broek op zijn enkels, en Iannis op zijn knieën ernaast. Met een naar omstandigheden bewonderenswaardige kalmte, zei Larry: 'Ha, Mitchell. Wat een verrassing!' Iannis dook weg en verdween uit het zicht.

'Hoi,' zei Mitchell en hij deed het licht weer uit. Hij stapte de kamer uit en sloot de deur achter zich.

In een restaurant aan de overkant van de straat bestelde hij een karaf retsina en een portie feta met olijven, waarbij hij niet eens probeerde een paar woordjes Grieks te praten en gewoon aanwees wat hij wilde hebben. Het werd hem nu allemaal duidelijk. Waarom Larry zo snel over Claire heen was. Waarom hij zo vaak verdween om een sigaretje te roken met vage Europeanen. Waarom hij dat paarse zijden sjaaltje droeg. Larry was in New York een bepaalde persoon geweest en nu was hij iemand anders. Daardoor voelde Mitchell zich sterk met zijn vriend verbonden. Zelfs al vermoedde hij nu dat hun gezamenlijke reis hier zou eindigen. Larry zou vanavond niet met hem naar India vliegen. Hij zou nog een tijdje bij Iannis in Athene willen blijven.

Een uurtje later ging Mitchell weer terug naar het hotel, waar dit allemaal werd bevestigd. Larry beloofde dat hij hem in India zou ontmoeten, op tijd voor hun baantje bij professor Hughes. Ze omhelsden elkaar en daarna liep Mitchell met zijn lichte plunjezak de lobby uit om een taxi naar het vliegveld te nemen.

Om negen uur die avond zat hij vastgegespt in zijn stoel in de economyclass van een Boeing 747 van Air India en verliet hij met een snelheid van ruim achthonderd kilometer per uur het christelijke luchtruim. De stewardessen droegen sari's. De maaltijd bestond uit verscheidene heerlijke vegetarische gerechten. Hij had niet echt verwacht dat hij in tongen zou spreken. Hij zou niet weten wat hij eraan gehad zou hebben als het hem wel was gelukt.

Toen de cabinelichten uitgingen en de andere passagiers probeerden te slapen, knipte Mitchell zijn leeslampje aan. Voor de tweede keer las hij *Iets moois voor God*, waarbij hij de foto's nauwkeurig bestudeerde.

Briljante zet

Kort nadat Leonard had vernomen dat Madeleines moeder hem niet alleen niet mocht, maar zich ook inspande om een eind aan hun relatie te maken, en dat in een tijd van het jaar dat de kortstondigheid van het daglicht aan Cape Cod een afspiegeling leek van het afnemende wattage in zijn hersenen, vond Leonard de moed om zijn lot, in de vorm van zijn ziekte, in eigen hand te nemen.

Dat was een briljante zet. Het feit dat Leonard daar niet eerder op was gekomen, was de zoveelste bijwerking van zijn medicatie. Lithium was erg goed in het teweegbrengen van een geestestoestand waarin lithium slikken een goed idee leek. Het spul had de neiging ervoor te zorgen dat je bleef zitten waar je zat. Blijven zitten waar hij zat was in elk geval zo'n beetje het enige wat Leonard het halfjaar sinds zijn ontslag uit het ziekenhuis had gedaan. Hij had zijn psychiaters – dokter Shieu van Providence Hospital en zijn nieuwe arts, Perlmann, in Massachusetts General – om uitleg gevraagd over de biochemische aspecten van lithiumcarbonaat (Li_2CO_3). Om hem een plezier te doen behandelden ze hem als 'collega-wetenschapper' en vertelden over neurotransmitters en receptoren, afnemende norepinephrine-afgifte en een toename in de aanmaak van serotonine. Zonder er dieper op in te gaan vermeldden ze de mogelijke nadelen van het gebruik van lithium, en dan voornamelijk om nog meer medicijnen ter sprake te brengen die de bijwerkingen konden verminderen. Al met al flink wat farmacologie en farmaceutische merknamen om ineens te verwerken, en zeker in Leonards moeilijke mentale toestand.

Vier jaar geleden, in het voorjaarstrimester van zijn eerste jaar, toen de officiële diagnose manisch-depressieve psychose was gesteld, had hij er niet zo bij stilgestaan wat lithium precies met hem deed. Hij wilde zich alleen maar weer normaal voelen. De diagnose leek toen gewoon het zoveelste – naast zijn geldgebrek en zijn gestoorde familie – wat hem ervan dreigde te weerhouden vooruit te komen, net nu hij het idee begon te krijgen dat zijn kansen eindelijk waren gekeerd. Hij slikte braaf als een modelstudent tweemaal daags zijn pillen. Hij ging in therapie, eerst bij een psycholoog van de studentenartsenpost en naderhand bij Bryce Ellis, een psychiater die mededogen had met de arme student en hem naar draagkracht liet betalen. De daaropvolgende drie jaar behandelde hij zijn stoornis als een verplicht vak dat hem niet bijzonder interesseerde en waarvoor hij niet meer deed dan strikt noodzakelijk was.

Leonard was opgegroeid in een arts & crafts-huis waarvan de vorige eigenaar in de vestibule was vermoord. Door die gruwelijke voorgeschiedenis had het perceel Linden Street 133 vier jaar te koop gestaan voordat Leonards vader Frank het voor de helft van de oorspronkelijke vraagprijs kocht. Frank Bankhead had een winkel in antieke prenten op Nob Hill en was gespecialiseerd in Britse steen-drukken. Zelfs in die tijd liep zoiets absoluut niet; de winkel was vooral een plek waar Frank overdag zijn pijp kon zitten roken totdat het borreltijd werd. Leo-nard had als kind van Frank te verstaan gekregen dat de familie Bankhead 'oud-Portlands' was, wat inhield dat ze bij de families hoorden die naar Oregon waren gekomen in de tijd dat het gebied nog onder het Northwest Territory viel. Daar was tegenwoordig weinig van te zien; er was in het centrum geen Bankhead Street, er hing nergens een plaquette met de naam Bankhead en er stond geen buste van een Bankhead in het gebouw van de Oregon Historical Society. Wat er wél was: Franks driedelige tweedpakken en zijn ouderwetse manieren. Zijn win-kel vol spullen die niemand wilde kopen: geen prenten van de eerste jaren van de stad of iets anders waar een plaatselijke verzamelaar belangstelling voor zou kun-nen hebben, maar afbeeldingen van steden als Bath, Cornwall en Glasgow. Jacht-prenten, Londense taveernetaferelen, schetsen van zakkenrollers, twee kostbare Hogarths waar Frank niet van kon scheiden en een hoop troep.

Hij haalde de kosten er nauwelijks uit. Het gezin leefde van een steeds kleiner wordend inkomen uit aandelen die Frank van zijn grootvader had geërfd.

Eens in de zoveel tijd wist hij op een veiling een waardevolle prent op de kop te tikken die hij met winst doorverkocht (waarvoor hij soms naar New York moest vliegen). Maar de opbrengsten vertoonden een dalende lijn, in tegenstel-ling tot zijn sociale pretenties, en zodoende was hij in het huis geïnteresseerd ge-raakt.

Hij hoorde er voor het eerst over van een klant die in die buurt woonde. De vorige eigenaar, een zekere Joseph Wierznicki, een alleenstaande man, was vlak achter de voordeur doodgestoken, met zo veel geweld dat de politie het 'een mis-drijf van persoonlijke aard' noemde. Er was niemand gearresteerd. Het verhaal had in de krant gestaan, compleet met foto's van de bloedspatten op de vloer en de muren. En daarmee had het afgelopen kunnen zijn. Uiteindelijk werd het huis te koop gezet. De vestibule werd schoongemaakt en opnieuw geschilderd en betegeld. Maar volgens het reglement moest de makelaar alle informatie ver-schaffen die de verkoop zou kunnen beïnvloeden, dus ook de criminele voorge-schiedenis van het huis. Als een potentiële koper iets over de moord te weten kwam, trokken ze de informatie na (als ze nog geïnteresseerd waren), en zodra ze de foto's hadden gezien, wilden ze geen bod meer doen.

Leonards moeder wilde er niet eens over nadenken. Ze meende dat ze de spanningen rond een verhuizing niet aankon, en zeker niet als het een verhuizing naar een spookhuis betrof. Rita bracht de dag meestal in haar slaapkamer door, waar ze in tijdschriften bladerde of naar de Mike Douglas Show keek met een glas 'water' op het nachtkastje. Eens in de zoveel tijd ging ze als een tornado door het huis, versierde rond Kerstmis iedere centimeter van alle kamers of maakte uitgebreide maaltijden van zes gangen klaar. Zo lang Leonard zich kon herinneren had zijn moeder zich altijd aan het gezelschap van anderen onttrokken of hen juist dwangmatig proberen te imponeren. Hij kende maar één persoon die even onvoorspelbaar was als Rita, en dat was Frank.

Dat was een leuk spelletje: raden van welke kant van de familie zijn ziekte afkomstig was. Er waren zo veel mogelijke bronnen, zo veel rotte appels, zowel aan de kant van de Bankheads als aan die van de Richardsons. Aan beide kanten kwam alcoholisme voor. Rita's zuster Ruth had een wild leven geleid, zowel seksueel als financieel. Ze was een paar keer gearresteerd en had voor zover hij wist ten minste één keer een zelfmoordpoging gedaan. Dan had je Leonards grootouders, wier rechtschapenheid iets wanhopigs had, alsof ze daarmee een stortvloed aan woeste impulsen in bedwang probeerden te houden. En hij wist dat zijn vader achter zijn uiterst correcte voorkomen depressief en misantropisch was, de neiging had om over het 'vulgus' te tieren als hij dronken was en het soms hoog in de bol had, naar Europa wilde emigreren en daar in grootse stijl leven.

Het huis appelleerde aan Franks zelfbeeld. Het was een veel mooier, groter huis dan hij zich onder normale omstandigheden had kunnen veroorloven, met fraaie houtwerkdecoraties en een betegelde haard in de huiskamer en vier slaapkamers. Op een middag had hij de winkel vroeg gesloten en was hij met Rita en Leonard naar het huis gereden. Daar aangekomen weigerde Rita uit te stappen. Frank ging dus alleen met Leonard, die toen pas zeven was. Ze lieten zich door de makelaar rondleiden en Frank wees Leonard zijn nieuwe kamer, op de begane grond, en de achtertuin, waar hij een boomhut mocht bouwen als hij wilde.

Toen gingen ze weer naar de auto, waar Rita nog steeds zat.

'Leonard wil je iets vertellen,' zei Frank.

'Wat dan?' vroeg Leonard.

'Niet zo bijdehand. Dat weet je best.'

'Er zitten nergens bloedvlekken, mam,' zei Leonard.

'En?' moedigde Frank hem aan.

'De hele benedenverdieping is gloednieuw. De hal. Allemaal nieuwe tegels.'

Rita bleef kaarsrecht voorin zitten. Ze had een zonnebril op, zoals altijd als ze uitging, zelfs in de winter. Na geruime tijd nam ze een grote slok uit haar glas 'water' – dat ze altijd overal mee naartoe nam, met rinkelende ijsblokjes en al – en stapte uit.

'Geef me een hand,' zei ze tegen Leonard. Samen, zonder Frank, liepen ze de treetjes naar de veranda op en gingen naar binnen. Samen bekeken ze alle kamers.

'Wat vind je ervan?' vroeg Rita toen ze alles hadden gezien.

'Wel een mooi huis, hè.'

'Zou je het niet erg vinden om hier te wonen?'

'Weet ik niet.'

'En je zusje?'

'Die wil hier heel graag wonen. Papa heeft haar al verteld hoe het eruitziet. Hij zei dat ze zelf haar vloerbedekking mag kiezen.'

Voordat Rita haar antwoord gaf, eiste ze dat Frank haar mee uit eten nam, in Bryant's. Leonard wilde naar huis, honkballen, maar hij moest mee. In het restaurant bestelden Frank en Rita martini's, een flink aantal. Het duurde niet lang of ze begonnen te lachen en te zoenen en misprijzende geluiden te maken omdat Leonard niet van de oesters wilde eten die ze hadden besteld. Rita had plotseling besloten dat de moord juist een pre was. Daardoor had het huis een 'geschiedenis'. In Europa waren de mensen gewend in huizen te wonen waar iemand was vermoord of vergiftigd.

'Ik snap niet waarom je zo bang bent om daar te gaan wonen,' zei ze bestraffend tegen Leonard.

'Maar ik ben helemaal niet bang,' zei hij.

'Ik heb nog nooit iemand zo'n drukte zien maken – jij?' vroeg ze aan Frank.

'Nee, nog nooit,' zei Frank.

'Ik heb helemaal geen drukte gemaakt,' zei Leonard, die boos begon te worden. 'Jíj maakte je druk. Mij maakt het niet uit waar we wonen.'

'Misschien nemen we je wel niet mee als je je zo blijft gedragen.'

Ze bleven lachen en drinken en Leonard ging kwaad van tafel, liep naar de jukebox en drukte op alle knoppen.

Een maand later verhuisden ze naar Linden Street 133 en kregen zo niet alleen een huis, maar ook een aanleiding te meer om ruzie te maken.

Al deze dingen, hoorde Leonard later van zijn therapeuten, vielen onder geestelijke mishandeling. Niet dat hij in een huis had moeten wonen waar iemand vermoord was, maar dat hij gedwongen werd als bemiddelaar tussen zijn ouders op te treden en voortdurend zijn mening moest geven terwijl hij daar nog lang niet aan toe was, dat ze hem het gevoel hadden gegeven dat hij op de een of andere manier verantwoordelijk was voor hun geluk, en later voor hun ongeluk. Afhankelijk van het jaar en de therapeut van dat moment leerde hij zowat alle facetten van zijn karakter toe te schrijven aan een psychologische reactie op het geruzie van zijn ouders: zijn luiheid, zijn geldingsdrang, zijn neiging zich af te zonderen, zijn neiging mensen te verleiden, zijn hypochondrie, zijn gevoel van onkwetsbaarheid, zijn zelfhaat, zijn narcisme.

De zeven jaar daarna waren chaotisch. Er werden thuis voortdurend feesten gegeven. Er waren altijd antiquairs uit Cincinnati of Charleston in de stad die aangenaam beziggehouden moesten worden. Frank zat die rijkelijk besprenkelde bijeenkomsten voor, schonk de glazen bij terwijl de volwassenen aan het dollen en gillen waren en vrouwen van hun stoel vielen, waarbij hun rokken hoog opvlogen. Mannen van middelbare leeftijd kwamen Janets kamer in. Leonard en Janet moesten bij die partijen hapjes en drankjes rondbrengen. Vaak brak er ruzie uit als het bezoek was vertrokken, en soms gingen Frank en Rita al tegen elkaar tekeer als de gasten er nog waren. Dan zetten Leonard en Janet, wier kamers op verschillende verdiepingen lagen, hun stereo harder om het kabaal te overstemmen. De ruzies gingen over geld: Franks mislukking als zakenman, Rita's uitgavenpatroon. Tegen de tijd dat Leonard vijftien werd, was het huwelijk van zijn ouders voorbij. Frank verliet Rita voor Sara Coorevits, een Belgische antiquaire uit Brussel die hij op een expositie in Manhattan had ontmoet en met wie hij al vijf jaar een verhouding bleek te hebben. Een paar maanden later verkocht hij de winkel en vertrok naar Europa, zoals hij altijd al had aangekondigd. Rita trok zich in haar slaapkamer terug en liet Janet en Leonard, die op de middelbare school zaten, aan hun lot over. Een halfjaar later, toen de schuldeisers begonnen rond te cirkelen, kwam ze heldhaftig in beweging en nam een baan bij de plaatselijke afdeling van de YMCA, waar ze na verloop van tijd wonderlijk genoeg directeur werd, zeer geliefd was en door alle jongens 'mevrouw Rita' werd genoemd. Ze moest vaak overwerken. Janet en Leonard maakten zelf hun eten klaar en gingen dan naar hun kamer. Het leek alsof niet Wierznicki, maar hun gezin in dat huis gewelddadig aan zijn eind was gekomen.

Maar dat waren de gedachten van een depressieve geest. Althans van iemand die ernaar streefde dat te worden. Want dat was het vreemde van Leonards ziekte: de bijna genotvolle manier waarop het begon. Aanvankelijk leken zijn sombere buien eerder op melancholie dan op wanhoop. Het was ergens wel lekker om eenzaam en ongelukkig door de stad te lopen. Het gaf hem zelfs een superieur gevoel, alsof hij gelijk had dat hij niet van dezelfde dingen hield als de andere jongens: football, cheerleaders, James Taylor, rood vlees. Een vriend van hem,

Godfrey, hield van bands als Lucifer's Friend en Pentagram, en een tijd lang zat Leonard daar vaak bij Godfrey thuis naar te luisteren.

Omdat Godfreys ouders niet tegen het helse kabaal konden, luisterden ze op een koptelefoon. Die zette Godfrey op en dan liet hij de naald op de plaat zakken, begon in stilte heen en weer te kronkelen en maakte met de verpletterde uitdrukking op zijn gezicht inzichtelijk hoe groot de verdorvenheid was waarop hij werd getrakteerd. Daarna was Leonard aan de beurt. Ze draaiden nummers achterstevoren om de verborgen satanische boodschap te horen. Ze bestudeerden de teksten over dode baby's en het stuitende artwork op de hoezen. Om ook eens samen naar muziek te kunnen luisteren, pikten ze geld van hun ouders voor kaartjes voor de concerten in de Paramount. Het gevoel ergens bij te horen kende hij nauwelijks, maar als hij samen met een paar honderd andere onaangepaste pubers in de rij in de eeuwige Portlandse motregen stond te wachten, ervoer hij iets wat dicht in de buurt kwam. Zo zagen ze Nazareth, Black Sabbath, Judas Priest en ook Motordeath – dat was eigenlijk een waardeloze band, maar bij hun concerten traden naakte vrouwen op die dierenoffers brachten. Zo kon je fan van het duistere, kenner van de wanhoop zijn.

Een tijd lang lonkte de Ziekte – die toen nog naamloos was – hem toe. Kom dan, zei ze. Leonard vleide zich met de gedachte dat hij meer voelde dan de meeste mensen; dat hij gevoeliger was, dieper. Als hij een 'heftige' film als *Mean Streets* had gezien, was hij totaal verpletterd en kon hij geen woord uitbrengen; dan moesten drie meisjes een uur lang met hun armen om hem heen zitten voordat hij weer een beetje tot zichzelf kwam. Onbewust begon hij zijn overgevoeligheid uit te buiten. In de studiezaal was hij 'heel erg depri', op een feest was hij 'heel erg depri', en dan duurde het niet lang of er verzamelde zich een groep bezorgde mensen om hem heen.

Hij was een warhoofdige leerling. Leraren zeiden dat hij 'intelligent maar ongemotiveerd' was. Hij verwaarloosde zijn huiswerk en lag liever op de bank tv te kijken. Hij keek naar *The Tonight Show*, de nachtfilm en de allerlaatste nachtfilm. 's Morgens was hij kapot. Hij viel in de klas in slaap, leefde na schooltijd weer op om met zijn vrienden de hort op te gaan. Daarna ging hij naar huis, bleef weer tot diep in de nacht tv-kijken, en dan herhaalde de hele cyclus zich.

Toch was dit nog niet de Ziekte. Somber worden van de toestand in de wereld – luchtvervuiling, hongersnood, de inval in Oost-Timor – dat was niet de Ziekte. In de badkamer naar zijn eigen gezicht kijken, de griezelige aderen onder de huid zien, de poriën op zijn neus bekijken totdat hij ervan overtuigd was dat hij er zo afschuwelijk uitzag dat geen meisje ooit van hem zou kunnen houden – zelfs dát was niet de Ziekte. Het was een karakterologisch voorspel, maar het was niet chemisch of somatisch. Het was de anatomie van de melancholie, niet de anatomie van zijn brein.

Leonard kreeg zijn eerste echte depressie in de herfst van zijn tweede jaar op de middelbare school. Op een donderdagavond kwam Godfrey, die net zijn rijbewijs had, hem halen in de Honda van zijn ouders. Ze reden rond met de stereo voluit. Godfrey was een watje geworden. Hij wilde per se naar Steely Dan luisteren.

'Wat een kutmuziek,' zei Leonard.

'Nee man, je moet het een kans geven.'

'Zet liever Sabbath op.'

'Dat heb ik wel zo'n beetje gehad.'

Leonard keek zijn vriend aan. 'Wat is er met jou?' vroeg hij, al wist hij het antwoord al. Godfreys ouders waren gelovig (geen methodisten zoals de familie van Leonard, maar mensen die daadwerkelijk de Bijbel lazen). Ze hadden Godfrey die zomer naar een kamp van de kerk gestuurd en daar, tussen de bomen en de vogeltjes, hadden de dominees hun werk gedaan. Hij dronk en blowde nog wel, maar Judas Priest en Motordeath had hij afgezworen. Op zich vond Leonard dat niet zo erg. Hij was er zelf ook wel klaar mee. Maar daarom hoefde hij Godfrey nog niet met rust te laten.

Hij maakte een handgebaar naar het cassettedeck. 'Artistiekerig gedoe.'

'Het is technisch wel erg goed, dit album,' hield Godfrey vol. 'Donald Fagen heeft conservatorium.'

'Moet je horen, God-frey, als we dan toch naar dit weeë gezeik moeten luisteren, kan ik net zo goed mijn broek laten zakken, dan kun je me gelijk pijpen.'

Met die woorden maakte hij het handschoenenkastje open om naar iets beters te zoeken, en hij vond een album van Big Star waar hij nogal dol op was.

Even voor middernacht zette Godfrey hem thuis af en ging hij meteen naar bed. Toen hij de volgende ochtend wakker werd, was er iets met hem aan de hand. Zijn hele lijf deed pijn. Het leek wel alsof zijn armen en benen in beton gegoten waren. Hij wilde niet opstaan, maar Rita kwam zijn kamer in en blafte dat hij te laat kwam. Hij slaagde erin uit bed te klimmen en zich aan te kleden. Hij ontbeet niet, ging zonder zijn rugtas de deur uit en liep naar Cleveland High. Er was storm op til en er scheen een schemerig licht over de armoedige winkelpuien en voetgangersbruggen. De hele dag verzamelden zich dreigende, paarsige wolken aan de hemel terwijl Leonard zijn lichaam van klas naar klas sleepte. De leraren zeurden hem de hele tijd aan zijn hoofd omdat hij zijn boeken niet bij zich had. Hij moest pen en papier van andere leerlingen lenen. Twee keer sloot hij zich op in de wc en begon zonder duidelijke aanleiding te huilen. Godfrey, die net zoveel had gedronken als Leonard, leek niets te mankeren. Ze gingen samen lunchen, maar Leonard had geen trek.

'Wat is er, man? Ben je stoned?'

'Nee. Ik denk dat ik ziek word.'

Om halfvier ging Leonard niet naar voetbaltraining, maar meteen naar huis. De hele weg werd hij voortgedreven door een gevoel van naderend onheil, van universele kwaadaardigheid. Boomtakken gebaarden dreigend aan de rand van zijn blikveld. Telefoonlijnen hingen als pythons doorgezakt tussen de palen. Maar toen hij naar de lucht keek, bleek die tot zijn verrassing onbewolkt te zijn. Geen onweer. Een heldere lucht, een stralende zon. Hij besloot dat er iets mis was met zijn ogen.

Op zijn kamer pakte hij zijn medische naslagwerken en probeerde erachter te komen wat er met hem aan de hand was. Hij had bij een zolderopruiming een hele serie gekocht, zes enorme boeken met gekleurde illustraties en verrukkelijk gruwelijke titels: *Atlas der nierziekten*, *Atlas der hersenziekten*, *Atlas der huidziekten* enzovoort. Door die naslagwerken was Leonard zich voor biologie gaan interesseren. De foto's van anonieme lijders oefenden een morbide aantrekkingskracht op hem uit. Hij vond het leuk om Janet de walgelijkste afbeeldingen te laten zien, want dan ging ze gillen. De *Atlas der huidziekten* leende zich daar bij uitstek voor.

Zelfs met alle lampen aan kon Leonard niet goed zien. Hij had het gevoel dat er iets fysieks achter zijn ogen zat dat het licht tegenhield. In de *Atlas der ziekten van het endocriene stelsel* kwam hij iets tegen dat hypofyseadenoom heette. Dat was een tumor die zich in de hypofyse vormde, per definitie klein was en vaak tegen de oogzenuw drukte. Hij veroorzaakte blindheid en een verandering in de hypofysefunctie. Dat leidde dan weer tot 'lage bloeddruk, vermoeidheid en onvermogen moeilijke of spanning veroorzakende situaties het hoofd te bieden'. Bij een overactieve hypofyse werd je een reus, bij een luie hypofyse een verzenuwd wrak. En hoe onmogelijk dat ook klonk, Leonard leek aan beide uitersten tegelijk te lijden.

Hij sloeg het boek dicht en liet zich op bed vallen. Hij had het gevoel dat hij met geweld werd leeggezogen, alsof zijn bloed en andere lichaamssappen door een enorme magneet de aarde in werden getrokken. Hij begon weer te huilen, ontroostbaar, en zijn hoofd deed hem denken aan de kroonluchter bij zijn grootouders in Buffalo, die zo hoog hing dat ze er niet bij konden, zodat er bij elk bezoek weer een peertje minder brandde. Zijn hoofd was een oude kroonluchter die steeds verder uitdoofde.

Toen Rita die avond thuiskwam en Leonard helemaal gekleed in bed zag liggen, zei ze dat hij aan tafel moest komen. Toen hij zei dat hij geen honger had, dekte ze gewoon voor één persoon minder. Ze ging die avond niet meer bij hem kijken.

In zijn kamer hoorde hij zijn moeder en zus onder het eten over hem praten. Janet, die hem doorgaans niet steunde, vroeg wat er met hem aan de hand was. 'Niets,' zei Rita, 'hij is gewoon lui.' Hij hoorde ze afwassen en daarna ging Janet naar haar kamer. Hij hoorde haar aan de telefoon met iemand praten.

De volgende ochtend stuurde Rita Janet naar zijn kamer. Ze kwam naar zijn bed toe.

'Wat is er met je?'

Zelfs dat kleine blijk van medeleven deed hem alweer bijna in tranen uitbarsten. Hij moest zich met geweld bedwingen en hield een arm voor zijn gezicht.

'Ben je schoolziek?' fluisterde Janet.

'Nee,' bracht hij met moeite uit.

'Het stinkt hier.'

'Ga dan weg,' zei Leonard, al wilde hij dat ze bleef, al wilde hij het allerliefst dat ze naast hem kroop, zoals vroeger toen ze klein waren.

Hij hoorde Janets voetstappen bij de deur en toen op de gang. Hij hoorde haar zeggen: 'Mam, ik geloof dat hij echt ziek is.'

'Hij zal wel een proefwerk hebben waar hij niet voor geleerd heeft,' zei Rita met een vreugdeloos kakellachje.

Toen gingen ze de deur uit en werd het stil in huis.

Leonard lag onder de dekens als in een graf. De stank die Janet had waargenomen, was zijn lichaam dat wegrotte. Zijn rug en gezicht zaten onder de puisten. Hij moest opstaan en zich met pHisoderm wassen, maar daar had hij de energie niet voor.

In een hoek van zijn kamer stond het oude tafelijshockeyspel, de Bruins tegen de Blackhawks. Rond zijn twaalfde was hij zo goed geworden dat hij van zijn grote zus en al zijn vriendjes won. Hij wilde altijd de Bruins zijn. Hij had voor alle spelers een naam bedacht, een Italiaanse, een Ierse, een Amerikaans-indiaanse en een Frans-Canadese. Hij hield de scores van alle spelers bij in een speciaal daarvoor bestemd schrift met een tekening van een ijshockeystick en een vonken schietende puck op de voorkant. Onder het spelen, terwijl hij met de metalen staven schoof om de spelers over het ijs te schuiven en ermee draaide om ze te laten schieten, deed hij live verslag. 'En daar gaat DiMaglio met de puck. Hij passt naar McCormick. McCormick speelt hem door naar Sleeping Bear, die op Lecour speelt, en die schiet EN HIJ SCOORT!' En zo verhaalde Leonard met zijn doordringende, prepuberale stem van zijn eenzijdige overwinningen, en hij noteerde snel de doelpunten van Lecour en de assists van Sleeping Bear voordat hij ze weer vergeten was. Hij was helemaal bezeten van die statistieken en wilde het aantal doelpunten van Lecour zelfs opjagen door tegen Janet te spelen, die nauwelijks in staat was de poppetjes te bedienen. Wat vond ze het vreselijk om tafelijshockey met hem te spelen! En ze had groot gelijk, begreep hij nu. Hij wilde alleen maar winnen. Van winnen kreeg hij een goed of althans beter zelfbeeld. Het maakte niet uit of zijn tegenstander er wat van kon of niet.

De Ziekte, die zijn perceptie in andere opzichten vertekende, zette zulke persoonlijke tekortkomingen juist in een pijnlijk helder licht.

Maar Leonard minachtte niet alleen zichzelf. Hij haatte ook de sporteikels op school, de politieagenten van Portland in hun patrouillewagens, de caissière van de supermarkt die tegen hem zei dat hij de *Rolling Stone* moest kópen als hij hem wilde lezen, alle politici, zakenmensen, vuurwapenbezitters, Bijbeldrammers, hippies en dikke mensen, de herinvoering van de doodstraf in Utah, waarbij Gary Gilmore door een vuurpeloton werd geëxecuteerd, de hele staat Utah, de Philadelphia 76ers omdat ze de Portland Trailblazers hadden verslagen, en Anita Bryant haatte hij het ergst van allemaal.

De week daarop ging hij niet naar school. Maar na dat weekend was hij weer op de been. Dat had veel te maken met het feit dat Godfrey die vrijdagmiddag voor het raam van zijn kamer verscheen. Om een uur of halfvier was Janet uit school gekomen en had haar boeken op de keukentafel laten ploffen. Een paar minuten later rook Leonard de minidiepvriespizza die ze in de oven opwarmde. Al snel hing ze met haar vriendje aan de telefoon. Leonard luisterde naar haar stem en bedacht net dat ze ongelooflijk onecht klonk en dat Jimmy, haar vriendje, niet wist hoe ze echt was, toen er iemand op zijn raam tikte. Het was Godfrey. Toen hij Godfrey daar zag staan, vroeg hij zich af of hij misschien toch niet zo depressief was als hij dacht. Hij was blij zijn vriend te zien. Hij vergat alles waar hij zo verschrikkelijk de pest aan had en stond op om het raam open te doen.

'Je zou ook gewoon bij de voordeur kunnen aanbellen,' zei hij.

'Niks voor mij,' zei Godfrey terwijl hij door het raam naar binnen klom. 'Ik kom uitsluitend achterom.'

'Moet je bij die oude mevrouw hiernaast proberen. Die zit al op je te wachten.'

'En bij je zus?'

'Oké. Ga maar weer.'

'Ik heb wiet bij me,' zei Godfrey.

Hij hield het zakje omhoog. Leonard stak zijn neus erin en zijn stemming steeg weer een stukje. Het rook als het regenwoud bij de Amazone, alsof je je hoofd tussen de benen van een indianenmeisje stak dat nog nooit van het christendom had gehoord. Ze gingen buiten onder het afdak achter de garage staan om droog te blijven tijdens het blowen. En daar bleef Leonard – althans figuurlijk – zijn hele verdere middelbareschooltijd staan, onder een afdak om in de motregen te blowen. In Portland regende het altijd en er was altijd een afdak in de buurt: achter de school, onder de Steel Bridge in Waterfront Park of onder de druipende takken van een verwaaide weymouthden ergens in een achtertuin. Leonard snapte zelf niet hoe hij het voor elkaar kreeg, maar hij zag kans zich die maandag weer naar school te slepen. Hij ontwikkelde de gewoonte minstens twee keer per dag stiekem op de wc te huilen en te doen alsof er niets aan de hand was als hij weer tevoorschijn kwam. Zonder het te beseffen begon hij aan zelfmedicatie te doen: hij was bijna elke dag stoned, sloeg 's middags thuis of bij Godfrey halve liters bier achterover en ging in het weekend naar feesten, waar hij zich totaal klem zoop. Door de week was het bij hem thuis elke middag feest. Iedereen bracht sixpacks bier en wiet mee. En iedereen wilde altijd over de moord horen. Leonard maakte het verhaal nog mooier en beweerde dat er nog bloedvlekken in de gang zaten toen ze er kwamen wonen. 'Als je goed kijkt, kun je ze misschien nog zien.' Janet meed die feestjes als de pest. Ze dreigde altijd dat ze het tegen hun moeder zou zeggen, maar uiteindelijk deed ze dat nooit. Tegen een uur of vijf gingen Leonard en zijn vrienden naar buiten, scheurden op hun skateboard door de straatjes, knalden overal tegenaan en lachten hysterisch als er iets spectaculair fout ging.

Dat getuigde allemaal niet bepaald van een gezonde geest, maar hij redde het ermee. De Ziekte had nog niet echt bezit van hem genomen. Hij kon zich nog verdoven in de dagen of weken dat hij ten prooi was aan depressie.

En toen gebeurde er iets verbijsterends. In de op één na laatste klas koos Leonard eieren voor zijn geld. Dat had verschillende oorzaken. De eerste was dat Janet eind augustus van dat jaar was gaan studeren aan Whitman College in Walla Walla, Washington, vierenhalf uur rijden van Portland. Weliswaar hadden ze elkaar in hun kinderjaren meestal genegeerd, maar toch vond Leonard het thuis eenzaam zonder haar. Door haar vertrek werd het thuis nog ondraaglijker. Maar ze had hem daarmee wel de weg naar de uitgang gewezen.

Het was een kwestie van de kip of het ei: Leonard had achteraf niet kunnen zeggen wat er het eerst was, het verlangen naar betere cijfers of de energie en de doelgerichtheid waardoor die onder zijn bereik kwamen. Vanaf september stortte hij zich op de studie. Hij begon alles te lezen wat hem opgedragen werd en leverde zijn huiswerk op tijd in. Bij wiskunde lette hij nét genoeg op om tienen voor zijn toetsen te halen. Scheikunde ging goed, al vond hij biologie leuker, want dat kwam hem op de een of andere manier concreter, 'menselijker' voor. Naarmate zijn cijfers beter werden, kreeg hij interessantere leerstof en dat beviel hem nog meer. Hij had er nu plezier in dat hij bij de goede leerlingen hoorde. Voor Engels lazen ze het tweede deel van *Henry IV* van Shakespeare. Onwillekeurig identificeerde Leonard zich heimelijk met de monoloog waarin Henry zijn vroegere luie leventje vaarwel zegt. Hij had aan het begin van het schooljaar een ernstige achterstand in wiskunde, maar dat maakte hij ruimschoots goed door dat voorjaar zowel bij de schriftelijke als de mondelinge overgangsexamens een van de besten te zijn. Hij ontdekte in zichzelf het vermogen zich totaal te concentreren, wel tien uur achter elkaar te studeren en alleen te pauzeren om snel een boterham naar binnen te proppen. Hij leverde zijn werkstukken nu soms zelfs te vróeg in. Hij las *Ontogeny and Phylogeny* en *Ever Since Darwin* van Stephen Jay Gould, puur uit interesse. Hij schreef Gould een bewonderend briefje en kreeg van de grote bioloog een kaart terug: 'Beste Leonard, dank voor je brief. Koppig doorstuderen. S.J. Gould.' Op de andere kant stond een portret van Darwin uit de National Portrait Gallery. Leonard hing de kaart boven zijn bureau.

Twee jaar later, toen Leonard er na zijn medische diagnose met meer kennis op terugkeek, vermoedde hij dat hij de laatste twee jaar van zijn middelbareschooltijd in een manische borderlinetoestand had verkeerd. Als hij een woord zocht, lag het voor het grijpen. Als hij een argument moest bedenken, vormden zich spontaan hele pagina's in zijn hoofd. In de klas sprak hij vrijuit en kon hij eindeloos doorgaan, waarbij hij ook de lachers op zijn hand wist te krijgen. En wat nog mooier was: door zijn prestaties en zijn nieuwe zelfvertrouwen kon hij genereus zijn. Hij blonk uit zonder zich erop te laten voorstaan, zijn ondraaglijke tafelhockeykarakter was totaal verdwenen. Nu de leerstof hem zo gemakkelijk kwam aanwaaien, had hij tijd om zijn vrienden met hun huiswerk te helpen zonder hun ooit het gevoel te geven dat ze dom waren. Hij legde geduldig wiskundevraagstukken uit aan leerlingen die hopeloos in wiskunde waren. Hij had zich nog nooit zo goed gevoeld. Zijn gemiddelde ging in één semester drie punten omhoog. In zijn laatste jaar volgde hij voor vier vakken extra leerstof, haalde tienen voor biologie, Engels en geschiedenis en een 8 voor Spaans. Was het erg dat er in zijn bloed een tegengif zat voor de depressie van begin vorig jaar? Als dat zo was, klaagde er in elk geval niemand over, zijn leraren niet, zijn moeder niet en de decaan van Cleveland High School al helemaal niet. Het was zelfs zo dat de herinnering aan zijn laatste twee jaar op de middelbare school, toen de Ziekte nog niet zulke scherpe tanden had en eerder een zegen dan een vloek was, Leonard op het idee voor zijn briljante zet had gebracht.

Hij schreef zich in voor drie universiteiten, allemaal in het oosten des lands, want dat was lekker ver weg. Van de universiteiten die hem toelieten, bood Brown de grootste beurs. Hij had zelden van de instelling gehoord, maar de decaan was er erg over te spreken. Na veel intercontinentaal getelefoneer met Frank, die nu klaagde over de belastingen in Europa en beweerde armlastig te zijn, wist Leonard zijn vader over te halen zijn kamer en zijn eten te betalen. Vervolgens schreef hij naar Brown dat hij het aanbod aannam.

Toen eenmaal duidelijk was dat Leonard ver weg ging studeren, wilde Rita de aandacht compenseren die hij tekort was gekomen. Ze nam een week vrij om een reisje met hem te maken. Ze reden naar Walla Walla om Janet op te zoeken, die in de zomervakantie op de campus bleef en in de bibliotheek werkte. Onder het rijden zei Rita tot Leonards verbazing ineens snikkend dat ze zo trots op hem was. Alsof hij allang volwassen was, begreep Leonard ineens hoe het zat tussen zijn moeder en hem. Hij begreep dat ze van nature meer van Janet hield, zich daar schuldig over voelde en bij hem altijd iets te vitten zocht om haar vooroordeel te rechtvaardigen. Hij begreep dat hij haar aan Frank deed denken omdat hij ook van het mannelijk geslacht was, en dat ze hem daardoor bewust of onbewust een beetje op afstand hield. Hij begreep dat hij onbewust de houding van Frank had overgenomen en Rita in zijn gedachten net zo kleineerde als Frank altijd hardop had gedaan. Kortom, Leonard begreep dat zijn relatie met zijn moeder werd bepaald door iemand die uit hun leven was verdwenen.

Op de dag dat hij naar Providence vertrok, bracht Rita hem naar het vliegveld. Ze wachtten samen in de lounge tot zijn vlucht werd afgeroepen. Rita, met een grote, ronde zonnebril volgens de laatste mode en een sjaaltje over haar hoofd, zat roerloos als een sfinx naast hem.

'Dat college dat je hebt uitgekozen is wel erg ver weg,' zei ze. 'Moet ik dat persoonlijk opvatten?'

'Het staat goed aangeschreven,' zei hij.

'Het is geen Harvard,' zei ze. 'Niemand heeft er ooit van gehoord.'

'Het hoort anders wel bij de Ivy League!' protesteerde hij.

'Je vader vindt dat soort dingen belangrijk. Ik niet.'

Leonard wilde kwaad op haar worden. Maar in zijn nieuwe rijpheid begreep hij dat Rita zijn nieuwe college alleen kleineerde omdat het iets was waar zij helemaal buiten stond. Heel even zag hij alles vanuit haar perspectief. Eerst had Frank haar verlaten, toen Janet en nu hij. Rita bleef helemaal alleen achter.

Maar daar wilde hij niet meer aan denken, want hij werd er verdrietig van. Zo snel hij kon stond hij op, omhelsde zijn moeder en liep naar de gate.

Hij liet geen traan totdat hij in het vliegtuig zat. Hij keerde zijn gezicht naar het raampje omdat hij niet wilde dat iemand hem zag. Het opstijgen gaf hem een kick – de pure kracht waarmee dat gepaard ging. Hij keek naar de straalmotoren, vol ontzag voor de stuwkracht die nodig was om hem met zo'n enorme snelheid van het aardoppervlak los te rukken. Hij leunde achterover, sloot zijn ogen en probeerde met zijn wilskracht de motoren aan te sporen, alsof die een noodzakelijke gewelddaad moesten begaan. Hij keek pas weer naar buiten toen Portland allang uit het zicht was verdwenen.

In het begin leek het alsof iedereen die hij op het college ontmoette van de oostkust afkomstig was. Zijn kamergenoot, Luke Miller, kwam uit de omgeving van Washington. De meisjes aan de overkant van de gang, Jennifer Talbot en Stephanie Friedman, kwamen respectievelijk uit New York en Philadelphia. De anderen op zijn verdieping kwamen uit Teaneck, Stamford, Amherst, Portland (Maine) en Cold Spring. In zijn derde week op de campus maakte Leonard kennis met Lola Lopez, een meisje met een Bambi-gezichtje, een karamelkleurige huid en een strakke afro, uit Spanish Harlem. Ze zat op het gazon Zora Neale Hurston te lezen en Leonard deed alsof hij de weg naar de Ratty moest vragen. Hij informeerde waar ze vandaan kwam en hoe ze heette, en toen ze antwoord had gegeven, vroeg hij wat het verschil was tussen Spanish Harlem en het gewone Harlem. 'Ik moet dit uitlezen voor mijn volgende college,' zei Lola, en ze keek weer in haar boek.

De enigen die hij ontmoette die uit het westen kwamen, waren in Californië opgegroeid en dat was een andere planeet. KEEP CALIFORNIA DIS-OREGONIZED, stond op de bumperstickers die veel Californische auto's sierden, waarop de buren antwoordden met de tekst: WELCOME TO OREGON. ENJOY YOUR VISIT. NOW GO HOME. Maar de Californiërs wisten tenminste waar hij vandaan kwam. Alle anderen, of ze nu uit het zuiden, het noordoosten of het midden-westen kwamen, vroegen alleen naar de regen. 'Daar regent het toch zo vaak?' 'Ik heb gehoord dat het daar altijd regent.' 'En hoe bevalt al die regen nou?'

'Het is niet zo erg als in Seattle,' zei hij dan.

Maar hij zat er niet mee. Hij was in augustus achttien geworden en de Ziekte begon een koppig roesmiddel in zijn lichaam aan te maken alsof ze op het moment had gewacht dat hij volgens de wet alcohol mocht drinken. Een manische periode had onder andere het effect dat je de hele nacht kon doorhalen en aan één stuk door kon neuken, kortom alles wat iedereen zich altijd bij de collegetijd voorstelt. Iedere avond zat Leonard tot middernacht in de Rockefeller-bibliotheek te studeren, met zijn hoofd knikkend als een jesjivaleerling die de Talmoed bestudeert. Op slag van twaalven ging hij terug naar zijn deel van de campus, waar altijd wel ergens een feest aan de gang was, meestal op zijn eigen kamer.

Miller, die op het internaat van de Milton High School had gezeten en zijn dionysische stijl dus al vier jaar had kunnen perfectioneren, had twee gigantische Burmeister-speakers aan het plafond opgehangen. In de hoek bij zijn bed stond als een zilveren torpedo een grote cilinder lachgas. Als een meisje even aan de rubberslang zoog, viel ze daarna gegarandeerd in je armen flauw als een jonkvrouwe in nood. Maar Leonard merkte dat hij zulke listen niet nodig had. Zonder er echt zijn best voor te doen had hij zich ontwikkeld tot het soort jongen waar meisjes gek op waren. In december hoorde hij de eerste geruchten over een lijstje op de meisjes-wc in de Airport Lounge, een lijst van de leukste jongens op de campus, waar hij ook op stond. Op een avond gaf Miller hem een briefje van ene Gwyneth, een Engelse punkster met roodgeverfd haar en heksachtig zwartgelakte nagels. 'Ik heb zin in je,' had ze geschreven.

En ze kreeg haar zin. Net als alle anderen. Als je Leonards eerste jaar in een paar beelden moest samenvatten, zou je een jongen zien die met zijn hoofd tussen de dijen van een meisje lag te beffen en net lang genoeg opkeek om een hijs van een hasjpijp te nemen en in een werkcollege het juiste antwoord te geven. Als je niet sliep kon je ook makkelijker ontrouw zijn. Je kon om vijf uur bij het ene meisje uit bed stappen, naar het andere eind van de campus lopen en bij het andere weer in bed kruipen. Alles ging prima, zijn cijfers waren goed, hij was zowel intellectueel als erotisch voortdurend in de weer – totdat hij in de studieperiode voor de tentamens een volle week niet had geslapen. Na het laatste tentamen gaf hij een feest op zijn kamer, plofte bewusteloos in bed met een meisje dat hij de volgende ochtend niet herkende, niet omdat hij haar nooit had gezien (het was Lola Lopez), maar doordat de nu toeslaande depressie hem voor alles blind maakte, behalve voor zijn eigen ellende. Die koloniseerde iedere cel van zijn lichaam, het leek wel alsof er een concentraat van leed werd aangemaakt dat gestaag in zijn aderen druppelde, een giftig bijproduct van de afgelopen manische weken.

En die waren deze keer echt manisch. Van een totaal andere orde dan de euforie van de laatste periode van de middelbare school. Het leek er niet op. Een manische periode was in ieder opzicht net zo gevaarlijk als een depressie. In het begin was het verrukkelijk. Je was hartveroverend, overrompelend innemend; iedereen was dol op je. Je nam krankzinnige fysieke risico's: zo sprong je uit een raam op de tweede verdieping in een sneeuwhoop. Je gaf je beurs voor een heel jaar in vijf dagen uit. Het was alsof er in je hoofd een wild feest aan de gang was, een feest waarbij jij de dronken gastheer was van wie niemand weg mocht, je greep mensen vast en zei: 'Vooruit. Nog eentje!' Als ze uiteindelijk toch vertrokken, ging je naar buiten om anderen te zoeken, het maakte niet uit wie, alles om het feest gaande te houden. Je praatte aan één stuk door. Alles wat je zei was briljant. Je had gewoon steeds de beste ideeën. Laten we naar New York rijden! Vanavond! Laten we op het dak van de kunstacademie klimmen om de zon te zien opkomen! Leonard wist iedereen zover te krijgen. Hij ging ze voor in de ongelooflijkste escapades. Maar op een gegeven moment sloeg het om. Hij kreeg het gevoel dat zijn hersenen overkookten. Woorden werden in zijn hoofd andere woorden, als patroontjes in een caleidoscoop. Hij maakte de hele tijd woordgrapjes. Niemand kon hem meer volgen. Hij werd kwaad, prikkelbaar. Als hij de mensen zag die nog maar een uur geleden om zijn grappen hadden gelachen, keken ze bezorgd, alsof ze zich ongerust over hem maakten. Dan rende hij de nacht in, of de dag, of de nacht, om ander gezelschap te zoeken opdat het feest door kon gaan…

Als een kwartaalzuiper die zich heeft laten gaan, kreeg hij na afloop een blackout. Hij werd compleet uitgewoond naast Lola Lopez wakker. Zij slaagde erin hem uit bed te krijgen. Ze pakte zijn arm en bracht hem naar de studentenarts, zei tegen hem dat hij zich geen zorgen hoefde te maken, dat hij haar maar vast moest houden en dat alles goed kwam.

Het leek dan ook bijzonder wreed dat drie dagen later de dokter zijn ziekenhuiskamer binnenkwam en zei dat hij iets had wat nooit meer over zou gaan, iets wat alleen 'hanteerbaar kon worden gemaakt', alsof dat een vooruitzicht was voor een achttienjarige die een heel leven voor zich had.

In september, toen Madeleine en Leonard pas in Pilgrim Lake waren, had het helmgras een prachtige lichtgroene kleur. Het wuifde en boog alsof het hele landschap een beschilderd Japans kamerscherm was. Door de moerassen liepen stroompjes zout water en overal stonden losse groepjes naaldbomen. De wereld was hier tot de meest elementaire ingrediënten gereduceerd – zand, zee, lucht – en de bomen- en bloemensoorten waren tot het minimum beperkt.

Toen het kouder werd en de zomergasten vertrokken, werd de zuiverheid van het landschap alleen maar groter. De duinen namen dezelfde grijze kleur aan als de lucht. De dagen werden merkbaar korter. Het was een ideale omgeving voor een depressie. Als Leonard 's morgens opstond, was het donker en het was donker als hij terugkwam van het lab. Zijn hals was zo dik geworden dat hij zijn boordenknoopje niet meer dicht kreeg. Het bewijs dat lithium de stemming stabiliseert, werd elke keer geleverd als Leonard zichzelf naakt in de spiegel zag en zich niet van kant maakte. Hij wilde het wel. Hij vond ook dat hij er het volste recht toe had. Maar hij kon de vereiste zelfhaat niet opbrengen.

Dat had hem een fijn gevoel moeten geven, maar een 'fijn' gevoel lag ook buiten zijn bereik. Zijn toppen en dalen werden geëgaliseerd, zodat het leek alsof hij tweedimensionaal leefde. Zijn dagelijkse dosis was verhoogd tot 1800 milligram, met de bijbehorende ernstige bijwerkingen. Als hij daar tijdens zijn wekelijkse bezoeken aan dokter Perlmann in het Massachusetts General Hospital, anderhalf uur rijden van Pilgrim Lake, over klaagde, zei de onberispelijk verzorgde psychiater met het glimmende hoofd altijd hetzelfde: 'Geduld.' Perlmann leek zich meer voor Leonards leven in Pilgrim Lake te interesseren dan voor het feit dat diens handtekening er tegenwoordig uitzag alsof hij door een man van negentig was gezet. Perlmann wilde weten wat Malkiel voor iemand was. Hij wilde roddels horen. Als Leonard in Providence bij dokter Shieu was gebleven, zou zijn dosis allang zijn verlaagd, maar nu was hij weer helemaal terug bij af.

In de bibliotheek van Pilgrim Lake probeerde hij meer over zijn medicatie te weten te komen. Hij las in het tempo van een kind uit de tweede klas en bewoog zelfs met zijn lippen. Hij ontdekte dat lithium een zout was dat al sinds de negentiende eeuw tegen stemmingswisselingen werd ingezet. Een tijd lang was het middel uit de gratie, voornamelijk omdat het onmogelijk was er een octrooi op te nemen en er geld mee te verdienen. Het werd gebruikt tegen jicht, hoge bloeddruk en hartkwalen. Tot in de jaren vijftig was het ook het belangrijkste ingrediënt van 7 Up (dat oorspronkelijk Bib-Label Lithiated Lemon-Lime Soda heette). Tegenwoordig werden er klinische onderzoeken gedaan naar de werkzaamheid van lithium bij de ziekte van Huntington, het syndroom van Gilles de la Tourette, migraine, clusterhoofdpijn, de ziekte van Ménière en hypokalemische periodieke paralyse. De farmaceutische industrie deed het verkeerd om. In plaats van uit te gaan van een ziekte en daar een geneesmiddel voor te ontwikkelen, ontwikkelden ze eerst geneesmiddelen en zochten dan pas uit tegen welke kwaal ze werkzaam waren.

Wat Leonard ook zonder erover te lezen over lithium wist, was dat hij er apathisch en wazig van werd. Zijn mond was altijd droog, hoeveel hij ook dronk, en hij had voortdurend een smaak alsof hij op een stalen schroef had gezogen. Dat was een van de redenen dat hij pruimde: om die metalige smaak te verdoezelen. Zijn handen trilden en hij had geen coördinatie meer (hij kon niet meer tafeltennissen, zelfs geen bal meer vangen). En hoewel al zijn artsen volhielden dat dat niet van de lithium kon komen, was zijn libido sterk verminderd. Hij was niet impotent, hij kon het nog wel, maar hij had gewoon weinig belangstelling. Dat had waarschijnlijk ook te maken met het gevoel dat hij door zijn medicatie onaantrekkelijk en voortijdig oud was geworden. Bij de apotheek in Provincetown kocht hij niet alleen scheermesjes, maar ook aambeienzalf en tabletjes tegen brandend maagzuur. Hij kwam altijd naar buiten met een plastic tasje en was dan bang dat anderen de gênante inhoud door het dunne plastic heen zouden kunnen zien, dus hield hij het in de straffe wind van Cape Cod stijf tegen zijn tietjes aan gedrukt. Hij ging naar de apotheek in de stad omdat hij niet naar de winkel van het lab wilde, want daar zou hij bekenden kunnen tegenkomen. Om te voorkomen dat Madeleine mee wilde, moest hij een smoes verzinnen, en de meest onweerlegbare smoes was natuurlijk zijn bipolaire stoornis. Die bracht hij niet expliciet ter sprake. Hij mompelde alleen dat hij 'alleen wilde zijn'. Dan liet ze hem wel met rust.

Als gevolg van zijn gebrekkige geestelijke en lichamelijke functioneren werd hij met nog een ander probleem geconfronteerd: het verschuivende machtsevenwicht in zijn relatie. In het begin had Madeleine hém het meest nodig gehad. Als hij op feesten met andere meisjes praatte, werd ze jaloers. Ze gaf voortdurend signalen van onzekerheid af. Uiteindelijk had ze definitief gecapituleerd en gezegd: 'Ik hou van je.' Hij had koel en cerebraal gereageerd, met de gedachte dat hij haar nog sterker aan zich kon binden door haar in het ongewisse te laten. Maar toen had ze hem verrast door het ter plekke uit te maken. Zodra ze was opgestapt, had hij spijt van het Roland Barthes-incident. Hij nam het zichzelf kwalijk dat hij zo'n lamlul was. Hij besteedde meerdere sessies bij Bryce aan het onderzoeken van zijn motieven. En de analyse van Bryce – dat hij bang voor intimiteit was en uit zelfbescherming Madeleines verklaring belachelijk had gemaakt – was dan wel behoorlijk juist, maar daarmee had Leonard Madeleine niet terug. Hij miste haar. Hij werd depressief. Stom genoeg stopte hij met zijn medicatie in de hoop dat hij dan wel zou opknappen. Maar hij werd alleen maar angstig. Angstig en depressief. Hij kletste al zijn vrienden de oren van het hoofd over Madeleine: dat hij haar zo miste, dat hij haar terug wilde, dat hij de beste relatie had verpest die hij ooit had gehad. Hij begreep wel dat zijn vrienden daar op een gegeven moment genoeg van kregen en bracht wat variatie in zijn monologen aan, deels door zijn vertellersinstinct, dat hem ingaf dat een verhaallijn spannend moet blijven, en deels doordat hij werkelijk steeds meer verschillende angsten kreeg. Hij weidde dus uit over zijn geldzorgen en zijn gezondheid, totdat hij uiteindelijk niet meer wist wat hij allemaal zei en tegen wie. Toen was Ken Auerbach hem met twee beveiligingsbeambten komen ophalen om hem naar de studentenarts te brengen. En het krankzinnige was dat Leonard kwáád was toen hij de volgende dag naar het ziekenhuis werd overgebracht. Hij was kwaad omdat hij op de psychiatrische afdeling werd opgenomen zonder eerst de voordelen van een totale manische escapade te hebben genoten. Hij had drie nachten achter elkaar door moeten gaan. Hij had acht verschillende wijven moeten palen, coke moeten snuiven, *body shots* moeten slurpen uit de navel van een stripper die

Moonstar heette. Maar hij had alleen maar op zijn kamer gezeten en alle nummers gedraaid die hij kende totdat iedereen er doodziek van werd, en was toen in een neerwaartse spiraal terechtgekomen die eindigde op de gesloten afdeling, bij de andere halvegaren.

Toen hij daar drie weken later weer weg mocht, was de machtssituatie radicaal omgekeerd. Nu was hij degene die háár nodig had. Hij had Madeleine dan wel terug en dat was natuurlijk geweldig, maar hij had voortdurend het angstige gevoel dat zijn geluk op het spel stond, dat hij haar weer kon verliezen. Doordat hij er zo slecht uitzag, kwam haar schoonheid des te duidelijker uit. Als hij naast haar in bed lag, voelde hij zich een dikke eunuch. De haarzakjes van alle haartjes op zijn dijen waren ontstoken. Soms, als ze sliep, trok hij voorzichtig de dekens van haar af om naar haar glanzende, rozige huid te kijken. Het interessante van de behoeftige positie was dat je zo innig verliefd was. Het was het bijna waard. Tegen die afhankelijkheid had hij zich zijn hele leven verzet, maar dat kon hij nu niet meer opbrengen. Hij was niet meer in staat zich als een klootzak te gedragen. Hij ging volledig voor de bijl en dat was zowel fantastisch als angstaanjagend.

Madeleine had haar best gedaan zijn kamer wat op te fleuren terwijl hij in het ziekenhuis lag. Ze had nieuwe lakens op het bed gelegd en gordijnen en een roze douchegordijn opgehangen. Ze had de vloeren en het aanrecht geboend. Ze beweerde blij te zijn dat ze bij hem woonde en van Olivia en Abby af was. Maar in die lange, hete zomer begon Leonard in te zien waarom ze uiteindelijk wel eens genoeg van haar berooide vriendje zou kunnen krijgen. Als er weer eens een kakkerlak uit de broodrooster kwam rennen, keek ze alsof ze bijna moest braken. Ze douchte met sandalen aan vanwege de schimmel. De eerste week na zijn thuiskomst bleef ze de hele dag bij hem. Maar de week daarna hervatte ze haar bezoekjes aan de bibliotheek of aan haar oude scriptiebegeleider. Leonard vond het niet prettig als Madeleine wegging. Hij vermoedde dat ze dat niet uit liefde voor Jane Austen of professor Saunders deed, maar omdat ze even bij hem vandaan wilde. Behalve naar de bibliotheek ging ze ook twee, drie keer per week naar de tennisbaan. Op een dag, toen hij haar wilde overhalen niet weg te gaan, zei hij dat het veel te warm was om te tennissen. Hij vroeg of ze niet liever met hem naar een bioscoop met airconditioning wilde.

'Ik heb beweging nodig.'

'Ik zal je beweging geven,' snoefde hij zonder veel overtuiging.

'Niet dat soort beweging.'

'Waarom tennis je altijd tegen jongens?'

'Die zijn tenminste partij voor me. Ik moet wat tegengas hebben.'

'Als ik zoiets zei, zou je me voor seksist uitmaken.'

'Als Chrissie Evert in Providence woonde, speelde ik wel tegen háár. Maar de meisjes die ik hier ken, kunnen er geen hout van.'

Leonard wist best hoe hij klonk. Hij klonk net zo als alle vervelende vriendinnetjes die hijzelf had gehad. Om niet meer zo te klinken ging hij maar zitten mokken, en in de aldus gevallen stilte pakte Madeleine haar racket en een blik tennisballen en vertrok.

Zodra ze weg was, sprong hij op en rende hij naar het raam. Hij keek haar na terwijl ze in haar witte tenniskleren de straat uit liep, met haar haar in een staart en een zweetband om de pols van haar rechterarm.

Tennissen had iets – die aristocratische rituelen, de stijve, verplichte stilte van de toeschouwers, het pretentieuze jargon met 'love' voor nul en 'deuce' voor gelijk, de exclusiviteit van de banen waar maar twee mensen vrij mochten bewegen, de paleiswachtachtige lijnrechters, het slaafse gedraaf van de ballenjongens – wat het tot een afkeurenswaardig tijdverdrijf maakte. Uit het feit dat Leonard dat niet tegen Madeleine kon zeggen zonder haar kwaad te maken, bleek wel hoe diep de sociale kloof was die tussen hen gaapte. In de buurt van zijn ouderlijk huis in Portland was een openbare tennisbaan die oud en hobbelig was en de helft van de tijd half onder water stond. Daar gingen hij en Godfrey altijd zitten blowen. Verder was hij nooit in de buurt van een tennisbaan geweest. Maar Madeleine stond in juni en juli twee weken lang elke ochtend op om op het draagbare Trinitron-tv'tje dat ze bij Leonard had geïnstalleerd naar *Breakfast at Wimbledon* te kijken. Vanaf de matras keek Leonard slaperig toe terwijl zij Engelse muffins opknabbelde en de wedstrijden volgde. Daar hoorde Madeleine thuis: op het Centre Court van Wimbledon, waar de vrouwen een reverence voor de koningin maakten.

Hij keek naar haar terwijl zij naar Wimbledon keek. Hij vond het fijn om haar daar te zien. Hij wilde niet dat ze wegging. Als Madeleine wegging, was hij weer alleen, net als vroeger thuis, net als in zijn hoofd en vaak ook in zijn dromen, net als in zijn ziekenhuiskamer op de gesloten afdeling.

De eerste dagen in het ziekenhuis kon hij zich nauwelijks herinneren. Ze hadden hem thorazine gegeven, een antipsychoticum waarvan hij buiten westen raakte. Hij had veertien uur geslapen. Voordat hij naar zijn kamer werd gebracht, had de hoofdverpleegkundige alle scherpe voorwerpen uit zijn weekendtas gehaald (zijn scheermes, zijn nagelschaartje). Ze pakte zijn broekriem af. Ze vroeg of hij iets van waarde bij zich had en hij had haar zijn portemonnee gegeven, waar zes dollar in zat.

Hij was wakker geworden in een kleine eenpersoonskamer zonder telefoon of televisie. Aanvankelijk leek het een gewone ziekenhuiskamer, maar toen begonnen hem kleine verschillen op te vallen. Het frame van het ledikant en het zwenkende dienblad waren vastgelast, zonder schroefjes of moertjes die een patiënt zou kunnen losdraaien om zichzelf iets aan te doen. Het haakje aan de deur zat niet vastgeschroefd, maar hing aan een elastiek dat uitrekte als het met extra gewicht werd belast, zodat je je er niet aan kon ophangen. Hij mocht de deur niet dichtdoen. Er zat geen slot op de deur, evenmin als op de andere deuren op de afdeling, zelfs niet op de wc. Alles leek om surveillance te draaien: hij merkte dat hij constant in de gaten werd gehouden. Vreemd genoeg was dat geruststellend. De verpleegkundigen keken niet vreemd op van zijn toestand. Ze vonden niet dat het zijn schuld was. Ze behandelden hem net alsof hij was gevallen of een auto-ongeluk had gehad. Hun halfvervelede zorg hielp hem waarschijnlijk nog het beste die eerste inktzwarte dagen door – zelfs beter dan de medicijnen.

Het was een 'vrijwillige opname', wat inhield dat hij weg mocht wanneer hij wilde. Maar hij had wel een formulier getekend waarin hij toezegde het ziekenhuis vierentwintig uur van tevoren mee te delen dat hij weg wilde. Hij stemde toe in de toediening van medicijnen en beloofde zich aan de huisregels en de hygiënische voorschriften te houden. Hij tekende alles wat ze hem onder de neus duwden. Hij mocht zich een keer per week scheren. Dan kwam er een verpleeghulp, die erbij bleef staan terwijl hij zich met het aangereikte wegwerpscheermesje schoor en het mesje na gebruik weer meenam. Er was een strakke dagindeling: hij moest om zes uur opstaan, ontbijten en vóór het bezoekuur, dat 's middags was, een dagelijkse reeks activiteiten afwerken: therapie, groepstherapie, handenarbeid, opnieuw groepstherapie en gymnastiek. Om negen uur 's avonds ging het licht uit.

Iedere dag kwam dokter Shieu even praten. Shieu was een klein, alert vrouwtje met een papierachtige huid. Ze leek vooral geïnteresseerd in de vraag of Leonard suïcidaal was.

'Goedemorgen, Leonard, hoe voel je je?'

'Uitgeput. Depressief.'

'Suïcidaal?'

'Niet actief.'

'Is dat een grapje?'

'Nee.'

'Heb je plannen?'

'Pardon?'

'Ben je van plan jezelf iets aan te doen? Fantaseer je daarover? Bedenk je scenario's?'

'Nee.'

Manisch-depressieve patiënten bleken vaker en ernstiger suïcidaal te zijn dan mensen die gewoon depressief waren. De voornaamste prioriteit van dokter Shieu was dat haar patiënten in leven bleven. Haar tweede prioriteit was dat ze binnen dertig dagen genoeg opknapten om naar huis te kunnen, want daarna werd de behandeling niet meer door de verzekering vergoed. Met het oog op die doelen (die ironisch genoeg tot dezelfde tunnelvisie leidden als de manische periodes van een patiënt) vertrouwde ze sterk op medicatie. Schizofrene patiënten kregen automatisch thorazine, een middel dat ook wel met 'chemische lobotomie' werd vergeleken. Alle anderen kregen kalmeringsmiddelen en stemmingsstabilisatoren. Tijdens de ochtendtherapie met de arts-assistent psychiatrie besprak Leonard alle middelen die hij moest slikken. Hoe 'reageerde' hij op de valium? Werd hij er misselijk van? Had hij constipatie? Ja. Thorazine kon tardieve dyskinesie veroorzaken, onwillekeurige bewegingen van de mond en de tong, maar dat was vaak van tijdelijke aard. De arts-assistent schreef nog meer medicijnen voor om de bijwerkingen tegen te gaan en stuurde hem dan weg zonder te vragen hoe hij zich voelde.

De klinisch psychologe, Wendy Neuman, interesseerde zich tenminste voor Leonards emotionele voorgeschiedenis, maar haar zag hij alleen bij de groepstherapie. De mensen op de vouwstoeltjes in de therapieruimte, onder wie ook junks en alcoholisten, vormden een heterogeen gezelschap, een volmaakte democratie van ellende. Er waren oudere blanke mannen met legertatoeages bij en zwarte gasten die de hele dag zaten te schaken, een boekhoudster van middelbare leeftijd die in haar eentje net zoveel dronk als een heel rugbyteam en een tenger meisje dat zangeres wilde worden en de vreemde afwijking had dat ze haar rechterbeen wilde laten amputeren. Om de discussie op gang te brengen gaven ze een boek door, een stukgelezen gebonden boek met een gekraakt ruggetje. Het heette *Out of Darkness, Light* en bevatte persoonlijke verhalen van mensen die van een psychiatrische aandoening waren hersteld of met een chronische ziekte hadden leren leven. Het was licht godsdienstig getint, al beweerde de auteur van niet. Ze zaten in het genadeloze licht van de tl-buizen in de therapieruimte, lazen om beurten een stukje voor en gaven het boek dan door aan de volgende. Sommige mensen behandelden het boek als een mysterieus object. Ze spraken woorden als 'religieus' verkeerd uit. Ze wisten niet wat een 'hondsvot' was. Het boek was zwaar gedateerd. Sommige mensen die erin aan het woord kwamen, noemden een depressie 'zwaarmoedigheid' of 'het zwarte beest'. Toen Leonard het boek in handen kreeg, las hij zijn gedeelte voor met een cadans en een dictie die duidelijk maakten dat hij rechtstreeks van College Hill kwam. In die eerste dagen had hij de indruk dat er bij psychiatrische aandoeningen sprake was van een hiërarchie en dat hij een superieure vorm van manische depressiviteit had. Als de behandeling van een psychiatrische ziekte uit twee elementen bestond, medicatie en therapie, en als de therapie sneller werkte naarmate je intelligenter was, dan waren veel leden van de groep in het nadeel. Ze konden zich nauwelijks herinneren wat er in hun leven was gebeurd, laat staan dat ze verbanden konden leggen. Er was een man bij met een tic die zo zwaar was dat het leek alsof hij de samenhangende gedachten letterlijk uit zijn hoofd schudde. Na zo'n stuiptrekking wist hij niet meer wat hij daarvoor had gezegd. Hij had een fysiologisch probleem, een fout in de bedrading in zijn hersenen. Als je naar hem luisterde, leek het wel alsof je een radio hoorde die steeds op een andere zender werd afgesteld: af en toe gooide hij ineens een non sequitur in de groep. Leonard luisterde meelevend naar de levensverhalen van de anderen. Hij probeerde er troost uit te putten. Maar zijn voornaamste gedachte was dat zij het toch wel een stuk slechter hadden getroffen dan hij. Door die overtuiging voelde hij zich zelf beter, dus hield hij eraan vast. Maar toen hijzelf aan de beurt was om zijn verhaal te vertellen, deed hij zijn mond open en kwam er een stroom keurig gemoduleerde, goed gearticuleerde lulkoek uit. Hij vertelde over de gebeurtenissen die aan zijn instorting vooraf waren gegaan. Hij citeerde hele lappen uit de DSM-III die hij blijkbaar uit zijn hoofd kende zonder daar ooit moeite voor te hebben gedaan. Hij koketteerde met zijn slimheid omdat hij dat nu eenmaal zo gewend was. Hij kon er niet mee ophouden.

Op dat moment realiseerde hij zich een cruciale waarheid over depressies: hoe intelligenter je was, hoe *erger* het werd. Hoe scherper je brein was, hoe erger je je eraan sneed. Zo merkte hij bijvoorbeeld dat Wendy Neuman haar armen over elkaar sloeg als hij aan het woord was, alsof ze zich wilde verdedigen tegen zijn flagrante onoprechtheid. Om haar weer voor zich te winnen, gaf Leonard toe dat hij niet oprecht was en zei hij: 'Nee, dat neem ik terug. Dat was een leugen. Ik lieg vaak. Dat hoort bij mijn ziekte.' Hij wierp een snelle blik op Wendy om te zien of ze het slikte of het juist als een nieuwe uiting van onoprechtheid beschouwde. Hoe meer hij op haar lette, hoe verder hij van de waarheid over zichzelf af dreef, totdat zijn stem wegstierf en hij met een rooie kop en een opgelaten gevoel stilviel, een pijnlijk toonbeeld van ontkenning.

Hetzelfde gebeurde ook in zijn sessies met dokter Shieu, maar dan op een andere manier. In de prikkerige leunstoel in haar spreekkamer voelde hij zich niet opgelaten over zijn verzorgde manier van spreken. Maar in gedachten hield hij ook hier nauwgezet de score van de wedstrijd bij. Om toestemming te krijgen om naar huis te gaan, moest hij haar ervan overtuigen dat hij geen zelfmoordplannen had. Maar hij wist ook dat Shieu scherp oplette of hij haar niet om de tuin probeerde te leiden, want suïcidale mensen ontwikkelen de briljantste tactieken en grijpen iedere kans aan om zich van kant te maken. Daarom wilde hij ook weer niet té positief overkomen. Tegelijkertijd wilde hij de indruk vermijden dat hij helemaal niet vooruitging. Als hij de vragen van de dokter beantwoordde, had hij het gevoel dat hij verdacht werd van een misdrijf en werd verhoord. Hij probeerde waar mogelijk de waarheid te zeggen, maar als de waarheid hem niet uitkwam, maakte hij die iets mooier of debiteerde hij gewoon een leugen. Hij merkte de kleinste verandering in de uitdrukking op het gezicht van dokter Shieu op, interpreteerde die als gunstig of juist ongunstig en stemde zijn volgende antwoord daarop af. Vaak kreeg hij het gevoel dat degene die in die prikkerige leunstoel zat en vragen beantwoordde, een buiksprekpop was die hij bespeelde, dat dat al zijn hele leven zo was en dat het bespelen van die pop zijn leven inmiddels zo totaal opslokte dat hij, de poppenspeler, geen persoonlijkheid meer had en alleen nog de arm was die de pop liet bewegen.

Het bezoekuur bracht geen verlichting. De vrienden die hem kwamen opzoeken, vielen in twee groepen uiteen: de gevoelige types, vooral meisjes, die zo behoedzaam met hem omgingen alsof hij van porselein was, en de grappenmakers, vooral jongens, die meenden dat ze hem het beste hielpen door de spot te drijven met het verschijnsel ziekenbezoek in het algemeen. Jerry Heidmann bracht een suikerzoete beterschapskaart voor hem mee, van Ron Lutz kreeg hij een heliumballon met een lachend gezichtje. Uit de woorden van zijn bezoek maakte hij op dat ze meenden dat een depressie hetzelfde was als 'depri zijn'. Ze dachten dat het net zoiets was als een slechte bui, maar dan erger. Dus probeerden ze hem op te beuren. Ze namen repen chocola voor hem mee. Ze drongen erop aan dat hij stilstond bij de positieve kanten van zijn leven.

Zoals te verwachten was, kwamen zijn ouders hem geen van beiden opzoeken. Frank belde één keer, nadat Janet hem het nummer had gegeven. Tijdens het korte gesprekje (er was maar één telefoon en er stonden nog andere patiënten te wachten) zei hij wel drie keer dat Leonard zich haaks moest houden. Hij nodigde hem uit naar Brussel te komen als hij beter was. Zelf overwoog Frank naar Amsterdam te verhuizen en op een woonboot te gaan wonen. 'Kom eens langs, dan maken we een rondvaart door de grachten,' zei hij voordat hij ophing. Rita beriep zich op haar hernia (waar Leonard haar nog nooit over had gehoord) die haar het reizen belette. Ze praatte echter wel met dokter Shieu, en op een avond belde ze de verpleegsterspost. Het was al laat, een uur of tien, maar Leonard mocht het gesprek toch aannemen.

'Ja?'

'Leonard, wat moet ik toch met jou beginnen? Nou?'

'Mam, ik lig in het ziekenhuis. Op de psychiatrische afdeling.'

'Ja, dat weet ik. Daarom bel ik ook, verdorie. Volgens de dokter slikte je je medicijnen niet meer.'

Leonard bekende zwijgend.

'Wat is dat toch met jou?' vroeg Rita.

De woede laaide in hem op. Heel even was alles weer net als vroeger. 'Nou, eens kijken. Om te beginnen zijn mijn ouders allebei alcoholist. En een van de twee is waarschijnlijk zelf ook manisch-depressief, alleen is bij haar de diagnose nooit gesteld. Ik heb het dus van haar. We hebben het allebei in dezelfde vorm. Bij ons gaan de schommelingen niet erg snel. We bereiken onze pieken en dalen niet in een paar uur tijd. Wij hebben lange manische of depressieve periodes. Mijn hersenen hebben soms een ernstig tekort aan de neurotransmitters die mijn stemmingen moeten reguleren, en soms maken ze een overdosis aan. Bij mij is er een genetische oorzaak waardoor de biologische processen niet goed werken en ook een psychologische oorzaak, door mijn ouders. Dát is er dus met mij. Mám.'

'En je gedraagt je nog steeds als een klein kind als je ziek bent,' zei Rita. 'Ik weet nog hoe verschrikkelijk je je kon aanstellen als je een griepje had.'

'Dit is geen griepje.'

'Nee, dat weet ik ook wel,' zei Rita. Voor het eerst klonk ze ontnuchterd en bezorgd. 'Dit is ernstig. Ik heb de dokter gesproken. Ik maak me zorgen over je.'

'Zo klonk het anders niet.'

'Maar het is echt zo. Leonard, lieverd, luister eens. Je bent nu volwassen. Als zoiets vroeger gebeurde en ik hoorde dat je in het ziekenhuis lag, dan kwam ik meteen naar je toe. Ja toch? Maar ik kan niet elke keer naar je toe komen hollen als je je medicijnen weer eens niet hebt ingenomen. Want dat is hier aan de hand, meer niet. Je bent gewoon slordig.'

'Ik wás al ziek,' zei Leonard. 'Daardoor slikte ik mijn lithium niet meer.'

'Dat slaat nergens op. Als je gewoon je medicijnen was blijven innemen zou je niet ziek zijn geworden. Lieverd, luister eens. Je valt niet meer onder mijn ziektekostenverzekering. Besef je dat wel? Toen je eenentwintig werd, hebben ze je van mijn polis geschrapt. Maak je geen zorgen. Ik betaal het ziekenhuis. Voor deze keer, al groeit het geld me niet op mijn rug. Dacht je dat je vader iets meebetaalde? Nee. Ik alleen. Maar als je naar huis mag, moet je zelf een verzekering nemen.'

Bij die woorden gierden de zenuwen Leonard ineens door de strot. Hij kneep in de hoorn en het werd hem zwart voor ogen. 'Hoe moet ik dat voor elkaar krijgen?'

'Hoe bedoel je? Gewoon. Afstuderen en een baan zoeken, net als iedereen.'
'Maar ik studeer niet af!' riep hij uit. 'Ik heb drie vakken niet afgemaakt!'
'Maak die vakken dan af. Je moet voor jezelf gaan zorgen, Leonard. Begrijp je? Je bent nu volwassen en ik kan niet aan de gang blijven. Neem gewoon je medicijnen in, dan gebeurt dit niet meer.'

Ze kwam niet zelf naar Providence, maar stuurde zijn zus. Janet kwam een weekend over uit San Francisco, waar ze marketingmedewerker bij Gump was. Ze woonde samen met een oudere gescheiden man die een huis in Sausalito had en ze begon over haar veeleisende baas en het verjaardagsfeestje dat ze misliep om Leonard goed in te prenten dat ze heel wat moest opofferen om zijn handje vast te komen houden. Ze leek er oprecht van overtuigd dat haar problemen meer voorstelden dan de toestand waar Leonard mee te maken had. 'Ik zou ook wel depressief kunnen worden als ik eraan toegaf,' zei ze, 'maar ik geef er gewoon niet aan toe.' Ze schrok zichtbaar van sommige andere patiënten in de recreatiezaal en keek telkens op haar horloge. Hij was opgelucht toen ze die zondag eindelijk weer wegging.

De eindtentamens waren inmiddels begonnen. De stroom bezoekers dunde uit tot een à twee personen per dag. Hij leefde tegenwoordig naar de rookpauzes toe. 's Middags en 's avonds deelde de hoofdverpleegkundige sigaretten en andere rookwaar uit. Pruimtabak was niet toegestaan, dus nam Leonard hetzelfde als de andere jongens van zijn leeftijd, James en Maurice: de dunne, vochtige sigaartjes die Backwoods heetten en in foliepakjes werden verkocht. Ze gingen in een groepje onder begeleiding van Wendy Neuman of een beveiligingsmedewerker naar de begane grond. Op een geasfalteerd terrein met een hoog hek eromheen gaven ze elkaar de enige aansteker door om de brand in hun rokertjes te jagen. De Backwoods smaakten zoet en gaven een lekkere kick. Leonard liep heen en weer, zoog aan zijn sigaartje en staarde naar de lucht. Hij voelde zich net de vogelman van Alcatraz, maar dan zonder vogels. Naarmate de dagen verstreken ging hij zich merkbaar beter voelen. Dat schreef dokter Shieu toe aan de lithium die begon te werken. Maar volgens Leonard had het veel met nicotine te maken en met het naar buiten gaan en met zijn ogen een wolkje volgen dat door de lucht dreef. Soms hoorde hij getoeter of gillende kinderen en één keer iets wat klonk als een honkbal die keihard over een veldje in de buurt werd geslagen, een geluid waar hij meteen kalm van werd, de stevige knal van hout tegen leer. Leonard wist weer hoe het voelde om in het jeugdteam een prachtige bal te slaan. Dat was het begin van zijn herstel. Het moment waarop hij zich weer kon herinneren dat geluk ooit zo eenvoudig kon zijn.

En toen was Madeleine in de conversatiezaal verschenen. Ze was voor hem de diploma-uitreiking misgelopen, en Leonard hoefde alleen maar naar haar te kijken om te beseffen dat hij weer wilde leven.

Er was maar één probleem: ze wilden hem niet laten gaan. Dokter Shieu speelde op veilig en stelde zijn vertrek steeds uit. Dus bleef hij maar naar groepstherapie gaan, tekeningen maken, badmintonnen en basketballen.

Bij de groepssessies was een patiënte die een diepe indruk op hem had gemaakt, Darlene Withers, een bijzonder temperamentvol wezen dat met opgetrokken voeten en haar armen om haar knieën op haar vouwstoeltje zat en altijd als eerste haar mond opendeed. 'Hoi, ik ben Darlene. Ik ben drugsverslaafd en alcoholist en ik heb een depressie. Dit is de derde keer dat ik met een depressie opgenomen ben. Ik zit hier nu drie weken, en mevrouw Neuman – ik ben klaar om naar huis te gaan zodra het van u mag.'

Ze glimlachte breed. Als ze dat deed, krulde haar bovenlip op, zodat je een glinsterende rand van de roze binnenkant zag. Thuis werd ze 'Drielip' genoemd. Een groot deel van de tijd zat Leonard te wachten totdat Darlene weer zou glimlachen.

'Ik snap dit verhaal zo goed omdat die schrijfster zegt dat d'r depressie door een laag zelfbeeld kwam,' begon Darlene. 'En daar heb ik dus elke dag mee te maken. Dat had ik de laatste tijd ook, dat kwam door mijn relatie. Toen ik werd opgenomen had ik dus een vaste relatie. Maar sinds ik hier zit, hè, nou, mooi dat ik niks van me vriend heb gehoord, niet één keer. Hij is niet op bezoek geweest of niks. Toen ik vanmorgen wakker werd, toen had ik echt medelijden met mezelf. "Je ben te dik, Darlene. Je ben niet knap genoeg. Daarom komt-ie niet." Maar toen dacht ik dus aan mijn vriend, en weet je? Hij stinkt uit z'n bek. Echt waar! Elke keer dat-ie in mijn buurt komt, ruik ik weer die gore adem. Waarom ben ik met een man die nooit zijn tanden poetst en zijn mond niet schoonhoudt? En toen wist ik hoe dat kwam: zo kijk jij tegen je eigen aan, Darlene. Alsof je zo weinig voorstelt dat je allang blij mag zijn dat iemand je wil hebben.'

Darlene inspireerde iedereen. Vaak zat ze in een hoekje van de conversatiezaal in zichzelf te zingen.

'Waarom zing je, Drielip?'

'Om niet te huilen. Moet jij ook eens proberen in plaats van altijd maar te zitten mokken.'

'Mokken? Ik?'

'Met mokken schiet je toch geen reet op? Voor jou moeten ze een heel nieuwe diagnose bedenken. Een chagrijnstoornis. Dát heb jij.'

Uit de verhalen die ze bij de groepstherapie vertelde, bleek dat ze in de vierde klas van school af was gegaan. Ze was door haar stiefvader misbruikt en op haar zeventiende uit huis gegaan. Ze had een tijdje als prostituee in East Providence gewerkt, een onderwerp waar ze op één bijeenkomst verrassend openhartig over had verteld om het daarna nooit meer ter sprake te brengen. Op haar twintigste was ze verslaafd aan heroïne en alcohol. Om daar vanaf te komen, was ze in de Heer gegaan. 'Ik gebruikte om de pijn te verdoven, snap je? Ik was voortdurend zo ver heen dat ik niet meer wist waar ik was. Al snel raakte ik mijn baan en mijn huis kwijt. Alles. Ik had mijn leven totaal niet meer in de hand. Toen ben ik bij me zus gaan wonen. En mijn zus, die heb dus een hond, Grover. Een bastaardpitbull. Soms als ik 's avonds thuiskwam, bij me zus, dan ging ik Grover uitlaten. Maakte niet uit hoe laat het was. Als je een pitbull aan de lijn heb, dan valt niemand je lastig. Dan loop je over straat en dan denkt iedereen: *holy fuck*. Ik ging met Grover altijd naar het kerkhof, want daar groeide gras. Dus op een avond lopen we daar achter de kerk en ik was dronken, zoals altijd, en ik kijk naar Grover en Grover kijkt me aan, en ineens zegt-ie: "Waarom drink je je dood, Darlene?" Eerlijk waar, ik zweer het! Ja, ik weet ook wel dat het alleen maar in mijn eigen hoofd gebeurde. Maar ik hoorde het echt. Uit de bek van een hond! Nou, dus ik de volgende dag naar de dokter, die stuurt me naar Sunbeam House en ik word gelijk opgenomen. Ik mocht niet eens meer langs huis. Ze zetten me in een kamertje om af te kicken. En tóen, toen ik clean was, toen sloeg die depressie toe. Alsof-t-ie had zitten wachten tot ik van de dope en de drank af was om me totaal naar de klote te helpen. Ja, sorry hoor, mevrouw Neuman. Ik heb drie maanden in Sunbeam House gezeten. Dat is twee jaar geleden. En nou ben ik dus hier. Het gaat de laatste tijd niet zo lekker, geldzorgen, emotionele problemen. Mijn leven wordt wel béter, maar het wordt er niet makkelijker op. Ik moet me aan mijn programma houden voor mijn verslavingen en mijn medicijnen innemen voor mijn ziekte. Eén ding heb ik wel geleerd: als je moet kiezen tussen een verslaving en een depressie, nou, dan is een depressie een stuk erger. Een depressie is niet iets waar je gewoon mee kan stoppen. Van een depressie kan je niet afkicken. Een depressie is net zoiets als een blauwe plek die nooit meer weggaat. Een blauwe plek in je kop. Je moet uitkijken dat je er niet per ongeluk op drukt. Maar hij is er altijd. Nou, dat was het. Bedankt voor het luisteren. *Peace.*'

Het verbaasde Leonard niet dat Darlene gelovig was. Dat waren hopeloze mensen wel vaker. Maar Darlene leek niet zwak, goedgelovig of dom. Ze had het weliswaar vaak over haar 'Hogere Macht' en soms over 'mijn Hogere Macht die ik God noem', maar ze leek opmerkelijk rationeel en intelligent en ze veroordeelde niemand. Als Leonard de groep toesprak, zijn lange, verwarde lus van gelul uitrolde en af en toe opkeek, zag hij Darlene vaak bemoedigend luisteren alsof hij niet uit zijn nek zat te kletsen, of misschien ook wel, maar ze begreep dat hij dat nodig had, dat hij het kwijt moest om iets waars en belangrijks over zichzelf te kunnen ontdekken. De meeste patiënten met verslavingsproblemen hadden het geloof bij het twaalfstappenprogramma opgepikt. Wendy Neuman leek Leonard haast het prototype van de seculiere humanist, maar ze liet nooit merken of ze het daarmee eens was of niet, en ongetwijfeld hoorde dat ook zo. Het was duidelijk dat iedereen op de afdeling het hoofd maar nét boven water kon houden. Niemand wilde iets zeggen of doen wat het herstel van een ander in de weg kon staan. Wat dat betreft was de afdeling wel heel anders dan de buitenwereld. Moreel superieur.

Leonard was echter niet bij machte om in God te geloven. Ook in zijn prille jeugd, lang voordat hij zijn vermoedens bij Nietzsche bevestigd had gezien, had hij het geloof al verregaand irrationeel gevonden. Het enige religieus getinte bijvak dat hij op college had gevolgd was 'Inleiding tot de oosterse godsdiensten', waar zowat iedereen naartoe ging. Hij wist niet meer waarom hij dat had gekozen. Het was in de herfst na het voorjaar waarin zijn diagnose was gesteld en hij deed rustig aan. Hij zat altijd achter in de stampvolle collegezaal, las minstens de helft van de verplichte lectuur en sloeg nooit een keer over, maar zei nooit iets. Hij herinnerde zich vooral een jongen die altijd een flodderig tweedehandspak en afgetrapte schoenen aan had; hij zag eruit als een drankzuchtige evangelist of een jonge Tom Waits. Hij had altijd een zwarte aktetas met metalen randen bij zich, het soort tas waar net zo goed vijftigduizend dollar in gebruikte biljetten in had kunnen zitten als een pocketeditie van de *Upanishads* onder redactie van Mircea Eliade en een half opgegeten notenbroodje in een papieren servetje. Wat Leonard sympathiek aan hem vond was de vriendelijke manier waarop hij de naïeve opinies van anderen rechtzette. Het zat daar vol studentenhuistypes, vegetariërs in tuinbroek en geknoopverfd t-shirt, die allemaal dachten dat de westerse godsdiensten verantwoordelijk waren voor alles wat in de wereld niet deugde, de roofbouw op de aarde, de slachthuizen en de dierproeven, terwijl alle oosterse godsdiensten vreedzaam en milieuvriendelijk waren. Leonard had niet de behoefte of de energie om met ze in discussie te gaan, maar hij had er plezier in als de jonge Tom Waits dat wel deed. Toen er bijvoorbeeld over het begrip *ahimsa* werd gesproken, merkte de jonge Waits op dat de strekking van de Bergrede op hetzelfde neerkwam. Leonard was onder de indruk toen hij meedeelde dat Schopenhauer al in 1814 had geprobeerd Europa voor de vedantische gedachtewereld te interesseren en dat de beide culturen lange tijd met elkaar in contact hadden gestaan. Waar hij telkens weer op wees, was dat niet één bepaald geloof de absolute waarheid in pacht had en dat je, als je goed keek, een kern ontdekte die alle godsdiensten met elkaar gemeen hadden.

Een andere keer waren ze van het onderwerp afgedwaald. Iemand bracht Gandhi ter sprake en zei dat Martin Luther King geïnspireerd was door zijn geloof in geweldloosheid, wat uiteindelijk tot de Civil Rights Act had geleid. De spreker wilde daarmee aantonen dat Amerika, een zogenaamd christelijke natie, door toedoen van een hindoe een rechtvaardiger, democratischer land was geworden.

Op dat moment verhief de jonge Waits zijn stem. 'Gandhi is door Tolstoj beïnvloed,' zei hij.

'Wat?'

'Gandhi had zijn filosofie van geweldloosheid van Tolstoj. Ze correspondeerden met elkaar.'

'Eh, leefde Tolstoj niet in de negentiende eeuw?'

'Hij is in 1912 overleden. Gandhi stuurde hem fanmail. Hij noemde Tolstoj zijn "grote leraar". Dus je hebt gelijk, Martin Luther King had zijn geweldloze opvattingen van Gandhi. En Gandhi had ze weer van Tolstoj, en die destilleerde ze uit het christendom. Dus de filosofie van Gandhi is eigenlijk niets anders dan het christelijke pacifisme.'

'Bedoel je dat Gandhi christen was?'

'In essentie wel, ja.'

'Nou, daar klopt niets van. Veel christelijke missionarissen en zendelingen hebben geprobeerd Gandhi te bekeren. Maar die wilde er niet aan. Hij kon niet geloven in dingen als de wederopstanding en de onbevlekte ontvangenis.'

'Die hebben dan ook niets met het christendom te maken.'

'Jawel!'

'Dat zijn alleen mythen die later rond de hoofdzaak zijn ontstaan.'

'Maar het christendom bárst van de mythen. Daarom is het boeddhisme ook zoveel beter. Dat dwingt niemand om iets te geloven. Je hoeft niet eens in een god te geloven.'

De jonge Waits trommelde met zijn vingers op zijn aktetas en antwoordde toen: 'Als de dalai lama doodgaat, wordt hij volgens de Tibetaanse boeddhisten in een baby gereïncarneerd. Daarom gaan de monniken alle pasgeboren baby's in het hele land opzoeken om te zien welke het is. Ze nemen persoonlijke bezittingen van de overleden dalai lama mee en laten die boven het hoofd van die baby's bungelen. Afhankelijk van de reactie van die baby's kiezen ze de nieuwe dalai lama volgens een geheim proces, dat ze aan niemand kunnen uitleggen. En is het niet verbijsterend dat de juiste baby altijd in Tibet geboren wordt, waar de monniken hem kunnen vinden, en nooit bijvoorbeeld in San Jose? En dat het altijd een jongetje is?'

Op het moment zelf was Leonard helemaal in de ban van Nietzsche (en bovendien sliep hij half), dus hij had geen zin om op die stelling in te gaan, die niet inhield dat alle godsdiensten evenveel geldigheid hadden, maar dat ze allemaal even onzinnig waren. Toen de serie colleges afgelopen was, vergat hij de jonge Waits. Pas twee jaar later dacht hij weer aan hem, in het begin van zijn relatie met Madeleine, toen hij een stapeltje foto's uit een la van haar bureau bekeek en daarin een vrij groot aantal opnamen tegenkwam waar de jonge Waits op stond. Het waren er zelfs verontrustend veel.

'Wie is die gast?' vroeg hij.

'O, dat is Mitchell,' zei ze.

'Mitchell hoe?'

'Grammaticus.'

'O ja, Grammaticus. Die zat bij een werkgroep religiestudies in mijn eerste jaar.'

'Dat verbaast me niets.'

'Had je iets met hem?'

'Nee!' wierp ze tegen.

'Dit ziet er anders wel erg gezellig uit.' Hij hield een foto omhoog waarop Grammaticus met zijn krullenbol in haar schoot lag.

Madeleine pakte de foto aan, fronste en legde hem weer in de la. Ze legde uit dat ze Grammaticus al sinds het eerste jaar kende, maar dat ze ruzie hadden gehad. Toen hij vroeg waar die ruzie over ging, deed ze ontwijkend en zei dat dat nogal ingewikkeld lag. Toen hij vroeg wat er dan zo ingewikkeld aan was, gaf ze toe dat ze met Grammaticus weliswaar altijd een platonische vriendschap had gehad, althans platonisch van haar kant, maar dat hij toen 'min of meer verliefd' op haar was geworden en zich gekwetst voelde toen dat niet wederzijds bleek te zijn.

Die mededeling had Leonard toen niet gestoord. Hij had Grammaticus getaxeerd, als mannetjesdieren onder elkaar, en geconcludeerd dat hijzelf duidelijk in het voordeel was. Maar in het ziekenhuis, waar hij niets omhanden had, begon hij zich af te vragen of er toch niet meer achter zat. Hij stelde zich voor dat Grammaticus Madeleine als een sater van achteren besteeg. Het beeld van Grammaticus die Madeleine neukte, of van Madeleine die hem pijpte, bevatte de juiste mengeling van pijn en opwinding om Leonard uit zijn seksuele verdoving te wekken. Om onnaspeurlijke redenen – die waarschijnlijk iets met zijn behoefte aan zelfvernedering te maken hadden – raakte hij opgewonden bij het idee dat Madeleine hem met Grammaticus bedroog. Om de eentonigheid van het ziekenhuisbestaan te doorbreken, kwelde hij zichzelf met die zieke fantasie en rukte zich af op de wc terwijl hij de deur, die niet op slot kon, met zijn vrije hand dichthield.

Zelfs toen Madeleine weer bij hem terug was, bleef hij zichzelf met dat soort gedachten kwellen. Toen hij naar huis mocht, werd hij door een verpleegkundige naar buiten gebracht en was hij in Madeleines nieuwe auto gestapt. Hij zat voorin met zijn gordel om en voelde zich net een baby die na zijn geboorte met zijn moeder naar huis gaat. De stad was tijdens zijn verblijf in het ziekenhuis aanmerkelijk groener geworden. Alles leek lieflijk en loom. De studenten waren weg en College Hill was uitgestorven en vredig. Ze reden naar Leonards kamer. Ze gingen samenwonen. En omdat Leonard geen baby was maar een volwassen, zieke klootzak, fantaseerde hij elke keer dat Madeleine weg was dat ze haar tennispartner in de kleedkamer pijpte of zich voorovergebogen in het depot van de bibliotheek door iemand liet nemen. Ongeveer een week na zijn ontslag uit het ziekenhuis zei ze terloops dat ze Grammaticus op de ochtend voor de diploma-uitreiking tegen het lijf was gelopen en dat ze het weer hadden goedgemaakt. Daarna was Grammaticus naar huis gegaan, naar zijn ouders, maar ze had vaak met hem gebeld toen Leonard in het ziekenhuis lag. Ze zei dat ze die interlokale gesprekken zelf zou betalen, en nu betrapte Leonard zich erop dat hij op zijn telefoonrekeningen keek of er ook nummers in het Midden-Westen op stonden. De laatste tijd had ze de verontrustende gewoonte aangenomen de telefoon mee te nemen naar de badkamer en de deur dicht te doen; ze verklaarde dat ze dat deed om hem niet te storen. (Waar had ze hem dan bij moeten storen? Bij het in bed liggen en aanvlezen, als een kistkalf? Bij het voor de derde keer herlezen van dezelfde alinea in *De antichrist*?)

Eind augustus reed Madeleine naar Prettybrook om haar ouders op te zoeken en wat spullen van thuis op te halen. Een paar dagen nadat ze terug was, zei ze langs haar neus weg dat ze in New York Grammaticus had gezien, die op weg naar Parijs was.

'Kwam je hem toevallig tegen?' vroeg Leonard vanaf de matras.

'Ja, in een bar waar Kelly me naartoe had gesleept.'

'Heb je met hem geneukt?'

'Wát?'

'Misschien heb je wel met hem geneukt. Misschien wilde je eens een jongen die niet tot zijn wenkbrauwen onder de lithium zit.'

'Jezus, Leonard, weet je nou nog niet dat dat me niets kan schelen? En volgens de dokter ligt het toch niet eens aan de lithium?'

'De dokter zegt zoveel.'

'Doe me een plezier en praat niet zo. Dat vind ik vervelend. Oké? Het klinkt afschuwelijk.'

'Sorry.'

'Word je weer depressief? Je klinkt depressief.'

'Ben ik niet. Ik ben helemaal niks.'

Madeleine ging naast hem liggen en sloeg haar armen en benen om hem heen. 'Helemaal niks? Voel je dit dan niet?' Ze legde haar hand op zijn gulp. 'En hoe voelt dit?'

'Lekker.'

Het ging eventjes goed, maar niet lang. Als hij in plaats van zich door haar te laten opvrijen had gefantaseerd dat ze Grammaticus opgeilde, was hij misschien wel klaargekomen. Maar de werkelijkheid was niet meer genoeg voor hem. En dat probleem was ingrijpender en dieper dan zijn ziekte alleen; hij had geen idee hoe hij ermee moest omgaan. Daarom deed hij zijn ogen maar dicht en trok Madeleine tegen zich aan.

'Sorry,' zei hij weer, 'sorry.'

In het gezelschap van mensen die het net zo moeilijk hadden als hijzelf voelde hij zich wat beter. Die zomer hield hij contact met een paar patiënten die hij in het ziekenhuis had leren kennen. Darlene woonde inmiddels in het appartement van een kennis in East Providence en Leonard had haar een paar keer opgezocht. Ze maakte een hyperactieve indruk. Ze kon niet stilzitten en praatte aan één stuk door zonder het echt ergens over te hebben. Ze vroeg telkens: 'En hoe gaat het nu met jou?', zonder het antwoord af te wachten. Een paar weken later, eind juli, belde haar zusje Kimberly. Darlene nam haar telefoon niet meer op. Ze gingen samen naar haar toe en troffen haar totaal psychotisch aan. Ze geloofde dat de buren samenspanden om haar uit huis te laten zetten en haar zwartmaakten bij de huisbaas. Ze durfde de deur niet meer uit, zelfs niet om de vuilnis buiten te zetten. Het huis stonk naar bedorven etenswaren en ze was ook weer gaan drinken. Leonard moest dokter Shieu bellen om de situatie uiteen te zetten terwijl Kimberly Darlene overhaalde om te gaan douchen en iets schoons aan te trekken. Op de een of andere manier slaagden ze erin Darlene, die volslagen in paniek was, de auto in te krijgen en naar het ziekenhuis te brengen, waar dokter Shieu de opnamepapieren al in orde maakte. De week daarop ging Leonard elke dag naar het bezoekuur. Meestal was Darlene dan nauwelijks aanspreekbaar, maar hij vond haar gezelschap geruststellend. Als hij bij haar was, hoefde hij even niet met zichzelf bezig te zijn.

Het enige wat hem de rest van de zomer door hielp, was het vooruitzicht dat hij naar Pilgrim Lake ging. Begin augustus had hij een envelop van het laboratorium gekregen. Er zat oriëntatiemateriaal in, prachtig drukwerk met een indrukwekkend briefhoofd in reliëf. Het leek wel een topografische kaart. Er zat ook een brief bij, gericht aan 'De heer Leonard Bankhead, onderzoeksassistent' en ondertekend door David Malkiel in eigen persoon. Het informatiepakket maakte een eind aan Leonards angst dat het bestuur lucht zou hebben gekregen van zijn ziekenhuisopname en zijn benoeming introk. Hij las de lijst met de namen van de andere onderzoeksassistenten en de universiteiten waar ze hadden gestudeerd, en zijn eigen naam stond precies waar hij hoorde te staan. Naast informatie over de huisvesting en andere faciliteiten bevatte de envelop ook een formulier waarop Leonard zijn onderzoeksvoorkeuren moest aangeven. De vier onderzoeksgebieden waren kanker, fytologie, kwantumbiologie, en biotechnologie. Hij zette een 1 bij kanker, een 2 bij fytologie, een 3 bij kwantumbiologie en een 4 bij biotechnologie. Het stelde niet veel voor, maar het invullen en terugsturen van dat formulier was zijn eerste echte daad van die zomer, het enige tastbare bewijs dat hij een toekomst in de wetenschap had.

Toen ze in het laatste weekend van augustus in Pilgrim Lake aankwamen, ging die toekomst er steeds concreter uitzien. Ze kregen de sleutel van een ruim appartement. In de keukenkastjes stonden gloednieuwe borden en bijna nieuwe pannen. In de huiskamer hadden ze een bank, twee stoelen, een eethoek en een bureau. Het bed was groot en breed en het sanitair en alle lampen deden het. In zijn kale appartementje hadden ze eerder het gevoel gehad dat ze ergens bivakkeerden dan dat ze echt samenwoonden. Maar het ogenblik dat ze over de drempel van dit nieuwe verblijf aan het water stapten had iets feestelijks, bijna alsof ze jonggehuwden waren. Leonard voelde zich op slag minder Madeleines patiënt en meer zichzelf.

Zijn herwonnen zelfvertrouwen hield stand tot het welkomstdiner die zondagavond. Op aandringen van Madeleine had hij een jasje aangetrokken en een das omgedaan. Hij had verwacht dat hij de enige zou zijn, maar toen ze de bar bij de eetzaal binnenkwamen, zag hij dat bijna alle mannen in pak waren en kon hij Madeleines inzicht in dat soort dingen alleen maar bewonderen. Ze haalden hun naamplaatjes en de tafelschikking op en voegden zich bij het stijve partijtje. Ze hadden nog geen tien minuten met deze en gene gepraat toen de andere twee assistenten uit Leonards team zich kwamen voorstellen. Carl Beller en Vikram Jaitly kenden elkaar al van het mit. Weliswaar waren ze nog maar twee dagen daarvoor in Pilgrim Lake aangekomen, net als Leonard, maar ze hadden al een air alsof ze alles over het lab en de werkzaamheden wisten.

'En,' vroeg Beller, 'welke voorkeur had jij opgegeven? Als eerste, bedoel ik?'

'Kanker,' zei Leonard.

Dat leken Beller en Jaitly grappig te vinden.

'Dat had haast iedereen,' zei Jaitly. '90 procent of zo.'

'Uiteindelijk waren er zo veel inschrijvingen voor kanker dat ze een heleboel mensen bij hun tweede of derde keus moesten inzetten.'

'Waar zijn wij bij ingedeeld?'

'Biotechnologie,' zei Beller.

'Dat was mijn laatste keus,' zei Leonard.

'Echt?' zei Jaitly. Hij leek verbaasd. 'De meesten hadden kwantum als laatste.'

'Hoe sta je tegenover gist?' vroeg Beller.

'Ik heb nogal een zwak voor fruitvliegjes,' zei Leonard.

'Jammer dan. De komende negen maanden staan voor ons in het teken van gist.'

'Ik ben al blij dat ik hier ben,' zei Leonard vanuit de grond van zijn hart.

'Tuurlijk. Staat geweldig op je cv,' zei Jaitly terwijl hij een hapje van een langskomend blad pakte. 'En het wooncomfort wordt hier tenminste serieus genomen. Maar zelfs hier kun je in een oninteressant onderzoek terechtkomen.'

Net als alle andere assistenten had Leonard gehoopt dat hij bij een bekende bioloog zou worden ingedeeld, misschien zelfs bij de grote Malkiel. Maar toen het hoofd van hun onderzoeksteam even later zijn opwachting maakte, herkende Leonard de naam op het kaartje niet eens. Bob Kilimnik was in de veertig; hij had een harde stem en weinig belangstelling voor oogcontact. Zijn tweedjasje leek rijkelijk warm voor de tijd van het jaar.

'Zo, dus de hele bende is er,' zei hij. 'Nou, welkom op Pilgrim Lake.' Hij maakte een armgebaar naar de luxueuze eetzaal, de obers in hun witte jasjes, de rijen tafels met bloemstukken. 'Wen daar maar niet aan. Zo is het niet altijd. Meestal is het afhaalpizza en oploskoffie.'

Er kwamen secretariaatsmedewerkers binnen om iedereen naar de tafels te drijven. Toen iedereen zat, deelde de ober mee dat het kreeftavond was. Behalve Madeleine zaten ook Christine – de vrouw van Beller – en Jaitly's vriendin Alicia aan hun tafel. Het deed Leonard plezier dat Madeleine de knapste van de drie vrouwen was. Alicia woonde in New York en klaagde erover dat ze direct na het diner weer naar huis zou moeten rijden. Christine wilde weten of er nog iemand anders was die een bidet in zijn badkamer had en waar zo'n ding eigenlijk voor diende. Toen de voorafjes waren opgediend en er een fles Pouilly-Fuissé rondging, informeerde Kilimnik bij Beller en Jaitly naar een paar docenten aan het MIT die hij persoonlijk leek te kennen. Bij het hoofdgerecht legde hij zijn gistonderzoek gedetailleerd uit.

Er waren verschillende redenen denkbaar waarom Leonard lang niet alles kon volgen wat Kilimnik zei. Om te beginnen was hij nogal onder de indruk van de aanwezigheid van Malkiel, die in de zaal was verschenen terwijl Kilimnik aan het woord was. Malkiel, een elegante man met grijs haar dat van zijn hoge voorhoofd naar achteren was gekamd, liep met zijn vrouw naar de eetkamer voor het bestuur, waar het al vol zat met hoofdonderzoekers en andere biomedische kopstukken. Bovendien werd Leonard afgeleid door de uitgebreid gedekte tafels en door de moeite die hij had om kreeft te eten met zijn tremor. Hij had een plastic schortje voorgebonden gekregen en probeerde de scharen te kraken, maar ze glipten telkens weer terug op zijn bord. Hij durfde het vorkje niet te gebruiken om het staartvlees naar buiten te trekken en vroeg uiteindelijk of Madeleine het voor hem wilde doen, want, zo voerde hij aan, hij kwam van de westkust en daar werd vooral krab gegeten. Desondanks kon hij aanvankelijk goed meekomen in het gesprek. De voordelen van gistonderzoek waren duidelijk. Gisten waren eenvoudige eukaryoten. Ze hadden een snelle generatietijd (anderhalf tot twee uur). Gistcellen waren gemakkelijk te modificeren door nieuwe genen te implanteren of door homologe recombinatie. Gisten waren genetisch ongecompliceerde organismen, vooral vergeleken met planten of dieren, en ze bevatten relatief weinig 'junk-DNA'. Dat snapte hij allemaal. Maar toen hij een hapje kreeft in zijn mond stak en prompt misselijk werd, begon Kilimnik over de 'asymmetrie in de ontwikkeling van de dochtercellen'. Hij had het over 'homothallische' en 'heterothallische' stammen en bracht twee kennelijk algemeen bekende studies ter sprake, een van 'Oshima en Takano' en een van 'Hicks en Herskowitz', alsof Leonard had moeten weten wie dat waren. Beller en Jaitly knikten.

'Geknipt DNA dat in gistcellen wordt ingebracht, bevordert een efficiënte homologe recombinatie aan de uiteinden van de chromosomen,' zei Kilimnik. 'Als we daarvan uitgaan, zouden we ons construct in het chromosoom bij CDC36 moeten maken.'

Leonard was inmiddels opgehouden met eten en nam alleen nog maar slokjes water. Hij had het gevoel dat zijn hersenen in pap veranderden en uit zijn oren sijpelden, net als de groene kreefteningewanden op zijn bord. Toen Kilimnik verderging: 'Kort gezegd komt het hierop neer: we brengen heme oxygenase in een dochtercel om te zien of dat invloed heeft op het vermogen tot *mating type switching* en paren', was het woord 'paren' het enige wat Leonard begreep. Hij had geen idee wat heme oxygenase was. Hij had al moeite zich te herinneren wat ook weer het verschil was tussen *Saccharomyces cerevisiae* en *Schizosaccharomyces pombe*. Gelukkig vroeg Kilimnik hem niets. Hij zei dat ze bij de gistcolleges alles wel zouden leren wat ze nog niet wisten en dat hijzelf die colleges gaf.

Na die avond deed Leonard zijn best om snel bij te lezen. Hij nam de artikelen in kwestie door, dat van Oshima en Takano en dat van Hicks en Herskowitz. Op zich waren die niet bijzonder ingewikkeld, maar hij kon nauwelijks een zin lezen zonder dat zijn gedachten afdwaalden. Hetzelfde overkwam hem tijdens de colleges. Ondanks het opwekkende effect van de pluk pruimtabak in zijn wang voelde Leonard zich geregeld tien minuten lang totaal glazig worden terwijl Kilimnik zijn relaas hield bij het bord. Zijn oksels gloeiden van angst bij de gedachte dat hij een vraag zou kunnen krijgen en zichzelf compleet voor gek zou zetten.

Toen de reeks colleges afgelopen was, sloeg zijn angstige spanning al snel om in verveling. Het was zijn taak DNA te prepareren, het met een restrictie-endonuclease te knippen en de stukken weer aan elkaar te plakken. Dat was tijdrovend, maar niet erg moeilijk. Hij zou meer plezier in het werk hebben gehad als Kilimnik af en toe iets bemoedigends had gezegd of hem naar zijn ideeën had gevraagd. Maar het hoofd van hun team kwam zelden in het lab. Hij bracht zijn dagen op zijn eigen kamer door, waar hij de gelfoto's analyseerde, en keek nauwelijks op als Leonard binnenkwam. Leonard voelde zich net de secretaresse die brieven ter ondertekening kwam binnenbrengen. Als hij Kilimnik op het terrein of in de eetzaal tegenkwam, groette die hem vaak niet eens.

Beller en Jaitly werden iets vriendelijker behandeld, maar niet veel. Ze begonnen al te mopperen dat ze bij een ander team wilden. De jongens van het lab naast het hunne werkten met genetisch gemanipuleerde fruitvliegjes; ze zochten naar de oorzaak van ALS, de ziekte van Lou Gehrig. Leonard maakte van de afwezigheid van Kilimnik gebruik om vaak pauze te nemen; dan ging hij naar buiten om achter het lab in de koele zeebries een sigaartje te roken.

Zijn voornaamste doel op het lab was zijn ziekte geheimhouden. Als hij het DNA had geprepareerd, volgde de gelelektroforese, en daarvoor moest hij met elektroforesebakjes met agarosegel in de weer. Hij moest altijd wachten totdat Jaitly en Beller met hun rug naar hem toe stonden voordat hij de kammen uit de agarosegel durfde te halen, want hij wist nooit van tevoren hoe erg zijn tremor op dat moment zou zijn. Als hij erin was geslaagd de kammen in de elektroforesebak met bufferoplossing te plaatsen voor een run van ongeveer een uur, moest hij de monsters met ethidiumbromide kleuren en de DNA onder ultraviolet licht visualiseren. En als hij daarmee klaar was, moest hij dezelfde handelingen uitvoeren met het volgende monster.

Dat was nog wel het moeilijkste: de monsters uit elkaar houden. Het ene DNA-monster na het andere te prepareren, sorteren, labelen en opslaan, ondanks zijn korte aandachtspanne en zijn momenten van wazigheid.

Hij telde iedere dag de minuten tot het moment dat hij weg mocht. Het eerste wat hij 's avonds deed als hij thuiskwam, was onder de douche springen en zijn tanden poetsen. Daarna, als hij zich eventjes schoon voelde en geen smerige smaak in zijn mond had, durfde hij wel naast Madeleine op hun bed of op de bank te gaan liggen en zijn grote, opgeblazen hoofd in haar schoot te leggen. Dat vond hij het heerlijkste ogenblik van de dag. Soms las Madeleine voor uit de roman waar ze in bezig was. Als ze een rok aan had, legde hij zijn wang tegen haar supergladde dijen. En elke avond als het etenstijd was, zei hij: 'Laten we gewoon hier blijven.' Maar elke avond haalde Madeleine hem over zich aan te kleden en gingen ze naar de eetzaal, waar hij zijn best deed niet te laten merken dat hij misselijk was en zijn waterglas niet om te gooien.

Eind september, toen Madeleine naar haar victoriaanse conferentie in Boston ging, stortte hij bijna in. De drie dagen dat ze weg was, miste hij haar iedere minuut. Hij belde de hele tijd naar haar kamer in het Hyatt, waar niet werd opgenomen. Als zijzelf belde, had ze meestal haast en moest naar een etentje of een lezing. Soms hoorde hij de stemmen van andere mensen in de kamer, gelukkige, goed functionerende mensen. Hij probeerde haar zo lang mogelijk aan de telefoon te houden en zodra ze had opgehangen, begon hij de uren te tellen tot het moment dat hij haar met goed fatsoen weer kon bellen. Tegen etenstijd nam hij een douche, trok schone kleren aan en liep naar de promenade om naar de eetzaal te gaan, maar bij het vooruitzicht met Beller en Jaitly over een technisch onderwerp te moeten debatteren besloot hij toch maar liever een diepvriespizza te halen bij het winkeltje in het souterrain dat dag en nacht open was. Die warmde hij thuis op en dan keek hij naar *Hill Street Blues*. Die zondag werd hij steeds onrustiger en belde uiteindelijk Perlmann om uiteen te zetten hoe hij zich voelde. Perlmann belde een recept voor Ativan door naar de apotheek in Provincetown en Leonard leende de Honda van Jaitly met de smoes dat hij medicijnen voor zijn allergie moest halen.

Daar zat hij dan, drieënhalve week na het begin van zijn assistentschap; hij slikte lithium en Ativan, smeerde elke ochtend en avond een klodder aambeienzalf tussen zijn billen, dronk 's morgens een glas sinaasappelsap met Metamucil voor de stoelgang en nam naar behoefte een pil waarvan hij de naam kwijt was tegen de misselijkheid. Moederziel alleen in zijn prachtige appartement, tussen de genieën en aspirant-genieën, helemaal aan het eind van de wereld.

Maandagmiddag kwam Madeleine stralend van enthousiasme terug van de conferentie. Ze vertelde over haar nieuwe vriendinnen Anne en Meg. Ze zei dat ze zich wilde specialiseren in victoriaanse literatuur, al was Austen strikt genomen Regency, zodat die niet in aanmerking kwam. Ze dweepte over haar ontmoeting met Terry Castle, de briljante Terry Castle, en Leonard was opgelucht toen hij ontdekte dat Terry Castle een vrouw was (maar minder opgelucht toen hij ontdekte dat ze op meisjes viel). Madeleines begeestering over de toekomst leek nog levendiger doordat die zo schril afstak tegen Leonards plotselinge gebrek daaraan. Hij was nu min of meer stabiel, min of meer gezond, maar hij voelde geen spoor van zijn oude energie en nieuwsgierigheid, niets van zijn gewone levenslust. Ze maakten strandwandelingen bij zonsondergang. Hij mocht dan manisch-depressief zijn, maar hij was nog steeds erg lang. Madeleine paste nog altijd perfect in zijn arm. Maar zelfs de natuur was voor hem verpest.

'Ruik jij hier iets?' vroeg hij.

'Ja, de zee.'

'Ik ruik niets.'

Soms reden ze naar Provincetown om te lunchen of 's avonds ergens te eten. Leonard deed zijn best om van dag tot dag te leven. Hij deed zijn werk op het lab en sloeg zich dapper door de avonden heen. Hij probeerde zijn stressniveau zo laag mogelijk te houden. Maar een week na de aankondiging van de Nobelprijs voor MacGregor deelde Madeleine hem mee dat haar zus Alwyn in een 'huwelijkscrisis' zat en dat haar moeder met haar naar Cape Cod wilde komen om de situatie te bespreken.

Leonard had altijd als een berg tegen een ontmoeting met de ouders van zijn vriendinnetjes opgezien. Het enige voordeel van zijn breuk met Madeleine dat voorjaar en zijn daaropvolgende instorting was dat hij bij de diploma-uitreiking meneer en mevrouw Hanna tenminste niet had hoeven ontmoeten. Die zomer was hij zo opgezwollen en trillerig dat hij liever niemand onder ogen kwam en was hij erin geslaagd de ontmoeting uit te stellen door zich in Providence schuil te houden. Maar nu kon hij er niet meer onderuit.

De dag begon memorabel, hoewel een tikje vroeg, met de geluiden van Jaitly en Alicia, die in het appartement boven hen aan het wippen waren. Het appartementengebouw, Starbuck, was een verbouwde stal zonder geluidsisolatie. Het klonk niet eens alsof Jaitly en Alicia bij hen in de kamer lagen. Het klonk alsof ze bij hen in bed lagen, tussen hen in, en lieten zien hoe je zoiets aanpakte.

Toen het weer stil was, stond Leonard op om te gaan pissen. Hij nam drie lithiumtabletten bij zijn ochtendkoffie en keek naar het ochtendlicht dat zich over de baai verspreidde. Hij voelde zich eigenlijk best redelijk. Hij had de indruk dat dit een van zijn goede dagen werd. Hij kleedde zich iets beter dan anders, in een kakibroek en een wit overhemd. In het lab zette hij keihard Violent Femmes aan op de gettoblaster en begon monsters te prepareren. Toen Jaitly binnenkwam, grijnsde hij hem toe.

'Lekker geslapen, Vikram?'

'Ja, prima.'

'Is de schroeilucht weer een beetje opgetrokken?'

'Wat, heb je liggen – klootzak!'

'Ja, geef mij de schuld. Ik lag gewoon in bed, ik bemoeide me nergens mee.'

'Alicia is er alleen in het weekend. Jij hebt Madeleine altijd bij je.'

'Dat is waar, Vikram. Dat is waar.'

'Konden jullie ons echt horen?'

'Neu. Ik pest maar wat.'

'Niets tegen Alicia zeggen, hoor. Die schaamt zich dood! Beloofd?'

'Bij mij zijn je geheimen veilig,' beloofde Leonard.

Tegen tienen kwam de mist in zijn hoofd echter weer opzetten. Hij kreeg hoofdpijn. Zijn enkels waren zo opgezwollen van het vastgehouden vocht dat hij zich net Godzilla voelde, zo log als hij heen en weer stampte tussen de dertiggradenkamer en het lab. Toen hij later een kam uit een tray moest halen, trilde zijn hand zo dat er luchtbellen in de gel kwamen en hij alles moest weggooien en opnieuw beginnen.

Hij had ook last van zijn maag en darmen. Het was kennelijk geen goed idee geweest om zijn pillen op zijn nuchtere maag met koffie weg te spoelen. Omdat hij de wc in het lab niet onder de stank wilde zetten, ging hij in de lunchpauze naar zijn appartement, waar hij tot zijn opluchting zag dat Madeleine al weg was om haar moeder en zus op te halen. Hij sloot zich op de plee op met *The Atrocity Exhibition* en hoopte dat het snel zou gaan, maar na de heftige sessie voelde hij zich zo smerig dat hij zich uitkleedde en een douche nam. Daarna trok hij niet zijn mooie kleren van die morgen, maar een korte broek en een t-shirt aan en bond hij een bandana om zijn hoofd. Hij moest de dertiggradenkamer weer in en wilde iets gemakkelijks aan. Hij stopte een blikje pruimtabak tussen het elastiek van een van zijn hoge witte sokken en sjokte zwaar naar het lab terug.

Madeleine kwam die middag langs met haar moeder en haar zus. Phyllida was tegelijk vormelijker en minder intimiderend dan hij had verwacht. Haar bekakte accent, van het soort dat Leonard alleen kende van bioscoopjournaals uit de jaren dertig, was werkelijk verbijsterend. De eerste tien minuten, toen hij haar rondleidde door het lab, dacht hij dat ze het expres deed. Het leek wel alsof de koningin op bezoek was. Phyllida was een en al kapsel en handtas, stelde vragen met haar snerpend hoge stem, wilde door een microscoop kijken en informeerde naar het nieuwste wetenschappelijke werk van haar onderdaan. Tot zijn plezier ontdekte hij dat Phyllida intelligent was en zelfs gevoel voor humor had. Hij ging op de jonge-bolleboostoer en legde de eigenschappen van gist uit, en even voelde hij zich net een echte bioloog.

Hij had meer moeite met haar zus. Madeleine mocht dan bij hoog en bij laag beweren dat ze uit een heel 'normaal' en 'gelukkig' gezin kwam, maar de vibraties die hij van Alwyn oppikte suggereerden iets heel anders. De vijandigheid die ze uitstraalde was net zo opvallend als broomfenolblauw. Haar opgeblazen, sproetige gezicht was uit dezelfde ingrediënten samengesteld als dat van Madeleine, maar dan in de verkeerde verhoudingen. Ze leed er duidelijk al haar hele leven onder dat ze de minst knappe van de twee was. Alles wat hij zei leek haar te vervelen en ook lichamelijk zat ze zo te zien niet lekker in haar vel. Hij was opgelucht toen Madeleine Alwyn en Phyllida weer meenam.

Al met al vond hij dat het bezoekje redelijk goed was verlopen. Hij had niet al te opvallend getrild en hij was erin geslaagd het gesprek gaande te houden en Phyllida beleefd geïnteresseerd aan te kijken. Toen hij die avond thuiskwam, begroette Madeleine hem met alleen een handdoek om. En toen was die ook weg. Hij duwde haar naar hun bed en probeerde er niet te veel bij na te denken. Hij trok zijn broek uit en zag tot zijn opluchting dat hij een heel behoorlijke erectie had. Hij wilde zijn kans grijpen, maar door de praktische kanten van de anticonceptie was die net zo snel verdwenen als hij zich had aangediend. En toen begon hij tot zijn schaamte te huilen. Hij drukte zijn gezicht in de matras en snikte. Was dat wel een echte emotie? Misschien waren het wel zijn medicijnen die iets met hem deden. De berekenende aanwezigheid die altijd in zijn achterhoofd zat, bedacht dat zijn tranen Madeleine wel zouden vertederen en dichterbij brengen. En het werkte. Ze wiegde hem, wreef hem over zijn rug en fluisterde dat ze van hem hield.

Op dat moment moet hij in slaap gevallen zijn. Toen hij wakker werd, was hij alleen. Het kussensloop was vochtig, net als het laken onder hem. Op de wekker op het nachtkastje zag hij dat het zeventien over tien was. Hij bleef met wild bonkend hart in het donker liggen, in de greep van de plotselinge angst dat Madeleine er voorgoed vandoor was. Na een halfuur stond hij op, nam een Ativan en viel al snel weer in slaap.

De vrijdag daarop zette hij in de spreekkamer van Perlmann in het Massachusetts General zijn ideeën uiteen.

'Ik zit nu al sinds juni op achttienhonderd milligram. Het is nu oktober. Vier maanden later.'

'Je lijkt de lithium goed te verdragen.'

'Vindt u? Moet u mijn hand eens zien.' Hij stak zijn hand uit. Die was volkomen stabiel. 'Wacht maar even. Zo meteen gaat hij weer trillen.'

'Je serumwaarden zien er goed uit. Nierfunctie, schildklierfunctie – allebei in orde. Je nieren verwerken het kennelijk heel snel. Daarom heb je zo'n hoge dosis nodig, anders wordt de lithiumspiegel in je bloed te laag en werkt het niet meer.'

Leonard was met Madeleine in de Saab naar Boston gereden. De avond daarvoor had Kilimnik hem even na tienen thuis gebeld omdat hij de volgende ochtend een serie nieuwe gelfoto's nodig had, en daar moest Leonard dus vanavond nog voor zorgen. Hij was in het donker naar het lab gelopen en had de monsters in de slotjes gepipetteerd, het DNA gekleurd en de gelfoto's op het bureau van Kilimnik neergelegd. Toen hij weer weg wilde gaan, zag hij dat Beller of Jaitly een van de microscopen aan had laten staan. Hij wilde hem net uitzetten toen hij merkte dat er iets in zat. Hij boog zich naar de microscoop toe om te kijken.

Als hij in een microscoop keek, voelde hij nog steeds dezelfde verwondering als de eerste keer, op zijn tiende, toen hij een gebruikte speelgoedmicroscoop voor Kerstmis had gekregen. Daarbij kreeg hij altijd een gevoel alsof hij niet door een lens keek, maar languit de microscopische wereld in dook. Leonard stelde scherp en daar waren ze: een zwerm haploïde gistcellen, op en neer deinend als kinderen in de golven aan Race Point Beach. Leonard zag de cellen zo duidelijk dat het onbegrijpelijk leek dat ze niet op zijn aanwezigheid reageerden, maar ze gingen gewoon hun gang, net als altijd, en zwommen in hun lichtkring. Zelfs in het emotievrije medium van de broedstof leken de haploïde cellen hun solitaire toestand als onwenselijk te ervaren. In het kwadrant links onder oriënteerde de haploïde cel zich op de haploïde cel ernaast. Dat had iets moois, als een dans. Leonard had eigenlijk zin om de hele voorstelling te zien, maar die zou uren duren en hij was moe. Hij zette de lichtmicroscoop uit en liep door het donker terug naar zijn appartement. Het was al na tweeën.

De volgende ochtend reed Madeleine hem naar Boston. Dat deed ze elke week en ze bracht graag een uurtje door in de boekwinkels aan Harvard Square. Terwijl ze onder een laaghangende grauwe hemel, die dezelfde dofgrijze kleur had als de huizen die her en der door het landschap verspreid stonden, over Route 6 reden, observeerde Leonard haar uit zijn ooghoek. In het egalitaire studentenleven op college was het mogelijk geweest de verschillen in hun opvoeding te negeren. Maar na het bezoek van Phyllida kon dat niet meer. Nu begreep hij waar Madeleines eigenaardigheden vandaan kwamen: haar uitspraak, haar voorkeur voor worcestersaus, haar overtuiging dat het gezond was om met het raam open te slapen, zelfs als het buiten ijskoud was. De familie Bankhead sliep niet met het raam open. De familie Bankhead hield de ramen en gordijnen liever dicht. Madeleine was pro-zon en anti-stof; zij geloofde in de grote schoonmaak, waarbij de kleden over de balustrade van de veranda werden gehangen en geklopt, ze vond dat je je huis of appartement vrij van spinnenwebben en vuil diende te houden en je hoofd vrij van besluiteloosheid en somber gepieker. De zelfverzekerde manier waarop ze reed (ze beweerde vaak dat sportieve mensen beter autoreden dan anderen) wees op een simpel zelfvertrouwen dat Leonard miste, al zijn intelligentie en zijn oorspronkelijke geest ten spijt. Je begon iets met een meisje omdat je knikkende knieën kreeg als je haar alleen maar zág. Je werd verliefd en wilde tegen elke prijs voorkomen dat ze je liet zitten. En toch, hoe meer je over haar nadacht, hoe minder je begreep wie ze eigenlijk was. Je hoopte dat de liefde alle verschillen overwon. Dat hoopte je. Leonard gaf het niet op. Nog niet.

Hij boog zich naar het handschoenenkastje, rommelde tussen de cassettebandjes en pakte er een van Joan Armatrading. Hij zette het op.

'Dit betekent trouwens geenszins dat ik het mooi vind,' zei hij.

'Ik ben gek op dat album!' zei Madeleine, voorspelbaar, vertederend. 'Zet eens wat harder!'

De herfstige bomen in de buurt van Boston waren kaal. De joggers langs de Charles hadden hun lange trainingsbroek aan en hun capuchon op, en hun adem maakte wolkjes in de lucht.

Leonard was drie kwartier te vroeg voor zijn afspraak. Hij ging niet naar binnen, maar liep naar een parkje in de buurt. Dat park zag er net zo uit als hij zich voelde. Het bankje waar hij op ging zitten leek wel door bevers aangevreten. Tien meter verderop rees een met graffiti beklad standbeeld van een Minuteman op uit het door onkruid overwoekerde gras. De Minutemen hadden met hun lichte jachtgeweren voor de vrijheid gevochten en gewonnen. Maar als ze lithium hadden geslikt, waren het vast geen Minutemen geweest. Dan waren het Fifteen-minutemen of Half-hourmen geweest. Dan zou het een eeuwigheid hebben geduurd voordat ze met geladen geweer op het slagveld hadden gestaan, en dan hadden de Britten gewonnen.

Om elf uur was Leonard het ziekenhuis in gelopen om zijn ideeën tegenover Perlmann uiteen te zetten.

'Goed, dus je nam expres je lithium niet meer in. Maar de vraag is: waarom?'

'Omdat ik er doodziek van werd. Hoe ik erop reageerde.'

'Hoe dan?'

'Ik werd dom. Traag. Ik leefde maar half.'

'Werd je depressief?'

'Ja,' gaf Leonard toe.

Perlmann zweeg en glimlachte. Hij legde een hand op zijn kale kruin alsof hij een briljante inval wilde binnenhouden. 'Je voelde je ook al verschrikkelijk voordat je met je lithium stopte. En naar die dosis wil je nu weer terug?'

'Dokter Perlmann, ik heb die nieuwe, hogere dosis nu vijf maanden. En ik heb veel ergere bijverschijnselen dan ooit tevoren. Ik heb het gevoel dat ik langzaam vergiftigd word.'

'En als je psychiater zeg ik dat we dat aan je bloedwaarden zouden moeten zien als het zo was. De bijwerkingen die je beschrijft klinken geen van alle ongewoon. Ik had graag gezien dat ze sneller waren verminderd, maar soms duurt dat iets langer. Voor jouw lengte en gewicht is achttienhonderd milligram niet zo hoog. Ik ben best bereid om je dosis op een gegeven moment te verlagen. Daar sta ik wel voor open. Maar je moet bedenken dat je nog niet zo lang patiënt bij me bent. Ik moet je situatie eerst goed evalueren.'

'Dus doordat ik naar u ben overgestapt moet ik weer achteraan aansluiten?'

'Verkeerde metafoor. Het gaat hier niet om een wachtrij.'

'Een gesloten deur dan. Josef K. die het kasteel in probeert te komen.'

'Leonard, ik ben geen letterkundige. Ik ben psychiater. De vergelijkingen laat ik graag aan jou over.'

Tegen de tijd dat Leonard in de lift naar beneden stond, was hij uitgeput van het argumenteren en smeken. Op het gevaar af dat hij zieke kinderen zou zien en nog depressiever zou worden, dook hij de koffiehoek in voor een kop koffie en een taartje. Hij kocht een krant en las hem van voren naar achteren, waar hij bijna een uur mee zoet was. Om vijf uur, toen hij naar buiten ging, waar hij met Madeleine had afgesproken, was de straatverlichting al aan en stierf het grauwe novemberlicht weg. Een paar minuten later dook de Saab uit de schemering op en gleed naar de stoeprand.

'Hoe ging het?' vroeg Madeleine. Ze boog zich naar hem toe voor een zoen.

Leonard klikte zijn gordel vast en deed alsof hij het niet zag. 'Ik was bij de psychiáter, Madeleine,' antwoordde hij kil. 'En zoiets "gaat" niet.'

'Het was maar een vraag.'

'Nee. Je wilt een verslag horen. "Gaat het al beter met je, Leonard? Ben je nu binnenkort geen zombie meer, Leonard?"'

Het bleef even stil terwijl Madeleine zijn woorden verwerkte. 'Ik snap wel waarom je het zo zou kunnen opvatten, maar zo bedoelde ik het niet. Echt niet.'

'Laten we nu maar gaan,' zei Leonard. 'Ik haat Boston. Ik heb altijd de pest aan Boston gehad. Iedere keer dat ik hier kom, gebeurt er iets naars, ook vroeger al.'

Een tijd lang zwegen ze allebei. Ze reden bij het ziekenhuis weg en volgden Storrow Drive, langs de Charles. Dat was een omweg, maar Leonard had geen zin om er iets van te zeggen.

'Wil je dan dat het me niets kan schelen hoe het met je gaat?' vroeg ze.

'Nee, niet per se,' antwoordde hij iets zachter.

'Dus?'

'Dus Perlmann verlaagt mijn dosis niet. We wachten nog even af of mijn lichaam zich acclimatiseert.'

'Ik heb vandaag iets interessants gelezen,' zei Madeleine opgewekt. 'Ik was in een boekwinkel en daar zag ik een artikel over bipolaire stoornissen en nieuwe manieren om die te genezen.' Ze keek hem glimlachend aan. 'Ik heb het blad gekocht. Het ligt achterin.'

Leonard maakte geen aanstalten om het te pakken. 'Genezen,' zei hij.

'Ja, nieuwe behandelingen en zo. Ik heb het nog niet helemaal gelezen.'

Leonard leunde met zijn hoofd naar achteren en zuchtte. 'Ze begrijpen het biologische mechanisme dat eraan ten grondslag ligt nog niet eens. We weten vrijwel niets over de werking van de hersenen.'

'Ja, dat staat ook in dat artikel,' zei Madeleine, 'maar die wordt steeds beter begrepen. Het artikel gaat over recent onderzoek.'

'Hoor je eigenlijk wel wat ik zeg? Als je de oorzaak van een ziekte niet begrijpt, kun je die onmogelijk genezen.'

Madeleine worstelde zich over de drukke tweebaansweg naar de oprit van de snelweg toe. Met vastberaden vrolijkheid zei ze: 'Ja, sorry, schatje, maar als je manisch-depressief bent, ben je soms nu eenmaal – nou ja, een beetje depressief. Soms kraak je iets al af voordat je weet wat het is.'

'Terwijl jij als optimist nog nooit van een geneeswijze hebt gehoord waar je niet in gelooft.'

'Lees dat artikel nou maar,' zei ze.

Na de afslag van Route 3 moesten ze tanken. Omdat hij vermoedde dat Madeleine omwille van de lieve vrede geen bezwaar zou maken als hij in de auto rookte, kocht hij een pakje Backwoods. Toen ze weer reden, zette hij het raampje op een kier en stak er eentje op. Dat was het enige fijne van die hele dag.

Toen ze Cape Cod naderden, was zijn stemming wat opgeklaard. In een poging wat vriendelijker te zijn, pakte hij het tijdschrift van de achterbank en tuurde ernaar bij het licht van het dashboard. Maar toen riep hij: 'De *Scientific American*! Dat méén je toch niet!'

'Wat is daar mis mee?'

'Dat is toch geen wetenschappelijk tijdschrift. Dat is journalistiek. Ze doen niet eens aan toetsing!'

'Ik zie niet in wat daar zo erg aan is.'

'Nee, dat zie jij niet in. Want jij weet niets van exacte wetenschap.'

'Ik wilde je alleen maar helpen.'

'Weet je hoe je me kunt helpen? Door een beetje door te rijden,' zei hij kwaad. Hij draaide het raampje helemaal open en gooide het blad naar buiten.

'Leonard!'

'Doorrijden!'

De rest van de rit zeiden ze geen woord. Toen ze voor hun appartement uitstapten, wilde hij een arm om haar heen slaan, maar ze schudde hem af en ging alleen naar boven.

Hij kwam niet achter haar aan. Hij was de hele dag weg geweest en moest naar het laboratorium, en bovendien was het beter als ze elkaar even niet zagen.

Hij volgde de promenade door de duinen, langs de beeldentuin naar het genetisch laboratorium. Het was nu helemaal donker en de gebouwen werden zilverig verlicht door de halve maan. Er zat kou in de lucht. De wind voerde de geur van de muizenkooien in het proefdierenhuis aan, dat rechts van het lab stond. Hij was bijna blij dat hij aan het werk kon. Hij wilde even met niet-emotionele dingen bezig zijn.

Er was niemand in het lab. Jaitly had een Post-it voor hem achtergelaten met de cryptische tekst 'Pas op voor de draak'. Leonard zette de gettoblaster aan, haalde een Pepsi uit de ijskast voor de cafeïne en ging aan de slag.

Hij was ongeveer een uur bezig toen tot zijn verbazing de deur openging en Kilimnik binnenkwam. Hij keek woedend op Leonard neer.

'Wat had ik je gisteravond nu gevraagd?' vroeg hij op scherpe toon.

'Of ik een paar monsters wilde prepareren.'

'Zo moeilijk is dat toch niet?'

Leonard wilde zeggen dat het makkelijker was geweest als Kilimnik niet zo laat had gebeld, maar het leek hem verstandiger om zijn mond te houden.

'Kijk eens naar die nummers,' zei Kilimnik.

Hij stak hem de gelfoto's toe. Leonard pakte ze gehoorzaam aan.

'Dat zijn de nummers van de serie die ik *twee dagen geleden* van je heb gekregen,' zei Kilimnik. 'Je hebt ze door elkaar gehaald! Ben je soms hersendood of zo?'

'Het spijt me,' zei Leonard. 'Ik ben gisteren meteen gekomen toen u had gebeld.'

'En je hebt er een puinhoop van gemaakt,' schreeuwde Kilimnik. 'Hoe kan ik nou een studie uitvoeren als mijn laboranten de eenvoudigste protocollen niet kunnen uitvoeren?'

Een onderzoeksassistent 'laborant' noemen was als belediging bedoeld. Dat ontging Leonard niet.

'Het spijt me,' zei hij weer vergeefs.

'Ga nou maar,' zei Kilimnik met een wegwuivend gebaar. 'Een schoonheidsslaapje lijkt me niet verkeerd. Anders verpest je vanavond nog meer monsters.'

Leonard moest wel gehoorzamen. Maar zodra hij het lab uit was, werd hij zo razend dat hij bijna weer naar binnen ging om Kilimnik mee te delen hoe hij over hem dacht. Kilimnik zat hem nu op de huid omdat hij die series door elkaar had gehaald, maar in feite maakte het weinig uit. Het was overduidelijk – althans voor Leonard – dat het transporteren van het gen dat codeert voor heme oxygenase naar de andere arm van het chromosoom geen invloed had op de asymmetrie tussen de moeder- en dochtercellen. Die asymmetrie kon nog duizenden andere oorzaken hebben. Als dit experiment afgerond was, wat nog twee tot zes maanden kon duren, kon Kilimnik het onomstotelijke bewijs leveren dat de plaats van het gen dat voor heme oxygenase codeert geen invloed had op de asymmetrie tussen moeder- en dochtercellen en dat ze, kortom, één sprietje verder waren in hun zoektocht naar de naald in de hooiberg.

Leonard stelde zich voor dat hij hem dat allemaal recht in zijn gezicht zou zeggen. Maar hij wist dat hij dat nooit zou doen. Als hij dit assistentschap kwijtraakte, kon hij nergens heen. En hij faalde zelfs bij de eenvoudigste opdrachtjes.

Achter zijn appartementengebouw rookte hij de rest van zijn Backwoods op totdat het pakje leeg was.

Toen hij binnenkwam, zat Madeleine op de bank. Ze had de telefoon op schoot, maar was niet aan het bellen. Ze keek niet op.

'Hoi,' zei Leonard. Hij wilde haar zijn excuses aanbieden, maar dat bleek moeilijker te zijn dan naar de ijskast lopen om een biertje te pakken. Hij bleef in de keuken staan en dronk uit het groene flesje.

Madeleine bleef op de bank zitten.

Hij overwoog te doen alsof er niets aan de hand was, in de hoop dat het dan zou lijken alsof hun ruzie nooit had plaatsgevonden. Helaas suggereerde de aanwezigheid van de telefoon op Madeleines schoot dat ze net zijn wangedrag met iemand had besproken, waarschijnlijk met een vriendin. En inderdaad, even later verbrak ze de stilte.

'Kunnen we even praten?' vroeg ze.

'Ja.'

'Je moet iets aan die driftbuien doen. Vanmiddag in de auto had je jezelf totaal niet meer in de hand. Heel eng.'

'Ik was uit mijn doen,' zei hij.

'Je was gewelddadig.'

'Niet overdrijven.'

'Jawel,' hield ze vol. 'Ik werd er bang van. Ik dacht dat je me ging slaan.'

'Ik gooide alleen dat blad weg.'

'Je was buiten jezelf.'

Ze praatte door. Het klonk alsof ze het van tevoren had bedacht, ze sprak althans frasen uit die niet van haarzelf waren, formuleringen van degene die ze daarnet aan de telefoon had gehad. Ze gebruikte uitdrukkingen als 'verbale agressie', 'gijzelaar van andermans stemmingen' en 'autonomie in een relatie'.

'Ik begrijp wel dat je gefrustreerd raakt doordat Perlmann je aan het lijntje houdt,' zei ze. 'Maar dat is niet mijn schuld en je kunt het niet op mij blijven afreageren. Volgens mijn moeder hebben wij verschillende manieren van ruziemaken. In een relatie is het belangrijk dat je regels opstelt voor de manier waarop je ruziemaakt. Wat acceptabel is en wat niet. Maar als je jezelf niet bent, zoals vanavond…'

'Heb je het daar met je moeder over gehad?' vroeg Leonard. Hij wees naar de telefoon. 'Ging dat gesprek daarover?'

Madeleine zette de telefoon weer op tafel. 'Ik bespreek van alles met mijn moeder.'

'Vooral mij, de laatste tijd.'

'Soms.'

'En wat zegt je moeder?'

Madeleine boog haar hoofd. Alsof ze zichzelf geen tijd wilde gunnen om zich te bedenken zei ze snel: 'Mijn moeder mag je niet.'

Dat kwam aan als een fysieke klap in zijn gezicht. Het was niet alleen de inhoud van de bewering, al was die al erg genoeg. Het was het feit dat Madeleine had besloten het hardop te zeggen. Als je zoiets eenmaal had gezegd, was dat niet gemakkelijk ongedaan te maken. Die gedachte zou er van nu af aan altijd zijn, elke keer dat Leonard en Phyllida zich samen in dezelfde kamer bevonden. En daarmee was de mogelijkheid ontstaan dat Madeleine verwachtte dat dat nooit meer zou gebeuren.

'Hoe bedoel je, je moeder mag me niet?'

'Nou, gewoon.'

'Wat heeft ze dan tegen me?'

'Daar wil ik het nu niet over hebben. Daar gaat dit gesprek niet over.'

'Ja, daar gaat het momenteel wél over. Je moeder mag me niet? Ze heeft me nog maar één keer gezien.'

'En dat ging niet zo best.'

'Toen ze hier was? Wat was er dan aan de hand?'

'Nou, om te beginnen gaf je haar een hand.'

'Nou én?'

'Mijn moeder is ouderwets. Die geeft een man geen hand, en als dat toch gebeurt, is zij degene die het initiatief neemt.'

'O jee, sorry. Ik ken het etiquetteboek niet zo goed uit mijn hoofd.'

'En die kleren die je aan had. Die korte broek en die bandana.'

'Het is bloedheet in het lab,' protesteerde Leonard.

'Ik rechtvaardig het standpunt van mijn moeder niet,' zei Madeleine, 'ik leg het alleen maar uit. Ze kreeg geen goede eerste indruk van je. Dat is alles.'

Leonard begreep wel hoe dat mogelijk was. Tegelijkertijd kon hij niet geloven dat zijn zonde tegen de etiquette zo onvergeeflijk was dat Phyllida niets meer van hem wilde weten. Maar er was nog een andere mogelijkheid.

'Heb je haar verteld dat ik manisch-depressief ben?' vroeg hij.

Madeleine keek naar de grond. 'Ze weet het,' zei ze.

'Van jou!'

'Nee, niet van mij. Van Alwyn. Die had je pillen in de badkamer gezien.'

'Jouw zus heeft in mijn spullen zitten snuffelen? En dan ben ík degene die geen manieren heeft?'

'We hebben er een enorme ruzie over gehad,' zei Madeleine.

Leonard liep naar de bank, ging naast Madeleine zitten en pakte haar handen. Plotseling had hij het gênante gevoel dat hij ieder moment kon gaan huilen.

'Is dat de reden dat je moeder me niet mag?' vroeg hij zielig. 'Vanwege mijn ziekte?'

'Niet alleen. Ze vindt gewoon dat we niet bij elkaar passen.'

'We zijn voor elkaar gemaakt!' zei hij, en hij probeerde te glimlachen en keek haar recht aan in de hoop op bevestiging.

Maar die gaf Madeleine niet. Ze keek naar hun in elkaar gevouwen handen en fronste haar wenkbrauwen.

'Ik weet het niet meer,' zei ze toen.

Ze maakte haar handen los uit zijn greep en verborg ze onder haar oksels.

'Wat dán?' vroeg Leonard, die het nu moest weten. 'Komt het door mijn familie? Is het omdat ik arm ben? Omdat ik beursstudent was?'

'Daar heeft het niets mee te maken.'

'Is je moeder bang dat ik mijn ziekte aan onze kinderen doorgeef?'

'Leonard, hou op.'

'Waarom? Ik wil het weten. Je zegt dat je moeder me niet mag, maar je zegt niet waarom.'

'Ze mag je gewoon niet, punt.'

Ze stond op en pakte haar jas, die over de stoel hing. 'Ik ga even naar buiten,' zei ze.

'Nu snap ik waarom je dat blad had gekocht,' zei Leonard. Hij kon de verbitterde toon niet onderdrukken. 'Je hoopt dat ik helemaal kan genezen.'

'Wat is daar mis mee? Wil je zelf dan niet beter worden?'

'Het spijt me dat ik een psychische aandoening heb, Madeleine. Ik weet dat het bijzonder ongepast is. Als mijn ouders me beter hadden opgevoed, was het misschien heel anders met me afgelopen.'

'Je bent niet eerlijk!' riep Madeleine. Ze werd nu voor het eerst echt kwaad. Ze wendde zich af alsof ze van hem walgde en ging de deur uit.

Leonard stond als aan de grond genageld. Zijn ogen vulden zich met tranen, maar als hij snel genoeg knipperde, liepen ze niet over zijn wangen. Hoe hij zijn lithium ook haatte, nu was het spul zijn vriend. Hij voelde het enorme verdriet dat hem ieder moment kon overspoelen. Maar hij had die onzichtbare barrière die ervoor zorgde dat de realiteit hem nooit echt kon raken. Het was net zoiets als in een plastic zakje vol water knijpen en alle eigenschappen van de vloeistof voelen zonder zelf nat te worden. Dat was tenminste iets om dankbaar voor te zijn. Dat verpeste leven was niet helemaal het zijne.

Hij ging op de bank zitten. Door het raam zag hij de vloed opkomen, het schuim van de branding dat het maanlicht opving. Het zwarte water sprak tegen hem. Het zei dat hij uit niets was voortgekomen en tot niets zou weerkeren. Hij was niet zo slim als hij had gedacht. Zijn assistentschap in Pilgrim Lake zou op niets uitlopen. Zelfs als hij het tot mei volhield, zouden ze hem nooit opnieuw vragen. Hij had geen geld om verder te studeren, zelfs niet om een flat te huren. Hij wist niet wat hij verder met zijn leven aan moest. De angst waarmee hij was opgegroeid, de angst dat het geld ineens op zou zijn, een angst die geen enkele beurs, geen enkel assistentschap had kunnen verdrijven, keerde met volle kracht terug. Het feit dat Madeleine daar immuun voor leek, was altijd een deel van haar aantrekkingskracht geweest, besefte hij nu. Hij had tot nu toe altijd gedacht dat haar geld hem niet interesseerde, maar nu begreep hij dat haar geld met haar zou verdwijnen als ze bij hem wegging. Hij geloofde geen moment dat de bezwaren van Madeleines moeder alleen zijn ziekte golden. Dat was alleen maar het vooroordeel dat ze het gemakkelijkst kon toegeven. Maar ze zal ook vast niet blij zijn geweest dat zijn familie geen oud geld, maar alleen oude Portlandse wortels had, of dat hij er in haar ogen uitzag als een Hell's Angel, of dat hij naar goedkope sigaartjes van het pompstation rook.

Hij ging niet achter Madeleine aan. Hij had al genoeg zwakte en radeloosheid getoond. Het werd nu tijd om, voor zover mogelijk, wat ruggengraat, wat kracht te laten zien. En dat deed hij door zich langzaam opzij te laten vallen totdat hij in foetushouding op de bank lag.

Hij dacht niet aan Madeleine of aan Phyllida of Kilimnik. Terwijl hij op de bank lag, dacht hij aan zijn ouders, de twee planeten die in hun eeuwige baan om zijn leven draaiden. En toen was hij weer terug in het immer weerkerende verleden. Als je opgroeide in een huis waar niet van je gehouden werd, wist je niet dat het ook anders kon. Als je ouders emotioneel onvolgroeid waren, een ongelukkig huwelijk hadden en geneigd waren hun ongeluk op hun kinderen te projecteren, dan had je daar als kind geen erg in. Dat was gewoon je leven. Als je op je vierde, als je al een grote jongen hoorde te zijn, een ongelukje had gehad en dan later aan tafel een bord poep voorgezet kreeg – dat je moest leegeten, want daar hield je toch zo van, anders had je vast niet zo vaak van zulke ongelukjes – dan besefte je niet dat het er bij de andere kinderen in de buurt niet zo aan toeging. Als je vader wegging, als hij verdween en nooit meer terugkwam, en je moeder steeds meer de pest aan je leek te krijgen naarmate je groter werd, alleen omdat je van hetzelfde geslacht was als je vader, kon je dat bij niemand kwijt. En in al die gevallen was de schade al aangericht voordat je besefte dat je beschadigd was. Het ergste was nog wel dat die herinneringen met het verstrijken van de jaren, doordat je ze in een geheim compartiment in je hoofd bewaarde en ze af en toe tevoorschijn haalde om ze van alle kanten te bekijken, bijna kostbare bezittingen werden. Ze waren de sleutel tot je ongeluk. Het bewijs dat het leven niet eerlijk was. Als je een ongelukkige jeugd had gehad, besefte je dat pas later, als je een ongelukkig mens was. En dan kon je aan niets anders meer denken.

Achteraf had hij moeilijk kunnen zeggen hoe lang hij daar op de bank had gelegen. Maar na een hele tijd scheen er plotseling licht in zijn ogen en ging hij met een ruk rechtop zitten. Kennelijk waren zijn hersenen nog niet helemaal afgestorven, want hij had ineens een briljant idee. Een idee waarmee hij in één klap Madeleine bij zich kon houden, Phyllida kon verslaan en Kilimnik te slim af kon zijn. Hij sprong op. Terwijl hij naar de badkamer liep, voelde hij zich meteen al kilo's lichter. Het was al laat. Tijd voor zijn lithium. Hij maakte het potje open en schudde er vier tabletten van 300 milligram uit. Hij moest er drie innemen. Maar hij nam er twee. Hij nam 600 milligram in plaats van de gebruikelijke 900, en de andere twee pillen deed hij terug in het potje, dat hij weer dichtdeed…

Het duurde een tijd voordat hij iets merkte. Het middel werkte niet meteen en was ook niet meteen weer uitgewerkt. De eerste tien dagen voelde hij zich net zo dik, traag en dom als altijd. Maar in de loop van de tweede week had hij af en toe al opgewekte, alerte momenten waarop hij weer bijna zijn oude zelf uit zijn beste dagen was. Daar maakte hij verstandig gebruik van door te gaan joggen en naar de sportschool te gaan. Hij viel af. De bizonbult verdween.

Hij begreep wel waarom psychiaters deden wat ze deden. Zij waren er vooral op gericht de symptomen van manisch-depressieve patiënten met grof geschut te lijf te gaan. Gezien de hoge suïcidecijfers bij manisch-depressieven was dat ook de voorzichtigste aanpak. Daar was Leonard het wel mee eens. Het verschil lag in de manier waarop hij met zijn ziekte omging. Artsen adviseerden geduld. Ze hielden vol dat het lichaam zich wel zou aanpassen. En tot op zekere hoogte was dat ook zo. Op een gegeven moment gebruikte je je medicatie al zo lang dat je niet meer wist hoe het was om normaal te zijn. Dát was de aanpassing.

Je kon een bipolaire stoornis beter behandelen, meende Leonard, door het prettige punt in de onderste regionen van een manische periode op te zoeken, waar je nog geen bijverschijnselen kreeg en barstte van de energie. Je wilde de vruchten van je manische kant kunnen plukken zonder te flippen. Dat was net zoiets als een motor zo efficiënt mogelijk laten draaien: alle zuigers laten pompen en de brandstof optimaal gebruiken, goed op snelheid blijven zonder oververhit te raken of vast te lopen.

Wat was er met Dr. Feelgood gebeurd? Waar was die gebleven? De enige die hij tegenwoordig nog te zien kreeg, was Dr. Feel-oké. Dr. Feel-zozo. Psychiaters durfden het experiment niet aan omdat dat te moeilijk en te riskant was. Je moest iemand hebben die moedig, wanhopig en intelligent genoeg was om te experimenteren met andere dan de klinisch aanbevolen doses – kortom, iemand zoals Leonard zelf.

Eerst nam hij alleen minder pillen in. Maar toen moest hij zijn dosis met kleinere stapjes verlagen dan met 300 milligram tegelijk, dus ging hij de pillen met een stanleymes te lijf. Dat ging best, maar soms schoot een pil weg en kon hij hem niet meer vinden. Uiteindelijk kocht hij een speciaal pillensnijdertje bij de apotheek in Provincetown. De langwerpige tabletten van 300 milligram waren gemakkelijk te halveren, maar moeilijker in vieren te delen. Hij moest de pil in het sponzige tangetje plaatsen en dan het deksel sluiten om het mesje erdoorheen te drukken. Als hij een pil in vijven of zessen wilde snijden, werd het nattevingerwerk. Hij pakte het geleidelijk aan, nam een week lang 1600 milligram in en bouwde het vervolgens verder af naar 1400. Perlmann had beloofd over een halfjaar hetzelfde te zullen doen en Leonard hield zichzelf voor dat hij het procedé alleen maar wat versnelde. Maar toen zakte hij naar 1200 milligram. En daarna naar 1000. En ten slotte helemaal naar 500.

In een Moleskine-opschrijfboekje hield hij zijn dagelijkse doses nauwkeurig bij en maakte hij aantekeningen over zijn fysieke en psychische welbevinden op verschillende momenten van de dag.

30 november: ochtend 600 mg. Avond 600 mg.
Watten in mond. Watten in hoofd. Tremor niet minder, eerder erger.
Speeksel heeft sterke metaalsmaak.

3 december: ochtend 400 mg. Avond 600 mg.
Vanmorgen goede periode. Alsof er in de gevangenistoren in mijn hoofd
een raampje werd opengezet en ik een paar minuten naar buiten kon kijken. Zag er goed uit. Al wordt misschien op de binnenplaats de galg al opgezet. Tremor lijkt ook iets minder.

6 december: ochtend 300 mg. Avond 600 mg.
Twee kilo afgevallen. Grootste deel van de dag geestelijk behoorlijk energiek. Tremor ongeveer hetzelfde. Minder dorst.

8 december: ochtend 300 mg. Avond 500 mg.
Hele nacht niet hoeven opstaan om naar de wc te gaan. Hele dag alert. In
één ruk 150 pp Ballard gelezen. Geen droge mond meer.

10 december: ochtend 200 mg. Avond 300 mg.
Aan tafel iets te uitbundig. M. zette wijnglas buiten handbereik, dacht dat
ik te veel gedronken had. Komende twee dagen ochtend en avond 300 mg
nemen om te stabiliseren.
Hypothese: kan nierfunctie minder goed zijn geweest dan dr. P dacht? Of
kunnen zich fluctuaties voordoen? Zou het kunnen dat, als lithium niet
wordt afgevoerd, het overschot dan in het lichaam blijft en daar zijn verwoes-
tende werk doet? En zou dat dan de oorzaak kunnen zijn van suf hoofd, ver-
stoorde darmwerking, traagheid enz.? Als dat zo is, kan de dagelijks opgenomen dosis dus feitelijk hoger zijn dan artsen denken. Stof tot nadenken…

14 december: ochtend 300 mg. Avond 600 mg.
Qua stemming weer terug op aarde. Ook geen merkbare terugkeer van bijwerkingen. Deze dosis paar dagen aanhouden, dan weer verlagen.

Het idee dat hij belangrijk wetenschappelijk onderzoek deed, had zo geleidelijk
bij hem postgevat dat hij zich er aanvankelijk niet eens van bewust was. Ineens
wás het er gewoon. Hij trad in de voetsporen van heldhaftige wetenschappers als
J.B.S. Haldane, die in een decompressiekamer ging zitten om de effecten van
diepzeeduiken te bestuderen (en daarbij zijn trommelvlies scheurde), of Stub-

bins Ffirth, die braaksel van een gelekoortspatiënt over zijn eigen wondjes goot omdat hij wilde bewijzen dat de ziekte niet besmettelijk was. Bij Leonards held uit zijn middelbareschooltijd, Stephen Jay Gould, was een jaar geleden een maligne peritoneaal mesothelioom ontdekt. De artsen hadden hem nog acht maanden gegeven. Maar er gingen geruchten dat Gould een experimentele behandelwijze op zichzelf toepaste en het goed maakte.

Leonard was van plan Perlmann eerlijk te bekennen wat hij had gedaan, zodra hij genoeg gegevens had verzameld om zijn bewijs te kunnen leveren. Intussen moest hij doen alsof hij precies volgens voorschrift handelde. Hij moest dus doen alsof hij last had van bijwerkingen die allang verdwenen waren. Hij moest ook uitrekenen wanneer zijn medicijnen normaal gesproken op zouden zijn en op het juiste moment nieuwe halen om geen argwaan te wekken. Maar dat was een eitje nu hij weer helder kon denken.

Het nadeel van Superman zijn, was wel dat alle anderen zo langzaam waren. Zelfs in Pilgrim Lake, waar iedereen toch een bovengemiddelde intelligentie bezat, praatten de mensen zo traag en moesten ze zo lang naar woorden zoeken dat Leonard tussendoor zijn was kon wegbrengen en op tijd weer terug zijn om ze hun zin te horen afmaken. Daarom maakte hij die zinnen zelf maar voor hen af. Dat bespaarde iedereen tijd. Als je goed oplette, was het verbijsterend makkelijk het gezegde in een zin te voorspellen als je het onderwerp had gehoord. De meeste mensen leken er maar een beperkt aantal conversatiepatronen op na te houden. Maar ze vonden het niet leuk als je hun zinnen voor ze afmaakte. In het begin wel. Dan interpreteerden ze het als een teken van wederzijds begrip. Maar als je het vaker deed, begon het ze te irriteren. En dat kwam goed uit, want dan hoefde je je tijd niet meer te verdoen door met ze te praten.

Voor degene met wie je samenwoonde, was het moeilijker. Madeleine klaagde dat Leonard zo 'ongeduldig' was. Zijn tremor was dan wel over, maar nu tikte hij voortdurend met zijn voet. Op een middag hielp hij haar met haar voorbereidingen voor het toelatingsexamen en ergerde zich aan het tempo waarin ze een schema tekende bij een logicavraagstuk. Hij nam de pen uit haar hand. 'Het is geen tekenles,' zei hij. 'Als je het zo langzaam doet, kom je straks tijd tekort. Kom óp.' Hij tekende in vijf seconden het schema, leunde achterover en sloeg zijn armen voldaan over elkaar.

'Geef terug,' zei Madeleine en ze griste haar pen uit zijn hand.

'Ik deed het alleen maar even voor.'

'Wil je nu alsjeblieft weggaan?' riep ze. 'Ik word helemaal gek van je!'

Zo stond hij dus een paar minuten later buiten, zodat zij rustig kon studeren.

Hij besloot naar Provincetown te lopen om nog wat gewicht kwijt te raken. Ondanks de kou had hij alleen een trui en handschoenen aan en zijn nieuwe bontmuts op, een jagersmuts met oorkleppen die je aan elkaar kon binden. De winterse lucht was blauw en hij liep het terrein af in de richting van Shore Road. Pilgrim Lake was nog niet dichtgevroren en er stond een dikke kraag riet langs. De omringende duinen leken in verhouding hoog en waren bedekt met plukjes helmgras, behalve bij de toppen, waar in het witte zand door de harde wind niets wilde groeien.

Het alleen-zijn verhevigde de storm aan informatie waarmee hij werd gebombardeerd. Er was hier niemand die hem kon afleiden. Terwijl hij voortbeende, hoopten de gedachten zich in zijn hoofd op als het luchtverkeer boven Logan Airport in het noordwesten. Er waren een paar jumbojets vol Grote Ideeën bij, een vloot 707's beladen met een vracht zintuiglijke indrukken (de kleur van de lucht, de geur van de zee), en Learjets met rijke solitaire impulsen die incognito wensten te reizen. Al die vliegtuigen vroegen simultaan toestemming om te landen. Vanuit de verkeerstoren in zijn hoofd onderhield Leonard radiocontact met de toestellen en instrueerde er een paar te blijven rondcirkelen terwijl hij andere opdroeg naar een andere locatie uit te wijken. De verkeersstroom was eindeloos en de taak de binnenkomst te coördineren begon zodra hij wakker werd en ging door tot het moment dat hij in slaap viel. Maar hij was inmiddels een ouwe rot in dit werk; hij werkte immers al twee weken op de internationale luchthaven Hemelsoord. Hij volgde de ontwikkelingen op zijn radarscherm en kon ieder toestel precies op schema laten landen en ondertussen schunnige opmerkingen maken tegen de verkeersleider naast hem en een boterham eten, en dat alles ogenschijnlijk moeiteloos. Het hoorde er allemaal bij.

Hoe kouder je het had, hoe meer calorieën je verbrandde.

Zijn uitgelaten stemming, het gestage pompen van zijn hart en de grote, zachte bontmuts waren genoeg om hem onder het lopen warm te houden. Hij kwam langs de grote huizen aan het water en de huisjes met overhangende dakrand die dicht bij elkaar langs de kleine weggetjes stonden. Maar toen hij het centrum van de stad bereikte, zag hij tot zijn verrassing dat het er uitgestorven was, zelfs nu in het weekend. Na Labor Day waren de winkels en restaurants één voor één dichtgegaan en nu, twee weken voor Kerstmis, waren er nog maar een paar open. De Lobster Pot was gesloten. Api's was open, net als Front Street. De Crown & Anchor was dicht.

Hij was dan ook opgelucht toen hij zag dat er in de Governor Bradford een klein gezelschap zat. Hij klom op een kruk, keek naar de televisie en deed zijn best om eruit te zien als iemand met maar één gedachte in zijn hoofd in plaats van vijftig. Toen de barkeeper naar hem toe kwam, vroeg Leonard: 'Ben u gouverneur Bradford?'

'Ikke niet.'

'Mag ik dan een grote Guinness?' vroeg Leonard. Hij draaide zich om op zijn kruk om naar de andere klanten te kijken. Zijn hoofd werd erg warm, maar hij wilde zijn bontmuts niet afzetten.

Van de vier vrouwelijke gasten zaten er drie zich op te poetsen; ze gingen met hun handen door hun haar om kenbaar te maken dat ze bereid waren tot paren. De mannetjes reageerden daarop door hun stem te laten dalen en de wijfjes af en toe aan te raken. Als je de menselijke franje zoals spraak en kleding wegdacht, werd het primatengedrag zichtbaarder.

Toen zijn Guinness werd gebracht, draaide Leonard zich weer om.

'U moet wel iets aan uw Ierse taptechniek doen, hoor,' zei hij met een blik in het glas.

'Pardon?'

Leonard wees op de schuimkraag. 'Dat is toch geen klavertjevier. Dat lijkt meer op een acht.'

'Bent u barkeeper?'

'Nee.'

'Dan zijn dat uw zaken niet, zou ik zeggen.'

Leonard grinnikte. 'Proost,' zei hij en hij begon van het romige bier te slurpen. Ergens had hij wel zin om hier de hele middag te blijven hangen. Hij wilde *football* kijken en bier drinken. Hij wilde naar de wijfjes kijken die zich oppoetsten en zien wat ze nog meer voor primatengedrag gingen vertonen. Zelf was hij natuurlijk ook een primaat, en op dat moment bovendien een solitair mannetje. Solitaire mannetjes zorgden altijd voor heftige toestanden. Misschien was het grappig om eens te kijken wat hij hier kon losmaken. Maar de barkeeper zond onvriendelijke signalen uit en bovendien wilde hij nog wat lopen, dus toen zijn glas leeg was, haalde hij een biljet van tien dollar uit de zak van zijn spijkerbroek en legde het op de bar. Zonder op zijn wisselgeld te wachten sprong hij van zijn kruk en begaf zich weer in de ijskoude buitenlucht.

Het begon al donker te worden. Het was nog maar even over tweeën, maar de dag stierf nu al weg. Leonard keek naar de lucht en voelde zijn monterheid samen met het daglicht verdwijnen. Zijn eerdere levendigheid begon in te zakken. Hij had die Guinness niet moeten nemen. Hij stak zijn handen in zijn broekzakken en wiebelde van zijn hakken op zijn tenen. Dat was genoeg. Als een zoveelste bewijs dat zijn zet inderdaad briljant was, werd zijn weggelekte energie meteen weer aangevuld, alsof er in zijn aderen kleine klepjes zaten waardoor het levenselixer zijn lichaam in werd gespoten.

Geschraagd door de chemische processen in zijn hersenen kuierde hij verder door Commercial Street. Een eindje verderop daalde een man met leren pet en leren jack het trappetje naar de Vault af. De bonkende muziek ontsnapte even naar buiten voordat hij de deur weer achter zich dichttrok.

Homoseksualiteit was vanuit evolutionair standpunt heel interessant. Een eigenschap die tot onvruchtbare seksuele relaties leidde, had vanzelf moeten uitsterven, maar de jongens in de Vault bewezen het tegendeel. Er moest dus sprake zijn van autosomale overerving waarbij de genen in kwestie meeliftten op verwante x-chromosomen.

Leonard liep verder. Hij keek naar de drijfhoutsculpturen die door de rolluiken van de gesloten galeries heen te zien waren, en naar de homo-erotische kaarten in de etalage van een kantoorboekhandel die nog open was. Op dat moment viel hem iets merkwaardigs op. Het traditionele snoepwinkeltje aan de overkant van de straat leek ook open te zijn. De neonreclame in de etalage was aan en hij zag binnen iemand rondlopen. Door iets mysterieus maar hardnekkigs, iets wat aan zijn primatennatuur appelleerde, werd hij ernaartoe gedreven. Hij ging naar binnen en het belletje boven de deur klingelde. Het belangwekkende object waar zijn lichaamscellen hem op hadden gewezen, bleek het jonge meisje achter de toonbank te zijn. Ze had rood haar en hoge jukbeenderen en ze droeg een strak geel truitje.

'Kan ik u helpen?'

'Ja. Ik heb een vraag. Zijn er nog walvissen te zien?'

'Eh, dat weet ik niet.'

'Maar er zijn hier toch boten waarmee je walvissen kunt gaan kijken?'

'Dat is meer in de zomer, dacht ik.'

'Aha!' zei Leonard, die even niet wist hoe hij verder moest gaan. Hij was zich pijnlijk bewust van het lichaam van het meisje en verwonderde zich erover hoe klein en volmaakt dat was. Tegelijk herinnerde de zoete geur in de winkel hem aan het snoepwinkeltje waar hij als kind naar binnen liep terwijl hij geen geld had om iets te kopen. Nu deed hij alsof hij geïnteresseerd was in de toffees op de planken; met zijn handen op zijn rug bekeek hij het assortiment.

'Goeie muts,' zei het meisje.

Leonard draaide zich om en grijnsde breed. 'Vind je? Dank je. Hij is nieuw.'

'Maar heb je het niet koud zonder jas?'

'Niet hier bij jou,' zei hij.

Zijn sensoren registreerden een tikje argwaan bij haar, dus hij liet er snel op volgen: 'Waarom zijn jullie 's winters open?'

Dat bleek een schot in de roos. Nu kon het meisje haar grieven ventileren. 'Omdat mijn vader mijn hele weekend wil verpesten,' antwoordde ze.

'Is je vader de eigenaar?'

'Ja.'

'Dus jij bent de toffee-erfgename.'

'Dat zal dan wel,' zei het meisje.

'Weet je wat je tegen je vader moet zeggen? Dat het december is. En dat hier niemand in december toffees komt kopen.'

'Dat héb ik gezegd. Maar dan zegt hij dat er in het weekend wel toeristen komen en dat we daarom open moeten blijven.'

'Hoeveel klanten heb je vandaag gehad?'

'Een stuk of drie. En jij dus nu.'

'Beschouw je mij als klant?'

Ze zakte door een heup en keek sceptisch. 'Je staat toch in de winkel?'

'Dat kan ik niet ontkennen,' zei hij. 'Hoe heet je?'

Ze aarzelde. 'Heidi.'

'Hai Heidi.'

Misschien was het haar blos, of haar strakke truitje, of misschien hoorde het er gewoon bij als je Superman was en een supermeisje onder handbereik had, maar wat de oorzaak ook was, Leonard voelde dat hij in vijf sprongetjes hard werd. Dat was een significant klinisch verschijnsel. Hij wilde dat hij zijn Moleskine-boekje bij zich had, zodat hij het kon noteren.

'Heidi,' zei Leonard, 'hai Heidi.'

'Hallo,' zei ze.

'Hai Heidi,' herhaalde hij. 'Hi-de-ho. De Hi De Ho Man. Heb je daar wel eens van gehoord, Heidi?'

'Nee.'

'Cab Calloway. Beroemde jazzmuzikant. De Hi De Ho Man. Ik weet niet waaraan hij die bijnaam te danken heeft. Hi-ho, Silver. Hawaii Five-O.'

Ze trok haar wenkbrauwen op. Hij zag dat ze dreigde af te haken en zei: 'Leuk je te ontmoeten, Heidi. Maar ik heb nog een vraag. Maken jullie die toffees hier?'

'In de zomer wel. Nu niet.'

'En gebruiken jullie zout water uit de zee?'

'Huh?'

Hij ging iets dichter bij de toonbank staan, zodat hij zijn stijve tegen het glas kon drukken.

'Ze noemen dat spul toch *saltwater taffy*? Betekent dat dat er zout en water in moet, of maken jullie het met zout water?'

Heidi deed een stap naar achteren. 'Ik moet even iets achter de winkel doen,' zei ze, 'dus als je nog iets nodig hebt...'

Om de een of andere reden maakte Leonard een buiging. 'Ga je gang,' zei hij. 'Ik wil je niet van je werk af houden. Het was me een genoegen, Heidi-Ho. Hoe oud ben je?'

'Zestien.'

'Heb je een vriend?'

Zo te zien met tegenzin zei ze: 'Ja.'

'Die boft dan maar. Eigenlijk zou hij je nu gezelschap moeten houden.'

'Mijn vader komt zo.'

'Jammer dat ik geen kennis met hem kan maken,' zei Leonard. Hij drukte zich tegen de toonbank aan. 'Anders had ik tegen hem kunnen zeggen dat hij je weekend niet meer moet verpesten. Maar voordat ik ervandoor ga, koop ik nog wat toffees.'

Weer keek hij in de rekken. Toen hij zich bukte, viel zijn bontmuts af en hij ving hem behendig op. Perfecte reflexen. Net Fred Astaire. Als hij wilde, zou hij hem in de lucht kunnen gooien, laten ronddraaien en op zijn hoofd laten landen.

'Saltwater taffy heeft altijd pastelkleurtjes,' merkte hij op. 'Waarom eigenlijk?'

Ditmaal gaf Heidi helemaal geen antwoord.

'Weet je wat ik denk, Heidi? Ik denk dat pastelkleuren het palet van de zee zijn. Ik neem deze pastelgroene, in de kleur van het helmgras, en deze roze, in de kleur van de zonsondergang op het water. En deze witte, als zeeschuim, en gele, als zon op het zand.'

Hij liep met de vier zakjes naar de toonbank en besloot toen nog een paar andere smaken te nemen. Room. Chocola. Aardbeien. Zeven zakjes in totaal.

'Koop je dat allemaal?' vroeg Heidi ongelovig.

'Waarom niet?'

'Nou, gewoon. Het is nogal veel.'

'Ik hou veel van veel,' zei Leonard.

Ze sloeg zijn aankoop aan. Hij tastte in zijn zak en pakte zijn geld.

'Laat maar zitten,' zei hij. 'Maar ik heb wel een tasje nodig.'

'Zulke grote tasjes heb ik niet. Tenzij een vuilniszak ook goed is.'

'Een vuilniszak is prima.'

Heidi verdween achter de winkel. Ze kwam terug met een enorme, zware, donkergroene zak en deed de zakjes toffees erin. Daarvoor moest ze bukken.

Leonard staarde naar haar tietjes in de strakke trui. Hij wist precies wat hem te doen stond. Hij wachtte tot ze de vuilniszak over de toonbank heen tilde. Hij nam hem van haar aan en zei: 'Weet je wat? Nu je vader er toch niet is?' Hij hield haar polsen vast, boog zich naar haar toe en kuste haar. Niet lang. Niet diep. Een klein kusje op haar lippen, waar hij haar totaal mee verraste. Haar ogen gingen wijd open.

'Vrolijk kerstfeest, Heidi,' zei hij, 'vrolijk kerstfeest', en hij wervelde naar buiten, de straat op.

Hij grijnsde nu als een waanzinnige. Hij zwaaide de zak als een matroos over zijn schouder en beende de straat uit. Zijn erectie was niet verminderd. Hij probeerde zich te herinneren hoeveel milligram hij die morgen had genomen en vroeg zich af of hij misschien niet wat meer moest hebben.

De logica van zijn briljante zet berustte op één premisse: dat een bipolaire stoornis geen vloek was, maar een zegen. De eigenschap had de natuurlijke selectie doorstaan. Anders zou die 'stoornis' allang verdwenen zijn, gewoon weggefokt, zoals alles wat de overlevingskansen vermindert. De voordelen waren overduidelijk. Die bestonden uit de energie, de creativiteit, het gevoel dat hij nu had: dat je bijna geniaal was. Onmogelijk te zeggen hoeveel grote historische figuren manisch-depressief waren geweest of hoeveel wetenschappelijke en artistieke doorbraken in manische periodes waren ontstaan.

Hij ging sneller lopen, hij wilde naar huis. De stad weer uit, langs het meer, de duinen.

Toen hij binnenkwam, zat Madeleine op de bank met haar mooie neus in het boekje voor haar toelatingsexamen.

Hij gooide de vuilniszak op de grond. Zonder een woord te zeggen, tilde hij Madeleine van de bank, droeg haar de slaapkamer in en legde haar op het bed.

Hij maakte zijn riem los, trok zijn broek uit en stond toen grijnzend voor haar.

Zonder het gebruikelijke voorspel trok hij Madeleines panty en onderbroek uit en stootte toe, zo diep als hij kon. Zijn pik was verbijsterend hard. Hij gaf Madeleine wat Phyllida haar nooit kon geven en toonde haar daarmee zijn superioriteit. Er ging een verrukkelijk gevoel door zijn eikel. Hij huilde bijna van genot en riep uit: 'Ik hou van je, ik hou van je.' En hij meende het.

Na afloop bleven ze nahijgend, verstrengeld liggen.

Blij, plagerig, zei ze: 'Het gaat écht beter met je, hè.'

Leonard ging rechtop zitten. Zijn hoofd zat niet overvol met gedachten. Hij had er maar één. Hij liet zich van het bed af rollen, op zijn knieën, en nam Madeleines handjes in zijn veel grotere handen. Hij had zojuist de oplossing voor al zijn problemen gevonden: amoureus, financieel en strategisch. De ene briljante zet was de andere waard.

'Trouw met me,' zei hij.

Ontslapen in den Heer

Mitchell had zelfs nog nooit een luier verschoond. Hij had nooit een zieke verpleegd en nooit iemand zien sterven, en nu was hij hier, tussen massa's stervende mensen, en was het zijn taak hen te helpen in vrede te sterven, in het besef dat er van ze werd gehouden.

Hij werkte nu drie weken als vrijwilliger in het tehuis voor stervenden en behoeftigen. Hij werkte vijf dagen per week van negen uur 's morgens tot iets na enen en deed wat er gedaan moest worden. Dat kon het toedienen van medicijnen zijn, of de mannen voeren, hun hoofd masseren, op hun bed zitten en hen gezelschap houden, hen aankijken en hun hand vasthouden. Het was niet iets wat je moest leren, maar toch had hij in de tweeëntwintig jaar dat hij op aarde was maar weinig van die dingen eerder gedaan en sommige helemaal nooit.

Hij was vier maanden op reis en had drie continenten en negen landen bezocht, maar Calcutta leek de eerste plek die werkelijk aanvoelde. Dat kwam gedeeltelijk doordat hij nu alleen was. Hij miste Larry. Voordat hij uit Athene vertrok, toen ze hadden afgesproken elkaar in het voorjaar weer te treffen, hadden ze om de vraag heen gedraaid waarom Larry in Griekenland bleef. Het feit dat Larry het nu met mannen deed, was in het grotere geheel niet zo belangrijk. Maar het compliceerde hun vriendschap wel – vooral na die dronken nacht in Venetië – en ze voelden zich er allebei enigszins ongemakkelijk onder.

Als Mitchell Larry's gevoelens had kunnen beantwoorden, zou zijn leven er nu heel anders hebben uitgezien. Maar zoals de zaken er nu voor stonden, deed de situatie een beetje aan een blijspel van Shakespeare denken: Larry hield van Mitchell, die van Madeleine hield, die van Leonard Bankhead hield. Het feit dat hij alleen was, in de armste stad ter wereld, waar hij niemand kende, waar telefooncellen niet bestonden en de post traag was, maakte weliswaar geen einde aan die romantische klucht, maar hij was daardoor wel even van het toneel af.

De andere reden waarom Calcutta zo werkelijk aanvoelde, was dat hij hier met een doel was gekomen. Tot nu toe was hij niet meer dan een toerist geweest. Het beste wat hij over het eerste deel van zijn reis kon zeggen, was dat het een bedevaart was geweest die hem naar dit oord had gevoerd.

In de eerste week had hij de stad verkend. Hij had een mis bijgewoond in een anglicaanse kerk met een gapend gat in het dak, in het gezelschap van zes tachtig-jarigen. In een communistisch theater had hij een drie uur durende uitvoering van *Moeder Courage* in het Bengaals uitgezeten. Hij was Chowringhee Road op en neer gelopen, langs astrologen die uitgebleekte tarotkaarten legden en kappers die gehurkt op de stoep het haar van hun klanten knipten. Een straatventer had Mitchell gewenkt om hem zijn waren te laten zien: een bril op sterkte en een gebruikte tandenborstel. De nooit aangesloten rioolpijp in de weg was zo groot dat er een heel gezin in kon kamperen. De zakenman die voor Mitchell in de rij bij de Bank of India stond, droeg een horloge met een zonnecel. De politieagenten die het verkeer regelden, waren zo expressief als Toscanini. De koeien waren mager en hadden opgemaakte ogen, als fotomodellen. Alles wat Mitchell zag, proefde en rook, was anders dan hij gewend was.

Zodra zijn vliegtuig om twee uur 's nachts op Calcutta International Airport landde, begreep hij dat India de perfecte plek was om te verdwijnen. De rit naar het centrum had zich in bijna complete duisternis voltrokken. Door het gordijntje voor de achterruit van de taxi, een Ambassador, ontwaarde hij rijen eucalyptusbomen langs de onverlichte snelweg. De flatgebouwen doemden donker en dreigend op. Het enige licht was afkomstig van de vuurtjes die midden op de kruisingen brandden.

De taxi had hem naar het pension van het Leger des Heils aan Sudder Street gebracht, en daar logeerde hij sindsdien. Zijn huisgenoten waren Rüdiger, een zevenendertigjarige Duitser, en Mike, een voormalige verkoper van huishoudelijke apparatuur uit Florida. Ze deelden met hun drieën een apart gastenverblijf tegenover het overvolle hoofdgebouw. Het kleine toeristische centrum van de stad bestond uitsluitend uit de buurt rond Sudder Street. Aan de overkant stond een hotel met palmen voor oude Indiagangers, voornamelijk Britten. Een paar straten verderop, aan Jawaharlal Nehru Road, stond het Oberoi Grand, waar de portiers een tulband droegen. Het restaurant op de hoek hield rekening met de smaak van de rugzaktoerist: pannenkoeken met banaan en hamburgers van waterbuffelvlees. Volgens Mike kon je in de volgende straat *bhang lassi* krijgen.

De meeste mensen kwamen niet naar India om als vrijwilliger voor een katholieke zusterorde te werken. De meesten kwamen om *ashrams* te bezoeken, *ganja* te roken en van vrijwel niets te leven. Toen Mitchell op een ochtend de eetzaal in kwam, zag hij Mike aan een tafeltje zitten met een man van in de zestig. Hij kwam uit Californië en was helemaal in het rood.

'Is die stoel vrij?' vroeg Mitchell met een gebaar naar een lege stoel.

De man uit Californië, die Herb bleek te heten, sloeg zijn ogen op naar Mitchell. Herb beschouwde zichzelf duidelijk als een spiritueel mens. Dat zag je aan de manier waarop hij je blik vasthield. 'Onze tafel is jouw tafel,' zei hij.

Mike kauwde op een hap geroosterd brood. Toen Mitchell ging zitten, slikte hij en zei tegen Herb: 'Ga door.'

Herb nam een slokje thee. Hij was kalend en hij had een warrige grijze baard. Hij had een ketting om met een fotootje van Bhagwan Shree Rajneesh.

'Er hangt echt een verbijsterende energie in Poona,' zei hij. 'Dat voel je als je daar bent.'

'Ja, van die energie heb ik gehoord,' zei Mike met een knipoog naar Mitchell. 'Daar wil ik misschien ook eens heen. Waar ligt Poona precies?'

'Ten zuidoosten van Bombay,' zei Herb.

Oorspronkelijk hadden de volgelingen van Bhagwan – die zich sannyasins noemden – saffraankleurige kleren gedragen. Maar de goeroe had onlangs besloten dat er te veel saffraan op de wereld was. Daarom had hij zijn discipelen opgedragen zich in het rood te kleden.

'Wat doen jullie daar zoal?' ging Mike verder. 'Ik heb gehoord dat jullie aan groepsseks doen.'

Herbs milde glimlach straalde tolerantie uit. 'Ik zal proberen het zo uit te leggen dat je het begrijpt,' zei hij. 'Een daad is op zich niet goed of slecht. Het gaat om de intentie. Voor veel mensen kun je het beter eenvoudig houden. Seks is verkeerd. Seks mag niet. Maar voor anderen, die – laat ik zeggen, een hoger peil van verlichting hebben bereikt, vallen de categorieën goed en slecht uiteindelijk weg.'

'Dus jullie doen inderdaad aan groepsseks?' drong Mike aan.

Herb keek Mitchell aan. 'Onze vriend hier denkt maar aan één ding.'

'Oké,' zei Mike. 'En levitatie? Ik heb gehoord dat sommige mensen echt van de grond loskomen.'

Herb pakte zijn grijze baard met twee handen vast. 'Dat komt voor,' gaf hij uiteindelijk toe.

Tijdens het gesprek smeerde Mitchell sneetjes toast en gooide hij klontjes rietsuiker in zijn thee. Het was zaak zo veel mogelijk toast binnen te krijgen voordat er niet meer bediend werd.

'Als ik naar Poona ging, zouden ze me dan toelaten?' vroeg Mike.

'Nee,' zei Herb.

'En als ik helemaal in het rood was?'

'Alleen oprechte sannyasins worden toegelaten. De Bhagwan zou meteen zien dat je niet oprecht bent, wat je ook aantrekt.'

'Maar ik ben geïnteresseerd,' zei Mike. 'Dat van die seks was maar een grapje. Die hele filosofie en zo, dat is interessant.'

'Je lult uit je nek, Mike,' zei Herb. 'Pretentie – daar kijk ik dwars doorheen.'

'Ja, echt?' vroeg Mitchell ineens.

De uitdaging was duidelijk, maar Herb bleef kalm en sereen en dronk van zijn thee. Hij keek naar het kruis om Mitchells hals. 'Hoe gaat het met je vriendin moeder Teresa?' vroeg hij.

'Prima.'

'Ik heb ergens gelezen dat ze onlangs nog in Chili was. Ze schijnt nogal dik met Pinochet te zijn.'

'Ze reist veel om fondsen te werven,' zei Mitchell.

'Man,' klaagde Mike, 'ik begin me zielig te voelen. Herbie, jij hebt de Bhagwan. Mitchell heeft moeder Teresa. En wie heb ik? Niemand.'

Net als de eetzaal zelf deed de toast een vergeefse poging om een Britse indruk te maken. De sneetjes hadden de juiste vorm. Ze zagen eruit als sneetjes brood. Maar ze waren niet geroosterd, ze waren boven een houtskoolvuurtje gegrild en smaakten naar as. Zelfs de niet verbrande sneetjes smaakten vreemd, helemaal niet naar brood.

Er kwamen nog steeds mensen uit de slaapzalen op de begane grond binnen om te ontbijten. Een groep zongebruinde Nieuw-Zeelanders met elk een eigen potje Vegemite, gevolgd door twee vrouwen met met kohl omrande ogen en teenringen.

'Weet je waarom ik hier ben?' zei Mike. 'Ik ben mijn baan kwijt. En de economie ligt op zijn gat, dus ik dacht, wat kan mij het schelen, ik ga gewoon naar India. Daar is de dollar nog het meeste waard.'

Hij begon alle steden op te sommen waar hij geweest was en alles wat hij voor een prikje op de kop had kunnen tikken. Treinkaartjes, groentecurry, strandhutten in Goa, massages in Bangkok.

'Ik ben ook in Chiang Mai geweest, bij de bergstammen – ken je de bergstammen? Die zijn echt wild. We zijn met een gids het oerwoud in geweest. We sliepen in een hut en toen kwam er zo'n man, de medicijnman of zoiets, met opium. Kostte iets van vijf dollar! Zó'n brok. Man, wat zijn wij stoned geworden.' Hij richtte zich tot Mitchell. 'Heb jij wel eens opium gerookt?'

'Eén keer,' zei Mitchell.

Herb zette grote ogen op. 'Daar hoor ik van op,' zei hij. 'Echt. Ik dacht dat het christendom zoiets afkeurde.'

'Dat hangt van de intentie van de roker af,' zei Mitchell.

Herb kneep zijn ogen half dicht. 'Iemand zendt hier vijandige vibraties uit,' zei hij.

'Welnee,' zei Mitchell.

'Jawel. Iemand.'

Als Mitchell ooit een goed christen wilde worden, moest hij de intense af-schuw leren overwinnen die hij voor sommige mensen voelde. Maar het was misschien wel wat veel gevraagd om met Herb te beginnen.

Gelukkig duurde het niet lang voordat hij opstond.

Mike wachtte totdat hij buiten gehoorsafstand was. Toen zei hij: 'Poona. "Poonani" zul je bedoelen. Die groepsseks is gewoon een van de lokkertjes. De mannen moeten een condoom om van de Bhagwan. Weet je wat ze tegen elkaar zeggen? "*I glove you*".'

'Misschien moet jij er ook maar bij gaan,' zei Mitchell.

'I glove you,' zei Mike schamper. 'Man. En die meiden trappen erin. Pijpen voor innerlijke vrede. Wat een handel.'

Hij snoof weer en stond op. 'Ik moet schijten,' zei hij. 'Ik zal er nooit aan wen-nen. Die schijthuizen hier in Azië. Gewoon een gat in de grond met allemaal troep eromheen. Gatverdamme.'

'Andere technologie,' zei Mitchell.

'Gebrek aan beschaving,' meende Mike. Hij wuifde en liep de eetzaal uit.

Mitchell, die nu alleen achterbleef, dronk nog wat thee en keek om zich heen. Naar de eetzaal met zijn vergane glorie, de betegelde veranda vol kamerplanten, de witte zuilen, ontsierd door elektriciteitsdraden voor de plafondventilatoren met hun gevlochten rieten bladen. Twee Indiase obers in vuile witte jasjes draaf-den tussen de tafeltjes door om de reizigers met hun zijden sjaals en katoenen rijgbroeken te bedienen. De langharige man met de rossige baard die recht te-genover Mitchell zat, was helemaal in het wit, net als John Lennon op de cover van *Abbey Road*.

Mitchell had altijd gedacht dat hij te laat geboren was om hippie te kunnen worden. Hij had zich vergist. Het was 1983, maar India krioelde van de hippies. Hij had het idee dat de jaren zestig een Anglo-Amerikaans fenomeen waren. Het leek verkeerd dat de mensen op het Europese vasteland, dat nimmer behoorlijke popmuziek had voortgebracht, ook mee mochten doen, met hun handen in de lucht dansen, in communes leven en met hun zware accent nummers van Pink Floyd meezingen. Het feit dat de Zweden en Duitsers die hij in India tegen-kwam in de jaren tachtig nog steeds met kralenkettingen rondliepen, bevestigde in Mitchells ogen alleen maar dat hun deelname aan de sixties op zijn best een imitatie kon zijn geweest. Ze hadden vooral het nudisme, het milieubewustzijn en de zon-en-gezondheidsfilosofie omarmd. Mitchell meende dat de rol van de Europeanen ten opzichte van de sixties, zoals tegenwoordig met steeds meer din-gen, voornamelijk die van toeschouwer was geweest. Ze hadden vanaf de zijlijn toegekeken en waren na een tijdje gaan proberen mee te doen.

De hippies waren evenwel niet de enige langharigen in de eetzaal. Vanaf de muur werd hij aangekeken door niemand minder dan Jezus Christus zelf. Op het fresco, dat misschien wel de muren van alle gebouwen van het Leger des Heils ter wereld sierde, stond de Mensenzoon in een hemelse lichtstraal afgebeeld en staarden zijn indringende blauwe ogen het etende gezelschap recht aan.

Het bijschrift beweerde:

Christus is het Hoofd van het Huis.
De onzichtbare gast bij ieder maal.
De stille toehoorder bij elk gesprek.

Aan een lange tafel vlak onder de muurschildering zat een grote groep mensen. De mannen hadden kort haar. De vrouwen droegen lange rokken, hooggesloten blouses en sandalen met sokken. Ze zaten heel rechtop, met hun servet op schoot, en praatten zacht en ernstig.

Dat waren de andere vrijwilligers van moeder Teresa.

Stel dat je gelovig was en goede werken deed, na je dood naar de hemel ging en ontdekte dat daar alleen maar mensen rondliepen die je niet mocht? Mitchell had al eens aan de vrijwilligerstafel ontbeten. De Belgen, Oostenrijkers, Zwitsers en anderen hadden hem hartelijk verwelkomd. Ze hadden de marmelade vlot doorgegeven. Ze hadden Mitchell beleefde vragen over hemzelf gesteld en zijn vragen over henzelf beleefd beantwoord. Maar ze maakten geen grappen en leken ietwat onaangenaam getroffen als hij er een maakte. Mitchell had hen in Kalighat in actie gezien. Hij had ze moeilijk, smerig werk zien doen. Hij vond het indrukwekkende mensen, zeker in vergelijking met iemand als Herb. Maar hij had niet het gevoel dat hij bij ze paste.

Niet dat hij dat niet geprobeerd had. Op zijn derde dag in Calcutta had hij zich getrakteerd op de luxe van een scheerbeurt bij de kapper. In het bouwvallige winkeltje legde de kapper warme doeken op zijn gezicht, zeepte zijn wangen in, schoor hem en masseerde ten slotte zijn nek en schouders met een apparaatje dat op batterijen liep. Toen hij klaar was, draaide de kapper hem op zijn stoel om naar de spiegel. Mitchell bekeek zichzelf aandachtig. Hij zag zijn bleke gezicht, zijn grote ogen, zijn neus, lippen en kin, en daar was iets mee. Het was niet eens een fysieke tekortkoming, niet zozeer in de ogen van de natuur als wel in die van de mens, niet zozeer van de mens als wel in die van de meisjes, en niet zozeer in die van de meisjes als wel in die van Madeleine Hanna. Waarom vond ze hem niet leuk genoeg? Hij bestudeerde zijn spiegelbeeld en zocht naar een aanwijzing. Een ogenblik later kreeg hij een ingeving die bijna gewelddadig aanvoelde: hij beduidde de kapper dat zijn haar eraf moest.

De kapper hield een schaar omhoog. Mitchell schudde zijn hoofd. De kapper pakte de elektrische tondeuse en Mitchell knikte.

Ze moesten nog afspreken op welke stand hij moest, en na een paar proefstukjes werden ze het eens over stand zes. Vijf minuten later was het gebeurd. Zijn bruine krullen waren in hoopjes op de grond gevallen. Een jongen met een rafelige korte broek had ze naar buiten geveegd, de goot in.

Toen hij weer op straat liep, moest hij telkens in de etalageruiten naar zijn ingrijpend veranderde spiegelbeeld kijken. Hij leek wel een schim van zichzelf.

Een van de etalages waarvoor hij bleef stilstaan om naar zichzelf te kijken, was van een juwelier. Hij ging naar binnen en zocht de bak met godsdienstige symbolen. Er waren kruisen bij, halvemaantjes, davidsterren, yin-yangtekens en nog een aantal dingen die hij niet herkende. Hij bekeek kruisen in verschillende stijlen en maten en koos er eentje uit. De juwelier woog het en pakte het uitgebreid in: eerst in een satijnen zakje, dat hij in een bewerkt houten kistje legde, waar weer bedrukt papier omheen ging dat vervolgens met was werd verzegeld. Zodra Mitchell weer buiten stond, scheurde hij het prachtige pakje open en haalde het kruis eruit. Het was van zilver, met blauw inlegwerk. Het was niet klein. In het begin droeg hij het onder zijn t-shirt, maar een week later, toen hij officieel vrijwilliger was, ging hij het erop dragen, waar iedereen, ook de zieken en stervenden, het konden zien.

Mitchell was bang geweest dat hij na tien minuten gillend weg zou rennen. Maar het was beter gegaan dan hij had verwacht. De eerste dag werd hij rondgeleid door een vriendelijke, breedgeschouderde man, een bijenhouder uit New Mexico.

'Zoals je ziet is het hier niet erg georganiseerd,' zei de imker terwijl hij Mitchell voorging door het gangpad tussen de rijen bedden. 'Het is hier een komen en gaan, dus je moet maar inspringen waar je kunt.' Het opvanghuis was veel kleiner dan Mitchell uit *Iets moois voor God* had opgemaakt. De mannenafdeling telde nog geen honderd bedden, misschien eerder vijfenzeventig. De vrouwenafdeling was nog bescheidener. De bijenhouder liet hem de voorraadkamer zien waar de medicijnen en verbandmiddelen lagen. Hij leidde hem langs de beroete keuken en de niet minder primitieve wasserij. Er stond een non bij een tobbe kokend water met een lange stok in het wasgoed te roeren terwijl een andere met natte lakens naar het dak liep om ze te drogen te hangen.

'Hoe lang ben jij hier al?' vroeg Mitchell aan de man.

'Een paar weken. Met het hele gezin. Dit is onze kerstvakantie. Tot na oud en nieuw. Mijn vrouw en kinderen werken in een van de weeshuizen. Dit opvanghuis leek me wat te heftig voor de kinderen. Maar lieve kleine kindjes verzorgen? Dat kan best.' Met zijn gebronsde huid en zijn blonde krullen zag de imker eruit als een bekende surfer of een ouder wordende quarterback. Hij had een vastberaden, serene oogopslag. 'Er zijn twee redenen waarom ik hier ben,' zei hij voordat hij Mitchell aan zijn taak overliet, 'moeder Teresa en Albert Schweitzer. Een paar jaar geleden raakte ik helemaal in de ban van Schweitzer. Ik heb alles van hem gelezen. En voordat ik er zelf erg in had, zat ik op een vooropleiding voor de studie geneeskunde. 's Avonds. Biologie. Organische chemie. Ik was twintig jaar ouder dan de rest. Maar ik heb doorgezet. Vorig jaar heb ik toelatingsexamen gedaan en meteen zestien universiteiten aangeschreven. Bij eentje werd ik toegelaten. Komend najaar begin ik.'

'Hoe moet dat dan met je bijen?'

'Ik ga de hele toestand verkopen. Ik begin aan een nieuw hoofdstuk. Een volgende fase, kies maar een cliché.'

De eerste dag deed Mitchell het rustig aan, om te wennen. Hij hielp bij het bereiden en rondbrengen van de lunch, schepte *daal* in de kommen. Hij bracht de patiënten water. Over het geheel genomen leken de mannen schoner en gezonder dan hij had verwacht. Er waren een stuk of tien oeroude met uitgemergelde gezichten bij die roerloos in bed lagen, maar ook heel wat van middelbare leeftijd en zelfs een paar jonge. Het was vaak moeilijk te zien waar ze aan leden. Er hing geen status bij het voeteneind. Wel duidelijk was dat de mannen nergens anders heen konden.

De hoofdzuster, zuster Louise, was een dragonder met een bril met een hoornen montuur. De hele dag stond ze voor het tehuis bevelen te blaffen. De vrijwilligers leek ze maar lastpakken te vinden. De andere nonnen waren allemaal even zachtmoedig en vriendelijk. Mitchell vroeg zich af waar ze met hun kleine, tengere lijfjes de kracht vandaan haalden om de behoeftigen van de straat in de oude ambulance te tillen en de lijken van de overledenen naar buiten te dragen.

De andere vrijwilligers vormden een bont gezelschap. Er was een groep Ierse vrouwen bij die in de pauselijke onfeilbaarheid geloofden. En een anglicaanse geestelijke die de wederopstanding beschouwde als 'een leuke gedachte'. Er was een zestigjarige homoseksuele man uit New Orleans bij die in Spanje de pelgrimsroute had gelopen met een korte onderbreking om in Pamplona met de stieren te rennen. Sven en Ellen, het lutherse echtpaar uit Minnesota, droegen identieke safarivesten met zakken vol repen die ze van de zusters niet mochten uitdelen. De twee nurkse Franse medicijnenstudenten hadden onder het werk altijd hun walkman op en praatten met niemand. Er waren echtparen bij die een week vrijwilligerswerk kwamen doen en studenten die een halfjaar of een jaar bleven. Maar wie ze ook waren en waar ze ook vandaan kwamen, ze probeerden zich allemaal aan de onderliggende filosofie te houden.

Alle keren dat Mitchell moeder Teresa op tv had gezien, als ze staatshoofden bezocht of humanitaire prijzen in ontvangst nam, waarbij ze er altijd uitzag als een oud besje uit een sprookje dat onuitgenodigd op een groot bal verschijnt, en voor de microfoon ging staan die onveranderlijk te hoog voor haar was, zodat ze priesterlijk het hoofd moest heffen om erin te kunnen spreken – een hoofd dat tegelijk meisjesachtig en grootmoederlijk was, even ondefinieerbaar als de Oost-Europese stem met het wonderlijke accent die uit de liploze mond klonk – elke keer dat ze sprak, citeerde ze Matteüs 25 vers 40: 'Voorwaar, Ik zeg u, in zoverre gij dit aan een van deze mijn minste broeders hebt gedaan, hebt gij het Mij gedaan.' Die Bijbeltekst was de grondslag van haar werk: zowel een uitdrukking van een mystiek geloof als een praktische richtlijn voor het verrichten van goede werken. De lichamen in het tehuis voor stervenden en behoeftigen, ziek en gebroken, waren allemaal het lichaam van Christus, in allemaal was het goddelijke aanwezig. Hier moest je die Bijbeltekst letterlijk nemen. Er zo sterk en ernstig in geloven dat het door een vorm van spirituele alchemie werkelijk gebeurde: als je in de ogen van een stervende keek, beantwoordde Christus zelf je blik.

Dat had Mitchell nog niet ervaren. Hij verwachtte het ook niet, maar aan het eind van zijn tweede week merkte hij tot zijn ongenoegen dat hij alleen het eenvoudigste, minst veeleisende werk deed. Hij had bijvoorbeeld nog niemand in bad gedaan. Patiënten in bad doen was de voornaamste taak van de buitenlandse vrijwilligers. Iedere morgen werkten Sven en Ellen, die een bedrijf voor tuinarchitectuur in Minnesota hadden, de rij bedden af en hielpen de mannen naar de wc, die aan de andere kant van het gebouw lag. Als de mannen te ziek of te zwak waren om te lopen, vroeg Sven de bijenhouder of de anglicaanse geestelijke om hulp bij het dragen van de brancard. Terwijl Mitchell hoofdmassages gaf, zag hij mensen die in geen enkel opzicht bijzonder leken, maar wel de buitengewone taak vervulden de zieke en stervende mannen van het tehuis te wassen en af te vegen en de graatmagere wezens vervolgens met nat haar en schone pyjama weer naar hun bed te brengen. En elke dag lukte het Mitchell weer hen daar niet bij te helpen. Hij durfde de mannen niet te baden. Hij was bang voor de aanblik van hun naakte lichamen, voor de ziektes of verwondingen die misschien onder hun kleren verborgen zaten, en voor de stoffen die ze afscheidden, hun urine en hun uitwerpselen waarmee zijn handen in aanraking zouden kunnen komen.

Moeder Teresa had hij maar één keer gezien. Ze werkte allang niet meer dagelijks in het tehuis. Ze had hospices en weeshuizen in heel India en ook in andere landen, en ze hield zich voornamelijk bezig met leiding geven aan de hele organisatie. Mitchell had vernomen dat je nog de meeste kans had moeder Teresa te zien als je naar een mis in het Moederhuis ging, dus op een ochtend liep hij voor zonsopgang van het pension van het Leger des Heils door de donkere, stille straten naar het klooster aan A.J.C. Bose Road. Hij liep de met kaarsen verlichte kapel in en deed zijn best niet te laten merken hoe opgewonden hij was – hij voelde zich net een fan die backstage mag komen. Hij ging bij het groepje buitenlanders staan dat zich daar al had verzameld. Op de grond vóór hen waren al andere nonnen aan het bidden, niet zomaar geknield maar languit liggend voor het altaar.

Ineens keken alle vrijwilligers om en hij begreep dat moeder Teresa binnenkwam. Ze leek onmogelijk klein, niet groter dan een kind van twaalf. Ze liep naar het midden van de kapel, knielde toen neer en raakte met haar voorhoofd de grond. Mitchell zag alleen de zolen van haar blote voeten. Die waren geel en gekloofd – oudevrouwenvoeten – maar ze leken met de grootst mogelijke betekenis bekleed.

Op een vrijdagmorgen in zijn derde week in Calcutta stapte Mitchell uit bed, poetste zijn tanden met jodiumwater, nam een chloroquinetablet in (tegen malaria), plensde kraanwater in zijn gezicht en over zijn bijna haarloze hoofd en ging ontbijten. Mike kwam bij hem zitten, maar at niets (hij had last van zijn maag). Rüdiger kwam met een boek aan tafel. Mitchell zorgde dat hij snel klaar was, daalde af naar de binnenplaats en liep Sudder Street in.

Het was begin januari en kouder dan hij in India had verwacht. Toen hij langs de riksja's bij de poort kwam, riepen de mannen hem, maar hij wimpelde ze af, want hij vond het een gruwelijk idee om een mens als lastdier te gebruiken. Bij Jawaharlal Nehru Road waadde hij het verkeer in. Toen zijn bus kwam, tien minuten later, vervaarlijk scheef hangend doordat er passagiers uit de deuren hingen, had de winterzon de mist al weggebrand en werd het warmer.

De wijk Kalighat, in het zuiden, ontleende zijn naam aan de Kali-tempel midden in de buurt. De tempel zelf stelde niet veel voor, een soort plaatselijke vestiging van iets waarvan het hoofdkwartier elders stond, maar de straten eromheen waren razend druk en kleurrijk. Er stonden venters met godsdienstige parafernalia – bloemenslingers, potten ghee, schelgekleurde posters van de godin Kali met uitgestoken tong – die ze probeerden te slijten aan de pelgrims die de tempel in en uit zwermden. Vlak achter de tempel, die er zelfs een muur mee deelde – de reden dat de vrijwilligers het gebouw 'Kalighat' noemden – lag het tehuis.

Mitchell worstelde zich door de drukte, ging door de onopvallende deur naar binnen en liep de treetjes naar de half ondergrondse ruimte af. De tunnelachtige zaal was schemerig; het enige licht kwam door de hoge ramen op straatniveau waardoor je de benen van de passanten zag. Mitchell wachtte totdat zijn ogen aan het donker waren gewend. Langzaam, alsof ze op hun bedden uit de onderwereld werden binnengereden, doemden de drie vage rijen geteisterde lichamen op. Nu hij weer kon zien, liep hij door de zaal naar de voorraadkamer achterin. Daar trof hij de Ierse arts, die een handbeschreven vel papier stond te bestuderen. Haar bril was afgezakt en ze moest haar hoofd achterover houden om te zien wie er binnenkwam.

'Ah, daar ben je,' zei ze. 'Ik heb hem zo klaar.'

Ze bedoelde de medicijnkar. Daar stond ze voor; ze legde pillen in de genummerde sleuven bovenop. Achter haar reikten de stapels dozen met genees- en verbandmiddelen tot aan het plafond. Zelfs Mitchell, die niets van farmacologie wist, zag het overtolligheidsprobleem: van een paar dingen hadden ze veel te veel (zoals verbandgaas en, vreemd genoeg, mondwater), maar van breed inzetbare antibiotica zoals tetracycline juist veel te weinig. Sommige organisaties stuurden geneesmiddelen die over een paar dagen al verlopen zouden zijn, omdat het dan nog aftrekbaar was voor de belasting. Veel medicijnen waren voor aandoeningen die vooral in rijke landen voorkwamen, zoals hoge bloeddruk of diabetes, maar bij veelvoorkomende Indiase ziekten als tuberculose, malaria of oogvliesontsteking had je er niets aan. Ze hadden nauwelijks pijnstillers – geen morfine of opiaten. Alleen paracetamol uit Duitsland, aspirine uit Nederland en hoestdrank uit Liechtenstein.

'Weer zoiets,' zei de dokter, die naar een groen potje tuurde. 'Vitamine E. Goed voor de huid en het libido. Net wat de heren hier nodig hebben.'

Ze gooide het potje in de vuilnisbak en maakte een gebaar naar de kar. 'Ga je gang,' zei ze.

Mitchell manoeuvreerde de kar de voorraadkamer uit en reed langs de rij bedden. Medicijnen uitdelen was een werkje dat hij graag deed. Het was betrekkelijk gemakkelijk, intiem en toch routineus. Hij wist niet waar de pillen voor dienden. Hij moest er alleen voor zorgen dat ze bij de juiste persoon terechtkwamen. Sommige mannen waren in staat te gaan zitten en zelf hun pillen in te nemen. Bij anderen moest hij het hoofd ondersteunen en ze helpen met drinken. Mannen die *paan* kauwden, hadden een mond als een bloederige, gapende wond. De oudsten hadden vaak helemaal geen tanden meer. Eén voor één deden ze hun mond open, zodat Mitchell de pillen op hun tong kon leggen.

Voor de man in bed 24 was er geen pil. Mitchell zag meteen waarom niet. Zijn halve gezicht ging schuil onder een verkleurd verband. Het gaas was diep in het vlees weggezakt, alsof het rechtstreeks tegen de schedel geplakt zat. De man lag met zijn ogen dicht, maar zijn lippen waren vertrokken tot een grimas. Terwijl Mitchell dat alles tot zich liet doordringen, hoorde hij een diepe stem achter zich.

'Welkom in India.'

Het was de bijenhouder, die met een schoon verband, hechtpleister en schaar klaarstond.

'Stafylokokkeninfectie,' zei hij met een gebaar naar de man. 'Had zich waarschijnlijk gesneden met scheren. Zoiets kleins. En daarna heeft hij zich in de rivier gewassen of *puja* gedaan, en dan is het afgelopen. De bacteriën komen in het wondje en vreten zijn gezicht weg. We hebben zijn verband net drie uur geleden verschoond en nu moet het alweer.'

De bijenhouder zat vol met dat soort feiten, dat hoorde allemaal bij zijn belangstelling voor geneeskunde. Vanwege het gebrek aan medisch geschoold personeel liep hij bijna als een coassistent over de afdeling, voerde opdrachten van de artsen uit en hield zich bezig met medische handelingen, maakte wonden schoon of plukte met een pincet maden uit necrotisch weefsel.

Nu knielde hij met zijn grote lijf in de smalle ruimte tussen de bedden. Toen hij het gaas en de pleister voorzichtig op het bed legde, deed de man zijn goede oog open en keek hem angstig aan.

'Wees maar niet bang,' zei de bijenhouder. 'Goed volk. Ik kom je helpen.'

Hij was een zuiver, oprecht, ingoed mens. Als Mitchell volgens de normen van William James een zieke ziel was, dan was de bijenhouder beslist door en door gezond. ('Daarmee bedoel ik degenen die, als zij worden geconfronteerd met ongeluk, beslist weigeren dit te voelen, als iets slechts en verkeerds.') Een inspirerende figuur, die bijenhouder; een man die in de woestijn voor zijn bijen zorgde, zijn kinderen opvoedde, hartstochtelijk verliefd bleef op zijn vrouw (daar had hij het vaak over) en allerwegen honing voortbracht. En uit dat volmaakte leven was de behoefte ontstaan eruit te breken, echte moeilijkheden en zelfs ontberingen op te zoeken om het lijden van anderen te verlichten. Om zulke mensen te ontmoeten was Mitchell naar Calcutta gekomen. Om te zien hoe zij waren, in de hoop dat hun goedheid besmettelijk was.

De bijenhouder keerde hem zijn zonnige gezicht toe.

'Red je het een beetje vandaag?'

'Ja hoor. Ik ben medicijnen aan het uitdelen.'

'Fijn om je te zien. Hoe lang kom je hier nu al?'

'Dit is mijn derde week.'

'Goed van je! Sommige mensen houden het na een paar dagen al voor gezien. Hou vol! We kunnen alle hulp gebruiken.'

'Doe ik,' zei Mitchell, en hij ging weer verder met zijn kar.

Hij werkte de eerste en tweede rij bedden af en liep terug voor de rij langs de binnenmuur. De man in bed 57 leunde op een elleboog en keek hem ietwat hooghartig aan. Hij had een fijnbesneden, aristocratisch gezicht, kort haar en een vaalbleke huid.

Toen Mitchell hem zijn pillen aanbood, vroeg de man: 'Wat is het nut van deze medicatie?'

Mitchell was even van zijn stuk gebracht doordat hij in het Engels werd aangesproken en antwoordde toen: 'Dat weet ik eigenlijk niet precies. Maar ik kan het aan de dokter vragen.'

De man sperde zijn neusgaten open. 'In het gunstigste geval zijn ze palliatief.' Hij maakte geen aanstalten om ze in te nemen. 'Waar komt u vandaan?' vroeg hij.

'Uit Amerika.'

'Een Amerikaan zou nooit in een dergelijke instelling hoeven wegkwijnen. Of vergis ik me?'

'Waarschijnlijk niet, nee,' gaf Mitchell toe.

'Ik zou hier ook niet behoren te liggen,' zei de man. 'Jaren geleden, voordat ik ziek werd, had ik het geluk op het ministerie van Landbouw te werken. Misschien herinnert u zich dat we in India vroeger vaak hongersnood hadden. George Harrison heeft een beroemd concert voor Bangladesh gegeven. Dát herinnert iedereen zich wel. Maar in India was de situatie niet minder rampzalig. Tegenwoordig kan Moeder India haar kinderen weer voeden, dankzij de veranderingen die wij destijds hebben doorgevoerd. De afgelopen vijftien jaar is de landbouwproductie per hoofd van de bevolking 5 procent gestegen. We hoeven geen graan meer te importeren. We verbouwen zelf voldoende om een bevolking van zevenhonderd miljoen zielen te voeden.'

'Dat is mooi,' zei Mitchell.

De man ging verder alsof Mitchell niets had gezegd. 'Door nepotisme ben ik mijn baan kwijtgeraakt. Er is veel corruptie in ons land. Heel veel corruptie! Een paar jaar later kreeg ik een infectie die mijn nieren heeft verwoest. Ik heb nog maar een nierfunctie van 20 procent. Terwijl ik met u spreek, hopen de afvalstoffen zich op in mijn bloed. Tot een levensgevaarlijk niveau.' Hij keek Mitchell strak aan, met felle, bloeddoorlopen ogen. 'Met mijn ziekte moet ik wekelijks worden gedialyseerd. Dat probeer ik de zusters duidelijk te maken, maar ze begrijpen het niet. Domme dorpsmeisjes.'

De landbouwdeskundige bleef hem nog even woedend aankijken. Toen sperde hij tot Mitchells verrassing zijn mond open, als een kind. Mitchell legde de pillen op zijn tong en wachtte totdat hij ze had doorgeslikt.

Na zijn ronde ging hij de dokter opzoeken, maar die was op de vrouwenafdeling bezig. Pas nadat hij de lunch had rondgebracht en al op het punt stond te vertrekken, kreeg hij de kans haar te spreken.

'Er is hier een man die aan de nierdialyse moet,' zei hij.

'Dat geloof ik graag,' zei ze met een trieste glimlach. Ze knikte en liep door.

Het weekend brak aan en Mitchell kon doen en laten wat hij wilde. Bij het ontbijt trof hij Mike, die over de tafel gebogen naar een foto zat te kijken.

'Ben jij wel eens in Thailand geweest?' vroeg hij toen Mitchell ging zitten.

'Nog niet.'

'Het is daar geweldig.' Mike gaf het fotootje aan Mitchell. 'Moet je die meid eens zien.'

Op de foto stond een rank Thais meisje, niet mooi maar wel heel jong, op de veranda van een bamboehut. 'Meha heet ze,' zei Mike. 'Ze wilde met me trouwen.' Hij snoof. 'Ja, ik weet het. Een animeermeisje. Maar toen ik haar ontmoette, werkte ze nog maar een week of zo. Eerst hebben we niet eens wat gedaan. Alleen gepraat. Ze zei dat ze Engels wilde leren, voor haar werk, dus toen ben ik bij haar aan de bar komen zitten en heb ik haar een paar woordjes geleerd. Ze is pas zéventien. Goed, dus een paar dagen later ging ik weer naar die bar en zij was er ook weer, en toen heb ik haar meegenomen naar mijn hotel. En daarna zijn we samen een week naar Phuket geweest. Ze was mijn vriendinnetje. Wij terug naar Bangkok, zegt ze ineens dat ze met me wil trouwen. Niet te geloven, toch? Ze zei dat ze met me mee terug naar Amerika wilde. Ik heb het zelfs even serieus overwogen, eerlijk waar. Waar vind ik in de States ooit zo'n meid? Die voor me kookt en schoonmaakt? En nog een lekker wijf is ook? Dat kun je vergeten. Die tijd is voorbij. Amerikaanse vrouwen zorgen alleen nog voor zichzelf. Eigenlijk zijn het net mannen geworden. Dus ja, ik heb erover gedacht. Maar toen ging ik een keer pissen en ik kreeg zo'n branderig gevoel aan mijn leuter. Dus ik dacht dat ik wat van haar had opgelopen. Dus ik naar die bar om 'r uit te kafferen. Blijkt het niks te zijn. Gewoon een zaaddodend middel of zoiets dat naar binnen was getrokken. Ik ben nog teruggegaan om mijn excuses aan te bieden, maar Meha wilde niet meer met me praten. Er zat een andere kerel naast haar. Een dikke Hollander of zo.'

Mitchell gaf hem de foto terug.

'Wat vind je ervan?' vroeg Mike. 'Ziet er goed uit, hè?'

'Waarschijnlijk toch beter dat je niet met haar bent getrouwd.'

'Ja. Ik lijk wel gek. Maar echt, man, sexy dat ze was. Jezus.' Hij schudde zijn hoofd en borg de foto weer in zijn portefeuille op.

Het was zaterdag, dus Mitchell hoefde nergens heen en bleef daarom nog een halfuur aan de ontbijttafel hangen. Toen er niet meer bediend werd en zijn bord werd weggehaald, ging hij naar het bibliotheekje op de eerste verdieping en bekeek de rijen bezielende en religieuze titels. Er was verder niemand, alleen Rüdiger. Die zat in kleermakerszit op de grond, zoals gewoonlijk blootsvoets. Hij had een groot hoofd met grijze ogen die ver uit elkaar stonden en een onderkaak die ietwat aan die van de Habsburgers deed denken. Hij had kleren aan die hij zelf had gemaakt: een strakke kastanjebruine broek tot aan zijn kuiten en een mouwloze tuniek in de kleur van versgemalen kurkuma. Met die nauwsluitende kleren, dat soepele lijf en die blote voeten leek hij wel een circusacrobaat. Hij was een kwikzilverig personage. Hij was nu al zeventien jaar aan één stuk op reis en was naar zijn eigen zeggen in alle landen ter wereld geweest, op Noord-Korea en Zuid-Jemen na. Hij had de tweeduizend kilometer van Bombay naar Calcutta op een Italiaanse fiets met tien versnellingen afgelegd en 's nachts in de wegberm geslapen. Direct na aankomst had hij de fiets weer verkocht, wat hem genoeg geld had opgeleverd om de eerstkomende drie maanden van te leven.

Maar nu zat hij stil te lezen. Hij keek niet op toen Mitchell binnenkwam.

Mitchell pakte een boek uit de kast, *De God die leeft* van Frances Schaeffer. Maar voordat hij het kon openslaan begon Rüdiger ineens te praten.

'Ik heb ook mijn haar afgeschoren,' zei hij. Hij streek met zijn hand over zijn stoppelige hoofdhuid. 'Ik had zo schone krullen. Maar de ijdelheid, die was zo zwaar.'

'Ik weet niet of het bij mij wel ijdelheid was,' zei Mitchell.

'Wat dan?'

'Een soort reinigingsritueel.'

'Maar dat komt op hetzelfde neer! Ik weet wel hoe jij in elkaar steekt,' zei Rüdiger. Hij keek Mitchell onderzoekend aan en knikte. 'Je denkt dat je niet ijdel bent. Lichamelijk ben je dat misschien ook niet zozeer. Maar je bent waarschijnlijk wel ijdel wat je intelligentie betreft. Of je goedheid. Dus misschien maakt dat afgeschoren haar jouw ijdelheid juist nog zwaarder!'

'Dat is mogelijk,' zei Mitchell, die verwachtte dat er nog meer kwam.

Maar Rüdiger begon snel over iets anders. 'Ik lees nu een boek dat werkelijk fantastisch is,' zei hij. 'Ik ben al sinds gisteren aan het lezen en ik denk de hele tijd: wow.'

'Welk boek is het?'

Rüdiger hield een kapotgelezen groen boek omhoog. '*The Answers of Jesus to Job*. In het Oude Testament stelt Job God allerlei vragen. "Waarom doet u me zulke verschrikkelijke dingen aan? Ik ben toch uw trouwe dienaar." Hij vraagt en vraagt maar door. Maar geeft God antwoord? Nee, God zegt niets. Jezus is een heel ander verhaal. Volgens de man die dit boek geschreven heeft, is het Nieuwe Testament een direct antwoord op het boek Job. Hij maakt een complete tekstanalyse, zin voor zin, en ik kan dit zeggen: hij is grondig. Ik kom hier in de bibliotheek en ik vind dit boek en dat is echt *mieters* – zeggen jullie dat zo niet?'

'Niet meer,' zei Mitchell.

Rüdiger trok sceptisch zijn wenkbrauwen op. 'Toen ik in Amerika was, zeiden ze dat zo.'

'Wanneer was dat dan, in 1940?'

'1973!' wierp Rüdiger tegen. 'In Benton Harbor, Michigan. Drie maanden bij een heel goede drukkerij gewerkt. Lloyd G. Holloway. Lloyd G. Holloway en zijn vrouw, Kitty Holloway. Kinderen: Buddy, Julie en Karen Holloway. Ik wilde ook meesterdrukker worden. En Lloyd G. Holloway, mijn leermeester, zei dat altijd zo.'

'Oké,' gaf Mitchell toe. 'In Benton Harbor misschien wel. Ik kom trouwens ook uit Michigan.'

'Alsjeblieft,' zei Rüdiger laatdunkend, 'laten we niet proberen elkaar aan de hand van onze autobiografie te begrijpen.'

En met die woorden richtte hij zich weer op zijn boek.

Nadat hij tien bladzijden in *De God die leeft* had gelezen (Frances Schaeffer had in Zwitserland een gemeenschap opgericht waar je voor niets kon logeren, had Mitchell gehoord), zette hij het boek weer in de kast en liep naar buiten. De rest van de dag slenterde hij door de stad. Zijn angst dat hij in Kalighat tekortschoot ging vreemd genoeg samen met een opleving van oprecht religieus gevoel. In Calcutta was hij een groot deel van de tijd vervuld met een extatische rust, alsof hij een lichte verhoging had. Zijn meditatie ging de laatste tijd veel dieper. Hij had af en toe de duizelingwekkende sensatie dat hij met grote snelheid werd voortbewogen. Minuten achtereen vergat hij wie hij was. Buiten op straat, probeerde hij – vaak met succes – voor zichzelf te verdwijnen om paradoxaal genoeg juist nog aanweziger te zijn.

Er bestond geen goede manier om dat alles te beschrijven. Zelfs Thomas Merton kwam niet verder dan 'ik heb tegenwoordig de gewoonte onder de bomen of langs de muur van het kerkhof heen en weer te lopen in de tegenwoordigheid van God'. Maar Mitchell begreep nu wat Merton daarmee bedoelde; dat dacht hij althans. Terwijl hij naar het prachtige uitzicht keek, naar de stoffige Polo

Grounds, de heilige koeien met hun beschilderde hoorns, had hij de gewoonte ontwikkeld in tegenwoordigheid van God door Calcutta te lopen. Dat hoefde bovendien niet per definitie moeilijk te zijn, meende hij. Een kind kon het: een rechtstreeks, volledig contact met de wereld onderhouden. Dat verleerde je vreemd genoeg als je ouder werd en dan moest je het opnieuw leren.

Steden vervallen tot puin en op de ruïnes worden soms nieuwe steden gebouwd, maar er zijn ook steden die om hun eigen ruïnes heen groeien. Zo'n stad was Calcutta. Mitchell liep over Chowringhee Road en keek omhoog naar de gevels terwijl in zijn hoofd voortdurend een zin van Gaddis terugkwam: *de herhaling van de tijd in muren*, en hij overdacht dat de Britten een bureaucratie hadden achtergelaten die de Indiërs alleen nog maar ingewikkelder hadden gemaakt door de financiële en gouvernementele stelsels te integreren in de talloze hiërarchische structuren met de talloze bijbehorende niveaus van het pantheon van het hindoeïsme en het kastenstelsel, zodat je een hele reeks halfgoden moest passeren voordat je een travellercheque kon incasseren: de eerste moest je paspoort controleren, de volgende moest de cheque afstempelen, dan moest er eentje een kopie van de transactie maken en weer een ander schreef het bedrag uit, en pas dan kon je naar de kassa om je geld te halen. Alles werd gedocumenteerd, gecontroleerd en consciëntieus gearchiveerd om vervolgens voorgoed te worden vergeten. Calcutta was de verlaten huls van een keizerrijk waarin niettemin negen miljoen Indiërs zaten. Onder de koloniale oppervlakte lag het echte India, het eeuwenoude land van *rajputs*, *nawabs* en *mughals*, en dat zag je in de *baghs* en de steegjes, vooral 's avonds; als de muzikanten op straat speelden, leek het soms alsof de Engelsen er nooit waren geweest.

Er waren begraafplaatsen vol Engelse doden, wouden van geërodeerde obelisken waarop hij maar een paar woorden kon onderscheiden: *Lt. James Barton, echtgenoot van... 1857-18... Rosalind Blake, echtgenote van Kol. Michael Peters. Ontslapen in den Heer 1887.* De kerkhoven werden overwoekerd door tropische slingerplanten en bij de oude familiegraven groeiden palmbomen. Er lagen kapotgevallen kokosnootschalen over het grind verspreid. *Rebecca Winthrop, acht maanden oud. Mary Holmes. In het kraambed bezweken.* De beelden op de zerken waren victoriaans en extravagant. Engelen met weggeërodeerde gezichten hielden de wacht bij de graven. Apollo-tempels met omgevallen pilaren en scheve timpanen herbergden de stoffelijke resten van beambten van de East India Company. *Aan malaria. Aan tyfus.* Een bewaker kwam kijken wat Mitchell daar deed. In heel Calcutta kon je nergens alleen zijn. Zelfs een verlaten begraafplaats werd nog door iemand bewaakt. *Ontslapen in den Heer. Ontslapen in. Ontslapen. Slapen.*

Die zondag ging hij nog vroeger de stad in. Hij bleef bijna de hele dag weg en kwam pas tegen het eind van de middag weer terug in het pension voor de thee. Op de veranda, naast een grote plant, haalde hij een nieuw luchtpostvelletje uit zijn rugzak om een brief naar huis te schrijven. Deels doordat hij zijn luchtpostvelletjes als uitbreiding van zijn dagboek beschouwde en zodoende meer aan zichzelf dan aan zijn ouders schreef en deels door de invloed van de Gethsemani-dagboeken van Merton werden zijn brieven uit India bijzonder bevreemdende documenten. Sommige dingen schreef hij alleen op om te kijken of ze echt waar waren. Als ze er eenmaal stonden, was hij ze meteen weer vergeten. Hij bracht zijn brieven naar het postkantoor zonder er ook maar een moment bij stil te staan welke indruk ze op zijn verbijsterde ouders in Detroit zouden maken. Deze brief begon met een gedetailleerde beschrijving van de man met de stafylokokkeninfectie en de weggevreten wang. Dat bracht hem op een anekdote over een lepralijder die hij de vorige dag op straat had zien bedelen. En daardoor kwam hij op een verhaal over de heersende misverstanden over lepra, die 'niet zo besmettelijk' zou zijn als vaak werd aangenomen. Toen hij de brief af had, schreef hij een kaart aan Larry in Athene met als retouradres het pension van het Leger des Heils. Hij haalde Madeleines brief uit zijn rugzak, dacht na over een antwoord en stopte hem toen weer terug.

Toen hij alles weer inpakte verscheen Rüdiger op de veranda. Hij ging zitten en bestelde een pot thee.

Toen die op tafel stond, zei hij: 'Vertel eens. Waarom ben jij naar India gekomen?'

'Ik zocht iets totaal anders dan Amerika,' antwoordde Mitchell. 'En ik wilde vrijwilligerswerk voor moeder Teresa doen.'

'Dus je kwam hier om goede werken te verrichten.'

'Dat wilde ik tenminste proberen.'

'Een interessante kwestie, die goede werken. Als Duitser weet ik natuurlijk alles over Maarten Luther. Het probleem is: hoe je ook je best doet om goed te zijn, je bent nooit goed genoeg. Daarom zegt Luther dat je je rechtvaardiging in het geloof moet zoeken. Maar als je daar meer over wilt weten, lees dan Nietzsche. Nietzsche vond dat Luther het iedereen maar makkelijk maakte. Zit er niet over in als je geen goede werken kunt doen, jongens. Gewoon geloven. Klamp je vast aan het geloof! Dat zal je rechtvaardigen! Ja toch? Misschien, maar misschien ook niet. Nietzsche was trouwens niet tegen het christendom, zoals iedereen denkt. Hij vond alleen dat er maar één echte christen was: Christus zelf. Na hem was het afgelopen.'

Hij had zichzelf aan het dromen gebracht. Hij staarde glimlachend en met een stralend gezicht naar het plafond. 'Het zou fijn zijn als je zo'n christen was. De eerste christen. Voordat het allemaal *kaputt* ging.'

'Streef je daarnaar?'

'Ik ben maar een reiziger. Ik reis. Ik heb alles bij me wat ik nodig heb en ik heb geen problemen. Ik heb alleen werk als ik dat nodig heb. Ik heb geen vrouw. Ik heb geen kinderen.'

'Je hebt ook geen schoenen,' merkte Mitchell op.

'Vroeger had ik schoenen. Maar toen besefte ik dat je veel beter af bent zonder. Ik loop overal zonder schoenen. Zelfs in New York.'

'Heb je op blote voeten door New York gelopen?'

'Geweldig, New York op blote voeten. Alsof je over een gigantische graftombe loopt!'

De volgende dag was het maandag. Mitchell wilde eerst zijn brief op de post doen, dus hij was aan de late kant in Kalighat. Een vrijwilliger die hij nog nooit had gezien deed al de ronde met de medicijnenkar. De Ierse arts was terug naar Dublin en haar plaats werd ingenomen door een nieuwe dokter, die alleen Italiaans sprak.

Nu zijn gewone ochtendwerkje al door iemand anders werd gedaan, slenterde Mitchell het eerste uur over de afdeling rond om te kijken of hij iets anders kon doen. In een van de bovenste stapelbedden lag een jongetje van een jaar of acht, negen met een duveltje-uit-een-doosje. Mitchell had in Kalighat nog nooit een kind gezien, dus hij klom het trappetje op en ging bij hem zitten. Het jongetje was kaalgeschoren en had donkere kringen onder zijn ogen. Hij gaf Mitchell het doosje aan. Mitchell zag meteen dat het speelgoed kapot was. Het deksel kon niet goed dicht, zodat het poppetje niet naar buiten sprong. Hij hield het deksel met zijn vinger dichtgedrukt en beduidde het jongetje dat hij het mechanisme moest opwinden. Op het juiste moment liet Mitchell het deksel los en het duveltje sprong naar buiten. Dat vond het kind prachtig. Mitchell moest het telkens opnieuw doen.

Inmiddels was het over tienen. Te vroeg om voor de lunch te zorgen. Te vroeg om weg te gaan. De meeste andere vrijwilligers waren patiënten aan het wassen, haalden bedden af of maakten de rubber matjes op de matrassen schoon – kortom, ze deden het vuile, stinkende werk dat Mitchell ook zou moeten doen. Hij wilde ook beginnen, nu, meteen. Maar toen zag hij de bijenhouder aankomen met zijn armen vol vuile lakens, en in een reflex deinsde Mitchell achteruit, onder de boog door en de trap op, naar het dak.

Hij hield zich voor dat hij alleen maar een paar minuutjes het dak op ging om even uit de lysolstank in de zaal weg te zijn. Hij was vandaag met een speciaal doel gekomen: hij wilde zich over zijn kleinzerigheid heen zetten, maar eerst moest hij wat frisse lucht hebben.

Op het dak waren twee vrouwelijke vrijwilligers natte was aan het ophangen. Een van de twee, zo te horen een Amerikaanse, zei: 'Ik heb tegen moeder Teresa gezegd dat ik vakantie wilde nemen. Misschien een week of twee in Thailand op het strand liggen of zo. Ik ben hier al bijna een halfjaar.'

'Wat zei ze?'

'Dat naastenliefde het enige in het leven is dat telt.'

'Daarom is ze dan ook een heilige,' zei de andere vrouw.

'Kun je niet heilig worden en toch naar het strand gaan?' vroeg de Amerikaanse, en ze lachten allebei.

Ondertussen ging Mitchell naar de andere kant van het dak. Hij tuurde over de rand en merkte tot zijn verrassing dat hij op de binnenplaats van de Kalitempel uitkeek. Op een stenen altaar lagen zes geitenkoppen, pas geslacht, netjes op een rij, de harige nekken rood van het bloed. Hij deed erg zijn best om oecumenisch te denken, maar dierenoffers gingen hem toch te ver. Hij keek nog even naar de geitenkoppen, en toen nam hij een kloek besluit en ging naar beneden om de bijenhouder op te zoeken.

'Daar ben ik weer,' zei hij.

'Heel goed,' zei de bijenhouder. 'Je komt als geroepen.'

Hij nam Mitchell mee naar een bed in het midden van de zaal. Daarop lag een man die zelfs in vergelijking met de andere oude mannen in Kalighat opvallend uitgeteerd was. Zoals hij daar in zijn laken gewikkeld lag, leek hij net zo oeroud en bruin als een Egyptische mummie, en die gelijkenis werd nog onderstreept door zijn ingevallen wangen en zijn scherpe, gebogen neus. Maar anders dan bij een mummie waren zijn ogen wijd open. Ze waren blauw, stonden doodsbang en leken naar iets te staren wat alleen hij kon zien. Het onophoudelijke beven van zijn ledematen versterkte de indruk van doodsangst op zijn gezicht.

'Deze meneer moet in bad,' zei de bijenhouder met zijn diepe stem. 'De brancard is in gebruik, dus we moeten hem dragen.'

Hoe ze dat voor elkaar moesten krijgen, was niet duidelijk. Mitchell ging aan het voeteneind staan en wachtte terwijl de bijenhouder het laken van de oude man wegtrok. Zonder laken leek de man nog magerder. De bijenhouder pakte hem onder zijn oksels vast, Mitchell nam zijn enkels en op die weinig zachtzinnige manier tilden ze hem van de matras naar het gangpad.

Al snel beseften ze dat ze op de brancard hadden moeten wachten. De oude man was zwaarder dan ze hadden gedacht en hij werkte ook niet mee. Als een dood dier hing hij tussen hen in. Ze waren zo voorzichtig mogelijk, maar toen ze eenmaal in het gangpad waren, konden ze hem nergens meer neerleggen. Het leek nog maar het beste om hem zo snel mogelijk naar de wasruimte te brengen, en in hun haast behandelden ze de oude man steeds minder als mens en meer als een voorwerp dat ze moesten versjouwen. Het feit dat hij niet leek te merken wat er met hem gebeurde, werkte dat nog in de hand.

Twee keer stootten ze hem vrij hard tegen een ander bed. Mitchell wisselde zijn greep om de enkels van de oude man en liet hem bijna vallen, en zo strompelden ze over de vrouwenafdeling naar de badkamer achterin.

Achter in de geel betegelde badkamer stond een stenen rustbank en daar legden ze de oude man neer; er filterde een mistig licht door het enige raam met het stenen rooster ervoor. In de muren zaten grote koperen kranen en in het midden van de vloer liep een diepe geul, net als in een slachthuis.

Mitchell en de bijenhouder lieten geen van beiden merken dat ze beseften hoe slecht ze het transport van de oude man hadden aangepakt. Hij lag nu op zijn rug, zijn armen en benen trilden nog steeds hevig en zijn ogen stonden wijd open alsof hij iets onbeschrijflijk gruwelijks aanschouwde. Langzaam trokken ze hem het ziekenhuishemd uit. Daaronder zat een doordrenkt verband dat zijn kruis bedekte.

Mitchell was nu niet bang meer. Hij was klaar voor alles wat hem te doen stond. Dit was het dan. Hier was hij voor gekomen.

Met een veiligheidsschaar knipte de bijenhouder de hechtpleister los. Het met pus doordrenkte verband viel in twee delen uiteen, zodat de oorzaak van de helse pijnen van de oude man zichtbaar werd.

Een tumor zo groot als een grapefruit overwoekerde zijn scrotum. Op het eerste gezicht leek het gezwel niet eens op een tumor, eerder op een roze ballon. Hij was zo groot dat de normaal gesproken rimpelige huid van het scrotum er helemaal strak door werd getrokken. Helemaal bovenop, als het dichtgeknoopte uiteinde van de ballon, hing de verschrompelde penis opzij.

Toen het verband wegviel, probeerde de oude man zich met zijn trillende handen te bedekken. Dat was het eerste teken dat hij zich van hun aanwezigheid bewust was.

De bijenhouder draaide de kraan open en controleerde de temperatuur van het water. Hij liet een emmer vollopen. Hij hield hem omhoog en begon hem langzaam, plechtig, over de oude man leeg te gieten.

'Dit is het lichaam van Christus,' zei de bijenhouder.

Hij vulde de emmer weer en herhaalde het procedé met de woorden: 'Dit is het lichaam van Christus.'

'Dit is het lichaam van Christus.'

'Dit is het lichaam van Christus.'

Mitchell vulde nu ook een emmer en begon de oude man af te spoelen. Hij vroeg zich af of het neervallende water de pijn van de man erger maakte. Hij kon nergens uit opmaken of dat zo was of niet.

Ze zeepten hem met hun blote handen in met ontsmettingszeep. Ze wasten zijn voeten, zijn benen, zijn achterste, zijn borst, zijn armen en zijn hals. Geen moment geloofde Mitchell dat het door kanker aangetaste lichaam op de stenen bank het lichaam van Christus was. Hij waste de man zo voorzichtig mogelijk en sopte de huid rond de aanzet van de tumor, die gemeen rood was en bloedde. Hij probeerde de schaamte van de man wat te verlichten, hem het gevoel te geven dat hij in zijn laatste dagen niet alleen was, althans niet helemaal, en dat de twee vreemden die hem wasten weliswaar onhandig en ondeskundig waren, maar toch hun best voor hem deden.

Toen ze hem hadden afgespoeld en gedroogd, maakte de bijenhouder een nieuw verband. Ze trokken hem een schoon nachthemd aan en droegen hem weer naar de mannenafdeling. Toen ze hem in bed legden, staarde hij nog steeds blind omhoog, trillend van de pijn, alsof ze er niet waren, er nooit waren geweest.

'Oké, dankjewel,' zei de bijenhouder. 'O, en wil je die handdoeken nog even naar de wasserij brengen?'

Mitchell pakte de handdoeken aan en vroeg zich maar heel even af wat eraan zou kunnen zitten. Al met al was hij trots op de verrichtingen van daarnet. Toen hij zich over de wasmand boog, zwaaide het kruis om zijn hals naar voren en wierp een schaduw op de muur.

Hij wilde net weer bij het kleine jongetje gaan kijken toen hij de landbouwdeskundige zag. De kleine gespannen man zat rechtop in bed en zijn gezicht was aanmerkelijk geler dan de afgelopen vrijdag; het geel lekte zelfs naar zijn oogwit, dat griezelig oranje was.

'Hallo,' zei Mitchell.

De landbouwdeskundige keek hem scherp aan, maar zei niets.

Omdat hij geen goed nieuws over de kansen op dialyse had, ging Mitchell op het bed zitten en begon zonder iets te vragen de rug van de man te masseren. Hij wreef zijn schouders, nek en hoofd. Na een kwartier, toen hij klaar was, vroeg hij: 'Kan ik nog iets voor u doen?'

Daar leek de landbouwdeskundige even over na te moeten denken. 'Ik moet schijten,' zei hij toen.

Mitchell was even van zijn stuk gebracht. Maar voordat hij iets kon doen of zeggen, stond er ineens een opgewekte Indiase jongeman voor hen. De kapper.

Hij hield een scheerbekken, een kwast en een recht scheermes omhoog.

'We gaan u scheren!' kondigde hij op joviale toon aan.

Zonder verdere plichtplegingen begon hij de wangen van de landbouwdeskundige in te zepen.

Die had niet de energie om zich te verzetten. 'Ik moet schijten,' zei hij weer, iets dringender nu.

'Scheren, scheren,' herhaalde de kapper; dat was blijkbaar het enige Engels dat hij kende.

Mitchell wist niet waar de ondersteken stonden. Hij moest er niet aan denken wat er zou gebeuren als hij er niet snel een vond, en ook niet wat er zou gebeuren als hij er wel een vond. Hij keek hulpzoekend om zich heen.

Alle andere vrijwilligers waren bezig. Er waren geen nonnen in de buurt.

Toen Mitchell zich weer omdraaide, was de landbouwdeskundige hem helemaal vergeten. Zijn beide wangen waren nu ingezeept. Hij sloot zijn ogen, trok een grimas en zei wanhopig, woedend, opgelucht: 'Ik ben aan het schijten!'

De kapper negeerde dit en begon hem te scheren.

En Mitchell begon te lopen. Hij wist al dat hij hier nog lang spijt van zou hebben, misschien zijn hele verdere leven, en toch kon hij de zoete impuls die door al zijn zenuwen trok niet weerstaan. Hij zette koers naar de voorkant van het tehuis, vlak langs Matteüs 25 vers 40, de treetjes op, naar de lichte, gevallen bovenwereld.

Op straat krioelde het van de pelgrims. In de Kalitempel, waar ze nog steeds geiten aan het slachten waren, hoorde hij cimbalen rinkelen. Ze zwollen aan in een crescendo en vielen dan weer stil. Tegen de stroom voetgangers in liep hij naar de bushalte. Hij keek achterom of hij gevolgd werd, of de bijenhouder achter hem aan kwam om hem terug te halen.

Maar niemand had hem zien weggaan.

De beroete bus was nog voller dan anders. Mitchell moest op de achterbumper klimmen en zich krampachtig vasthouden om niet te vallen, net als de groep jongemannen die daar al hing. Een paar minuten later, toen de bus even stilstond door het verkeer, klauterde hij op het bagagerek. De eveneens jonge passagiers daar lachten tegen hem, geamuseerd om die buitenlander die op het dak meereed. Terwijl de bus naar het centrum raasde, keek Mitchell naar de stad die onder hem voorbijtrok. Troepen straatkinderen stonden op hoeken te bedelen. Zwerfhonden met lelijke snuiten snuffelden tussen het afval of lagen in de verzengende zon op hun zij te slapen. In de buitenwijken zagen de puien van winkels en woonhuizen er nederig uit, maar dichter bij het centrum werden de flatgebouwen voornamer. De gepleisterde façades bladderden af en de ijzeren balustrades van de balkons waren kapot of ontbraken helemaal. Mitchell zat zo hoog dat hij in de woonkamers kon kijken. Er waren er een paar bij met lange fluwelen gordijnen en rijk bewerkte meubels. Maar de meeste waren kaal; er stond niets in, er lag alleen een mat op de grond waarop een heel gezin zat te lunchen.

Bij het kantoor van de Indian Railways stapte hij uit. In de schaars verlichte ruimte, die werd overheerst door een portret van Gandhi in zwart-wit ging hij in de rij staan om een kaartje te kopen. De rij schoof langzaam op, zodat hij ruimschoots de tijd had om op het bord met vertrektijden te kijken en te beslissen waar hij heen wilde. Naar het zuiden, naar Madras? Of naar het heuvelland van Darjeeling? Waarom eigenlijk niet helemaal naar Nepal?

De man achter hem zei tegen zijn vrouw: 'Zoals ik al heb uitgelegd moeten we drie keer een omweg maken als we de bus nemen. We kunnen veel beter met de trein gaan.'

Die avond om 20.24 uur vertrok er van Howrah Station een trein naar Benares. Die kwam de volgende dag om twaalf uur 's middags in de heilige stad aan de Ganges aan. Een kaartje voor een coupé met couchette in de tweede klas kostte ongeveer acht dollar.

De snelheid waarmee hij het kantoor uit liep en proviand voor de reis ging inslaan, deed aan een ontsnapping denken. Hij kocht flessen water, mandarijnen, een reep chocola, een pak koekjes en een homp vreemd kruimelige kaas. Hij had nog niet geluncht, dus hij ging een restaurant in en bestelde een kom groentecurry en *parathi*. Daarna slaagde hij erin een *Herald Tribune* op de kop te tikken en ging die in een café zitten lezen. Omdat hij nog steeds tijd over had, maakte hij een afscheidswandelingetje door de buurt en ging hij even bij een limoengroene bagh zitten waarin de wolken werden weerspiegeld die boven zijn hoofd langsdreven. Toen hij weer in het pension terugkwam, was het over vieren.

Hij was in anderhalve minuut klaar met pakken. Hij gooide zijn extra T-shirt en zijn korte broek in zijn plunjezak, en zijn toilettas, zijn pocketeditie van het Nieuwe Testament en zijn dagboek. Terwijl hij daarmee bezig was, kwam Rüdiger het pension in met een rol onder zijn arm.

'Vandaag heb ik het leerbewerkersghetto gevonden,' deelde hij voldaan mee. 'Er is in deze stad voor álles een getto. Ik loop daar en ik vind dat getto, en toen kreeg ik het idee om een prachtig leren hoesje voor mijn paspoort te maken.'

'Een hoesje voor je paspoort,' zei Mitchell.

'Ja, je hebt een paspoort nodig om de wereld te bewijzen dat je bestaat. De mensen bij de paspoortencontrole kunnen niet gewoon zien dat je een mens bent. Nee! Ze moeten een fotootje van je zien. Pas dan geloven ze dat je bestaat.'

Hij liet Mitchell zijn rol getaand leer zien. 'Misschien maak ik er ook een voor jou.'

'Te laat. Ik vertrek vandaag,' zei Mitchell.

'Zozo, heb je een roekeloze bui? Waar ga je heen?'

'Naar Benares.'

'Dan moet je in de Yogi Lodge logeren. Dat is het beste pension.'

'Oké. Dat zal ik doen.'

Vormelijk stak Rüdiger hem zijn hand toe.

'Toen ik je voor het eerst zag,' zei hij, 'dacht ik bij mezelf: mmm, ik weet niet. Maar open is hij wel.'

Hij keek Mitchell in de ogen alsof hij hem wilde taxeren en tegelijk het beste wensen. Mitchell draaide zich om en vertrok.

Op de binnenplaats liep hij Mike tegen het lijf.

'Ga je weg?' vroeg Mike met een blik op de plunjezak.

'Ja, ik wilde nog wat reizen,' zei Mitchell. 'Maar voordat ik wegga – weet je nog dat je over dat lassiwinkeltje vertelde? Waar ze bhang lassi hebben? Kun je me laten zien waar dat is?'

Dat deed Mike graag. Ze liepen de poort uit en staken Sudder Street over, kwamen aan de overkant langs het theestalletje en doken in de wirwar van smalle straatjes verderop. Er kwam een bedelaar naar hen toe die zijn hand ophield en 'Baksheesh! Baksheesh!' riep.

Mike liep door, maar Mitchell bleef staan. Hij stak zijn hand in zijn zak, haalde twintig paise tevoorschijn en legde die in de vuile hand van de bedelaar.

'Ik gaf ook altijd aan bedelaars toen ik hier net was,' zei Mike. 'Maar toen besefte ik dat het hopeloos is. Het houdt nooit op.'

'Jezus zegt dat je moet geven aan iedereen die vraagt,' zei Mitchell.

'Nou,' zei Mike, 'die is dan duidelijk nooit in Calcutta geweest.'

Het lassiwinkeltje bleek geen winkel te zijn, maar een kar die tegen een pokdalige muur stond. Er stonden drie kruiken op met een doek erover tegen de vliegen.

De verkoper vertelde wat erin zat en wees: 'Zoute lassi. Zoete lassi. Bhang lassi.'

'We komen voor de bhang lassi,' zei Mike.

Er hingen twee mannen tegen de muur, waarschijnlijk vrienden van de verkoper, die dat nogal vermakelijk leken te vinden.

'Bhang lassi!' riepen ze. 'Bhang!'

De verkoper schonk twee hoge glazen vol. De bhang lassi was groenig bruin. Er dreven stukjes in.

'Hier word je knetterstoned van,' zei Mike. Hij bracht het glas naar zijn mond.

Mitchell nam een slokje. Het smaakte naar slootwater. 'Over knetter gesproken,' zei hij, 'mag ik die foto van dat Thaise meisje nog eens zien?'

Mike grinnikte wellustig en viste hem uit zijn portefeuille. Hij gaf hem aan Mitchell.

Zonder ernaar te kijken scheurde die hem doormidden en gooide de stukken op de grond.

'Hé!'

'Weg,' zei Mitchell.

'Je hebt mijn foto verscheurd! Waarom doe je dat?'

'Ik help je een handje. Dit is gewoon zielig.'

'Krijg de tyfus!' zei Mike. Hij liet zijn tanden zien, als een rat. 'Achterlijke Jezusfreak!'

'Wat zou er erger zijn? Een Jezusfreak of iemand die minderjarige hoertjes koopt?'

'Jeetje, kijk, een bedelaar,' zei Mike honend. 'Weet je wat, ik geef hem geld. Want ik ben zó vroom! Ik ga de wereld redden!'

'Jeetje, kijk, een Thais animeermeisje. Ik geloof dat ze me leuk vindt! Ik ga met haar trouwen! Dan kan ze thuis voor me koken en schoonmaken. In mijn eigen land kan ik geen vrouw krijgen, want ik ben een dikke werkloze slampamper. Dus ik neem maar een Thaise.'

'Zal ik je eens wat zeggen? Loop lekker naar je moer met je moeder Teresa! De groeten, lul. Veel plezier met je nonnen. Ik hoop dat ze je afrukken, want dat heb jij nodig.'

Die kleine gedachtewisseling met Mike had Mitchell een geweldig humeur bezorgd. Toen hij de bhang lassi op had, ging hij weer naar het pension van het Leger des Heils. De veranda was dicht, maar de bibliotheek was nog open. In een hoekje achterin ging hij op de grond zitten. Met het boek van Francis Schaeffer als onderlegger begon hij een nieuw vel luchtpostpapier vol te schrijven.

Lieve Madeleine,

In de woorden van Dustin Hoffman zeg ik je luid en duidelijk: <u>Trouw niet met hem</u>!!! Hij past niet bij je.

Dank voor je lieve lange brief. Ik heb hem ongeveer een maand geleden in Athene gekregen. Sorry dat ik nu pas terugschrijf. Ik heb erg mijn best gedaan om je uit mijn gedachten te bannen.

Ik heb net een bhang lassi gedronken. Een lassi, mocht je dat niet weten, is een koele, verfrissende Indiase yoghurtdrank. Bhang is wiet. Ik heb het drankje vijf minuten geleden op straat bij een venter gekocht; ook dat is een van de vele wonderen van dit subcontinent.

Maar wat ik wilde zeggen: toen wij het over trouwen hadden (in abstracte zin dan), kwam jij met een theorie dat daar drie fasen in bestaan. Fase Eén zijn de traditionele types die met hun studievriendje of -vriendinnetje trouwen, doorgaans meteen in de zomer na hun afstuderen. De mensen uit Fase Twee trouwen rond hun achtentwintigste. En dan is er nog Fase Drie: dat zijn degenen die in de laatste golf trouwen, als ze 36, 37, of zelfs al 39 en een tikje wanhopig zijn.

Jij zei dat je nooit meteen na je studie zou trouwen. Je wilde 'eerst carrière maken' en pas trouwen als je in de dertig was. Stiekem had ik je altijd bij Fase Twee ingedeeld, maar toen ik je bij het afstuderen zag, besefte ik dat je een absoluut, onverbeterlijk Fase Eén-type was. Toen kwam je brief. Hoe vaker ik hem las, hoe duidelijker ik zag wat je níet schreef. Achter die piepkleine lettertjes zit een onderdrukt verlangen. Misschien doet jouw piepkleine handschrift dat al je hele leven: je uitzinnige verlangens bedwingen zodat ze je bestaan niet in de war kunnen sturen.

Hoe ik dat weet? Laten we zeggen dat ik tijdens mijn reis heb kennisgemaakt met innerlijke zijnstoestanden die de afstand tussen mensen verkleinen. Af en toe ben ik je ondanks de grote fysieke afstand heel na gekomen, tot in je diepste binnenste. Ik voel wat jij voelt. Zelfs <u>hier</u>.

Ik moet dit snel schrijven. Ik moet de nachttrein halen en ik merk dat ik steeds meer sterretjes begin te zien.

Het zou niet eerlijk zijn als ik dit allemaal schreef zonder je een alternatief te bieden om over na te denken. Je zou het een voorstel kunnen noemen. De aard van dit voorstel maakt het voor een jeugdige heer (zelfs voor een heer als ik, die niet eens meer een onderbroek draagt) evenwel onmogelijk het aan het briefpapier toe te vertrouwen. Dit moet ik onder vier ogen met je bespreken.

Wanneer dat mogelijk zal zijn, weet ik nog niet. Ik ben nu drie weken in India en ik heb alleen Calcutta nog maar gezien. Ik wil de Ganges zien, dus dat is mijn volgende bestemming. Ik wil naar New Delhi en Goa (waar het onbederfelijke lijk van de heilige Franciscus Xaverius in een kathedraal tentoongesteld wordt). Ik wil ook heel graag nog naar Rajasthan en Kashmir. Larry en ik hebben in maart weer afgesproken (over Larry moet ik je later ook nog vertellen!) voor ons assistentschap bij prof. Hughes. Kortom, ik schrijf je deze brief omdat ik misschien, als je inderdaad een Fase Eén-type bent, geen tijd meer heb om persoonlijk tussenbeide te komen. Ik zit te ver weg om met mijn sportwagen de Bay Bridge over te scheuren en de plechtigheid te verstoren (ik zou de deur trouwens nooit met een crucifix barricaderen).

Ik weet niet of deze brief ooit aankomt. Ik zal op de voorzienigheid moeten vertrouwen, iets wat ik de laatste tijd voortdurend en met sterk wisselend succes probeer.

Die bhang lassi is behoorlijk koppig, merk ik. Ik heb naar de ultieme realiteit gezocht, maar op dit moment ben ik bereid genoegen te nemen met een paar alledaagsere realiteiten. Ik wil nog niets zeggen. Maar Princeton heeft een letterenfaculteit. En aan Yale en Harvard kun je godsdienstwetenschappen studeren. En in New Jersey en New Haven heb je kleine rotflatjes waar twee leergierige mensen samen leergierig kunnen zijn.

Maar daar heb ik het niet over. Nog niet. Niet nu. Mocht ik iets ongepasts hebben geschreven, schrijf dat dan maar toe aan de krachten van de Bengaalse yoghurtshake. Ik wilde je eigenlijk alleen maar een kort briefje schrijven. Misschien zelfs alleen maar een kaart. Ik wilde maar één ding zeggen.

Trouw niet met hem.

Niet doen, Mad. Gewoon niet doen.

Toen hij weer beneden kwam, was het al avond. Er liepen massa's mensen midden op straat en met de slingers gele gloeilampjes boven hun hoofden leek het wel kermis. Straatverkopers met muziekinstrumenten toeterden op hun houten fluiten en plastic trombones om klanten te lokken en de restaurants waren open.

Mitchell liep onder de enorme bomen en zijn hoofd zoemde. De lucht voelde zacht aan tegen zijn gezicht. Eigenlijk had hij die bhang helemaal niet nodig. Van de hoeveelheid sensaties waarmee hij al was gebombardeerd voordat hij zelfs maar op de hoek was – het onophoudelijke getoeter van de taxi's, het getjoek van de vrachtwagens, het geroep van de mierachtige mannetjes die hun karren met rapen of schroot voortduwden – zou hij ook midden op de dag wel duizelig zijn geworden als hij volkomen nuchter zou zijn geweest. Dit was een roes boven op een roes. Hij ging er zo in op dat hij vergat waar hij naartoe ging. Hij had wel de hele avond op de hoek kunnen blijven staan kijken hoe het verkeer weer een meter verder reed. Maar plotseling kwam er een riksja zijn blikveld in zwieren, die naast hem stopte. De bestuurder, een magere donkere man met een groene handdoek om zijn hoofd, wenkte hem en gebaarde naar het lege bankje. Mitchell keek naar de ondoordringbare muur van verkeer. Hij keek naar het bankje. En voordat hij het wist, klom hij erop.

De riksjaman bukte zich en pakte de lange houten disselbomen op. Zo snel als een hardloper na het startschot dook hij het verkeer in.

Een hele tijd reed hij langs de zijkant van de opstopping. De riksjaman dook behendig tussen de auto's door. Telkens als hij een open plekje naast een bus of vrachtwagen zag, stortte hij zich naar voren totdat hij zeer tegen zijn zin werd gedwongen te vertragen. De riksja stopte en reed weer door, dook naar voren, versnelde en hield dan met een ruk weer stil, als een botsautootje.

Het bankje leek wel een troon; het was met felrood vinyl bekleed en versierd met een portret van Ganesh. De kap was open en Mitchell zag de grote houten wielen aan de zijkanten. Af en toe reden ze even zij aan zij met een andere riksja en dan keek Mitchell naar zijn mede-uitbuiters. Een Brahmaanse dame in een sari waarin de vetrol op haar buik duidelijk te zien was. Drie schoolmeisjes die huiswerk zaten te maken.

Het getoeter en geschreeuw leek in Mitchells hoofd te zitten. Hij hield zijn plunjezak stijf vast en vertrouwde erop dat de riksjaman hem op zijn bestemming zou afleveren. De donkere huid van zijn rug glom van het zweet, de spieren en pezen eronder stonden zo strak als pianosnaren. Na een kwartier zigzaggen lieten ze de verkeersader achter zich en konden ze snelheid maken; ze reden nu door een grotendeels onverlichte buurt.

Het rode vinyl bankje piepte als een bank in een eethuis. De olifanthoofdige Ganesh had net zulke roetzwarte wimpers als een Bollywoodidool. Plotseling werd het lichter en toen Mitchell opkeek, zag hij de stalen pijlers van een brug. Die rees hoog op als een reuzenrad met talloze gekleurde lichtjes. Beneden in de diepte stroomde de inktzwarte Hooghly en de rode neonverlichting van het station aan de overkant werd in het water weerkaatst. Mitchell leunde opzij en keek naar de rivier. Als hij nu uit de riksja viel, zou hij tientallen meters omlaag duikelen. En niemand zou het ooit te weten komen.

Maar hij viel niet. Hij bleef rechtovereind in de riksja zitten, als een sahib. Hij was van plan de riksjaman bij het station een enorme fooi te geven. Minstens een weekloon. Ondertussen genoot hij van het ritje. Hij was euforisch. Hij werd voortgedragen als in een schip. Nu begreep hij het Jezusgebed. Hij begreep wat 'ontferming' betekende. En natuurlijk ook wat een zondaar was. Terwijl ze de brug over gingen, bewogen zijn lippen niet. Hij dacht helemaal niets. Het was net alsof, zoals Franny had beloofd, het gebed de controle had overgenomen en zichzelf in zijn hart reciteerde.

Heer Jezus Christus, ontferm u over mij, een zondaar.
Heer Jezus Christus, ontferm u over mij, een zondaar.
Heer Jezus Christus, ontferm u over mij, een zondaar.
Heer Jezus Christus, ontferm u over mij, een zondaar.
Heer Jezus Christus, ontferm u over mij, een zondaar.
Heer Jezus Christus, ontferm u over mij, een zondaar.
Heer Jezus Christus, ontferm u over mij, een zondaar.
Heer Jezus Christus, ontferm u over mij, een zondaar.
Heer Jezus Christus, ontferm u over mij, een zondaar.
Heer Jezus Christus, ontferm u over mij, een zondaar.
Heer Jezus Christus, ontferm u over mij, een zondaar.
Heer Jezus Christus, ontferm u over mij, een zondaar.
Heer Jezus Christus, ontferm u over mij, een zondaar.

En soms waren ze ten einde raad

Toen Alton Hanna in het midden van de jaren zestig hoofd van het bestuur van Baxter werd en zijn baan als faculteitsvoorzitter aan het Connecticut College had opgegeven om naar New Jersey te verhuizen, waren zijn dochters daar bepaald niet verguld mee. Op hun eerste reis naar hun nieuwe woonplaats hadden de meisjes demonstratief hun neus dichtgeknepen en waren in gillen uitgebarsten toen ze het bord WELKOM IN NEW JERSEY zagen, nog lang voordat ze daadwerkelijk langs een olieraffinaderij reden. Toen ze eenmaal hun intrek in Prettybrook hadden genomen, nam hun heimwee nog toe. Alwyn klaagde dat ze haar oude schoolvriendinnetjes miste. Madeleine vond het nieuwe huis eng en koud. Ze was 's avonds bang in haar grote slaapkamer. Alton was naar Prettybrook verhuisd met de gedachte dat zijn dochters blij zouden zijn met het ruime huis en de groene achtertuin. Het nieuws dat ze de voorkeur gaven aan hun krappe woning in New London, een huis dat eigenlijk voornamelijk uit trappen bestond, was niet wat hij had willen horen.

Maar in dat turbulente decennium was er überhaupt niet veel goed nieuws. Alton was naar Baxter gekomen in een tijd dat het budget kromp en het studentenprotest floreerde. In zijn eerste jaar als voorzitter bezetten de studenten het bestuursgebouw. Gewapend met een uitgebreid eisenpakket – afschaffing van de academische toelatingseisen, oprichting van een vakgroep Afro-Amerikaanse studies, een campusverbod voor rekruteringsambtenaren van het leger en weigering van sponsorgelden van bedrijven die betrokken waren bij het leger of de olie-industrie – waren ze neergestreken op de oosterse kleden in de wachtruimte van het bestuurskantoor. Terwijl Alton een onderhoud had met de studentenleider, Ira Carmichael, een duidelijk briljante jongen in legerwerktenue met een demonstratief openstaande gulp, zaten aan de andere kant van de deur vijftig harige studenten leuzen te scanderen. Deels om een signaal uit te zenden dat dit soort gedrag onder zijn bewind niet getolereerd zou worden en deels omdat hij Republikein was en de oorlog in Vietnam steunde, had hij hen uiteindelijk met geweld door de politie laten verwijderen. Met het voorspelbare gevolg dat de spanningen verder oplaaiden. Kort daarna werd er op het collegeterrein een pop van 'Hiroshima Hanna' in brand gestoken waarvan de kale kop de monsterlijke vorm van een paddenstoelwolk had. Onder het raam van Altons werkkamer verzamelde zich dagelijks een meute demonstranten die zijn hoofd eisten. Om zes uur, als de studenten waren vertrokken (hun inzet voor de goede zaak strekte zich niet uit tot het missen van hun avondeten), vluchtte Alton de avond in. Hij stak haastig het grasveld over, liep langs de verkoolde resten van zijn beeltenis die daar nog steeds aan de tak van een iep bungelden naar zijn auto op de bestuursparkeerplaats en reed naar huis, naar Prettybrook, waar hij door zijn dochters met luide protesten over de verhuizing naar New Jersey werd verwelkomd.

Met Alwyn en Madeleine was hij wel tot onderhandelen bereid. Hij kocht Alwyn om met paardrijlessen bij de Prettybrook Country Club. Al snel ontwikkelde ze een haast seksuele genegenheid voor een kastanjebruine merrie genaamd Riviera Red, paradeerde ze voortdurend rond in rijkleding en kwam de naam New London niet meer over haar lippen. Madeleine werd overgehaald door een nieuw behangetje. Phyllida nam haar een weekendje mee naar New York. Toen ze zondagavond weer thuiskwamen, zei Phyllida tegen haar dat er in haar kamer een verrassing op haar wachtte. Madeleine rende naar boven en de muren van haar kamer bleken te zijn behangen met plaatjes uit het boek dat ze toen het mooiste van de hele wereld vond: *Madeline*, van Ludwig Bemelmans. Terwijl zij met haar moeder in New York was, had een behanger het oude behang verwijderd en vervangen door dit nieuwe behang, dat Phyllida speciaal had laten drukken bij een fabrikant in Trenton. Toen ze haar kamer binnenstapte, leek het alsof ze ineens midden in het boek stond. Aan de ene muur had je de sobere eetzaal van Madelines kloosterschool en op de muur daartegenover de galmende slaapzaal van de meisjes. Overal in de kamer deden meerdere Madelines dappere dingen. Eentje stak haar tong uit ('tegen de leeuw achter het hek trok Madeline een gekke bek'), een andere balanceerde als een echte waaghals op de rand van een brug over de Seine, weer een andere trok haar nachtpon omhoog om het litteken van haar blindedarmoperatie te laten zien. Het diepe, welige groen van Parijse parken, het herhaalde motief van zuster Clavel die met één hand aan haar kap 'almaar haastiger voortsnelt', waarbij haar steeds langer wordende schaduw gelijke tred houdt met haar gevoel 'dat er iets niet in de haak is', en daar bij het lichtknopje de eenbenige soldaat met zijn krukken, onder het kopje: 'En soms waren ze ten einde raad' – het idee dat deze tekeningen opriepen van Parijs als een stad die net zo ordelijk was als 'de twee kaarsrechte rijen' van de meisjes, net zo kleurrijk als Bemelmans' pasteltinten, een wereld van openbare gebouwen en standbeelden van oorlogshelden, van kosmopolitische kennissen zoals de Spaanse ambassadeurszoon (een buitengewoon zwierige figuur volgens de zesjarige Maddy), dat kinderboeken-Parijs dat niet vrij was van toespelingen op volwassen fouten en tegenslagen, dat de werkelijkheid niet mooier maakte dan ze was, maar haar onbevreesd onder ogen zag, als de buitengewone overwinning voor de mensheid die een grote stad vertegenwoordigt, en dat, hoe reusachtig ook, Madeleine, klein als ze was, geen schrik aanjoeg – op de een of andere manier had Madeleine dat er als klein meisje allemaal uitgehaald. En dan had je nog de overeenkomst tussen hun namen, en de bekende klassenkenmerken en het feit dat zij zichzelf zowel toen als nu beschouwde als dat ene meisje in de groep over wie een schrijver een boek zou willen schrijven.

Niemand had zulk behang als zij. En daarom had ze het ook later in haar jeugd aan Wilson Lane nooit vervangen.

Het was nu verbleekt door de zon en krulde op bij de randen. Eén tafereel, van een bouvier in de Jardin du Luxembourg, was geel uitgeslagen door een lek in het dak. Als het feit dat ze weer bij haar ouders was ingetrokken op zich al niet regressief genoeg was, dan werd dat proces vervolmaakt door in haar oude kamer te midden van dat kinderboekenbehang wakker te worden. Daarom deed Madeleine het volwassenste wat ze onder deze omstandigheden doen kon: ze stak haar linkerhand uit – de hand met de gouden trouwring – en klopte op het bed om te kijken of haar man naast haar lag.

De laatste tijd kwam Leonard zo tussen één en twee uur 's nachts naar bed. Maar hij kon moeilijk in slaap komen in het grote bed – hij leed weer aan slapeloosheid – en ging vaak naar een van de logeerkamers, waar hij nu waarschijnlijk ook was, want de plek naast haar was leeg.

Madeleine en Leonard woonden bij haar ouders in omdat ze nergens anders heen konden. Leonards aanstelling in Pilgrim Lake was beëindigd in april, een week voor hun trouwen. Ze hadden voor de zomer een huurhuis in Provincetown geregeld, maar nadat Leonard begin mei in Monte Carlo in het ziekenhuis was opgenomen, hadden ze die woning moeten laten schieten. Toen ze twee weken later naar Amerika terugkeerden, hadden ze hun intrek genomen in Prettybrook, dat niet alleen een vreedzaam oord was waar Leonard rustig kon herstellen, maar waar ze zich ook in de nabijheid van de beste psychiatrische zorg in Philadelphia en New York bevonden. En het was ook een goede basis van waaruit ze konden proberen een appartement in Manhattan te vinden. Omstreeks half april, terwijl Madeleine op huwelijksreis was in Europa, hadden enkele brieven van universiteiten via het postkantoor van Pilgrim Lake hun weg naar Wilson Lane gevonden. Harvard en Chicago wezen haar af, maar Columbia en Yale stuurden een acceptatiebrief. Omdat ze het jaar daarvoor door Yale was afgewezen was ze nu blij dat ze op haar beurt hetzelfde met hen kon doen. Ze wilde niet in New Haven wonen; ze wilde in New York wonen. Hoe eerder Leonard en zij daar een huis vonden, hoe eerder ze hun leven – en hun acht weken oude huwe-lijk – weer op de rails konden krijgen.

Met dat doel voor ogen stond ze op en belde Kelly Traub. Ze gebruikte de te-lefoon in Altons werkkamer op de eerste verdieping, een kleine beige ruimte, even propvol als strak georganiseerd, die uitkeek op de achtertuin. De kamer rook naar haar vader, wat door het vochtige juniweer nog werd versterkt, en ze wilde er niet te lang blijven; het was alsof ze haar neus in een van zijn oude ka-merjassen stak. Terwijl ze het nummer van Kelly's kantoor draaide keek ze de tuin in, waar de tuinman een struik besproeide met een theekleurig goedje uit een fles.

De secretaresse op Kelly's kantoor zei dat 'mevrouw Traub' in gesprek was en vroeg of ze in de wacht wilde worden gezet. Madeleine antwoordde dat ze wel zou wachten.

In het jaar na hun afstuderen had Kelly, terwijl Madeleine op Cape Cod zat, met gering succes een carrière als actrice nagejaagd. Ze had een kleine rol ge-speeld in een nieuwe eenakter die slechts één weekend was opgevoerd in de kel-der van een kerk in Hell's Kitchen en ze had ook meegewerkt aan een locatie-theaterstuk van een Noorse kunstenaar waarin ze onbezoldigd halfnaakt haar opwachting had gemaakt. Om zichzelf te kunnen onderhouden had ze een baantje aangenomen bij de makelaardij van haar vader in de Upper West Side. Ze had flexibele werktijden, werd behoorlijk goed betaald en had genoeg tijd om alle audities af te gaan. En het maakte haar ook tot dé persoon die je moest bellen als je op zoek was naar een appartement in de buurt van Columbia.

Een minuut later kreeg ze Kelly aan de lijn.

'Hé, met mij,' zei Madeleine.

'Maddy, hallo! Wat goed dat je belt.'

'Ik bel je elke dag.'

'Jawel, maar vandaag heb ik de perfecte woning voor je. Hou je vast: "River-side Drive. Vooroorlogs vierkamerappartement. Uitzicht op de Hudson. Werk-ruimte eventueel te gebruiken als slaapkamer. Beschikbaar per 1 augustus." Je moet wel vandaag nog komen kijken, anders is het weg.'

'Vandaag nog?' vroeg Madeleine weifelend.

'Ik heb die woning niet in mijn eigen portefeuille zitten. Ik heb de makelaar laten beloven dat hij tot morgen zou wachten met de bezichtigingen.'

Madeleine wist niet zeker of ze dat zou kunnen maken. Ze was deze week al drie keer op huizenjacht in New York geweest. En omdat het geen goed idee was om Leonard alleen te laten, had ze Phyllida elke keer moeten vragen om een oog-je in het zeil te houden. Haar moeder beweerde weliswaar dat ze het niet erg vond, maar Madeleine wist dat ze er zenuwachtig van werd.

Aan de andere kant klonk het als het ideale appartement. 'Op welke hoogte ligt het?'

'Seventy-seventh Street,' zei Kelly. 'Het is vijf straten bij Central Park vandaan. Vijf haltes van Columbia. En Penn Station is ook makkelijk te bereiken, zoals je wilde.'

'Dat klinkt echt perfect.'

'Plus dat ik je meeneem naar een feest als je vandaag langskomt.'

'Een feest?' zei Madeleine. 'Wat is dat ook alweer?'

'Bij Dan Schneider. Vlak bij mijn kantoor. Er komen heel veel mensen van Brown, dus dan zie je die ook weer eens.'

'Ik weet niet zeker of ik hier wel weg kan.'

Ze wisten allebei wie het eventuele obstakel was. Na een korte stilte vroeg Kelly zachter: 'Hoe gaat het met Leonard?'

Dat was een lastige vraag. Madeleine zat in Altons bureaustoel en richtte haar blik op de pijnbomen achter in de tuin. Volgens zijn nieuwste therapeut – niet de Franse psychiater Lamartine die hem in Monaco had behandeld, maar Wilkins, de nieuwe specialist van Penn Hospital – liep Leonard 'geen uitgesproken risico op zelfmoord'. Wat niet wilde zeggen dat hij niet suïcidaal was, alleen dat het risico relatief laag was. Laag genoeg in elk geval om hem niet verplicht op te laten nemen (hoewel dat elk moment kon veranderen). Een week daarvoor waren Alton en Madeleine op een regenachtige woensdagmiddag naar Philadelphia gereden voor een privéonderhoud met Wilkins. Madeleine was ervandaan gekomen met het idee dat Wilkins hetzelfde was als elke andere goedbedoelende deskundige, zoals bijvoorbeeld een econoom, die voorspellingen deed op basis van beschikbare informatie, maar wiens conclusies verre van definitief waren. Ze had elke vraag gesteld die ze maar kon bedenken over mogelijke waarschuwingssignalen en preventieve maatregelen. Ze had geluisterd naar Wilkins' deskundige, maar onbevredigende antwoorden. En daarna was ze teruggereden naar Prettybrook, waar ze haar leven en haar bed weer deelde met haar kersverse echtgenoot, terwijl ze zich elke keer dat hij de kamer verliet afvroeg of hij zichzelf iets zou aandoen.

'Hetzelfde,' zei ze uiteindelijk.

'Je moet echt naar dat appartement komen kijken,' zei Kelly. 'Als je om een uur of zes komt, kunnen we daarna naar dat feest. Al is het maar voor een uurtje. Dat zal je goed doen.'

'Ik zie wel. Ik bel je terug.'

De geur van vers gemaaid gras dreef door de horren naar binnen toen ze in de badkamer haar tanden poetste. Ze bekeek zichzelf in de spiegel. Haar huid was droog en onder haar ogen een beetje paarsachtig. Dat viel nou niet direct aftakeling te noemen – ze was nog maar drieëntwintig – maar er was een duidelijk verschil met een jaar geleden. Ze zag schaduwen op haar gezicht waaruit ze kon afleiden hoe ze er zou uitzien als ze oud was.

Beneden stond Phyllida bij de gootsteen in de waskamer bloemen in een vaas te schikken. De schuifdeuren naar het terras stonden open, een gele vlinder fladderde boven de struiken.

'Goedemorgen,' zei Phyllida. 'Lekker geslapen?'

'Nee.'

'Er liggen Engelse muffins bij de broodrooster.'

Madeleine sjokte slaperig door de keuken. Ze haalde een muffin uit het pak en probeerde hem met haar vingers open te splijten.

'Neem een mes, schat,' zei Phyllida.

Maar het was al te laat: de bovenkant scheurde scheef af. Madeleine stopte de twee ongelijke helften in de broodrooster en drukte de knop omlaag.

Terwijl de muffin geroosterd werd, schonk ze een kop thee in en ging aan de keukentafel zitten. Met gepast enthousiasme zei ze: 'Mam, ik moet vanavond naar de stad om een appartement te bekijken.'

'Vanavond?'

Ze knikte.

'Papa en ik hebben vanavond een cocktailparty.' Ze bedoelde dat ze vanavond niet bij Leonard konden blijven.

De muffin sprong tevoorschijn. 'Maar mam,' drong Madeleine aan, 'dit appartement klonk echt perfect. Het ligt aan Riverside Drive. Met uitzicht op de rivier.'

'Het spijt me schat, maar dit feestje staat al drie maanden in mijn agenda.'

'Volgens Kelly is vandaag de enige kans. Anders is het weg.' Ze voelde zich schuldig dat ze haar moeder zo onder druk zette. Haar ouders hadden alles zo goed opgenomen en waren Leonard zo behulpzaam geweest in zijn kritieke toestand, dat ze hen niet verder wilde belasten. Maar aan de andere kant, als ze geen appartement vond, konden Leonard en zij ook niet verhuizen.

'Misschien wil Leonard wel met je mee,' opperde Phyllida.

Madeleine viste zonder iets te zeggen de grootste helft van de muffin uit de broodrooster. Ze had Leonard vorig week nog mee naar de stad genomen en dat was geen succes geweest. In de drukte op Penn Station was hij gaan hyperventileren, waarna ze de eerstvolgende trein terug naar Prettybrook hadden moeten nemen.

'Misschien ga ik dan maar niet,' zei ze uiteindelijk.

'Waarom vraag je hem niet gewoon of hij zin heeft om mee te gaan?' zei Phyllida.

'Ik vraag het hem wel als hij straks wakker is.'

'Hij ís wakker. Al een tijdje. Hij zit op het terras.'

Dat verraste Madeleine. Leonard lag meestal tot laat in de ochtend in bed.

Ze stond op en liep met haar koffie en haar muffin het zonnige terras op.

Leonard zat op het lagere gedeelte, in de schaduw, op de houten tuinstoel waar hij het grootste gedeelte van zijn tijd doorbracht. Hij zag er groot en harig uit, als een van de Maximonsters. Hij droeg een zwart T-shirt en een wijde zwarte korte broek en had zijn in afgetrapte basketbalgympen gestoken voeten op de rand van de balustrade gelegd. Voor zijn gezicht stegen rookpluimen op.

'Hoi,' zei Madeleine, die naast zijn stoel kwam staan.

Leonard mompelde een schorre groet en rookte weer verder.

'Hoe voel je je?' vroeg ze.

'Doodmoe. Ik kon niet slapen, dus heb ik om een uur of twee een slaappil genomen. Maar om vijf uur werd ik alweer wakker, en sindsdien zit ik hier.'

'Heb je al ontbeten?'

Leonard stak zijn pakje sigaretten omhoog.

In een aangrenzende tuin begon een grasmaaier te pruttelen. Madeleine ging op de brede armleuning van Leonards stoel zitten. 'Ik had Kelly net aan de telefoon,' zei ze. 'Lijkt het je wat om later vandaag met me mee de stad in te gaan? Rond een uur of halfvijf?'

'Geen goed idee,' antwoordde hij met dezelfde schorre stem.

'Het gaat om een vierkamerappartement aan Riverside Drive.'

'Ga jij maar.'

'Ik zou het fijn vinden als je meeging.'

'Geen goed idee,' herhaalde hij.

Het geluid van de grasmaaier kwam dichterbij. Het kwam helemaal tot aan de andere kant van de schutting en verwijderde zich toen weer.

'Mijn ouders gaan naar een cocktailparty,' zei Madeleine.

'Je kunt me wel alleen laten, hoor.'

'Weet ik.'

'Als ik mezelf van kant wilde maken, zou ik dat ook 's nachts kunnen doen, als jullie slapen. Ik zou mezelf kunnen verzuipen in het zwembad. Dat had ik vanmorgen zo kunnen doen.'

'Zo kan ik niet echt met een gerust hart de stad in,' zei Madeleine.

'Luister nou even, Mad. Ik voel me niet zo jofel. Ik ben bekaf en aan het eind van mijn Latijn. Ik geloof niet dat ik opgewassen ben tegen een reis naar New York. Maar hier op de veranda red ik me wel. Jullie kunnen me rustig alleen laten.'

Madeleine kneep haar ogen dicht. 'Hoe kunnen we ooit in New York wonen als je er niet eens heen durft om een appartement te bekijken?'

'Tja, daar zit hem de kneep,' zei Leonard. Hij drukte zijn sigaret uit, schoot de peuk de bosjes in, en stak een nieuwe op. 'Ik moet mezelf in de gaten houden, Maddy. Meer kan ik niet doen. Ik ben er de laatste tijd steeds beter in geworden en ik ben er gewoon nog niet klaar voor om met allerlei verhitte, zweterige New Yorkers in een volgepakte metro te zitten…'

'Dan nemen we een taxi.'

'…of in een benauwde taxi door de hitte rond te rijden. Maar ik ben wél in staat om het hier prima met mezelf uit te zingen. Ik heb geen oppas nodig. Dat heb ik al eerder gezegd. En de dokter ook.'

Ze wachtte tot hij was uitgepraat voor ze het gesprek weer op het oorspronkelijke onderwerp terugbracht. 'De kwestie is dat we meteen moeten beslissen als het huis ons bevalt. Ik zou je vanuit een cel kunnen bellen nadat ik het bekeken heb.'

'Je kunt zonder mij beslissen. Het is jóuw appartement.'

'Óns appartement.'

'Jij betaalt de huur,' zei Leonard. 'Jij bent degene die zo nodig in New York moet wonen.'

'Jij wilt toch ook in New York wonen?'

'Niet meer.'

'Je zei van wel.'

Leonard draaide zich om en keek haar voor het eerst aan. Dat waren vreemd genoeg de momenten die ze vreesde: als hij haar aankeek. Zijn ogen hadden iets leegs. Alsof je in een diepe, droge put staarde.

'Waarom laat je je niet gewoon van me scheiden?' vroeg hij.

'Hou op.'

'Ik zou het je niet kwalijk nemen. Ik zou het heel goed begrijpen.' Zijn gezichtsuitdrukking verzachtte en kreeg iets peinzends. 'Weet je wat moslims doen als ze willen scheiden? De man herhaalt drie keer "ik scheid van u" en daarmee is de kous af. Om niet van ontucht te worden beschuldigd, trouwen mannen met hoeren en scheiden meteen na de daad weer van ze.'

'Wil je me soms verdrietig maken?' vroeg Madeleine.

'Sorry,' zei Leonard. Hij pakte haar hand. 'Sorry.'

Toen Madeleine weer naar binnen ging was het bijna elf uur. Ze zei tegen

Phyllida dat ze besloten had niet naar New York te gaan. In Altons werkkamer belde ze Kelly met het idee dat zíj het appartement misschien zou kunnen bezichtigen en haar naderhand een telefonische beschrijving kon geven, en dat ze op basis daarvan een beslissing zou kunnen nemen. Maar Kelly was met een andere cliënt op stap, dus liet ze een bericht achter. Terwijl ze zat te wachten tot Kelly haar zou terugbellen, kwam Leonard de trap op en riep haar naam. Ze liep de werkkamer uit en zag hem op de overloop staan, met twee handen aan de trapleuning.

'Ik heb me bedacht,' zei hij. 'Ik ga mee.'

Madeleine was met Leonard getrouwd in de greep van een aan waanzin grenzende kracht. Vanaf het moment dat Leonard met zijn lithiumdoses was gaan experimenteren tot die dag in december waarop hij met zijn onbezonnen voorstel het huis was binnengestormd, had Madeleine in een vergelijkbare stroomversnelling van emoties gezeten. Ook zij was uitzinnig gelukkig geweest. Ook zij had in een voortdurende staat van seksuele opwinding verkeerd. Ook zij had zich fantastisch, onoverwinnelijk en onbevreesd gevoeld. Door de prachtige muziek in haar hoofd was ze doof voor wat anderen zeiden.

De vergelijking ging zelfs nog verder op, want voordat ze zo manisch werd, was ze bijna net zo depressief geweest als Leonard. Alles wat ze in het begin zo aantrekkelijk had gevonden aan Pilgrim Lake – het landschap, de exclusieve atmosfeer – woog niet op tegen de nare sociale omgeving. Na een paar maanden had ze nog steeds geen echte vrienden gemaakt. De paar vrouwelijke wetenschappers die er werkten waren veel ouder dan zij of behandelden haar net zo neerbuigend als hun mannelijke collega's. De enige slaapkamerassistente met wie ze kon opschieten was Alicia, de vriendin van Vikram Jaitly, maar zij kwam maar een of twee weekenden per maand naar Pilgrim Lake. Dat Leonard zijn toestand koste wat kost geheim wilde houden, droeg ook niet bepaald bij aan een sociaal leven. Hij kwam niet graag onder de mensen. Hij nuttigde zijn maaltijden zo snel mogelijk en had nooit zin om na afloop even iets te blijven drinken aan de bar. Soms stond hij er zelfs op om thuis pasta te eten, hoewel er een professionele chef-kok in de keuken van het lab werkte. Die enkele keer dat Madeleine zonder hem naar de bar ging of een potje ging tennissen met Greta Malkiel, kon ze zich niet ontspannen. Ze werd er heel zenuwachtig van als iemand naar Leonard informeerde, vooral als ze vroegen 'hoe het met hem ging'. Ze kon nooit helemaal zichzelf zijn en ging altijd vroeg naar huis, waar ze de deur achter zich op slot deed en de gordijnen dichttrok. Uiteindelijk bleek ze zelf een gek op zolder te hebben: haar ruim één meter negentig lange vriend.

En toen kwam die dag in oktober dat Alwyn Leonards lithium ontdekte en werd alles nog veel ingewikkelder. Nadat Phyllida terug naar Boston was gevlogen, en vandaar weer naar New Jersey, wachtte Madeleine op het onvermijdelijke telefoontje. Dat kwam een week later, begin november.

'Ik ben zo blij dat ik de kans heb gekregen het beroemde Pilgrim Lake Laboratory te bezoeken! Het was ontzettend indrukwekkend.'

Als Phyllida's stem opgeklopt vrolijk klonk, moest je oppassen. Madeleine zette zich schrap.

'En wat ontzettend aardig van Leonard dat hij de tijd nam om ons een rondleiding door zijn laboratorium te geven. Ik heb al mijn vrienden hier een klein college gegeven onder de noemer "Alles wat je altijd al wilde weten over gist, maar niet durfde te vragen".' Ze giechelde van plezier. Toen schraapte ze haar keel en veranderde van onderwerp. 'Ik dacht dat je wel op de hoogte gesteld wilde worden van de laatste ontwikkelingen in huize Higgins.'

'Nou nee, niet echt.'

'Ik ben blij dat ik je kan melden dat het een stuk beter gaat. Ally is weg uit de Ritz en woont weer thuis bij Blake. Dankzij het nieuwe kindermeisje – dat overigens betaald wordt door je vader en mij – is er een eind gekomen aan de vijandelijkheden.'

'Ik zei toch dat het me niet interesseert,' zei Madeleine.

'Hè, Maddy,' zei Phyllida licht verwijtend.

'Nee, ik meen het. Voor mijn part gaat ze lekker scheiden.'

'Ik weet dat je kwaad op je zuster bent. En daar heb je ook alle recht toe.'

'Ally en Blake mogen elkaar niet eens.'

'Daar geloof ik niets van,' zei Phyllida. 'Ze verschillen wel eens van mening, zoals elk getrouwd stel. Maar ze hebben in grote lijnen dezelfde achtergrond en ze begrijpen elkaar. Ally mag in haar handen knijpen met zo iemand als Blake. Hij is heel evenwichtig.'

'Wat bedoel je daar nu weer mee?'

'Precies wat ik zeg.'

'Het is anders wel een interessante woordkeuze.'

Phyllida zuchtte hoorbaar. 'We zullen dit gesprek toch eens moeten voeren, al is dit misschien niet het juiste moment.'

'Hoezo niet?'

'Nou, het is een serieus onderwerp.'

'Dit komt allemaal alleen maar omdat Ally haar neus niet uit andermans zaken kan houden. Anders zouden jullie het niet eens weten.'

'Dat is waar. Maar ik weet het nu eenmaal wél.'

'Vond je Leonard niet aardig? Was hij niet voorkomend?'

'Hij was heel voorkomend.'

'Had jij de indruk dat er iets mis met hem was?'

'Niet direct, nee. Maar ik heb de afgelopen week mijn licht opgestoken over bipolaire stoornissen. Ken je dat meisje van Turner nog, Lily?'

'Lily Turner slikt allerlei pillen.'

'Nou, dat doet ze zeker. En dat zal ze ook haar hele leven moeten blijven doen.'

'Wat wil je daar nu weer mee zeggen?'

'Daarmee wil ik zeggen dat een bipolaire stoornis een chronische aandoening is. Je hebt het je hele leven. Het gaat nooit over. De mensen die eraan lijden gaan ziekenhuis in ziekenhuis uit, storten soms volledig in, kunnen geen baan vasthouden. En hun familieleden zitten in hetzelfde schuitje. Lieverd? Madeleine? Ben je daar nog?'

'Ja,' zei Madeleine.

'Ik weet dat ik je niets nieuws vertel. Maar ik wil dat je goed nadenkt over wat het zou inhouden om te trouwen met iemand die aan een... aan een geestesziekte lijdt. Laat staan een gezin met zo iemand te stichten.'

'Wie zegt dat ik met hem ga trouwen?'

'Nou ja, dat zeg ik ook niet, maar ik bedoel, in het hypothetische geval dát.'

'Stel dat hij een andere ziekte had gehad. Diabetes of zo. Dan zou je toch ook niet doen wat je nu doet?'

'Diabetes is een afschuwelijke ziekte!' riep Phyllida.

'Maar je zou het niet erg vinden als mijn vriend insuline moest spuiten om gezond te blijven. Dat zou geen probleem zijn, toch? Dat zou niet de schijn wekken van een soort morele tekortkoming.'

'Ik heb het woord moraal helemaal niet in de mond genomen.'

'Dat was ook niet nodig!'

'Ik weet dat je me onredelijk vindt, maar ik probeer je alleen maar te beschermen. Het is ontzettend ingewikkeld om je leven te delen met iemand die zo labiel is. Ik heb een artikel gelezen van een vrouw die een manisch-depressieve man had, en daar gingen mijn haren letterlijk van overeind staan. Ik zal het je opsturen.'

'Als je het maar laat.'

'Ik stuur het je op!'

'Dan gooi ik het weg!'

'Daarmee steek je je hoofd alleen nog maar dieper in het zand.'

'Bel je me daarom?' vroeg Madeleine. 'Om me de les te lezen?'

'Nee,' antwoordde Phyllida. 'Ik belde eigenlijk over Thanksgiving. Ik vroeg me af wat jullie plannen waren.'

'Weet ik niet,' zei Madeleine met samengeknepen lippen van woede.

'Ally en Blake komen met Richard Leeuwenhart hierheen. We zouden het heel fijn vinden als jij en Leonard ook kwamen. We houden het klein, hoor, dit jaar. Het is Alice' vrije weekend en ik kan niet zo goed met het fornuis overweg als zij. Het begint echt antiek te worden. Maar volgens papa werkt het natuurlijk nog prima. Makkelijk gezegd voor iemand die nog geen pannetje havermout kan koken.'

'Jij kookt anders ook haast nooit.'

'Nou, ik probeer nog wel eens wat. Of probeerde, vroeger, toen jullie klein waren.'

'Je kookte nooit, mam,' zei Madeleine in een poging om gemeen te zijn.

Phyllida liet zich niet provoceren. 'Ik denk dat een kalkoen me nog wel zal lukken,' zei ze. 'Dus als jij en Leonard willen komen, zijn jullie van harte welkom.'

'Ik weet het nog niet,' zei Madeleine.

'Doe nou niet zo boos, Maddy.'

'Doe ik niet. Ik moet ophangen. Doeg.'

Ze belde haar moeder een week niet. Als de telefoon ging op een tijdstip dat het Phyllida zou kunnen zijn, nam ze niet op. De maandag daarop vond ze echter een brief van Phyllida in de bus. Bijgesloten zat een artikel genaamd: 'Getrouwd met een bipolaire stoornis'.

Ik heb mijn man Bill drie jaar na mijn afstuderen in Ohio leren kennen. Mijn eerste indruk van hem was dat hij lang, knap en een tikkeltje verlegen was.

Bill en ik zijn nu twintig jaar getrouwd. In die tijd is hij drie keer gedwongen opgenomen geweest in een psychiatrische inrichting. En dan laat ik de vele, vele keren dat hij zich vrijwillig heeft laten opnemen nog buiten beschouwing.

Als hij zijn ziekte onder controle heeft, is hij dezelfde zelfverzekerde, zorgzame man op wie ik verliefd werd en met wie ik in het huwelijk trad. Hij is een uitstekende tandarts, erg geliefd bij en gewaardeerd door zijn cliënten. Natuurlijk was het moeilijk voor hem om er een doorlopende praktijk op na te houden, en nog moeilijker om in een praktijk met anderen te functioneren. Daarom hebben we vaak naar een andere stad moeten verhuizen, waar Bill dacht dat er behoefte zou zijn aan een tandartsenpraktijk. Onze kinderen hebben op vijf verschillende scholen gezeten en dat was zwaar voor ze.

Het is niet makkelijk geweest voor onze twee jongens, Terry en Mike, om op te groeien met een vader die ze de ene dag luid stond aan te moedigen aan de zijlijn van het honkbalveld, en de volgende dag continu liep te raaskallen, zich ongepast gedroeg tegen vreemden of die zich dagenlang in de slaapkamer opsloot en weigerde eruit te komen.

Ik weet dat het scheidingspercentage van huwelijken met een manisch-depressieve partner erg hoog is. Het is maar al te vaak voorgekomen dat ik dacht dat ik gewoon als een statistiek zou eindigen. Maar mijn familie en mijn geloof in God zeiden me altijd dat ik het nog een dagje moest volhouden, en daarna weer een dagje. Ik moet voor ogen houden dat Bill een ziekte heeft en dat hij niet degene is die al die gekke dingen doet, maar dat het zijn ziekte is die met hem aan de haal gaat.

Bill vertelde me pas over zijn ziekte toen we al getrouwd waren. Eerdere relaties van hem waren verbroken toen zijn vriendinnen (en in één geval zijn verloofde) van de ziekte hoorden. Bill zegt dat hij mij niet op dezelfde manier wilde kwijtraken. En geen van zijn familieleden had me iets verteld, zelfs al had ik een heel goed contact met zijn zus. Maar we hebben het wel over 1959 en toen was het onderwerp 'geestesziekte' nog grotendeels taboe. Ik moet eerlijk bekennen dat ik niet weet of het iets zou hebben uitgemaakt. We waren zo jong toen we elkaar leerden kennen en zo verliefd dat ik denk dat ik wel een oogje zou hebben toegeknepen, zelfs als hij me al bij ons eerste afspraakje (naar de jaarmarkt van Ohio, als het u interesseert) over zijn ziekte zou hebben verteld. Natuurlijk wist ik toen nog niet wat ik nu over deze verschrikkelijke ziekte weet, en wat een zware belasting het is voor kinderen en familieleden. Toch denk ik, met alles wat ik nu weet, dat ik evengoed met hem zou zijn getrouwd; omdat Bill 'de ware' voor me was. Maar, zoals ik gekscherend op onze trouwdag tegen hem zei: 'Vanaf nu kun je me maar beter alles meteen vertellen!'

Het artikel ging nog door, maar Madeleine las niet verder. Ze verfrommelde het tot een bal. Om er zeker van te zijn dat Leonard het niet zou vinden, propte ze de verkreukelde bladzijden in een leeg melkpak, dat ze onder in de vuilnisbak begroef.

Enerzijds had haar kwaadheid te maken met Phyllida's vooringenomenheid. Anderzijds kwam het voort uit de angst dat ze wel eens gelijk zou kunnen hebben. Na een lange hete zomer met Leonard in zijn benauwde appartement, gevolgd door twee maanden in Pilgrim Lake, had Madeleine wel een idee hoe het zou zijn om te zijn 'getrouwd met een bipolaire stoornis'. In het begin had het drama van hun hereniging alle eventuele problemen overschaduwd. Het gaf haar een fantastisch gevoel om zo onmisbaar te zijn. Maar naarmate de zomer vorderde en Leonards toestand niet leek te verbeteren – en zeker nadat ze naar Cape Cod waren verhuisd en hij nog eerder achteruit leek te gaan – begon het haar te verstikken. Het was alsof Leonard zijn bedompte kleine eenkamerwoning met zich mee had getorst, alsof hij daar gevoelsmatig nog steeds woonde en dat iedereen die bij hem wilde zijn zich ook in die oververhitte psychische ruimte naar binnen moest wurmen. Het was alsof ze om ten volle van hem te kunnen houden hetzelfde donkere bos in moest gaan als waarin hij was verdwaald.

Als je maar lang genoeg in het bos verdwaald bent, komt er een moment waarop je je er thuis gaat voelen. Hoe meer Leonard zich van andere mensen distantieerde, hoe meer hij op Madeleine leunde, en hoe meer hij op haar leunde, hoe verder zij bereid was hem te volgen. Ze ging niet meer tennissen met Greta Malkiel. Ze ging niet eens meer voor de vorm af en toe iets drinken met de andere slaapkamerassistentes. Om Phyllida te straffen sloeg ze de uitnodiging voor het Thanksgivingdiner af. Ze bleef met Leonard in Pilgrim Lake, waar ze met het kleine groepje dat tijdens de feestdagen doorwerkte in de eetzaal aten. De rest van het weekend wilde Leonard de deur niet uit. Madeleine stelde voor om naar Boston te gaan, maar hij liet zich niet vermurwen.

De lange wintermaanden strekten zich voor Madeleine uit als de bevroren duinen boven Pilgrim Lake. Dag in dag uit ging ze in haar bureaustoel zitten en probeerde te werken. Ze at koekjes of nacho's in de hoop dat ze er energie van zou krijgen om te schrijven, maar die snacks maakten haar juist apathisch, en dan zat ze maar een beetje voor zich uit te dommelen. Er waren dagen dat ze dacht dat ze er niet meer tegen kon, dat ze op bed bleef liggen en tot de conclusie kwam dat ze niet goed genoeg was, dat ze te egoïstisch was om haar leven te wijden aan de zorg voor een ander. Ze fantaseerde over weggaan bij Leonard, naar New York verhuizen, een relatie met een atletische, ongecompliceerde gelukkige man beginnen.

Uiteindelijk, toen de situatie er heel slecht begon uit te zien, werd het haar allemaal te veel en stortte ze haar hart uit bij haar moeder. Phyllida luisterde zonder er veel tegen in te brengen. Ze wist dat Madeleines telefoontje op een belangrijke gedragsverandering duidde, en dus gaf ze slechts vage mompelende antwoorden aan de andere kant van de lijn, blij met de geboekte terreinwinst. Toen Madeleine het over haar toekomstplannen had en over de universiteiten waarvoor ze zich had ingeschreven, sprak Phyllida de verschillende opties met haar door zonder iets over Leonard te zeggen. Ze vroeg niet wat zijn plannen waren of hoe hij er-over dacht om naar Chicago of New York te verhuizen. Ze bracht hem gewoon niet ter sprake. Ook Madeleine deed dat steeds minder, in een poging zich voor te stellen hoe het zou zijn als hij geen deel meer van haar leven uitmaakte. Soms had ze het idee dat ze hem daarmee verraadde, maar het waren vooralsnog alleen gedachten.

Maar toen begon er, met eenzelfde betovering als in hun eerste dagen, iets te veranderen. Het eerste wat erop wees dat Leonard minder last kreeg van bijwer-kingen, was dat zijn handen niet meer trilden. Overdag rende hij niet meer om de haverklap naar de wc en hij hoefde niet meer voortdurend te drinken. Zijn enkels leken minder gezwollen en zijn adem verbeterde.

En ineens begon hij ook weer aan sport te doen. Hij maakte gebruik van de sportzaal, waar hij met gewichten werkte en op de hometrainer zat. Hij werd prettiger in de omgang. Hij begon weer te lachen en grappen te maken. Hij be-woog zich zelfs sneller, alsof zijn ledematen niet meer zo zwaar aanvoelden.

De gewaarwording van Leonards herstel was voor haar te vergelijken met het lezen van bepaalde ingewikkelde boeken. Alsof je je door een laat werk van James heen had geworsteld, of door de passages over de landbouwhervormingen in *Anna Karenina*, en je ineens weer bij een goed deel was aangekomen, dat almaar beter werd, totdat je zo geboeid raakte dat je haast dankbaar was voor de saaie passage van daarvoor omdat die je uiteindelijke plezier alleen maar vergrootte. Ineens was Leonard zijn oude zelf weer: extravert, energiek, charismatisch en spontaan. Op een vrijdagavond zei hij tegen Madeleine dat ze haar oudste kleren en haar rubberlaarzen moest aantrekken. Hij nam haar mee naar het strand, met een flinke mand en twee tuinschepjes. Het was eb, de blootliggende zeebodem glinsterde in het maanlicht.

'Waar gaan we naartoe?' vroeg ze.

'Dit wordt een beetje een Mozes-ervaring,' zei Leonard. 'Een soort Rode Zee-ervaring.'

Ze liepen ver het slik op, hun laarzen zakten erin weg. Het rook sterk, visach-tig, mosselachtig, halfrot: de geur van de oersoep. Ze glibberden voorovergebo-gen met hun gezicht vlak boven de zeebodem rond en groeven met hun schepjes. Toen Madeleine achterom naar het strand keek, schrok ze toen ze zag hoe ver ze al uit de kust waren. In minder dan een halfuur hadden ze de mand gevuld.

'Sinds wanneer heb jij verstand van oesters steken?' vroeg ze.

'Dat deed ik in Oregon heel vaak,' antwoordde hij. 'Waanzinnig goed oester-land, waar ik vandaan kom.'

'Ik dacht dat je altijd alleen maar op je kamertje wiet zat te roken.'

'Nah, ik ging ook wel eens de natuur in.'

Nadat ze de nu zware mand terug naar het strand hadden gesleept, verkondigde hij dat hij van plan was een oesterfestijn te geven. Hij klopte bij mensen aan de deur en nodigde hen uit, en even later stond hij aan het aanrecht oesters open te breken en schoon te maken terwijl het huis vol gasten stroomde. Het maakte niet uit of hij er een troep van maakte; de ruwhouten stalvloer had wel erger meegemaakt. De hele avond bleven er borden vol oesters uit de keuken komen. De gasten dronken bier en slurpten de lillende, doorschijnende klodders zo uit de schaal. Omstreeks een uur of twaalf, toen het feest tegen zijn eind liep, begon Leonard ineens over dat indiaanse casino bij Sagamore Beach. Had er iemand zin om een gokje te wagen? Een potje blackjack? Zo laat was het nog niet. Het was toch vrijdagavond! Een paar mensen wurmden zich in Madeleines Saab, de vrouwen bij de mannen op schoot. Terwijl Madeleine naar de Highway 6 reed, rolde Leonard een joint op de open klep van het handschoenenkastje en legde hun de fijne kneepjes van het kaartentellen uit. 'De dealers in een casino als dit gebruiken waarschijnlijk maar één spel kaarten. Dat is makkelijk.' De twee mannen, die echte bollebozen waren, verloren zich in de wiskundige details. Tegen de tijd dat ze bij het casino aankwamen waren ze volledig begeesterd, en ze stevenden op de tafels af om het te proberen.

Madeleine was nog nooit in een casino geweest. Ze vond de clientèle nogal stuitend: blanke mannen met levervlekken en honkbalpetjes en zwaarlijvige vrouwen in trainingspakken, vastgekleefd aan fruitautomaten. Geen *Native American* te bekennen. Madeleine volgde de andere twee slaapkamerassistentes naar de bar, waar de drankjes tenminste goedkoop waren. Omstreeks een uur of drie kwamen de twee mannen terug, allebei met hetzelfde verhaal. Ze hadden op een paar honderd dollar winst gestaan toen de dealer met een ander spel kaarten verderging en hun telling in de war stuurde, waarna ze alles hadden verloren. Even later verscheen Leonard, die er aanvankelijk net zo somber uitzag, maar toen begon te lachen en vijftienhonderd dollar uit zijn zak haalde.

Hij beweerde dat hij nog wel meer had kunnen winnen als de dealer geen argwaan had gekregen. De dealer haalde de floormanager erbij, die toekeek hoe Leonard nog een paar potjes won, waarna hij hem aanraadde te stoppen nu hij nog op winst stond. Leonard had de hint ter harte genomen, maar de avond was voor hem nog niet voorbij. Buiten op de parkeerplaats kreeg hij een nieuwe ingeving. 'Het is te laat om helemaal terug te rijden naar Pilgrim Lake. Daar zijn we nu te dronken voor. Kom op, we hebben het hele weekend!' En voor Madeleine wist wat er gebeurde, stonden ze aan de balie van een hotel in Boston. Leonard betaalde voor elk stel een tweepersoonskamer van het geld dat hij met kaarten had gewonnen. De volgende middag kwamen ze weer samen in de hotelbar, waar het feest verderging. Ze gingen uit eten in Back Bay en daarna op kroegentocht. Leonard bleef maar briefjes van zijn slinkende stapel bankbiljetten afpellen. Hij bleef maar rondjes en eten bestellen en fooien uitdelen.

Toen Madeleine hem vroeg waar hij mee bezig was, zei hij: 'Dit is speelgeld. Hoe vaak krijgen we nou de kans om zoiets te doen? Neem het ervan, zou ik zeggen.'

Het weekend begon al legendarische proporties aan te nemen. De jongens bleven maar 'Lenny, Lenny' scanderen en elkaar kletsend tegen de handen slaan. De kamers hadden een bubbelbad, minibar, dag en nacht roomservice en enorme bedden. Zondagochtend klaagden de meisjes gekscherend dat ze haast niet meer konden lopen.

Daar had Madeleine ondertussen zelf ook enige moeite mee. De eerste nacht in het hotel was Leonard naakt en grijnzend de badkamer uit komen lopen.

'Moet je kijken,' zei hij met een blik op zijn eigen geslacht. 'Je kunt er een jas aan ophangen.'

Dat was niets te veel gezegd. Een duidelijker bewijs dat het beter met Leonard ging, was niet denkbaar. Hij was weer helemaal terug. 'Ik had nog wat in te halen,' zei hij na de derde keer dat ze elkaar woest hadden geneukt. Hoe lekker het ook was, hoe goed het ook voelde om na maanden onthouding weer eens een goede beurt te krijgen, toch kon Madeleine er niet omheen dat de klok 10:08 aanwees en dat het buiten al helemaal licht was. Ze gaf Leonard een zoen en smeekte hem of hij haar alsjeblieft even wilde laten slapen.

Dat deed hij, maar ze was nog niet wakker of hij wilde haar alweer. Hij bleef maar zeggen dat ze zo'n mooi lichaam had. Hij kon geen genoeg van haar krijgen, dat weekend niet en de weken daarna ook niet. Ze had altijd genoten van de seks met Leonard, maar tot haar verbazing moest ze vaststellen dat het nog beter werd; het verdiepte zich en werd zowel lichamelijker als emotioneler. En lawaaiiger. Ze zeiden nu dingen tegen elkaar. Ze hielden hun ogen open en lieten het licht aan. Hij vroeg haar wat ze wilde dat hij deed en voor het eerst van haar leven voelde ze zich niet te geremd om te antwoorden.

Op een avond thuis vroeg Leonard: 'Wat is je geheimste seksuele fantasie?'

'Ik zou het niet weten.'

'Tuurlijk wel. Kom op, vertel.'

'Nee, ik heb er geen.'

'Wil je de mijne horen?'

'Nee.'

'Dan moet je me de jouwe vertellen.'

Om hem tevreden te stellen, dacht ze even na. 'Dit klinkt vast raar, maar ik denk dat ik in de watten gelegd zou willen worden.'

'In de watten gelegd?'

'Ja, helemaal in de watten gelegd; naar de kapper, waar je haar wordt gewassen, dan een gezichtsbehandeling, een pedicurebeurt, een massage, en dan, je weet wel, beetje bij beetje…'

'Zo'n fantasie zou nooit bij me zijn opgekomen,' zei Leonard.

'Ik zei toch dat het stom was.'

'Hé, het is een fantasie. Stom bestaat niet.'

Wel een uur lang was Leonard in de weer om haar fantasie in vervulling te laten gaan. Terwijl Madeleine tegensputterde, sleepte hij een van de stoelen uit de woonkamer naar de slaapkamer. Hij liet het bad vollopen. In het gootsteenkastje vond hij twee kaarsen die hij in de badkamer neerzette en aanstak. Met zijn haar in een staart gebonden en opgerolde mouwen kwam hij naar haar toe alsof hij een bediende was. Met een stem die volgens hem blijkbaar voor die van een (heteroseksuele) kapper moest doorgaan, zei hij: 'Mevrouw? Uw bad is klaar.'

Madeleine moest lachen. Maar Leonard bleef in zijn rol. Hij bracht haar naar de kaarsverlichte badkamer. Hij draaide zich discreet om terwijl zij zich uitkleedde en in het warme, lekker ruikende water gleed. Hij knielde naast het bad en begon kopjes water over haar haar uit te gieten. Nu ging Madeleine erin mee. Ze stelde zich voor dat Leonards handen die van een knappe vreemdeling waren. Slechts twee keer dwaalden zijn handen af naar de zijkant van haar borsten, als om de grenzen te verkennen. Ze dacht dat hij verder zou gaan. Ze dacht dat hij in bad zou eindigen, maar hij verdween en kwam terug met haar badstof kamerjas. Hij sloeg de badjas om haar heen, leidde haar naar de stoel, liet haar erin plaatsnemen met haar voeten omhoog, legde een warme handdoek over haar gezicht en gaf haar een massage die wel een uur leek te duren (al was het in werkelijkheid waarschijnlijk maar een minuut of twintig). Hij begon bij haar schouders, ging verder bij haar voeten en kuiten, en van daaruit omhoog langs haar dijen tot vlak bij haar jeweetwel, en begon aan haar armen. Ten slotte deed hij haar badjas open en smeerde hij, krachtiger nu, alsof hij de leiding nam, haar buik en borst in met een vochtinbrengende crème.

Ze had nog altijd de handdoek voor haar ogen toen hij haar uit de stoel tilde en naar het bed droeg. Op dat moment voelde ze zich volkomen schoon en volkomen begeerlijk. De crème rook naar abrikozen. Toen Leonard, ondertussen zelf naakt, het koord losmaakte en haar badjas opensloeg, toen hij langzaam in haar binnendrong, was hij zichzelf en niet zichzelf. Hij was een vreemdeling die bezit van haar nam, maar ook haar vertrouwde o zo veilige vriendje, allemaal tegelijk.

Ze durfde Leonard niet naar zíjn geheime fantasie te vragen. Maar in een geest van wederkerigheid vroeg ze het een dag of wat later toch. Zijn fantasie was het tegenovergestelde van de hare. Hij wilde een slapend meisje, een schone slaapster. Hij wilde dat ze deed alsof ze sliep als hij haar kamer binnen sloop en in bed klom. Hij wilde dat ze slap en bedwarm was terwijl hij haar nachtjapon uittrok en dat ze zelfs niet helemaal bij bewustzijn zou komen voordat hij binnen in haar zat, maar toen het eenmaal zover was, was hij zo opgewonden dat het hem schijnbaar niet meer uitmaakte wat ze deed.

'Nou, dat viel mee,' zei ze na afloop.

'Je bent goed weggekomen. Het had ook een of andere meester-slaaffantasie kunnen zijn.'

'Tuurlijk.'

'Of iets met klysma's.'

'Ja, zo kan-ie wel weer!'

De experimentele sfeer die nu in hun slaapkamer heerste, miste zijn uitwerking op Madeleine niet. Hij leidde ertoe dat ze, toen Leonard een tijdje later de kappersscène wilde herhalen, bekende dat die kappersscène eigenlijk helemaal haar geheime fantasie niet was. Haar échte geheime fantasie had ze nog nooit aan iemand verteld en durfde ze zelfs aan zichzelf nauwelijks toe te geven. Hij luidde aldus: als ze zichzelf bevredigde (wat op zich al een moeilijke bekentenis was) stelde ze zich altijd voor als een klein meisje dat billenkoek kreeg. Ze had geen idee waarom. Ze kon zich niet herinneren dat ze als kind ooit slaag had gehad. Haar ouders geloofden daar niet in. En het was niet echt een fantasie van haar; dat wil zeggen, ze wilde niet dat Leonard haar zou slaan. Maar om de een of andere reden had de gedachte aan zichzelf als een klein meisje dat billenkoek kreeg, haar altijd geholpen klaar te komen als ze zich bevredigde.

Nou, dat was het dan: het beschamendste wat ze een ander kon vertellen. Iets geks over zichzelf waarvan ze in de war raakte als ze er te lang over nadacht, wat ze dus ook niet deed. Ze kon er niets aan doen, maar toch voelde ze zich er schuldig over.

Leonard zag het heel anders. Hij wist wel weg met die informatie. Eerst liep hij naar de keuken waar hij een groot glas wijn voor Madeleine inschonk dat hij haar liet opdrinken. Vervolgens trok hij haar kleren uit, legde haar op haar buik en penetreerde haar. Ondertussen sloeg hij haar op de billen, wat ze verschrikkelijk vond. Ze bleef maar zeggen dat hij moest ophouden. Ze zei dat ze het niet fijn vond. Dat het gewoon iets was waar ze soms over fantaseerde, niet iets wat ze daadwerkelijk in de praktijk wilde brengen. Kappen! Nu! Maar Leonard luisterde niet. Hij ging gewoon door. Hij drukte haar plat op het bed en gaf haar nog een paar klappen. Hij stak een paar vingers naar binnen en deelde met zijn andere hand nog wat tikken uit. Ze was nu woedend op hem. Ze worstelde om overeind te komen. En toen gebeurde het. Er brak iets in haar open. Ze vergat wie ze was en liet zich helemaal gaan. Met haar gezicht in het kussen gedrukt begon ze te kreunen en toen ze ten slotte klaarkwam zoals ze nog nooit was klaargekomen, schreeuwde ze het uit. Ze lag nog minutenlang na te sidderen.

Ze liet het hem niet nog eens doen. Het werd geen gewoonte. Als ze er later aan terugdacht, voelde ze altijd een verzengende schaamte. Maar de mogelijkheid om het weer te doen was er nu altijd. Het vooruitzicht dat Leonard weer op die manier het heft in handen zou kunnen nemen om zonder acht te slaan op haar tegenwerpingen te doen waar hij zin in had en haar zo te dwingen toe te geven wat ze echt wilde – dat deelden ze nu samen.

Daarna keerden ze weer terug naar gewone seks, en die was nog beter dan daarvoor. Ze deden het meerdere keren per dag, in alle kamers van het huis (de slaapkamer, de woonkamer, de keuken). Ze deden het in de Saab terwijl de motor draaide. Ouderwetse recht-op-en-neerseks zoals de Schepper het bedoeld had. De kilo's vlogen eraf bij Leonard en hij kreeg zijn oude postuur weer terug. Hij liep over van de energie en werkte zich soms wel twee uur achter elkaar in het zweet in de sportzaal. Madeleine genoot van zijn nieuwe spieren. En dat was niet het enige. Op een nacht drukte ze haar lippen tegen zijn oor en fluisterde, alsof het nieuws was: 'Hij is zo gróót.' Het was waar. Gumby was verleden tijd. Leonards omvang was niet alleen bevredigend, maar zelfs adembenemend. Elke millimeter die hij bewoog, erin of eruit, voelde ze tegen haar schedewand. Ze wilde hem de hele tijd. Ze had zich eigenlijk nooit echt om de pikken van andere jongens bekommerd of er veel aan opgemerkt. Maar die van Leonard was heel bijzonder voor haar, bijna een derde persoon in bed. Soms woog ze hem taxerend op haar hand. Draaide het uiteindelijk dan toch allemaal om het lichamelijke? Was dat wat ze liefde noemden? Het leven was zo oneerlijk. Madeleine had te doen met alle mannen die niet Leonard waren.

De snelle verbetering op bijna elk vlak van hun relatie zou welbeschouwd al genoeg reden zijn waarom ze zijn onverwachte aanzoek in december had geaccepteerd. Maar het was een samenkomst van verschillende factoren die haar uiteindelijk over de streep trok. Ten eerste was hij heel behulpzaam geweest met haar aanmeldingen voor de universiteit. Nadat ze besloten had om zich weer aan te melden, kwam ze ook weer voor de keus te staan of ze het toelatingsexamen over wilde doen of niet. Leonard moedigde haar aan om het wel te doen en hielp haar met wiskunde en logica. Hij las haar schrijfwerkstuk (het nieuwe essay dat ze naar *The Janeite Review* zou sturen) en onderstreepte passages waar haar argumentatie zwak was. De avond voordat de aanmeldingen de deur uit moesten, tikte hij haar cv uit en schreef de adressen op de enveloppen. En de volgende dag, nadat ze de aanmeldingen naar het postkantoor van Provincetown hadden gebracht, gooide hij haar op het bed, trok haar broek omlaag en begon haar te beffen, ondanks haar tegenwerpingen dat ze eerst moest douchen. Ze probeerde zich los te wringen, maar hij hield haar in bedwang en bleef maar zeggen hoe lekker ze smaakte, tot ze hem eindelijk geloofde en er een diepe ontspanning over haar kwam die eerder existentieel dan seksueel was. Nu werd het eindelijk bewaarheid: Leonard stond gelijk aan maximale ontspanning.

Een paar dagen later vroeg hij haar ten huwelijk en ze zei ja.

Ze bleef maar wachten tot ze er spijt van zou krijgen. De eerste maand vertelden ze het aan niemand. Met kerst nam ze Leonard mee naar Prettybrook en daagde haar ouders uit hem niet te mogen. Kerstmis was altijd een groot gebeuren bij de Hanna's. Ze hadden niet minder dan drie bomen, allemaal volgens een ander thema versierd, en gaven elk jaar een feest voor honderdvijftig gasten. Leonard doorstond de festiviteiten met verve; hij babbelde met de gasten, zong mee met de kerstliederen en liet overal een goede indruk achter. In de daaropvolgende dagen bleek hij in staat te zijn met Alton naar honkbal te kijken en, als de zoon van een antiekhandelaar, een paar steekhoudende opmerkingen te maken over de litho's van Thomas Fairland in de bibliotheek. De dag na kerst sneeuwde het, en Leonard stond al vroeg buiten, met zijn ietwat belachelijke jagershoedje op, de oprit en de stoep schoon te vegen. Telkens wanneer Phyllida Leonard apart nam, werd Madeleine nerveus, maar het leek allemaal goed te gaan. Dat hij tien kilo lichter was dan in oktober en er ontegenzeglijk aantrekkelijk uitzag, kon Phyllida niet zijn ontgaan. Maar Madeleine hield het bezoek kort – ze wilde de goden niet verzoeken – en na drie dagen vertrokken ze weer en vierden oud en nieuw in New York, waarna ze weer naar Pilgrim Lake terugkeerden.

Twee weken later belde Madeleine naar huis met het nieuws van hun verloving.

Alton en Phyllida werden er duidelijk door overvallen en wisten niet goed hoe ze moesten reageren. Ze klonken oprecht verrast en kapten het gesprek snel af. Kort daarop begon de brievencampagne. Alton en Phyllida stuurden elk afzonderlijk een handgeschreven brief, waarin ze zich afvroegen of het wel verstandig was om je zo vroeg al te 'binden'. Madeleine beantwoordde die epistels, wat nog meer brieven tot gevolg had. In haar tweede brief draaide Phyllida er niet meer omheen en herhaalde ze haar waarschuwingen tegen een huwelijk met iemand die manisch-depressief was. Alton herhaalde wat hij in zijn eerste brief had gezegd en drong aan op huwelijkse voorwaarden om Madeleines 'toekomstige belangen' te beschermen. Ditmaal antwoordde Madeleine niet, en een paar dagen later arriveerde er een derde brief van Alton, waarin hij zijn mening nog eens in minder formalistische taal herformuleerde. Het enige wat haar ouders met deze brieven bereikten, was dat ze toonden hoe machteloos ze stonden, als een geïsoleerde dictatuur die na een oorlogsdreiging zijn woorden niet waar kan maken.

Hun laatste actie was het inschakelen van een intermediair. Alwyn belde vanuit Beverly.

'Ik hoor dat je verloofd bent,' zei ze.

'Bel je om me te feliciteren?'

'Gefeliciteerd. Je hebt mam echt boven op de kast.'

'Dankzij jou,' zei Madeleine.

'Ze zou er vroeg of laat toch wel achter zijn gekomen.'

'Helemaal niet.'

'Nou, ze weet het nu.' Op de achtergrond hoorde Madeleine Richard huilen. 'Ze blijft me maar bellen met het verzoek je "tot rede" te brengen.'

'O, bel je daarom?'

'Nee,' zei Alwyn. 'Ik heb haar gezegd dat het jouw zaak is als je met hem wilt trouwen.'

'Bedankt.'

'Ben je nog steeds kwaad op me vanwege die pillen?' vroeg Alwyn.

'Ja,' antwoordde Madeleine. 'Maar ik kom er wel overheen.'

'Weet je zeker dat je met hem wilt trouwen?'

'Ook ja.'

'Prima, hoor. We mogen allemaal onze eigen fouten maken.'

'Dat is gemeen!'

'Grapje.'

De officiële capitulatie van haar ouders, in februari, bracht alleen maar meer gelazer met zich mee. Toen Alton en Madeleine hun ruzie over de huwelijkse voorwaarden en over de vraag of een dergelijke overeenkomst door zijn aard niet juist het vertrouwen ondermijnt dat elk huwelijk nodig heeft om te slagen eenmaal hadden beëindigd; toen het document door Roger Pyle, Altons eigen advocaat, was opgesteld en door beide partijen was ondertekend, begonnen Phyllida en Madeleine over de bruiloft zelf te bakkeleien. Madeleine wilde het klein en intiem houden. Phyllida, die hechtte aan uiterlijk vertoon, wilde net zo'n groots feest als ze gegeven zou hebben indien Madeleine een passender kandidaat zou hebben uitgezocht. Ze stelde voor om een traditionele huwelijksplechtigheid te houden in de plaatselijke parochiekerk, Trinity Episcopal, gevolgd door een receptie aan huis. Madeleine weigerde. Toen opperde Alton een informele plechtigheid in de Century Club, in New York. Daar ging Madeleine schoorvoetend mee akkoord. Maar een week voordat de uitnodigingen de deur uit moesten, stuitten zij en Leonard bij toeval op een oude zeemanskerk aan de rand van Provincetown. En daar, in een kale eenzame ruimte aan het eind van een verlaten schiereiland, in een landschap uit een Bergman-film, gaven Madeleine en Leonard elkaar uiteindelijk hun jawoord. De trouwste vrienden van Alton en Phyllida maakten de reis van Prettybrook naar Cape Cod. Al Madeleines ooms en tantes en neven en nichten waren er, evenals Alwyn, Blake en Richard. Leonards familie was er ook; zijn vader, zijn moeder en zijn zus, die allemaal veel aardiger leken dan ze uit Leonards beschrijvingen had opgemaakt. Maar het grootste deel van het zesenveertig personen tellende gezelschap bestond uit collegevrienden van het bruidspaar, die de ceremonie eerder zagen als een kans om te joelen en te juichen dan als een godsdienstig ritueel.

Tijdens het rehearsal dinner speelde Leonard een Lets liefdesliedje op zijn kokles, waarvan Kelly Traub, wier grootouders uit Riga kwamen, de tekst meezong. Hij hield een eenvoudige toespraak waarin hij zo tactvol op zijn inzinking zinspeelde, dat alleen de ingewijden de verwijzing oppikten, en waarin hij Madeleine bedankte omdat ze zijn 'reddende victoriaanse engel' was. Nadat ze hun bruidskleren voor een reistenue hadden verwisseld, lieten ze zich om twaalf uur in een limousine naar het Four Seasons in Boston rijden, waar ze onmiddellijk in slaap vielen. De volgende middag vertrokken ze naar Europa.

Achteraf dacht Madeleine dat ze de voortekenen misschien eerder zou hebben opgepikt als ze niet op huwelijksreis waren geweest. Ze was er zo ondersteboven van om midden in de lente in Parijs te zijn, dat alles haar de eerste week volmaakt toescheen. Ze logeerden in hetzelfde hotel waar Alton en Phyllida hún huwelijksreis hadden doorgebracht, een driesterrenetablissement dat zijn beste tijd ver achter zich had liggen, met witharige kelners die hun dienbladen maar amper recht konden houden. Maar het was wel door en door Frans. (Leonard beweerde dat hij een muis met een alpinopetje had zien lopen.) Er waren geen andere Amerikaanse gasten en hun kamer keek uit op de Jardin des Plantes. Leonard was nog nooit in Europa geweest. Madeleine genoot ervan dat ze hem Parijs kon laten zien, dat ze ergens meer van wist dan hij.

In de restaurants werd hij nerveus. 'We worden bediend door vier verschillende obers,' zei hij toen ze op hun derde avond in de stad zaten te eten in een restaurant dat uitkeek over de Seine. 'Vier. Ik heb ze geteld. Eentje mag alleen maar de broodkruimels opvegen.'

In redelijk schoolfrans bestelde Madeleine voor hen beiden. De eerste gang was vichyssoise.

Nadat hij geproefd had, zei Leonard: 'Ik neem aan dat het koud hoort te zijn?'
'Inderdaad.'

Hij knikte. 'Koude soep. Interessant.'

Het diner vertegenwoordigde alles wat ze van haar huwelijksreis verwachtte. Leonard zag er zo knap uit in zijn trouwpak. Ze voelde zichzelf ook aantrekkelijk, met blote armen en schouders, en haar halflange haar dik in haar nek. Dichter zouden ze de lichamelijke perfectie nooit meer benaderen. Ze hadden hun hele leven samen nog voor zich, het strekte zich voor hen uit als de lichtjes langs de rivier. Ze stelde zich al voor dat ze dit verhaal aan haar kinderen vertelde: 'De eerste keer dat papa koude soep at.' De wijn moest haar naar het hoofd zijn gestegen. Ze had het bijna hardop gezegd. Ze was nog lang niet aan kinderen toe! En toch zat ze hier nu al over hen te fantaseren.

De dagen daarna bezochten ze musea en bekeken ze de mooie plekjes en gebouwen van de stad. Tot Madeleines verbazing toonde Leonard meer interesse voor de winkels dan voor de musea en kerken. Op de Champs-Élysées bleef hij telkens stilstaan om dingen te bewonderen waarin hij nooit eerder enige interesse had getoond: pakken, overhemden, manchetknopen, dassen van Hermès. Toen ze door de nauwe straatjes van de Marais liepen bleef hij staan voor een kleermakersatelier. In de nogal stoffige etalage stond een hoofdloze paspop waaromheen een zwarte operacape was gedrapeerd. Leonard ging naar binnen om hem te bekijken.

'Echt een heel mooi ding,' zei hij terwijl hij de satijnen voering bestudeerde.

'Het is gewoon een cape,' zei Madeleine.

'Zoiets zie je nergens in de States,' zei Leonard.

En hij kocht hem en spendeerde daarmee (volgens haar) een veel te groot deel van zijn maandelijkse toelage van Pilgrim Lake. De kleermaker vouwde het kledingstuk op en stopte het in een doos, en even later liep Leonard met de doos onder zijn arm naar buiten. De cape was ongetwijfeld een merkwaardige keuze, maar het was niet het eerste vreemde souvenir dat iemand in Parijs had gekocht. Madeleine was het voorval alweer snel vergeten.

Die nacht trok er een regenbui over de stad. Omstreeks twee uur werden ze wakker omdat er water vanaf het plafond op het bed druppelde. Na een telefoontje naar de balie verscheen er een piccolo op leeftijd met een emmer, die zonder verdere excuses weer vertrok, met de vage belofte dat er de volgende ochtend een *ingénieur* zou komen kijken. Door de emmer precies onder de straal te plaatsen en met hun voeten naar elkaar toe te gaan liggen, slaagden ze erin een houding te vinden waarin ze droog bleven, hoewel het gedruppel hen wakker hield.

'Dit is onze eerste echtelijke tegenslag,' zei Leonard zachtjes in het donker. 'Maar we slaan ons erdoorheen. We overleven het wel.'

Pas nadat ze Parijs hadden verlaten, leek er iets niet helemaal in de haak te zijn. Ze waren vanuit het Gare de Lyon met de nachttrein naar Marseille gegaan, in een romantische slaapcabine waarin romantiek volstrekt onmogelijk was. Marseille was chaotisch en leek met zijn sfeer van sluimerend gevaar en zijn gemengde bevolking wel een Amerikaanse stad, of op zijn minst een minder Franse stad. Er hing een mediterraans-Arabische sfeer; het rook er naar vis, motorolie en ijzerkruid. Vrouwen met hoofddoekjes om riepen onverstaanbare dingen naar hordes bruine kindertjes. Op hun eerste avond raakte Leonard in een café om een uur of twee 's nachts onmiddellijk bevriend met een stel Marokkanen in voetbalshirts en goedkope spijkerbroeken. Madeleine was doodmoe en wilde terug naar het hotel, maar Leonard stond erop dat ze een *café cognac* met ze moesten drinken. Hij had onderweg hier en daar wat woordjes opgepikt die hij voortdurend in de strijd gooide alsof hij daarmee daadwerkelijk Frans sprak. Als hij een straattaalterm had geleerd (bijvoorbeeld het woord *branché*, dat met betrekking op een persoon betekende dat die 'goed op de hoogte' was), vertelde hij dat aan Madeleine met een air alsof hij van hun beiden degene was die vloeiend Frans sprak. Hij verbeterde haar uitspraak. Eerst dacht ze nog dat hij een grapje maakte, maar dat bleek niet het geval.

Vanaf Marseille reisden ze langs de kust naar het oosten. Toen de ober van de restauratiewagen de bestelling op kwam nemen, wilde Leonard per se in het Frans bestellen. Hij kreeg de woorden er nog wel uit, maar zijn uitspraak was abominabel. Madeleine herhaalde zijn bestelling. Toen ze uitgesproken was, zat hij haar aan te staren.

'Wat is er?'

'Waarom deed je dat?'

'Omdat hij je niet verstond.'

'Hij verstond me prima,' hield Leonard vol.

Het was avond toen ze in Nice aankwamen. Nadat ze zich in hun hotel hadden ingeschreven, gingen ze naar een restaurantje verderop in de straat. Tijdens het eten gedroeg Leonard zich bewust heel afstandelijk. Hij dronk een flinke hoeveelheid huiswijn. Zijn ogen lichtten op zodra het jonge serveerstertje naar hun tafeltje kwam. Bijna de hele maaltijd zeiden ze geen woord tegen elkaar, alsof ze al twintig jaar getrouwd waren. In het hotel ging Madeleine naar de onwelriekende gemeenschappelijke wc. Terwijl ze zat te plassen, las ze het bordje waarop in het Frans gewaarschuwd werd dat er geen papier in het toilet mocht worden geworpen. Ze draaide haar hoofd opzij en ontdekte de stankbron: het prullenbakje puilde uit van het gebruikte wc-papier.

Kokhalzend vluchtte ze terug naar hun kamer. 'Gatverdamme!' zei ze. 'Die plee is echt ongelooflijk smerig!'

'Ach, je bent gewoon een verwend prinsesje.'

'Ga dan zelf kijken!'

Hij liep rustig met zijn tandenborstel naar de wc en kwam even later onaangedaan weer terug.

'We moeten naar een ander hotel,' zei Madeleine.

Leonard trok een grimas. Met een glazige blik en een bekakt stemmetje zei hij: 'De prinses uit Prettybrook is ontzet!'

Zodra ze in bed lagen, greep Leonard haar bij de heupen en draaide haar op haar buik. Ze wist dat ze hem eigenlijk zou moeten afwijzen nadat hij haar de hele avond zo naar behandeld had. Maar ze voelde zich tegelijkertijd zo triest en afgewezen dat het een enorme opluchting was om aangeraakt te worden. Ze gooide het op een akkoordje met zichzelf, sloot een pact dat gevolgen voor de rest van haar huwelijk zou kunnen hebben. Maar ze kon geen nee zeggen. Ze liet hem zijn gang gaan en stond toe dat hij haar liefdeloos van achteren nam. Ze was nog niet opgewonden en het deed pijn. Leonard bekommerde zich daar niet om en begon blindelings te stoten. Ze had iedereen wel kunnen zijn. Toen het voorbij was, begon ze te huilen, eerst zachtjes, maar al snel minder zachtjes. Ze wilde dat hij het hoorde. Maar hij sliep of deed alsof.

Toen ze de volgende ochtend wakker werd, was hij niet in de kamer. Ze wilde haar moeder bellen, maar het was daar nu midden in de nacht. Bovendien was het gevaarlijk om Leonards gedrag openbaar te maken. Ze zou het nooit meer terug kunnen nemen. Dus stond ze op en zocht in zijn toilettas naar zijn pillenpotjes. Eén potje was halfleeg. Het andere potje had hij vóór de bruiloft bijgevuld zodat hij in Europa niet zonder zou komen te zitten.

Gerustgesteld dat hij zijn medicatie nam, ging ze op de rand van het bed zitten en probeerde te bedenken hoe ze het best met de situatie om kon gaan.

De deur ging open en Leonard stormde naar binnen. Hij straalde en deed net alsof er niets gebeurd was.

'Ik heb een nieuw hotel voor ons gevonden,' zei hij. 'Veel beter. Het zal je bevallen.'

Het was heel verleidelijk om de voorbije nacht maar te vergeten. Maar Madeleine wilde geen verkeerd precedent scheppen. Het gewicht van haar huwelijk drukte voor het eerst op haar. Ze kon hem geen boek meer naar zijn hoofd slingeren en er vervolgens vandoor gaan, zoals vroeger.

'We moeten praten,' zei ze.

'Dat is goed,' zei Leonard. 'Wat dacht je van bij het ontbijt?'

'Nee, nu.'

'Ook goed,' zei hij, iets zachter ditmaal. Hij keek de kamer rond of hij ergens kon gaan zitten, maar dat kon niet, dus bleef hij staan.

'Je hebt je gister echt verschrikkelijk gedragen,' zei Madeleine. 'Eerst word je razend omdat ik voor je bestel en vervolgens zeg je de hele avond geen woord meer tegen me, terwijl je de hele tijd met de serveerster zit te flirten…'

'Ik heb helemaal niet zitten flirten.'

'Ach, hou toch op! Ik heb mijn ogen toch niet in mijn zak! En toen we hier weer terugkwamen heb je me genomen alsof ik – alsof ik een stuk vlees was!' Bij het uitspreken van die woorden barstte ze weer in tranen uit. Tot haar afschuw was haar stem onwillekeurig schril en meisjesachtig de hoogte in geschoten. 'Je gedroeg je alsof je met die serveerster in de weer was!'

'Ik wil die serveerster helemaal niet, Madeleine. Ik wil jou. Ik hou van je. Ik hou zoveel van je.'

Dat waren precies de woorden die ze wilde horen. Haar verstand zei dat ze ze niet moest geloven, maar een andere, zwakkere kant van haar reageerde dolgelukkig.

'Je mag me nooit meer zo behandelen,' bracht ze nog nasnikkend uit.

'Dat zal niet meer gebeuren. Nooit meer.'

'Als het ooit weer gebeurt, ben ik weg.'

Hij sloeg zijn armen om haar heen en duwde zijn gezicht in haar haar. 'Ik zal het nooit meer doen,' fluisterde hij. 'Ik hou van je. Het spijt me.'

Ze gingen naar een café om te ontbijten. Leonard gedroeg zich voorbeeldig; hij trok haar stoel voor haar onder tafel vandaan, kocht een *Paris Match* voor haar bij een kiosk en hield haar het mandje met brioches voor.

De volgende twee dagen gingen zonder incidenten voorbij. De lucht boven Nice was bewolkt, de stranden lagen vol kiezels. In de hoop ten volste van haar voorhuwelijkse dieet te kunnen profiteren, had Madeleine een naar de maatstaven van de Côte d'Azur weliswaar nogal zedige, maar in haar eigen ogen gewaagde bikini meegenomen. Maar het was iets te koud om te zwemmen. Ze hadden maar één keer een paar uur in de ligstoelen gelegen die het hotel voor hen had gereserveerd, tot ze door de regenwolken weer naar binnen waren gejaagd.

Leonard bleef lief en attent, en Madeleine hoopte dat hun geruzie voorbij was.

Het plan was om nog twee dagen in Monaco door te brengen voordat ze de trein terug naar Parijs zouden nemen om van daaruit weer naar huis te vliegen. Op een onbewolkte namiddag, de eerste echt warme, zonnige dag van hun reis, stapten ze op de trein voor het ritje van twintig minuten. Het ene moment reden ze nog langs cipressen en glinsterende baaien, en het volgende reden ze al het volgebouwde, veel te dure grondgebied van Monte Carlo binnen.

Een Mercedestaxi bracht hen over de steile kustweg naar hun hoog boven de stad en de haven gelegen hotel.

De receptionist, die een sjaaltje droeg, zei dat ze precies op het goede moment waren gekomen. De volgende week zou de Grand Prix beginnen en dan was het hotel compleet volgeboekt. Maar nu was het relatief rustig; perfect voor een pasgetrouwd stel op huwelijksreis.

'Is Grace Kelly er ook?' vroeg Leonard ineens.

Madeleine draaide zich naar hem toe en keek hem aan. Hij had een brede grijns op zijn gezicht en zijn ogen stonden weer glazig.

'De prinses is vorig jaar overleden, monsieur,' antwoordde de receptionist.

'O ja, dat was ik vergeten,' zei Leonard. 'Mag ik u en uw landgenoten bij dezen mijn oprechte deelneming betuigen?'

'Dank u, monsieur.'

'Hoewel dit natuurlijk geen echt land is, hè?'

'Pardon, monsieur?'

'Het is geen koninkrijk. Het is maar een prinsdom.'

'Dit is een onafhankelijke staat, monsieur,' zei de receptionist koel.

'Ik vroeg me namelijk af hoeveel Grace Kelly over Monaco wist voordat ze met prins Rainier trouwde. Ik bedoel, ze dacht waarschijnlijk dat hij de baas was van een écht land.'

De gezichtsuitdrukking van de receptionist was nu uitgesproken kil. Hij haalde hun kamersleutel tevoorschijn. 'Madame, monsieur, ik wens u een prettig verblijf toe.'

Zodra ze in de lift stonden, zei Madeleine: 'Wat is er met jou aan de hand?'

'Hoezo?'

'Dat was echt ontzettend grof!'

'Ik liep hem gewoon een beetje te dollen,' zei Leonard, nog aldoor met die groteske glimlach op zijn gezicht. 'Heb je die beelden van Grace Kelly's huwelijk wel eens gezien? Prins Rainier in dat gala-uniform, alsof hij een gigantisch rijk te verdedigen heeft. En dan kom je hier en besef je dat dat hele landje in de Superdome past. Het is een toneeldecor. Geen wonder dat hij met een actrice is getrouwd.'

'Dat was echt gênant!'

'En weet je wat ook zo lachwekkend is?' vervolgde Leonard alsof hij haar niet had gehoord. 'Dat ze zich Monegasken noemen. Ze moesten natuurlijk een speciale, wat langere naam voor zichzelf verzinnen omdat dat landje van ze helemaal niets voorstelt.'

Leonard stormde hun kamer binnen en smeet zijn koffer op het bed. Hij liep door naar het balkon, maar kwam na een paar tellen alweer naar binnen. 'Heb je trek in champagne?' vroeg hij.

'Nee,' antwoordde Madeleine.

Hij liep naar de telefoon en belde roomservice. Hij gedroeg zich eigenlijk heel normaal. De karaktereigenschappen die hij tentoonspreidde – extraversie, vitaliteit, voortvarendheid – waren dezelfde eigenschappen waardoor Madeleine zich in het begin zo tot hem aangetrokken had gevoeld. Ze waren nu alleen versterkt, als een muziekinstallatie die zo hard staat dat het geluid vervormt.

Toen de champagne werd gebracht, droeg Leonard de kelner op om die op het balkon neer te zetten.

Madeleine liep het balkon op om met hem te praten.

'Sinds wanneer hou jij van champagne?' vroeg ze.

'Sinds ik in Monte Carlo ben.' Hij stak een hand de lucht in en wees. 'Zie je dat gebouw daar? Volgens mij is dat het casino. Ik weet niet meer in welke Bond-film het voorkwam. Misschien moesten we daar na het eten maar eens een kijkje nemen.'

'Leonard?' vroeg Madeleine zacht. 'Lieverd? Beloof je dat je niet kwaad zult worden als ik je een vraag stel?'

'Wat dan?' vroeg hij, al met een spoor van irritatie in zijn stem.

'Voel je je wel goed?'

'Ik voel me picobello.'

'Slik je je pillen wel?'

'Ja ik slik mijn pillen. Nu je er toch over begint' – hij liep naar binnen om zijn lithium uit zijn koffer te pakken en kwam weer terug – 'het is net tijd voor mijn medicatie.' Hij stak een pil in zijn mond en spoelde hem weg met een slok champagne. 'Zie je wel? Ik voel me tiptop en picobello.'

'Die woorden gebruik je normaal nooit. "Tiptop en picobello".'

'Blijkbaar gebruik ik ze wel.' Hij begon te lachen.

'Misschien moet je je dokter even bellen. Gewoon om wat van je te laten horen.'

'Wie? Perlmann?' zei Leonard minachtend. 'Hij zou míj moeten bellen. Ik zou hem nog wel het een en ander kunnen leren.'

'Waar heb je het over?'

'Nergens over,' zei Leonard, uitkijkend over de met jachten gevulde haven in de verte. 'Behalve dan dat ik een paar ontdekkingen op het spoor ben waar zo iemand als Perlmann nog niet eens van kan dromen.'

Vanaf dat moment werd het alleen nog maar erger. Nadat hij de fles champagne grotendeels in zijn eentje had opgedronken, stond hij erop er nog een te bestellen. Toen Madeleine dat niet goedvond, vertrok hij kwaad naar de bar van het hotel. Daar begon hij rondjes te geven aan de andere gasten, een stel Zwitserse bankiers met hun vriendinnen. Toen Madeleine hem een uur later kwam zoeken, was hij dolblij om haar te zien. Hij omhelsde en kuste haar en maakte er een heel vertoon van.

'Dit is mijn lieftallige bruid,' zei hij. Hij stelde de bankiers aan haar voor. 'Dit zijn Till en Heinrich. De namen van die meisjes zijn me even ontschoten, al zal ik hun knappe gezichtjes nooit vergeten. Till en Heinrich weten een heel goed restaurant waar ze ons mee naartoe willen nemen. Zei je niet dat het het beste restaurant van de stad was, Till?'

'Het is erg goed,' zei de Zwitser. 'Een plaatselijk geheim.'

'Mooi zo. Want ik wil niet ergens heen waar het stikt van de Amerikaanse toeristen, begrijp je wel? Of zullen we rechtstreeks naar het casino gaan? Kun je daar eten?' Het was moeilijk te zeggen of de Europeanen doorhadden hoe vreemd hij zich gedroeg of dat ze zijn overdreven hartelijkheid voor een Amerikaanse gewoonte hielden. Ze leken wel van hem gecharmeerd te zijn.

Toen deed Madeleine iets waar ze later spijt van kreeg. In plaats van hem daar weg te slepen en naar een dokter te brengen (al wist ze niet precies hoe ze dat had moeten doen), ging ze weer naar boven, naar hun kamer. Ze pakte Leonards pillen en liet de telefonist van het hotel het nummer van dokter Perlmann bellen, dat op het etiket stond. Perlmann was niet aanwezig, maar nadat Madeleine had gezegd dat het een noodgeval was, nam de secretaresse het nummer van Madeleines hotel op en beloofde dat dokter Perlmann zo snel mogelijk zou terugbellen.

Nadat er een kwartier voorbij was gegaan zonder dat ze iets gehoord had, ging ze weer terug naar de bar, maar Leonard en de Zwitsers waren verdwenen. Ze keek in het restaurant en op de patio, maar er was geen spoor van ze te bekennen. In stijgende paniek ging ze terug naar hun kamer en ontdekte dat Leonard daar in de tussentijd was geweest. Zijn koffer stond open en overal op de vloer lagen kleren. Hij had geen briefje achtergelaten. Op dat moment belde Perlmann.

Madeleine vertelde hem in één onafgebroken woordenstroom wat er allemaal gebeurd was.

'Goed, ik moet je nu vragen om rustig te blijven,' zei Perlmann. 'Gaat dat lukken, denk je? Ik hoor aan je stem dat je in paniek bent. Ik kan wel helpen, maar dan moet je kalmeren, goed?'

Madeleine vermande zich. 'Goed,' zei ze.

'Heb je enig idee waar hij heen kan zijn gegaan?'

Ze dacht even na. 'Het casino. Hij zei dat hij wilde gokken.'

'Luister goed,' zei Perlmann op ernstige toon. 'Je moet Leonard naar het dichtstbijzijnde ziekenhuis zien te krijgen. Hij moet zo snel mogelijk worden onderzocht door een psychiater. Dat is de eerste stap. Daar weten ze wel wat ze met hem aan moeten. Als je hem daar hebt afgeleverd, geef je hun mijn nummer.'

'En als hij niet mee wil?'

'Je zorgt maar dat hij meekomt, hij móet naar een ziekenhuis,' zei Perlmann.

De taxichauffeur scheurde over de kustweg naar beneden met zijn grote licht aan. De weg kronkelde en slingerde. Soms zagen ze de zee voor zich, zwart en leeg, en leek het alsof ze over de rand van het klif zouden tuimelen, maar dan nam de auto een bocht en verschenen de lichten van de stad weer, steeds dichterbij. Madeleine vroeg zich af of ze naar de politie moest gaan. Ze probeerde te bedenken wat 'manisch-depressief' in het Frans was. Het enige woord dat bij haar opkwam, *maniaque*, klonk te erg.

De taxi reed het dichtbevolkte havenkwartier binnen. Het verkeer werd drukker naarmate ze het casino naderden. Het casino van Monte Carlo was een beauxarts-gebouw omgeven door geometrisch aangelegde tuinen en verlichte fonteinen, met grillige bruidstaarttorentjes en een koperen koepeldak. Lamborghini's en Ferrari's stonden zes rijen dik voor de deur, de lichten van de ingang weerkaatsten in de glimmende motorkappen. Om binnen te komen moest Madeleine haar paspoort laten zien, omdat het inwoners van Monaco bij wet verboden was het casino te betreden. Ze kocht een toegangsbewijs voor de grote speelzaal en liep het gebouw in.

Zodra ze de zaal binnenkwam, gaf ze de hoop op dat ze Leonard daar ooit zou vinden. De Grand Prix mocht dan nog niet begonnen zijn, het casino zat evengoed vol toeristen. Ze klonterden samen rond de speeltafels, en hoewel ze beter gekleed waren dan de gokkers die ze in het indiaanse casino had gezien, hadden ze dezelfde wolfachtige honger op hun gezicht. Drie Arabieren met zonnebrillen op zaten aan de baccarattafel. Een lange man met een veterdas liet zijn dobbelstenen over de dobbeltafel rollen. Een groep Duitsers, de mannen in Beierse jasjes met suède kraag, bewonderde opgewonden pratend de gebrandschilderde ramen en de fresco's op het plafond. Onder andere omstandigheden zou Madeleine het waarschijnlijk ook interessant hebben gevonden. Maar nu stond elke aristocraat en elke gokker haar alleen maar in de weg. Ze zou ze het liefst opzij willen duwen. Ze zou ze het liefst willen schoppen en slaan.

Langzaam baande ze zich een weg naar het midden van de zaal terwijl ze zich concentreerde op de tafels waaraan werd gekaart. Het begon steeds onwaarschijnlijker te lijken dat Leonard er was. Misschien was hij met de Zwitserse ban-

kiers uit eten gegaan. Misschien kon ze beter teruggaan naar het hotel en daar op
hem wachten. Ze liep nog wat verder. En daar, in een kastanjebruine stoel met
fluwelen zitting, zat Leonard aan een blackjacktafel.

Hij had iets met zijn haar gedaan – het nat gemaakt of er gel in gesmeerd en
hiet strak achterover gekamd. En hij droeg zijn zwarte cape.

Zijn stapeltje fiches was kleiner dan die van de andere spelers. Hij leunde ge-
concentreerd voorover, zijn ogen strak op de dealer gericht. Het leek Madeleine
beter hem niet te storen.

Nu ze hem zo zag, in die ouderwetse cape, met een wilde blik in zijn ogen en
zijn glibberige vampierkapsel, besefte ze dat ze de werkelijkheid van zijn ziekte
nooit echt had geaccepteerd, nooit echt onder ogen had gezien. Toen hij in het
ziekenhuis herstelde van zijn zenuwinstorting was zijn gedrag weliswaar
vreemd, maar ook begrijpelijk. Als iemand die nog een beetje wazig is na een
auto-ongeluk. Maar dit – deze manische fase – was anders. Hij kwam op haar
over als een echte gek en ze schrok zich wezenloos.

Maniaque was toch niet zo ver bezijden de waarheid. Waar verwees maniak
anders naar dan naar manie en dus waanzin?

Haar hele leven was ze labiele mensen uit de weg gegaan. Op de lagere school
al had ze de buitenbeentjes gemeden. Op de middelbare school was ze uit de
buurt gebleven van zwartgallige, suïcidale meisjes die pillen uitbraakten. Wat
was het toch met gekken dat ze hen altijd wilde ontlopen? De zinloosheid van de
gesprekken met hen, uiteraard, maar er speelde ook nog iets anders mee, een
soort angst voor besmetting. Het casino leek met zijn van geroezemoes en rook
vergeven lucht wel een projectie van Leonards manie, een uitgestrekt pandemo-
nium vol gruwelijk rijke mensen, die hun mond opendeden om te wedden of
om drank te schreeuwen. Madeleine had de neiging zich om te draaien en te
vluchten. Als ze nog een stap naar voren deed, veroordeelde ze zichzelf tot een leven waarin ze zich altijd zorgen om Leonard zou moeten maken, hem voortdurend in de gaten zou moeten houden, altijd bang zou zijn dat hem iets was overkomen als hij een halfuurtje te laat thuiskwam. Ze hoefde zich alleen maar om te
draaien en weg te gaan. Niemand zou het haar kwalijk nemen.

En toen zette ze natuurlijk toch de onvermijdelijke stap. Ze liep verder en
ging geruisloos achter zijn stoel staan.

Er zaten een stuk of vijf andere spelers aan tafel, allemaal mannen.

Ze begaf zich binnen zijn blikveld en zei: 'Lieverd?'

Leonard keek even opzij. Hij leek niet verrast om haar te zien. 'Hallo, daar,'
zei hij terwijl hij zijn blik weer op de kaarten richtte. 'Sorry dat ik er zo tussenuit
ben geknepen. Maar ik was bang dat je me niet zou laten gaan. Ben je kwaad?'

'Nee,' zei Madeleine op geruststellende toon. 'Ik ben niet kwaad.'

'Mooi. Want volgens mij is dit mijn geluksavond.' Hij knipoogde naar haar.

'Liefje, ik wil graag dat je met me meekomt.'

Leonard zette in. Hij leunde opnieuw naar voren en concentreerde zich op de dealer. Terwijl hij dat deed, zei hij: 'Ik herinnerde me weer in welke James Bond-film dit casino voorkomt: *Never Say Never Again.*'

De dealer gaf hem zijn eerste twee kaarten.

'*Hit me,*' zei Leonard.

De dealer gaf hem nog een kaart.

'Nog een.'

Die kaart deed hem de das om. De dealer pakte Leonards kaarten op en de croupier nam zijn fiches weg.

'Laten we gaan,' zei Madeleine.

Leonard boog zich samenzweerderig naar haar over. 'Hij gebruikt twee spellen. Ze denken dat ik dat niet aankan, maar ze zitten er mooi naast.'

Hij gooide weer een paar fiches op tafel en het ritueel herhaalde zich. De dealer had zeventien en Leonard dacht dat hij daar wel overheen kon. Met dertien in zijn hand vroeg hij nog een kaart en kreeg een boer.

De croupier veegde zijn laatste fiches weg.

'Ik ben weg,' zei Leonard.

'Kom, we gaan, schat.'

Hij keek haar aan met die glazige blik van hem. 'Ik kan zeker geen geld van je lenen?'

'Niet nu, nee.'

'In voor- en tegenspoed,' zei Leonard.

Maar hij stond wel op.

Madeleine leidde hem aan zijn arm het casino door. Hij liep gewillig met haar mee. Maar toen ze bijna bij de trap naar buiten waren, bleef Leonard staan. Hij stak zijn kin in de lucht en trok een rare kop. Met een Engels accent zei hij: 'De naam is Bond. James Bond.' Plotseling stak hij zijn armen omhoog en sloeg de cape om zich heen, als Dracula. Voordat Madeleine kon reageren, vloog hij ervandoor, met zijn cape flapperend als een stel vleugels en een waanzinnig verrukte uitdrukking op zijn gezicht, speels en vol zelfvertrouwen.

Ze wilde hem achterna gaan, maar haar hoge hakken belemmerden haar snelheid. Uiteindelijk trok ze haar schoenen uit en rende blootsvoets naar buiten. Maar Leonard was nergens meer te bekennen.

Hij bleef de hele nacht weg.

En de hele dag daarna.

Maar toen stond ze al in contact met Mark Walker van het consulaat in Marseille. Via zijn netwerk van Baxter-alumni had Alton de Amerikaanse ambassadeur in Frankrijk, Evan Galbraith, rechtstreeks aan de telefoon gekregen. Galbraith had Madeleines gegevens opgenomen en doorgegeven aan Walker, die Madeleine had gebeld om haar te vertellen dat de autoriteiten in Monaco, Frankrijk en Italië allemaal van de situatie op de hoogte waren gesteld en dat hij weer contact met haar zou opnemen zodra hij meer wist. Phyllida had direct een nachtvlucht van Newark Airport naar Parijs genomen. De volgende ochtend stapte ze op de aansluitende vlucht naar Monaco en kort na twaalven arriveerde ze in Madeleines hotel. In de achttien uur tussen Walkers telefoontje en Phyllida's aankomst was Madeleine door een breed scala aan emoties gegaan. Er waren momenten dat ze kwaad op Leonard was omdat hij ervandoor was gegaan, en op andere momenten nam ze het zichzelf kwalijk dat ze niet eerder gezien had dat er iets mis was. Ze was razend op de Zwitserse bankiers en vreemd genoeg ook op hun vriendinnen, omdat ze Leonard uit het hotel hadden weggelokt. Ze was doodsbenauwd dat hij zichzelf iets aan zou doen of zou worden gearresteerd. Soms zonk ze weg in zelfmedelijden, in de wetenschap dat ze in haar leven maar één echte huwelijksreis zou krijgen, en dat die nu verpest was. Ze dacht erover Leonards moeder te bellen, of zijn zus, maar ze had hun nummers niet en ze wilde eigenlijk ook helemaal niet met hen praten, want ergens was het volgens haar ook hun schuld.

En toen kwam, in het gezelschap van een hotelmedewerker, Phyllida binnen, keurig gekleed en perfect gekapt. Alles wat Madeleine zo verschrikkelijk vond aan haar moeder – haar onverstoorbare correctheid en haar gebrek aan zichtbare emoties – was precies waar ze nu behoefte aan had. Ze liet haar tranen de vrije loop en huilde uit in haar moeders schoot. Phyllida reageerde door bij de roomservice een lunch te bestellen. Ze wachtte tot Madeleine een volledige maaltijd had verorberd voordat ze de eerste vraag over het gebeurde stelde. Niet lang daarna belde Mark Walker met het nieuws dat er die morgen iemand die aan Leonards beschrijving voldeed was opgenomen in het Centre Hospitalier Princesse Grace met een psychose en lichte verwondingen als gevolg van een val. De man, die Engels sprak met een Amerikaans accent, was zonder schoenen en met ontbloot bovenlijf aangetroffen op het strand en had geen identificatiebewijs bij zich gehad. Walker had aangeboden om van Marseille naar Monaco te komen, mee te gaan naar het ziekenhuis en te kijken of het inderdaad om Leonard ging.

Terwijl ze op Walker wachtten, gaf Phyllida Madeleine het advies zich op te knappen en weer toonbaar te maken, omdat, zo beweerde ze, dat haar het gevoel zou geven dat ze zichzelf weer wat beter in de hand had, en daar bleek ze gelijk in te hebben. Walker, een toonbeeld van efficiëntie en tact, haalde hen op in een auto met chauffeur van de ambassade. Als dank voor zijn hulp probeerde Madeleine de indruk te wekken dat ze niet op instorten stond.

Het Centre Hospitalier Princesse Grace was in 1958 ter ere van de voormalige Amerikaanse filmster herdoopt, en de naamgeefster was daar zelf een jaar geleden aan de gevolgen van een auto-ongeluk gestorven. De tekenen van rouw waren nog steeds zichtbaar in het ziekenhuis: over een schilderij van de prinses in de ontvangsthal was een zwarte guirlande gedrapeerd en er hingen verschillende prikborden vol steunbetuigingen uit de hele wereld. Walker stelde hen voor aan dokter Lamartine, een magere psychiater met een doodshoofd, die verklaarde dat Leonard op het moment zwaar onder de kalmerende middelen zat. Ze gebruikten een antipsychoticum dat werd vervaardigd door Rhône-Poulenc en niet verkrijgbaar was in de Verenigde Staten. Hij had in het verleden uitstekende resultaten met dat medicijn geboekt en zag geen enkele reden waarom dat in het onderhavige geval niet zo zou zijn. Sterker nog, de klinische resultaten van het medicijn waren zo buitengewoon dat het hem een raadsel was waarom de Food and Drug Administration het niet goedkeurde – nou ja, zo raadselachtig is dat natuurlijk ook weer niet, voegde hij er op een toon van professioneel beklag aan toe, aangezien het geen Amerikaans medicijn betrof. Toen scheen hij zich Leonard weer te herinneren. Hij had de volgende lichamelijke verwondingen: afgebroken tanden, blauwe plekken in het gezicht, een gebroken rib en nog enkele oppervlakkige schaafwonden. 'Op het moment slaapt hij,' zei de dokter. 'U kunt naar binnen om hem te zien, maar maakt u hem alstublieft niet wakker.'

Madeleine ging alleen naar binnen. Voordat ze het gordijn rond het bed opzij schoof, rook ze de tabaksgeur die Leonards lichaam uitwasemde. Ze verwachtte half en half hem rokend rechtop in bed aan te treffen, maar degene die daar lag, was noch de wispelturige wilde, noch de verzwakte teruggetrokken Leonard. Daar lag niet iemand die manisch was, of depressief, maar een volkomen inert slachtoffer van een ongeluk. In zijn arm stak het slangetje van een infuus. De rechterkant van zijn gezicht was opgezwollen, zijn bovenlip was gehecht, de dieppaarse huid eromheen vormde een korst. De dokter had gezegd dat ze hem niet moest wekken, maar ze boog zich over hem heen en tilde zachtjes zijn bovenlip op. Haar adem stokte: allebei zijn voortanden waren bij de wortel afgebroken. Zijn roze tong glinsterde achter het gat.

Het werd nooit helemaal duidelijk wat er precies gebeurd was. Leonard kon zich de laatste zesendertig uur niet herinneren. Hij was van het casino naar het restaurant gegaan waar de Zwitserse bankiers zaten te eten. Hij had geen geld, maar hij wist hun ervan te overtuigen dat hij een waterdichte methode had om kaarten te tellen. Na het eten namen ze hem mee naar het Loews casino, een Amerikaanse tent, en leenden hem een startbedrag. Ze spraken af dat ze de winst zouden delen. Ditmaal, hetzij omdat zijn systeem werkte, hetzij door geluk, begon hij heel goed. Hij won het ene na het andere spel. Al snel had hij duizend dollar winst. Vanaf dat moment begon het een wilde nacht te worden. Ze verlieten het casino en bezochten een paar cafés. De vriendinnen van de bankiers waren er ook nog, of misschien al niet meer. Of hij verkeerde ondertussen in het gezelschap van een ander groepje bankiers. Op een gegeven moment ging hij terug naar Loews. De dealer daar gebruikte maar één spel kaarten. Ondanks, of juist dankzij, zijn manische toestand lukte het hem om de kaarten te tellen en ze allemaal te onthouden. Maar misschien dat hij zijn opzet te duidelijk liet blijken, want een uur later werd hij door de floormanager het casino uitgegooid met de waarschuwing nooit meer terug te komen. Op dat moment had hij een kleine tweeduizend dollar gewonnen. En vanaf dat punt liet zijn geheugen het afweten. De rest van het verhaal reconstrueerde Madeleine uit de politieverslagen. Nadat hij Loews was uitgezet, was hij gesignaleerd in een zeker 'etablissement' in dezelfde buurt. De volgende dag dook hij op in het Hôtel de Paris met een groep mensen waarvan niet meer viel te achterhalen of het de Zwitserse bankiers waren of niet. Tijdens een drinkgelag in hun aangrenzende kamers, had hij gewed dat hij van het ene balkon naar het andere kon springen. Gelukkig speelde dat zich af op de eerste etage. Hij had zijn schoenen uitgetrokken voor de sprong, maar haalde het niet. Hij gleed uit, sloeg met zijn wang en mond tegen de balkonrand en viel naar beneden. Bloedend en buiten zinnen was hij naar het strand gelopen. Op een gegeven moment had hij zijn hemd uitgetrokken en was gaan zwemmen. Toen hij na zijn duik het hotel weer in wilde gaan, was hij door de politie opgepakt.

Het Franse antipsychoticum was inderdaad een wondermiddel. Binnen twee dagen was Leonard weer helder van geest. Hij had zo veel spijt, schaamde zich zo voor zijn gedrag en zijn poging zijn medicatie af te bouwen, dat hij zich telkens als Madeleine langskwam óf uitputte in excuses, óf van wroeging niet wist wat hij zeggen moest. Ze zei dat hij er niet meer aan moest denken. Ze zei dat hij er niets aan kon doen.

De hele week dat Phyllida in Monaco verbleef, zei ze niet één keer iets in de trant van: 'Ik had het je toch gezegd?' Madeleine was haar moeder daar innig dankbaar voor. Ze was verbaasd toen ze zag hoe werelds Phyllida was, hoe stoïcijns ze bleef toen duidelijk werd wat voor 'etablissement' Leonard eigenlijk had bezocht. Toen Madeleine het te horen kreeg was ze weer in tranen uitgebarsten. Maar Phyllida had met een zwartgallig soort humor gezegd: 'Als dat het enige is waar je je in je huwelijk zorgen over hoeft te maken, mag je je gelukkig prijzen.' Ze zei ook heel begripvol: 'Hij was zichzelf niet, Maddy. Je moet het uit je hoofd zetten. Gewoon vergeten en verdergaan.' Ineens besefte Madeleine dat Phyllida uit eigen ervaring sprak, dat het huwelijk van haar ouders veel gecompliceerder was dan ze ooit had vermoed.

Maar Phyllida's ziekenbezoekjes bleven ongemakkelijk. Leonard en zij kenden elkaar nog steeds nauwelijks. Zodra Leonard 'er weer bovenop was' vloog ze terug naar New Jersey om het huis in orde te maken voor de uiteindelijke terugkeer van Leonard en Madeleine.

Madeleine bleef in het hotel zitten. Omdat daar niets anders te doen viel dan naar een van de twee netten van de Franse tv te kijken die ze daar kon ontvangen en ze zich stellig had voorgenomen nooit meer een stap binnen het casino te zetten, bracht Madeleine vele uren in het Musée Océanographique door. Ze vond het prettig om in het onderwaterlicht naar de zeedieren te kijken, er ging een kalmerende werking van uit. Aanvankelijk at ze in haar eentje in de eetzaal van het hotel, maar haar aanwezigheid trok te veel mannelijke aandacht. Dus liet ze het eten op haar kamer brengen, waarbij ze meer wijn dronk dan ze gewoon was.

Ze had het idee dat ze in die twee weken twintig jaar ouder was geworden. Ze voelde zich geen bruid meer en zelfs niet langer jong.

Op een heldere dag in mei werd Leonard uit het ziekenhuis ontslagen. Net als een jaar geleden stond Madeleine voor een ziekenhuis te wachten terwijl een verpleegkundige Leonard in een rolstoel naar buiten duwde. Ze namen de trein terug naar Parijs waar ze in een bescheiden hotel aan de Rive Gauche logeerden.

De dag voor ze terug naar Amerika zouden vliegen, liet Madeleine Leonard in hun hotelkamer achter terwijl ze sigaretten voor hem ging halen. Het was heerlijk zacht zomerweer, de bloemen in het park hadden zulke felle kleuren dat het pijn deed aan haar ogen. Een eindje voor zich uit zag ze iets intrigerends: een groep schoolmeisjes onder leiding van een non. Ze staken de straat over naar het schoolplein van hun school. Met voor het eerst sinds weken weer een glimlach op haar gezicht volgde Madeleine het proces. Ludwig Bemelmans had nog meer boeken over Madeline geschreven. In een daarvan had ze zich aangesloten bij een zigeunercircus. In een ander werd ze door een hond gered toen ze dreigde te verdrinken. Maar ondanks al haar avonturen werd Madeline nooit ouder dan acht jaar. Jammer was dat. Madeleine had wel wat nuttige voorbeelden kunnen gebruiken, latere afleveringen van de serie. Madeline die haar *baccalauréat* haalt. Madeline die aan de Sorbonne gaat studeren. ('Schrijvers als Sartre en Beauvoir vond Madeline een beetje raar.') Madeline die de vrije liefde ontdekt of bij een commune gaat of naar Afghanistan reist. Madeline die meedoet aan de studentenrellen in '68 en stenen gooit naar de politie of leuzen schreeuwt als: '*Sous les pavés, la plage.*'

Was Madeline getrouwd met Pepito, de zoon van de Spaanse ambassadeur? Had ze nog steeds rood haar? Was ze nog altijd de kleinste en de dapperste?

Niet precies in twee kaarsrechte rijen, maar ordelijk genoeg, verdwenen de meisjes door de deuren van de kloosterschool. Madeleine ging terug naar het hotel, waar Leonard, nog steeds in het verband, een slachtoffer van een ander soort oorlog, op haar wachtte.

Ze omhelsden het goede
en negeerden het kwaad
en soms waren ze ten einde raad.

In de verte kwam de trein aangereden in een waas van roet en van de hitte trillende lucht. Madeleine stond achter de gele streep op het perron en keek met samengeknepen ogen door haar scheve bril. Ze was hem twee weken kwijt geweest, maar gisteren had ze hem onder in de wasmand teruggevonden. De bril had niet de juiste sterkte meer en de glazen waren nog net zo bekrast en het montuur nog net zo suf als drie jaar geleden. Ze zou een nieuwe bril moeten kopen voor het nieuwe academische jaar begon.

Zodra ze had vastgesteld dat de trein er inderdaad aankwam, deed ze de bril af en stopte hem in haar handtas. Ze draaide zich om en zocht Leonard, die, nu al klagend over de klamme hitte, de slecht geventileerde wachtkamer was binnengegaan.

Het was bijna vijf uur. Er stonden nog ongeveer twintig anderen op de trein te wachten.

Madeleine stak haar hoofd om het hoekje van de deur van de wachtkamer. Leonard zat op een bankje en staarde met een doffe blik naar de vloer. Hij droeg nog hetzelfde zwarte t-shirt en dezelfde korte broek, maar had zijn haar in een staart gedaan. Ze riep hem.

Hij keek op en kwam langzaam overeind. Het had een eeuwigheid geduurd voordat ze het huis uit waren en in de auto zaten, en ze was bang geweest dat ze de trein zouden missen.

De treindeuren stonden al open toen Leonard het perron op kwam en achter Madeleine aan naar het dichtstbijzijnde rijtuig liep. Ze zochten een plaats uit waar niemand tegenover hen kon gaan zitten. Madeleine haalde een beduimeld exemplaar van *Daniel Deronda* uit haar tas en leunde achterover.

'Heb je niets te lezen meegenomen?'

Leonard schudde zijn hoofd. 'Ik kijk wel naar het prachtige landschap van New Jersey.'

'Er zijn best een paar mooie stukken,' zei Madeleine.

'Dat schijnt zo,' zei Leonard naar buiten kijkend.

De negenenvijftig minuten durende treinrit bood weinig fraais om die mening te staven. Als ze niet langs de achtertuinen van vrijstaande huizen reden, rolden ze de volgende stervende stad binnen, zoals Elizabeth of Newark. De luchtplaats van een open gevangenis liep tot aan de spoorbaan, de gevangenen droegen witte kleren, alsof er een bakkersconventie aan de gang was. Vlak bij Secaucus begonnen de bleekgroene moerassen, verrassend mooi als je bereid was de schoorsteenpijpen en overslagbedrijven over het hoofd te zien.

Ze kwamen midden in het spitsuur op Penn Station aan. Madeleine leidde Leonard bij de stampvolle roltrappen vandaan naar een minder drukke trap, waarlangs ze naar de centrale hal klommen. Een paar minuten later stapten ze de hitte en het felle licht van Eight Avenue in. Het was net zes uur geweest.

Terwijl ze in de rij voor de taxi's gingen staan, keek Leonard omhoog naar de gebouwen, alsof hij bang was dat ze boven op hem zouden vallen.

'New York,' zei hij. 'Precies zoals ik het me had voorgesteld.'

Dat was zijn laatste grapje. Toen ze in een taxi zaten en naar de Upper West Side reden, vroeg Leonard de chauffeur of hij alsjeblieft de airconditioning aan wilde zetten. Toen de chauffeur antwoordde dat die kapot was, draaide Leonard zijn raampje omlaag en liet als een hond zijn hoofd naar buiten hangen. Even wou ze dat ze hem niet had meegenomen.

Haar voorgevoelens in het casino van Monte Carlo waren juister gebleken dan ze destijds had kunnen vermoeden. Ze was al verworden tot dat trillende vrouwtje, de immer waakzame oppas. Ze was 'getrouwd met een bipolaire stoornis'. Ze wist allang dat hij zich van kant kon maken terwijl zij sliep. Het was al bij haar opgekomen dat er van het zwembad een uitnodigende werking uit zou kunnen gaan. Van de eenentwintig voorboden op de lijst die ze van Wilkins had gekregen, had Madeleine er tien aangevinkt: verandering van slaappatroon, onwil om te communiceren, verwaarlozing van werk, verwaarlozing van uiterlijk, vermijden van mensen/activiteiten, perfectionisme, rusteloosheid, extreme verveling, depressie en verandering van persoonlijkheid. Er stonden ook dingen op de lijst die niet op Leonard van toepassing waren: zo had hij geen eerdere zelfmoordpogingen gedaan (al had hij er wel over gedacht), gebruikte hij geen drugs (althans momenteel niet), overkwamen hem niet voortdurend kleine ongelukjes, zei hij niet dat hij dood wilde en was hij niet begonnen al zijn spullen weg te geven. Aan de andere kant had hij vanmorgen, toen hij zei dat hij niet meer in

New York wilde wonen en het over 'haar' appartement had, toch sterk geklonken als iemand die afstand van zijn spullen doet. Hij leek zich niet meer voor de toekomst te interesseren. Hij wist niet wat hij wilde. Hij wilde geen baan. Hij liep al twee weken in dezelfde zwarte korte broek rond.

Tien van de eenentwintig. Niet echt geruststellend. Maar toen ze dokter Wilkins daarop wees, zei hij: 'Als Leonard geen van de voortekenen zou vertonen, dan zou je hier niet zitten. Onze taak is om het aantal stukje bij beetje omlaag te brengen naar drie of vier. Misschien een of twee. Ik heb er alle vertrouwen in dat we daar mettertijd in zullen slagen.'

'En zolang het nog niet zover is?'

'Tot die tijd zullen we uiterst voorzichtig te werk moeten gaan.'

Ze probeerde voorzichtig te werk te gaan, maar dat viel niet mee. Ze had hem meegenomen naar New York omdat ze het te riskant vond hem alleen thuis te laten. Maar hier in de stad liep hij weer het gevaar een paniekaanval te krijgen. Ze had de keus gehad tussen hem in Prettybrook achterlaten en zich zorgen maken of hem meenemen naar New York en zich zorgen maken. Maar over het algemeen maakte ze zich minder zorgen als ze een oogje op hem kon houden.

Alleen zij stond tussen hem en de dood in. Zo voelde ze dat. Omdat ze de waarschuwingssignalen nu kende, was ze er voortdurend alert op. Erger nog, ze was bedacht op elke verandering in zijn stemming die een voorbode zou kunnen zijn van een van de waarschuwingssignalen. Ze was bedacht op de voortekenen van de voortekenen. En dat begon verwarrend te worden. Zo wist ze bijvoorbeeld niet of Leonards vroege opstaan bij een nieuwe verandering in zijn slaappatroon hoorde of nog bij de vorige, of dat het op een gunstige ontwikkeling duidde. Ze wist niet of zijn perfectionisme zijn totale gebrek aan ambitie compenseerde, of dat het twee kanten van dezelfde medaille waren. Als je tussen een geliefde en de dood in stond, was het zowel moeilijk om wakker te zijn als om te slapen. Als hij wakker bleef en naar de nachtprogramma's op tv keek, hield ze hem vanuit haar bed in de gaten. Het lukte haar nooit om echt in slaap te vallen voordat hij naar boven kwam en naast haar in bed ging liggen. Ze was gespitst op de geluiden die van beneden kwamen. Het was alsof haar hart operatief uit haar lichaam was verwijderd en op een andere plaats werd bewaard, nog steeds aan haar verbonden en bloed door haar aderen pompend, maar blootgesteld aan gevaren die zij niet kon zien: haar hart ergens in een pot, in de open lucht, onbeschermd.

Ze reden over Eight Avenue en draaiden bij Columbus Circle Broadway op. Leonard trok zijn hoofd naar binnen alsof hij de temperatuur opnieuw wilde testen, en leunde toen weer naar buiten.

De chauffeur sloeg links af Seventy-second Street in. Een paar minuten later stopten ze voor het gebouw op Riverside Drive. Kelly stond op de stoep voor de deur te wachten.

'Sorry,' zei Madeleine terwijl ze uit de taxi stapte. 'De trein had vertraging.'

'Dat zeg je altijd,' zei Kelly.

'Het is ook altijd waar.'

Ze omhelsden elkaar, en Kelly vroeg: 'En ga je mee naar het feest?'

'Dat weet ik nog niet.'

'Je moet mee, hoor! Ik ga daar niet alleen heen.'

De hele tijd stond de taxi met draaiende motor tegen de stoeprand. Eindelijk kwam Leonard naar buiten. Met zware stappen liep hij naar de schaduw van de luifel, uit het zonlicht vandaan.

Kelly was een behoorlijk goede actrice; ze glimlachte naar hem alsof ze niets over zijn ziekte wist en hij er prima uitzag. 'Ha, Leonard. Hoe is het met jou?'

Zoals gewoonlijk ging hij er serieus op in. Hij zuchtte en zei: 'Ik ben kapot.'

'Jíj kapot?' zei Kelly. 'Wat dacht je van mij? Ik heb Madeleine wel vijftien huizen laten zien! Ik heb het helemaal gehad. Als jullie dit appartement niet nemen, dan ontsla ik jullie.'

'Je kunt ons niet ontslaan,' zei Madeleine. 'Wij zijn je klanten.'

'Dan neem ik ontslag.' Ze ging hun voor de donkere gelambriseerde lobby binnen. 'Serieus, Maddy. Ik heb nog één andere optie, dichter bij Columbia, mocht je geïnteresseerd zijn, maar ik betwijfel of die zo mooi is als wat ik jullie nu ga laten zien.'

Nadat ze zich bij de portier hadden gemeld, namen ze de lift naar de elfde verdieping. Voor de deur van het appartement begon Kelly in haar tas naar de sleutels te zoeken, wat even duurde, maar na een tijdje had ze de goede sleutel te pakken en liet hen binnen.

Tot nog toe had Kelly Madeleine alleen maar appartementen laten zien die uitkeken op luchtkokers of aangrenzende eenpersoonswoningen, of piepklein waren, vergeven waren van de kakkerlakken of naar kattenpis stonken. Zelfs als Madeleine niet verschrikkelijk omhoog zat omdat ze zo snel mogelijk bij haar ouders weg wilde, zou ze onder de indruk zijn geweest van het appartement waar ze nu binnenliep. Het was een modelwoning, met vers geschilderde witte muren, plafondlijsten en parketvloeren. De slaapkamer was groot genoeg voor een ruim bemeten tweepersoonsbed en de keuken van de modernste apparatuur voorzien. Er was een handige werkkamer en de woonkamer was wat aan de kleine kant, maar werd opgeluisterd door een sier-open haard. Er was zelfs een eetkamer. Maar het belangrijkste was het uitzicht. In vervoering opende Madeleine het raam in de woonkamer en leunde over de vensterbank naar buiten. De zon, die de eerstkomende paar uur nog niet onder zou gaan, glinsterde op de golfjes van de rivier en zette de doorgaans grijze Palisades in een roze gloed. In het noorden waren de doorzichtige toppen van de George Washington Bridge te zien. Verkeerslawaai steeg op van de West Side Highway. Madeleine keek omlaag naar de stoep voor het gebouw. Die lag ver in de diepte. Ineens werd ze bang.

Ze trok haar hoofd weer naar binnen en riep Leonard. Toen hij niet antwoordde, riep ze hem opnieuw, al onderweg naar de gang.

Hij zat met Kelly in de slaapkamer. Het raam was dicht.

Om haar opluchting te verbergen, bekeek ze de slaapkamerkast. 'Dit wordt mijn kast,' zei ze. 'Ik heb meer kleren dan jij. Maar jij mag de werkkamer hebben.'

Leonard zei niets.

'Heb je de werkkamer gezien?'

'Ja,' zei hij.

'En?'

'Prima, hoor.'

'Ik wil jullie niet onder druk zetten of zo,' zei Kelly, 'maar jullie moeten echt binnen, eh, laten we zeggen een halfuur beslissen. De andere makelaar van ons kantoor wil vanavond al met de bezichtigingen beginnen.'

'Vanavond al?' zei Madeleine, die daar nogal door werd overvallen. 'Je zei toch morgen?'

'Dat had hij ook gezegd. Maar hij heeft zich bedacht. Dit huis is nogal gewild.'

Madeleine keek Leonard aan en probeerde zijn gedachten te lezen. Toen sloeg ze resoluut haar armen over elkaar. Aangezien ze niet buiten zouden gaan wonen, moest ze de risico's van een huis in Manhattan accepteren. 'Goed, ik neem het,' zei ze. 'Het is perfect. Dat ben je toch met me eens, hè, Leonard?'

'Kunnen we even overleggen?' vroeg hij aan Kelly.

'Natuurlijk! Geen probleem. Ik wacht wel even in de woonkamer.'

Toen ze weg was, liep Leonard naar het raam. 'Hoe duur is dit appartement eigenlijk?' vroeg hij.

'Zit daar nou maar niet over in.'

'Ik zou me nooit zoiets kunnen veroorloven. Ik weet niet of ik me daar wel prettig bij voel.'

Dat was een onderwerp dat best eens een keer besproken mocht worden, ware het niet dat ze dit gesprek al wel honderd keer hadden gevoerd. Vanmorgen nog. De treurige waarheid was dat Madeleine voor geen goud zou willen wonen in het soort woning dat Leonard wel kon betalen.

'Lieverd,' zei ze. 'Zit nou maar niet in over die huur. Je betaalt gewoon wat je kunt missen. Ik wil alleen maar dat we gelukkig worden.'

'Dat bedoel ik nou juist. Ik weet niet zeker of ik me hier wel gelukkig kan voelen.'

'Als ik de man was, zouden we dit gesprek niet eens voeren. Dan zou het heel normaal zijn.'

'Dat ik me hier de vrouw voel is inderdaad wel een beetje het probleem.'

'Waarom ben je dan komen kijken?' vroeg Madeleine die een beetje geïrriteerd begon te raken. 'Wat dacht je dán dat we hier gingen doen? We kunnen toch niet eeuwig bij mijn ouders blijven wonen? Word je daar soms gelukkig van? Dat we bij mijn ouders wonen?'

Leonard liet zijn schouders hangen. 'Ik weet het,' zei hij, en er klonk oprechte spijt in zijn stem door. 'Je hebt gelijk. Het spijt me. Ik vind het gewoon moeilijk. Begrijp je dat dit moeilijk voor me is?'

Het leek het beste om maar ja te knikken.

Leonard staarde uit het raam. Na ongeveer een halve minuut haalde hij diep adem en zei: 'Goed. We doen het, we nemen het.'

Madeleine liet er geen gras over groeien. Ze zei tegen Kelly dat ze de woning accepteerden en bood aan een cheque uit te schrijven voor de borg. Maar Kelly had een beter idee. Ze stelde voor om meteen maar alles te regelen en het contract vandaag nog te tekenen, wat hun een extra reis naar de stad zou besparen. 'Jullie kunnen even ergens koffie gaan drinken terwijl ik het contract opstel. Dat duurt hooguit een kwartiertje.'

Dat klonk als een goed plan, dus namen ze de lift naar beneden en stapten vanuit de lobby de drukkende hitte van de stad weer in.

Onderweg naar Broadway wees Kelly hun de verschillende zaken in de omgeving aan, de stomerij, de slotenmaker en het buurteethuis.

'Wachten jullie daar maar even,' zei Kelly met een gebaar naar het restaurant. 'Ik ben met een kwartiertje terug. Halfuurtje op zijn hoogst.'

Madeleine en Leonard namen een tafeltje aan het raam. Het eethuis had Griekse muurschilderingen en een kaart van twaalf bladzijden, en het was er prettig koel vanwege de airconditioning. 'Dit wordt onze vaste stek,' zei Madeleine goedkeurend om zich heen kijkend. 'We kunnen hier 's ochtends ontbijten.'

De ober kwam naar hun tafeltje om hun bestelling op te nemen.

'Goedenavond, weten jullie al wat je wilt bestellen?'

'Twee koffie alsjeblieft,' zei Madeleine glimlachend. 'En voor mijn man graag een stuk appeltaart met een plak cheddar erop.'

'Komt voor elkaar,' zei de ober en hij beende weg.

Madeleine had verwacht dat Leonard blij verrast zou zijn. Maar tot haar verbazing vulden zijn ogen zich met tranen.

'Wat is er?'

Hij schudde zijn hoofd en wendde zijn blik af. 'Dat was ik vergeten,' zei hij schor. 'Het lijkt een eeuwigheid geleden.'

Buiten lengden de schaduwen op de stoep. Madeleine keek naar het verkeer dat over Broadway raasde en probeerde een opkomend gevoel van wanhoop te onderdrukken. Ze wist niet meer hoe ze Leonard kon opvrolijken. Alles wat ze probeerde had hetzelfde resultaat. Ze was bang dat Leonard nooit meer gelukkig zou worden, dat hij dat vermogen verloren had. En nu, terwijl ze blij zouden moeten zijn met hun nieuwe appartement of hun nieuwe buurt zouden moeten gaan ontdekken, zaten ze op met plastic beklede banken tegenover elkaar te zwijgen en meden ze elkaars blik. Erger nog, ze wist dat hij het ook wist. Zijn lijden werd nog verergerd door de wetenschap dat hij haar ermee opzadelde. Maar hij kon er niets aan doen. Aan de andere kant van de spiegelruit nam de zomeravond langzaam bezit van de straat. Mannen kwamen thuis van hun werk, hun das losgeknoopt, jas in de hand. Madeleine hield al een tijdje niet meer bij welke dag het precies was, maar aan de ontspannen gezichten van de mensen en aan de menigte die na het borreluurtje uit de bar aan de overkant naar buiten kwam, zag ze dat het vrijdag was. De zon zou pas over vier uur ondergaan, maar de avond – en daarmee het weekend – was officieel begonnen.

De ober bracht de appeltaart, met twee vorkjes. Maar geen van beiden nam een hap.

Na twintig minuten verscheen Kelly weer, met een stapel papieren onder haar arm. Ze had twee clausules aan het standaardcontract toegevoegd; in het ene werd vastgelegd dat onderhuurders waren toegestaan, in het andere dat huisdieren waren verboden. Boven aan het formulier had ze de volledige namen van Madeleine en Leonard getypt en de bedragen van de huur en de borg. Nadat ze plaats had genomen en taart had besteld, verzocht ze Madeleine een cheque uit te schrijven voor de borg en de eerste maand huur. Daarna liet ze hun allebei hun handtekening zetten.

'Gefeliciteerd. Jullie zijn nu officieel inwoners van New York. Dat moet gevierd worden.'

Madeleine was het bijna vergeten. 'Ken je Dan Schneider, Leonard?' vroeg ze. 'Hij geeft vanavond een feest.'

'Het is maar drie straten verderop,' zei Kelly.

Leonard staarde in zijn koffie. Madeleine kon niet goed uitmaken of hij zijn gevoelens probeerde te bepalen (zelfonderzoek) of dat zijn hersenactiviteit volledig tot stilstand was gekomen. 'Ik ben niet echt in een feeststemming,' zei hij.

Dat was niet wat Madeleine wilde horen. Ze had zin om het te vieren. Ze had net een huurcontract voor een appartement in Manhattan ondertekend en voelde er niets voor om meteen de trein terug naar New Jersey te nemen. Ze keek op haar horloge. 'Toe nou, het is pas kwart over zeven. We kunnen toch wel even gaan kijken.'

Leonard zei geen ja, maar hij zei ook geen nee. Madeleine stond op om de rekening te gaan betalen. Terwijl ze bij de kassa stond, ging Leonard naar buiten en stak een sigaret op. Hij rookte steeds gulziger. Hij zoog aan het filter alsof het verstopt zat en er extra kracht nodig was om de rook erdoorheen te zuigen. Toen ze met Kelly naar buiten kwam, leek de nicotine hem in elk geval zo ver tot bedaren te hebben gebracht dat hij zonder morren met hen meeliep.

Hij zweeg toen ze bij het gebouw aankwamen waar Schneider woonde, pal tegenover het metrostation Seventy-ninth Street, en ook in de lift naar de zesde verdieping zei hij niets. Maar toen ze het appartement binnenstapten, bleef hij plotseling staan en greep Madeleines arm vast.

'Wat nu weer?' vroeg ze.

Hij keek door de gang naar de woonkamer, die vol luid boven de muziek uit pratende mensen stond.

'Dit kan ik nu niet aan,' zei hij.

Kelly, die mogelijke problemen voorzag, liep snel door. Madeleine zag haar in de luchtig geklede mensenmenigte verdwijnen.

'Hoezo kun je het niet aan?'

'Het is hier te heet. Te druk.'

'Wil je weg?' vroeg ze, niet bij machte haar ergernis te verbergen.

'Nee,' zei hij, 'we zijn hier nu toch.'

Ze pakte zijn hand en nam hem mee naar binnen, en een tijdje ging alles redelijk goed. Leonard bleek in staat een gesprek gaande te houden.

Dan Schneider, bebaard en potig, maar met een schort voor, kwam met een glas in zijn hand op Madeleine af. 'Hé, ik hoor dat je in de buurt komt wonen,' zei hij. Ondanks het vroege uur sprak hij al enigszins met dikke tong. Hij begon haar over de buurt te vertellen, waar je boodschappen kon doen en waar je kon eten. Terwijl hij het over zijn favoriete Chinese afhaalrestaurant had, ging Leonard ervandoor en verdween in een ruimte die haar een slaapkamer toescheen.

Er hing een broeierige sfeer in het appartement. Iedereen zweette zichtbaar. Een paar meisjes droegen mouwloze hemdjes zonder beha en op de bank zat Adam Vogel met een ijsklontje in zijn nek te wrijven. Dan zei tegen Madeleine dat ze iets te drinken moest nemen en maakte zich slingerend uit de voeten.

Madeleine ging niet achter Leonard aan. Ze had zin om zich even een paar minuten niet met hem bezig te houden. Ze voegde zich bij Kelly bij de dranktafel, die vol stond met flessen Jim Beam, Oreo-koekjes, glazen en ijs. 'Purple Rain' knalde uit de speakers.

'Er is alleen maar bourbon,' zei Kelly.

'Doe maar, dan.' Madeleine hield haar een glas voor. Ze pakte een koekje en begon eraan te knabbelen.

Nog voor ze de kans kreeg zich om te draaien, kwam Pookie Ames vanuit de keuken op haar af.

'Maddy! Je bent weer terug! Hoe was het op Cape Cod?'

'Fantastisch,' loog ze.

'Was het niet naargeestig en deprimerend in de winter?'

Pookie wilde haar ring zien, maar keek er nauwelijks naar toen Madeleine hem liet zien. 'Niet te geloven dat je getrouwd bent,' zei ze. 'Wat ongelooflijk ouderwets.'

'Ik weet het,' zei Madeleine.

'Waar is je vriend? Ik bedoel, je man?'

Van Pookies gezicht viel onmogelijk af te lezen hoeveel ze wist.

'Die loopt hier ergens rond,' zei Madeleine.

Andere vrienden baanden zich een weg door de menigte om haar te begroeten. Ze bleef maar mensen omhelzen en vertellen dat ze binnenkort naar de stad ging verhuizen.

Pookie begon een verhaal te vertellen: 'Nou, ik werk dus als serveerster bij Dojo's en gister roept een klant me bij zich en hij zegt: "Volgens mij zit er een rat in mijn worst." En ik kijk – en er steekt een staart naar buiten. Zat er een hele rat in die worst!'

'Gatverdamme, nee!'

'En een van de voordelen van dat baantje is dat je er gratis eten krijgt, nou, dan weet je het wel.'

'Wat een smerig verhaal!'

'Maar dat was nog niet alles, daarna ging ik met die rattenworst naar de bedrijfsleider, want ik had geen idee hoe ik dat met die klant ging oplossen. Zegtie: "Zeg maar dat het van het huis is."'

Madeleine begon zich te vermaken. De bourbon was zo zoet dat het wel een alcoholhoudende colavariant leek. Het deed haar goed omringd te zijn door mensen die ze kende. Het gaf haar het gevoel dat het de juiste beslissing was om naar New York te verhuizen. Misschien was het isolement in Prettybrook wel een onderdeel van het probleem. Ze dronk haar glas leeg en schonk het weer vol.

Toen ze zich van de bar afkeerde zag ze dat een knappe jongen haar vanaf de andere kant van de kamer goedkeurend stond op te nemen. Ze had zich de laatste tijd zozeer een verpleegster gevoeld, zo seksloos, dat het een welkome verrassing was. Ze keek hem eventjes doordringend aan voordat ze haar blik afwendde.

Kelly kwam naar haar toe en fluisterde: 'Is alles in orde?'

'Leonard is in de slaapkamer.'

'Hij is tenminste meegekomen.'

'Ik word hoorndol van hem.' Ze had onmiddellijk spijt van die uitspraak en probeerde hem te verzachten. 'Hij is gewoon heel erg moe. Het is lief van hem dat hij mee is gegaan.'

Kelly boog zich weer naar haar toe. 'Dan Schneider probeert me dronken te voeren.'

'En?'

'Ik eet uit zijn hand.'

Het volgende halfuur liep Madeleine op het feest rond en praatte bij met oude bekenden. Ze verwachtte dat Leonard wel weer zou verschijnen. Toen dat weer een kwartier later nog steeds niet was gebeurd, ging ze kijken hoe het met hem was.

De slaapkamer stond vol met donkere eiken meubels en de muren waren behangen met etsen van Shakespeare-scènes. Leonard stond bij het raam te praten met een jongen die met zijn rug naar haar toe stond. Madeleine stond al midden in de kamer toen ze zich realiseerde dat het Mitchell was.

Er waren waarschijnlijk mensen van wie het nog pijnlijker zou zijn geweest om ze samen met Leonard aan te treffen, maar op dat moment wilde haar niemand te binnen schieten. Mitchell had zijn haar afgeknipt en was nog magerder geworden. Het viel moeilijk te zeggen wat haar het meest verwarde: zijn onverwachte aanwezigheid, zijn vreemde uiterlijk of het feit dat hij met Leonard stond te praten.

'Mitchell!' zei ze terwijl ze haar verwarring probeerde te verbergen. 'Wat heb je met je haar gedaan?'

'Ik heb me laten knippen,' antwoordde hij.

'Ik herkende je bijna niet. Wanneer ben je teruggekomen?'

'Drie dagen geleden.'

'Uit India?'

Op dat moment kwam Leonard ertussen. 'We zaten eigenlijk midden in een gesprek,' zei hij geërgerd.

Madeleine reageerde onmiddellijk, alsof ze op het verkeerde been was gezet bij een potje tennis. 'Ik kwam alleen maar even kijken of je al weg wilde,' zei ze bedaard.

'Ik wil hier inderdaad weg, maar eerst wil ik dit gesprek afmaken.'

Ze keek Mitchell aan in de verwachting dat hij bezwaar zou maken. Maar ook hij leek haast niet te kunnen wachten tot ze weer weg zou gaan. En dus nam ze met een kleine zwaai afscheid en liep de kamer uit met een air alsof ze de situatie volledig meester was.

In de woonkamer, waar het feest nu in volle gang was, probeerde ze zich weer te vermaken. Maar ze was er met haar gedachten niet meer bij. Ze vroeg zich af waar Mitchell en Leonard het over hadden. Ze was bang dat het over haar zou gaan. De ontmoeting met Mitchell had gevoelens bij haar losgemaakt die ze niet precies kon duiden. Alsof ze tegelijkertijd zowel opgewonden als bedroefd was.

Na een kwartier kwam Leonard eindelijk de slaapkamer uit en zei dat hij weg wilde. Hij keek haar niet aan. Toen ze zei dat ze Kelly gedag wilde zeggen, zei hij dat hij buiten wel zou wachten.

Terwijl ze afscheid nam van Kelly en haar nogmaals bedankte voor haar hulp bij het vinden van een huis, was ze zich pijnlijk bewust van het feit dat Mitchell nog steeds ergens op het feest was. Ze wilde hem niet onder vier ogen spreken, want haar leven was al ingewikkeld genoeg. Ze had geen zin om hem haar situatie uit te leggen of zijn beschuldigingen aan te horen, geen behoefte aan de gevoelens die een gesprek met hem misschien bij haar zouden oproepen. Maar net toen ze wilde gaan, kreeg ze hem in het oog en bleef even talmen, en hij kwam naar haar toe.

'Ik geloof dat ik je moet feliciteren,' zei hij.

'Dank je.'

'Nogal plotseling, je huwelijk.'

'Inderdaad.'

'Ik neem aan dat je nu dus tot Fase Eén behoort.'

'Ja, dat zou je zo kunnen zeggen.'

Mitchell droeg slippers en een spijkerbroek met opgerolde pijpen. Zijn voeten waren heel wit. 'Heb je mijn brief gekregen?' vroeg hij.

'Welke brief?'

'Ik heb je een brief gestuurd. Vanuit India. Tenminste, volgens mij wel. Ik was nogal van de wereld in die periode. Heb je hem echt niet gekregen?'

'Nee. Wat stond erin?'

Hij keek haar aan alsof hij haar niet geloofde. Ze voelde zich er ongemakkelijk onder.

'Ik betwijfel of dat nu nog wat uitmaakt,' zei hij.

Madeleines blik dwaalde even af naar de voordeur. 'Ik moet ervandoor,' zei ze. 'Waar logeer je?'

'Bij Schneider op de bank.'

Ze stonden een poos glimlachend tegenover elkaar tot Madeleine ineens een hand uitstak en Mitchell ruw over zijn bol aaide. 'Wat heb je met je krullen gedaan!' jammerde ze. Mitchell hield zijn hoofd gebogen terwijl ze over zijn stekeltjes wreef. Toen ze haar hand terugtrok, keek hij weer op. Door zijn kaalgeschoren schedel leken zijn grote ogen nog vragender dan voorheen.

'Kom je binnenkort nog naar de stad?' vroeg hij.

'Weet ik nog niet. Misschien.' Ze keek weer naar de deur. 'Mocht het zo zijn, dan bel ik je. Dan kunnen we samen lunchen of zoiets.'

Er viel niets anders te doen dan hem te omhelzen. Toen ze dat deed, schrok ze van zijn doordringende lichaamsgeur. Die was haast te intiem om in te ademen.

Leonard stond in de hal te roken toen ze naar buiten kwam. Hij wilde zijn peuk ergens weggooien, maar toen hij geen geschikte plek vond, nam hij hem mee de lift in. Terwijl ze naar beneden gingen, legde Madeleine haar hoofd op zijn schouder. Ze was een beetje aangeschoten. 'Dat was leuk,' zei ze. 'Heb jij je een beetje vermaakt?'

Leonard gooide het peukje op de vloer en trapte het uit met zijn schoen.

'Is dat een nee?'

De liftdeur schoof open en Leonard liep zonder een woord te zeggen de lobby door. Madeleine liep achter hem aan naar buiten, waar ze uiteindelijk tegen hem zei: 'Wat is er met jou aan de hand?'

Hij keek haar aan. 'Wat er met mij aan de hand is? Wat denk je? Ik ben depressíef, Madeleine. Ik heb een depréssie.'

'Dat weet ik toch.'

'O ja? Dacht je dat? Dat weet ik zo net nog niet. Anders zou je niet van die stomme vragen stellen.'

'Ik vroeg alleen maar of je je een beetje vermaakt hebt. Jezus!'

'Ik zal je vertellen wat er gebeurt met iemand die aan een klinische depressie lijdt,' begon Leonard op zijn razendmakende dokterstoontje. 'Het zit namelijk zo: de hersenen zenden een signaal uit dat ze stervende zijn. Het depressieve brein zendt dat signaal uit en het lichaam ontvangt dat en na verloop van tijd denkt het lichaam ook dat het stervende is. En dan begint het uit te vallen. Daarom doet depressie pijn, Madeleine. Daarom is het lichamelijk pijnlijk. Het brein denkt dat het sterft en dus denkt het lichaam dat het sterft en dat registreert het brein dan weer en zo gaan die signalen over en weer en heen en weer als een feedbackloop.' Leonard boog zich naar haar over. 'Dat is wat er zich op dit moment in mij afspeelt. Dat is wat er elk moment van elke dag binnen in mij gebeurt. En daarom geef ik geen antwoord op de vraag of ik me vermaakt heb op het feest.'

Hij was hyperwelbespraakt, maar zijn hersenen waren stervende. Madeleine probeerde tot zich door te laten dringen wat Leonard net gezegd had. Ze voelde zich warm door de bourbon en opgewonden door de stad. Nu ze weer beneden op straat stonden, was ze teleurgesteld dat ze terug naar huis moesten. Al meer dan een jaar had ze voor hem gezorgd, hopend dat hij beter zou worden, en nu was hij er erger aan toe dan ooit. Nu ze net van een feest kwam waar alle anderen blij en gezond leken, vond ze de hele situatie ontzettend oneerlijk.

'Kun je niet eens een uurtje naar een feestje gaan zonder te doen alsof je gemarteld wordt?'

'Nee, dat kan ik niet, Madeleine. Dat is het hem nou juist.'

Er kwam een stroom mensen van de metrotrap de straat op. Madeleine en Leonard moesten opzij gaan om ze te laten passeren.

'Ik begrijp best dat je depressief bent, Leonard. Maar daar slik je toch medicijnen tegen? Andere mensen slikken medicijnen en die functioneren prima.'

'O, dus nu beweer je dat ik zelfs als manisch-depressieveling niet deug?'

'Ik zeg alleen maar dat het soms wel lijkt alsof je het lékker vindt om depressief te zijn. Alsof je anders niet genoeg aandacht zou krijgen. Ik zeg dat je alleen omdat je depressief bent nog niet het recht hebt om tegen me uit te varen als ik je vraag of je het naar je zin hebt gehad!'

Ineens kreeg zijn gezicht een vreemde uitdrukking, alsof hij een of ander duister binnenpretje had. 'Weet je wat we zouden doen als we gistcellen waren?'

'Ik wil het niet weten!' zei Madeleine. 'Ik wil helemaal niets horen over gist, ik ben er doodziek van!'

'Als hij de keus heeft, wil een gistcel het liefst een diploïde zijn. Maar weet je wat er gebeurt als hij zich in een voedselarme omgeving bevindt?'

'Dat kan me niks schelen!'

'De diploïden delen zich weer op in haploïden. Eenzame kleine haploïden. Omdat het in tijden van crisis makkelijker is om als eencellige te overleven.'

Madeleine voelde tranen in haar ogen prikken. De aanvankelijk weldadige warmte van de bourbon brandde nu in haar borst. Ze probeerde de tranen weg te knipperen, maar er rolde er toch een over haar wang. Ze veegde hem met een vinger weg. 'Waarom doe je dit?' snikte ze. 'Probeer je ons uit elkaar te drijven? Is dat wat je wil?'

'Ik wil je leven niet verzieken,' zei Leonard, vriendelijker nu.

'Dat doe je ook niet.'

'De medicijnen vertragen het proces alleen maar. Maar de afloop is onvermijdelijk. De vraag is: hoe zet ik dit uit?' Hij tikte met zijn wijsvinger op zijn hoofd. 'Het maakt me kapot en ik kan het niet uitzetten. Luister naar me, Madeleine. Luister. Ik word nooit beter.'

Vreemd genoeg leek hij genoegen te scheppen in die uitspraak, alsof hij tevreden was dat hij de situatie duidelijk had uitgelegd.

Maar Madeleine hield vol: 'Natuurlijk wel! Dat denk je nu alleen maar omdat je in een depressie zit. Maar de dokter denkt er anders over.'

Ze sloeg haar armen om zijn hals. Een paar minuten geleden was ze nog volkomen gelukkig geweest en had ze het gevoel gehad dat hun leven eindelijk een gunstige wending nam. Maar nu leek het allemaal wel een wrede grap; het appartement, Columbia, alles. Ze stonden voor de metro-ingang, weer zo'n verstrengeld, huilend New Yorks stelletje, door alle voorbijgangers genegeerd, in volstrekte privacy te midden van een krioelende stad op een warme zomeravond. Madeleine zei niets omdat ze niet wist wat ze moest zeggen. Zelfs 'ik hou van je' leek misplaatst. Dat had ze in soortgelijke situaties al zo vaak tegen hem gezegd dat ze bang was dat het zijn betekenis begon te verliezen.

Maar ze had het toch moeten zeggen. Ze had haar armen om zijn hals geslagen moeten houden en hem nooit meer los moeten laten, want zodra ze de omhelzing verbrak, draaide hij zich met plotselinge besluitvaardigheid om en vluchtte de trap naar de metro af. Aanvankelijk was ze te verbouwereerd om te reageren. Toen rende ze hem achterna. Beneden aangekomen, zag ze hem nergens. Ze rende langs het kaartjesloket naar de andere uitgang. Ze dacht dat hij aan de andere kant van de straat weer omhoog was gegaan, maar toen zag ze hem achter de tourniquets naar het perron lopen. Terwijl ze in haar portemonnee naar wisselgeld voor een metromuntje zocht, hoorde ze het gerommel van een naderende trein. Ze voelde de tocht door de metrobuis trekken, afval woei op. Ze besefte dat Leonard over het poortje moest zijn gesprongen en besloot zijn voorbeeld te volgen. Ze nam een aanloop en sprong over het hek. Twee tieners begonnen te lachen toen ze het zagen: een jongedame uit de betere kringen, in een jurk! De lichten van de trein verschenen in de tunnel. Leonard was bij de rand van het perron aangekomen. De trein liep bulderend het station binnen en al rennend zag Madeleine dat ze te laat was.

Toen minderde de trein vaart en kwam tot stilstand. Leonard stond er nog; hij wachtte tot hij kon instappen.

Ze was nu bij hem. Ze noemde zijn naam.

Hij draaide zich om en keek haar met een lege blik aan. Hij stak zijn armen naar voren en legde teder zijn handen op haar schouders. Met een zachte, van medelijden en droefenis doortrokken stem zei hij: 'Ik scheid van u, ik scheid van u, ik scheid van u.'

En toen gaf hij haar een onzachte duw en sprong de trein in, vlak voordat de deuren zich sloten. Hij draaide zich niet om om haar door de ruit na te kijken.

De trein begon te rijden, eerst zo langzaam dat het leek alsof ze hem met haar hand tegen zou kunnen houden – alles tegen zou kunnen houden, wat Leonard net gezegd had, de duw die hij haar had gegeven en haar gebrek aan verzet, haar collaboratie – maar al snel had hij zo veel vaart dat ze niet meer bij machte was hem tot staan te brengen of zichzelf voor te liegen; en nu wervelde al het zwerfvuil op het perron in het rond en de wielen van de trein piepten en de lichten in het treinstel knipperden aan en uit als de lampen van een kapotte kroonluchter of de cellen van een stervend stel hersenen, terwijl de trein in het donker verdween.

Overlevingspakket voor
de jonge vrijgezellin

Er was veel wat je in de quakers kon bewonderen. Ze kenden geen kerkelijke hiërarchie. Ze spraken geen geloofsbelijdenis uit en tolereerden geen preken. Al in de zeventiende eeuw waren de seksen op hun bijeenkomsten volkomen gelijkwaardig. Bijna iedere sociale ontwikkeling in Amerika was door de quakers gesteund, vaak zelfs geïnitieerd, van de afschaffing van de slavernij tot de gelijkberechting van de vrouw, van de Drooglegging (goed, dat was een vergissing) tot de burgerrechtenbeweging en de milieubeweging. Het Genootschap der Vrienden kwam in eenvoudige ruimtes bijeen. Ze wachtten in stilte op de komst van het innerlijk Licht. Ze bevonden zich weliswaar in Amerika, maar behoorden Amerika niet toe. Zij weigerden in de Amerikaanse oorlogen mee te vechten. Toen de Amerikaanse regering in de Tweede Wereldoorlog de Japanse burgers interneerde, hadden de quakers zich daar fel tegen verzet en waren ze naar de stations gegaan om de Japanse gezinnen uit te zwaaien als die op de trein werden gezet. Ze hadden een gezegde: 'Waarheid, uit iedere bron'. Ze waren oecumenisch, oordeelden niet en lieten agnostici en zelfs atheïsten bij hun jaarlijkse Algemene Vergaderingen toe. In die allesomarmende geest had de kleine groep van gelovigen in het Friends Meeting House in Prettybrook ongetwijfeld ook plaatsgemaakt voor Mitchell toen die op de zomerochtendbijeenkomsten in die warme julimaand begon te verschijnen.

Het Meeting House stond aan het eind van een onverharde weg net buiten het Prettybrook Battlefield. Het was een eenvoudig gebouw van handgemetselde stenen met een witte houten veranda en één enkele schoorsteen dat sinds het bouwjaar – 1753, volgens de plaquette – niet was veranderd; er was alleen elektrische verlichting en centrale verwarming aangelegd. Op het prikbord bij de buitendeur zat een flyer voor een demonstratie tegen kernbommen, een verzoek om een petitie bij de regering in te dienen ten behoeve van Mumia Abu-Jamal, die het vorige jaar wegens moord was veroordeeld, en diverse pamfletten over de quakerij. In het eikenhouten interieur stonden de houten banken tegenover elkaar, zodat de gelovigen elkaar konden aankijken. Het licht viel binnen door overhuifde dakkapellen in het prachtige, gewelfde houten plafond van grijze latjes.

Mitchell zat graag achterin, achter een pilaar. Daar voelde hij zich onopvallend aanwezig. Afhankelijk van de bijeenkomst (er waren er elke dag twee, een om zeven uur en een om elf uur) waren er een stuk of dertig Vrienden aanwezig in de intieme, blokhutachtige ruimte. Meestal was het enige geluid het gezoem van het verkeer op Route 1 in de verte. Er kon een heel uur voorbijgaan zonder dat iemand iets zei. Op andere dagen nam soms iemand het woord als die een ingeving kreeg. Op een ochtend stond Clyde Pettengill op, steunend op een wandelstok, om zijn leedwezen uit te spreken over het ongeval bij de kerncentrale in Embalse in Argentinië, waar alle koelwater was weggestroomd. Zijn vrouw, Mildred, voelde zich na hem ook geroepen te spreken. Ze stond niet op, zoals hij, maar bleef met gesloten ogen zitten en sprak met heldere stem, haar mooie oude gezicht glimlachend opgeheven bij de herinnering. 'Misschien komt het doordat het zomer is – dat weet ik niet – maar vandaag moet ik weer denken aan de bijeenkomsten waar ik als klein meisje naartoe ging. 's Zomers leek het altijd het moeilijkst om stil te blijven zitten en te zwijgen. Daarom had mijn grootmoeder een strategie bedacht. Voordat de bijeenkomst begon, haalde ze een boterbabbelaar uit haar tas. Ze zorgde ervoor dat ik hem zag. Maar ik kreeg hem nog niet. Ze hield hem in haar hand. En als ik braaf was en me als een nette jongedame gedroeg, dan kreeg ik hem na drie kwartier. Nu ben ik tweeëntachtig, bijna drieëntachtig, en ik voel me nog net zo als toen. Ik wacht nog steeds op de boterbabbelaar die in mijn hand wordt gelegd. Al wacht ik nu natuurlijk niet meer letterlijk op snoep, maar op een zonnige zomerdag als vandaag, als de zon als een reusachtige boterbabbelaar aan de hemel staat. Maar ik merk dat ik poëtisch word. Ik kan dus maar beter ophouden.'

Mitchell zelf zei nooit iets. De Geest werd niet over hem vaardig. Hij zat op zijn bank en genoot van de ochtendstilte en de wat muffe geur in het Meeting House. Maar hij had niet het gevoel dat hij recht had op verlichting.

De schaamte die hij voelde omdat hij uit Kalighat was weggelopen, was nog niet verdwenen, zelfs nu niet, na een halfjaar. Nadat hij uit Calcutta was weggegaan, had hij zonder vast plan het hele land doorgereisd, als een vluchteling. In Benares had hij in de Yogi Lodge gelogeerd en was hij iedere morgen naar de *ghats* gegaan om de crematies te zien. Hij huurde een bootje met schipper om de Ganges op te varen. Na vijf dagen nam hij de trein terug naar Calcutta en ging naar het zuiden, naar Madras, de voormalige Franse buitenpost van Pondicherry (waar Sri Aurobindo had gewoond), en naar Madurai. Hij bleef één nacht in Trivandrum, in het uiterste zuiden van de kust van Malabar, en reisde toen langs de westkust naar het noorden. In Kerala was de alfabetiseringsgraad opvallend hoog en at Mitchell van een bananenblad in plaats van een bord. Hij hield contact met Larry en schreef naar American Express in Athene, en medio februari troffen ze elkaar in Goa.

Larry was niet met zijn oorspronkelijke ticket naar Calcutta gevlogen, maar had omgeboekt naar Bombay om vandaar per bus naar Goa te reizen. Ze hadden om twaalf uur 's middags bij het busstation afgesproken, maar Larry's bus was te laat. Mitchell ging drie keer naar de afgesproken plek en keek naar de passagiers die uit de veelkleurige bussen stapten voordat hij eindelijk, om een uur of vier, Larry zag. Mitchell was zo blij om hem te zien dat hij aan één stuk door grijnsde en Larry op zijn rug klopte.

'Man!' zei hij. 'Je hebt het gehaald!'

'Wat is er met jou gebeurd?' vroeg Larry. 'Ben je van de trap gevallen?'

Ze huurden die week een hut op het strand. Die had een tropisch ogend rieten dak en een ongezellig functionele betonnen vloer. In de andere hutten zaten Europeanen, van wie de meesten bloot rondliepen. Op de terrassen tegen de helling dromden Goaanse mannen samen onder de palmbomen om naar de naakte westerse vrouwen te gluren. Mitchell voelde zich te doorschijnend wit om zich aan de zon bloot te stellen en bleef in de schaduw, maar Larry trotseerde de brandende zon en bracht een groot deel van de dag op het strand door met zijn zijden sjaal om zijn hoofd.

Tijdens die serene dagen in de zachte zeebries en in de koele avonden vertelden ze elkaar hoe het hun was vergaan in de tijd dat ze elkaar niet hadden gezien. Larry was onder de indruk van Mitchells wederwaardigheden in Kalighat. Hij leek niet te vinden dat drie weken vrijwilligerswerk niets voorstelden.

'Ik vind het geweldig dat je dat gedaan hebt,' zei hij. 'Je hebt voor moeder Teresa gewerkt! Niet dat ik zoiets zou willen. Maar het is wel echt iets voor jou.'

Met Iannis was het niet zo goed gegaan. Hij had Larry bijna meteen gevraagd hoeveel geld zijn familie bezat. Toen hij hoorde dat Larry's vader advocaat was, vroeg hij of hij hem misschien aan een werkvergunning kon helpen. Hij deed bezitterig of afstandelijk, al naar gelang de omstandigheden. Als ze samen naar een homobar gingen, werd hij krankzinnig jaloers als Larry zelfs maar naar een andere jongen kéék. De rest van de tijd mocht Larry hem niet aanraken uit angst dat iemand hun geheim zou ontdekken. Hij begon Larry 'flikker' te noemen en te doen alsof hij, Iannis, hetero was en alleen maar wat experimenteerde. Dat werd vermoeiend, net als het eindeloze rondhangen in Athene als Iannis thuis op de Peloponnesos zat. Uiteindelijk was Larry dus maar naar het reisbureau gegaan om zijn ticket om te boeken.

Het was geruststellend te horen dat homoseksuele relaties net zo ingewikkeld waren als heteroseksuele, maar Mitchell gaf geen commentaar. In de daaropvolgende drie maanden waarin ze over het subcontinent rondreisden, kwam Iannis niet meer ter sprake. Ze bezochten Mysore, Cochin, Mahabalipuram, bleven nergens langer dan een nacht of twee, reisden weer naar het noorden, waren in maart in Agra, gingen door naar Varanasi (ze gebruikten nu soms de Hindi-namen) en waren op tijd weer in Calcutta, waar ze professor Hughes ontmoetten en aan hun stage als onderzoeksassistent begonnen. Met Hughes kwamen ze in afgelegen dorpen zonder sanitair. Ze poepten naast elkaar gehurkt in het open veld. Ze beleefden avonturen, zagen heilige mannen over hete kolen lopen, filmden interviews met de grote choreografen van de gemaskerde Indiase dans en ontmoetten een heuse maharadja, die wel een paleis, maar geen geld had en een oude 'plu' als parasol gebruikte. In april werd het verstikkend warm. Het zou nog maanden duren voordat de moesson kwam, maar Mitchell voelde al dat het klimaat minder vriendelijk werd. Tegen eind mei begonnen de stijgende temperaturen en het gevoel van doelloosheid hem te bedrukken en besloot hij dat het tijd werd om naar huis te gaan. Larry wilde nog naar Nepal, dus hij bleef nog een paar weken.

Van Calcutta vloog Mitchell terug naar Parijs, logeerde daar een paar dagen in een behoorlijk hotel en gebruikte zijn creditcard voor de laatste keer. (Als hij weer in Amerika was, zou hij dat niet kunnen rechtvaardigen.) Op het moment dat hij aan de Europese tijd begon te wennen, nam hij een chartervlucht naar JFK. Hij was dus alleen, in New York, toen hij hoorde dat Madeleine met Leonard Bankhead was getrouwd.

Zijn strategie om de recessie af te wachten had niet gewerkt. In de maand dat hij terugkwam, stond de werkloosheid op 10,1 procent. Vanuit de bus van het vliegveld naar Manhattan zag hij lege bedrijfspanden met dichtgeverfde ramen. Er leefden meer mensen op straat dan vroeger en die hadden een nieuwe naam: daklozen. In zijn eigen portefeuille zat maar 270 dollar aan travellercheques en een biljet van twintig roepie dat hij als souvenir had bewaard. Omdat hij zijn laatste geld niet aan een New Yorks hotel wilde uitgeven, belde hij Dan Schneider op Grand Central om te vragen of hij een paar dagen bij hem kon slapen, en Schneider zei ja.

Mitchell nam de shuttle naar Times Square en ging vandaar met de metro naar Seventy-ninth Street. Schneider deed open en stond in de deuropening te wachten toen Mitchell op zijn verdieping uit de lift stapte. Ze omhelsden elkaar even en Schneider zei: 'Jezus, Grammaticus. Je ruikt nogal sterk.'

Mitchell zei dat hij in India de deodorant had afgezworen.

'Maar nu ben je weer in Amerika,' zei Schneider. 'En het is zomer. Koop een fles Old Spice, man.'

Schneider was helemaal in het zwart, wat bij zijn baard en cowboylaarzen paste. Zijn appartement was overdreven, trendy mooi, met ingebouwde boeken-kasten en een collectie iriserende keramiek van een kunstenaar wiens werk hij 'verzamelde'. Hij had een heel behoorlijke baan: hij verzorgde de subsidieaan-vragen voor de Manhattan Theatre Club en hij bood Mitchell graag een drankje aan in het Dublin House vlak bij zijn huis. Bij een pint Guinness praatte Schnei-der Mitchell bij over alle Brown-gerelateerde roddels die hij door zijn vertrek naar India had gemist. Lollie Ames was naar Rome verhuisd en had iets met een man van veertig. Tony Perotti, de anarchist van de campus, had bakzeil gehaald en was rechten gaan studeren. Thurston Meems had een cassette van zijn eigen quasinaïeve muziek gemaakt waarop hij zichzelf op een Casio begeleidde. Dat was allemaal best amusant, totdat Schneider opeens zei: 'O shit! Dat was ik hele-maal vergeten. Je vriendinnetje Madeleine is getrouwd! Lullig voor je, man.'

Mitchell reageerde niet. Het bericht was zo verpletterend dat hij het alleen kon overleven door te doen alsof hij er niet van opkeek. 'Ja, dat zat erin,' zei hij. 'Ja, nou, die Bankhead boft maar. Mooie meid. Al snap ik niet wat zij in hem ziet. Hij lijkt Lurch uit *The Addams Family* wel.' Schneider foeterde nog wat door over Bankhead en zijn soort, grote jongens met veel haar, terwijl Mitchell het bittere schuim van zijn bier afslurpte.

Zijn voorgewende gevoelloosheid hielp hem de volgende minuten door. En omdat het zo goed werkte, ging hij er de volgende dag mee door, totdat hij de volgende nacht om vier uur ineens wakker schoot en alle onverwerkte emoties hem troffen met de kracht van een dolkstoot. Hij lag op de chic-armoedige bank bij Schneider met zijn ogen wijd open. Er gingen buiten drie autoalarmen af en het leek wel alsof ze allemaal in zijn eigen borst tierden.

De volgende dagen behoorden tot de pijnlijkste van zijn leven. Hij dwaalde zwetend door de bloedhete straten en onderdrukte de kinderlijke aandrang om te janken. Hij had het gevoel dat er een enorme laars uit de hemel was neerge-daald die hem onder zijn hak vermorzelde als een sigarettenpeuk op de stoep. Hij dacht aldoor: ik heb verloren. Ik ben kapot. Hij heeft me verslagen. Het was bij-na lekker om zichzelf zo omlaag te halen en hij kon er niet meer mee ophouden. 'Ik ben gewoon een stuk stront. Ik ben altijd kansloos geweest. Belachelijk. Moet je mij nou zien. Kijk nou. Zo'n lelijke, kale, godsdienstwaanzinnige ZAKKEN-WASSER!' Hij verachtte zichzelf. Hij besloot dat het idee dat Madeleine met hem zou trouwen, voortkwam uit dezelfde goedgelovigheid waardoor hij was gaan denken dat hij een godvruchtig leven kon leiden en voor de zieken en stervenden in Calcutta kon zorgen. Dezelfde goedgelovigheid die hem ertoe had gebracht het Jezusgebed te reciteren, een kruis te dragen en te denken dat hij Madeleine er met een brief van kon weerhouden met Bankhead te trouwen. Zijn dromerigheid, zijn gezwijmel – zijn intelligente domheid – dat was de oorzaak van alles wat zo belachelijk aan hem was, en van zijn fantasie dat hij met Madeleine zou trouwen, en van de zelfopoffering waarmee hij zich indekte voor het geval dat die fantasie niet bewaarheid werd.

Twee avonden later gaf Schneider een feestje en veranderde alles. Mitchell, die zich niet erg feestelijk voelde, was naar buiten gegaan toen het feest op gang begon te komen. Nadat hij een keer of zes het blok rond had gelopen, was hij weer teruggegaan naar het feest, waar het ondertussen nog veel drukker was geworden. Hij trok zich terug in de slaapkamer met het idee daar wat te mokken, en ineens stond hij oog in oog met zijn aartsvijand, Bankhead, die op het bed zat te roken. En wat Mitchell nog meer verbaasde: hij was met Bankhead in een serieus gesprek verzeild geraakt. Natuurlijk begreep hij dat Bankheads aanwezigheid inhield dat Madeleine er ook moest zijn. Een van de redenen dat hij met Bankhead bleef praten, was dat hij de slaapkamer niet uit durfde omdat hij haar dan zou tegenkomen. Maar toen was Madeleine zelf binnengekomen. Mitchell had eerst gedaan alsof hij haar niet opmerkte, maar ten slotte had hij zich omgedraaid – en het was weer meteen als vanouds. Haar fysieke aanwezigheid kwam aan als een mokerslag. Hij voelde zich net de man in de reclame voor Maxwell-cassettes wiens haar naar achteren werd geblazen, ook al had hij zelf geen haar meer. Daarna ging het snel. Om de een of andere reden stuurde Bankhead Madeleine weg. Even later ging hij zelf ook. Mitchell slaagde erin even met Madeleine te praten voordat zij ook wegging. Maar een halfuurtje later kwam ze weer terug, duidelijk van streek en op zoek naar Kelly. Toen ze niet Kelly, maar Mitchell zag, was ze meteen op hem af gekomen en had ze zich trillend tegen hem aan gedrukt.

Samen met Kelly nam hij Madeleine mee naar de slaapkamer en sloot de deur. Terwijl buiten het feest in volle gang was, vertelde Madeleine wat er was gebeurd. Later, toen ze wat was gekalmeerd, belde ze haar ouders. Samen besloten ze dat ze op het moment maar het beste een taxi naar Prettybrook kon nemen. Ze wilde niet alleen zijn, dus Mitchell had aangeboden mee te rijden.

Sindsdien logeerde hij al bijna een maand bij de familie Hanna. Ze hadden hem weer de logeerkamer op zolder gegeven waar hij ook in de Thanksgiving-vakantie in hun tweede jaar geslapen had. Er was wel airconditioning in de kamer, maar Mitchell was inmiddels aan de derde wereld gewend en liet liever 's nachts de ramen open. Hij vond het fijn om de naaldbomen in de tuin te ruiken en 's morgens door de vogels te worden gewekt. Hij stond vroeg op, eerder dan alle anderen, en maakte vaak een lange wandeling om dan rond negenen samen met Madeleine te ontbijten.

Op een van die wandelingen had hij het Friends Meeting House ontdekt. Hij was op het Prettybrook Battlefield blijven staan om de historische plaquette naast de enig overgebleven boom te lezen. Halverwege begreep hij dat de 'Vrijheidsboom' die op de plaquette werd herdacht al jaren geleden aan een boomziekte was doodgegaan en dat de boom die er nu stond een vervanging was, een soort die beter bestand was tegen insecten, maar niet zo mooi of groot kon worden. Dat was al een geschiedenisles op zich. Dat gold voor zo veel dingen in Amerika. Hij liep weer door en volgde de grindweg naar de beboste parkeerplaats van het quakerterrein.

Daar stond een rij zuinige autootjes – twee Honda Civics, twee vw Golfjes en een Ford Fiesta – met de neus naar de muur van de begraafplaats geparkeerd. Afgezien van het oude Meeting House bij het bos was er nog een verwaarloosde speeltuin en een langwerpig, met aluminium platen beslagen gebouw met veel zijvleugels en teerpapier op het dak, waarin de kleuterschool, de administratie en een paar zaaltjes gevestigd waren. De meeste auto's hadden een bumpersticker van een wereldbol met daaronder de leus SAVE YOUR MOTHER, of alleen PEACE. Het Genootschap der Vrienden van Prettybrook telde een aantal leden met geitenwollen sokken en sandalen, maar toen Mitchell hen die zomer beter leerde kennen, ontdekte hij dat een stereotype lang niet alles zei. Er waren oudere quakers bij, zoals het echtpaar Pettengill, die zich vormelijk gedroegen en zich eenvoudig kleedden. Er was een man met een grijze baard en bretels bij die op Burl Ives leek. Joe Yamamoto, die hoogleraar scheikunde aan Rutgers was, en zijn vrouw June kwamen trouw naar de bijeenkomst van elf uur. Claire Ruth, een bankdirecteur uit de stad, had als meisje op quakerscholen gezeten; haar dochter Nell werkte in Philadelphia met gehandicapte kinderen. Bob en Eustacia Tavern waren al gepensioneerd; Bob was amateurastronoom en Eustacia was onderwijzeres op een basisschool geweest en schreef nu vlammende epistels naar de *Prettybrook Packet* en *The Trentonian* over het lozen van pesticiden in het drinkwater van de regio Delaware. Er waren meestal ook een paar bezoekers van buiten, Amerikaanse boeddhisten die in de stad waren voor een conferentie of een theologiestudent.

Zelfs Voltaire had respect voor de quakers. Goethe was een bewonderaar. Emerson had gezegd: 'Ik beschouw mezelf eerst en vooral als quaker. Ik geloof in de stille, zachte stem.' Mitchell zat achterin en deed zijn best om hetzelfde te doen. Maar dat viel niet mee. Zijn gedachten werden te veel in beslag genomen door zijn dagdromen. Hij was nog steeds in Prettybrook omdat Madeleine niet wilde dat hij wegging. Ze zei dat ze zich prettiger voelde als hij in de buurt was. Dan keek ze met aanbiddelijk gefronste wenkbrauwen naar hem op en zei: 'Niet weggaan. Je moet me tegen mijn ouders beschermen.' Ze waren bijna de hele dag samen. Ze zaten op het terras te lezen of liepen naar de stad om koffie te drinken of een ijsje te eten. Nu Bankhead weg was en Mitchell althans fysiek zijn plaats innam, laaide zijn chronische goedgelovigheid weer op. Tijdens de stille quaker-bijeenkomsten vroeg Mitchell zich bijvoorbeeld af of Madeleines huwelijk met Bankhead misschien bij het plan hoorde, een plan dat complexer in elkaar zat dan hij had verwacht. Misschien was hij wel op precies het juiste moment in New York aangekomen.

Iedere keer als de oudsten elkaar een hand gaven ten teken dat de bijeenkomst was afgelopen, deed Mitchell zijn ogen open en realiseerde hij zich dat hij er niet in was geslaagd zijn gedachten het zwijgen op te leggen en ook geen aandrang had gevoeld om te spreken. Hij ging naar buiten, waar Claire Ruth sap en vruchten op de picknicktafel had klaargezet, en na even met haar te hebben gepraat, ging hij terug naar de zoveelste aflevering van het drama in huize Hanna.

De eerste paar dagen na Leonards vertrek hadden ze vooral geprobeerd hem op te sporen. Alton nam contact op met de politie van New York City en van de staat New York, maar beide keren kreeg hij te horen dat een man die bij zijn vrouw was weggelopen onder de persoonlijke aangelegenheden viel en daarom niet in aanmerking kwam voor politieonderzoek. Daarna had hij dokter Wilkins van het Penn Hospital gebeld. Toen hij de psychiater vroeg of hij Leonard misschien had gezien, had Wilkins zich op zijn ambtsgeheim beroepen en geweigerd te antwoorden, tot grote woede van Alton, die Leonard niet alleen naar Wilkins had gestuurd, maar ook de hele behandeling had betaald. Toch wees Wilkins' zwijgen erop dat Leonard contact met hem had en zich mogelijk nog in de omgeving bevond. Het leek er ook op te duiden dat Leonard zijn medicijnen innam.

Mitchell begon toen iedereen te bellen die hij in New York kende om te kijken of iemand Bankhead had gezien of gesproken. Binnen twee dagen sprak hij drie verschillende mensen – Jesse Kornblum, Mary Stiles en Beth Tolliver – die allemaal beweerden dat ze hem hadden gezien. Mary Stiles zei dat Bankhead bij iemand in DUMBO op zolder zat. Bankhead had Jesse Kornblum zo vaak op zijn werk gebeld dat Kornblum uiteindelijk niet meer opnam. Beth Tolliver had Bankhead bij een etentje in Brooklyn Heights ontmoet en zei dat hij verdrietig leek om het verscheiden van zijn huwelijk. 'Ik kreeg het gevoel dat Maddy hém had gedumpt,' zei ze. Zo bleef het meer dan een week, totdat Phyllida op het idee kwam Bankheads moeder in Portland te bellen en van haar hoorde dat Leonard de afgelopen twee dagen in Oregon had gezeten.

Phyllida beschreef het telefoontje als een van de vreemdste van haar leven.

Rita had gedaan alsof het allemaal nogal onbelangrijk was, zoiets als een breuk tussen twee middelbare scholieren. Zij vond dat Leonard en Madeleine een domme vergissing hadden begaan en dat zij en Phyllida als moeders zoiets hadden moeten zien aankomen. Phyllida zou hier aanstoot aan hebben genomen als het niet zo duidelijk was geweest dat Rita had gedronken. Phyllida bleef lang genoeg aan de lijn om vast te stellen dat Leonard twee nachten bij zijn moeder had gelogeerd en toen met een oude schoolvriend, Godfrey, naar een blokhut in het bos was vertrokken, waar ze de hele zomer wilden blijven.

Op dat moment verloor Phyllida haar zelfbeheersing. 'Mevrouw Bankhead,' zei ze, 'ik – ik weet niet wat ik moet zeggen! Madeleine en Leonard zijn nog steeds getrouwd. Leonard is de man van mijn dochter, mijn schoonzoon, en u vertelt me doodleuk dat hij ergens in het bos gaat wonen!'

'U vroeg waar hij was. En dat heb ik u verteld.'

'Is het wel eens bij u opgekomen dat Madeleine dat misschien zou willen weten? En dat we ons zorgen over Leonard maken?'

'Hij is gisteren pas vertrokken.'

'En wanneer had u ons dat willen laten weten?'

'Ik weet niet of uw toon me wel bevalt.'

'Mijn toon doet niet ter zake. Waar het om gaat is dat Leonard tegen Madeleine heeft gezegd dat hij wil scheiden, na twee maanden huwelijk. En nu zouden mijn man en ik graag willen weten of Leonard dat werkelijk meent, of hij wel bij zijn verstand is of dat het om een aspect van zijn ziekte gaat.'

'Welke ziekte?'

'Zijn bipolaire stoornis!'

Rita lachte traag en gorgelend. 'Leonard is altijd al zo theatraal geweest. Hij had acteur moeten worden.'

'Hebt u een telefoonnummer waar we hem kunnen bereiken?'

'Ik denk niet dat ze in die hut telefoon hebben. Het is daar nogal primitief.'

'Verwacht u binnenkort van Leonard te horen?'

'Met hem weet je het nooit. Sinds zijn huwelijk heeft hij nauwelijks iets van zich laten horen, en toen stond hij opeens voor de deur.'

'Als hij contact opneemt, wilt u hem dan alstublieft vragen of hij Madeleine belt? Ze is tenslotte nog steeds zijn wettige echtgenote. Deze situatie moet op de een of andere manier worden opgehelderd.'

'Dat ben ik met u eens,' zei Rita.

Toen ze wisten dat Bankhead niet direct in gevaar was en vooral dat hij ervoor had gezorgd dat er een heel continent tussen hem en zijn bruid en schoonfamilie in lag, kozen Alton en Phyllida een andere benadering. Mitchell zag ze in het tuinhuis praten, alsof ze niet wilden dat Madeleine het hoorde. Een keer toen hij terugkwam van een ochtendwandeling zaten ze samen in de auto in de garage. Hij had niet gehoord wat ze zeiden, maar hij had wel zo zijn vermoedens. En op een avond toen ze na het eten allemaal op het terras zaten met een drankje, sneed Alton het onderwerp aan dat hen allemaal bezighield.

Het was net na negenen en de schemering verdiepte zich tot duisternis. De pomp van het zwembad zwoegde achter het hek en zorgde voor een ruisende begeleiding bij het gesjirp van de krekels. Alton had een fles dessertwijn opengetrokken. Zodra hij de glazen had volgeschonken, ging hij naast Phyllida op het rieten bankje zitten en zei: 'Ik wil graag even familieberaad houden.'

De oude Deense dog van de buren hoorde dat er iets gaande was, blafte plichtsgetrouw drie keer en begon langs de onderkant van het hek te snuffelen. De lucht was zwaar van de tuingeuren en het rook naar bloemen en kruiden.

'Wat ik jullie wil voorleggen is de situatie met Leonard. Na het gesprek van Phyl met mevrouw Bankhead...'

'Dat rare mens,' zei Phyllida.

'...geloof ik dat het tijd is om eens te evalueren wat ons te doen staat.'

'Wat mij te doen staat, bedoel je,' zei Madeleine.

Achter in de tuin hikte het zwembad. Een vogel vloog op van een tak, net iets zwarter dan de hemel.

'Je moeder en ik zijn benieuwd wat je van plan bent.'

Madeleine nam een slokje wijn. 'Dat weet ik niet,' zei ze.

'Goed. Best. Daarom heb ik deze vergadering ook belegd. Ten eerste stel ik voor dat we de mogelijkheden eens op een rijtje zetten. Ten tweede wilde ik proberen vast te stellen wat de mogelijke uitkomsten daarvan zijn. Dan kunnen we die uitkomsten met elkaar vergelijken en ons een oordeel vormen over de beste aanpak. Afgesproken?'

Toen Madeleine geen antwoord gaf, zei Phyllida: 'Afgesproken.'

'Volgens mij zijn er twee mogelijkheden, Maddy,' zei Alton. 'Een: je verzoent je met Leonard. Twee: jullie verzoenen je niet.'

'Ik heb eigenlijk geen zin om het hier nu over te hebben,' zei Madeleine.

'Maddy – laat me even uitspreken. Wat die verzoening betreft – denk je dat dat mogelijk is?'

'Waarschijnlijk wel,' zei Madeleine.

'Hoe dan?'

'Weet ik veel. Alles is mogelijk.'

'Denk je dat Leonard uit zichzelf terugkomt?'

'Ik zeg toch dat ik dat niet weet.'

'Ben je bereid naar Portland te gaan en hem te zoeken? Want als je niet weet of hij terugkomt en je bent niet bereid hem te gaan zoeken, dan lijkt de kans op een verzoening me niet erg groot.'

'Misschien doe ik dat wel!' zei Madeleine met stemverheffing.

'Goed, goed,' zei Alton. 'Stel dat je dat doet. Dan sturen we je morgenochtend naar Portland. En dan? Hoe had je Leonard willen vinden? We weten niet eens waar hij is. En stel dat je hem vindt. Wat doe je als hij niet terug wil komen?'

'Maddy zou niet het initiatief moeten nemen,' zei Phyllida grimmig. 'Leonard zou op zijn blote knieën moeten smeken of ze hem terug wil nemen.'

'Ik wil het er niet over hebben,' herhaalde Madeleine.

'Lieverd, het moet,' zei Phyllida.

'Ik moet helemaal niets.'

'Het spijt me, maar het moet echt!' hield Phyllida vol.

Al die tijd had Mitchell rustig in zijn tuinstoel van zijn wijn zitten drinken. Madeleine en haar ouders leken te zijn vergeten dat hij daar zat of ze beschouwden hem inmiddels als een familielid en vonden het niet erg dat hij erbij was terwijl ze zo aan het bekvechten waren.

Alton probeerde de spanning te doorbreken. 'Laten we die verzoening even vergeten,' zei hij op mildere toon. 'Daar worden we het kennelijk nog niet over eens. Er is nog een mogelijkheid die wat duidelijker omlijnd is. Stel dat jullie je niet met elkaar verzoenen. Ik zeg: stél. Ik ben zo vrij geweest eens met Roger Pyle te gaan praten…'

'Heb je het aan hém verteld?' riep Madeleine uit.

'Strikt vertrouwelijk,' zei Alton. 'En als jurist is Roger van mening dat in een situatie als deze, als een van beide partijen contact weigert, een nietigverklaring het beste is.'

Hij zweeg. Hij leunde achterover. Het woord was gevallen. Het leek erop dat het zijn voornaamste doel was geweest dat woord uit te spreken, en nu was hij even uitgepraat. Madeleine keek nijdig.

'Een nietigverklaring is een stuk eenvoudiger dan een echtscheiding,' zei hij toen. 'Om een heleboel redenen. Het huwelijk wordt dan ongeldig verklaard. Net alsof het nooit heeft plaatsgevonden. Je bent dan geen gescheiden vrouw. Het is alsof je nooit getrouwd bent geweest. En het mooiste is nog wel dat het niet nodig is dat beide partijen erin toestemmen. Roger heeft ook naar de wetgeving van Massachusetts gekeken en daarin staat dat een huwelijk om de volgende redenen nietig kan worden verklaard.' Hij telde ze op zijn vingers af. 'Eén: bigamie. Twee: impotentie bij de man. Drie: een geestesziekte.'

Hier zweeg hij. De krekels leken luider te sjirpen en in de donkere achtertuin lichtten de vuurvliegjes toverachtig op alsof dit een mooie zomeravond was.

Met een knal viel Madeleines wijnglas op de grond. Ze sprong op. 'Ik ga naar binnen!'

'Maddy, we moeten dit bespreken.'

'Met je advocaat praten, dat is het enige wat jij kunt bedenken als er iets lastigs aan de hand is!'

'Ik ben anders maar wat blij dat ik Roger heb gebeld over de huwelijkse voorwaarden die jij niet wilde tekenen,' zei Alton, wat niet erg handig was.

'Ja, precies!' zei Madeleine. 'Goddank ben ik geen geld kwijtgeraakt! Mijn hele leven ligt in puin, maar ik heb tenminste mijn kapitaal nog! Dit is geen directievergadering, papa. Dit gaat over mijn leven!' En met die woorden vluchtte ze naar haar kamer.

De eerstvolgende drie dagen weigerde ze met haar ouders samen te eten. Ze kwam zelden beneden. Dat bracht Mitchell in een lastige positie. Als enige onpartijdige huisgenoot was hij de aangewezen persoon om het contact tussen de partijen in stand te houden. Hij voelde zich net Philip Habib, de speciale gezant voor het Midden-Oosten die hij elke avond op het televisiejournaal zag. Hij hield tijdens het borreluur Alton gezelschap en keek dan naar Habib, die met Yasser Arafat of met Hafez al-Assad of met Ariel Sharon sprak; hij ging van de een naar de ander, bracht boodschappen over, vleide, adviseerde, dreigde, gaf complimentjes en deed zijn uiterste best om een oorlog te voorkomen. Na zijn tweede gin-tonic kreeg Mitchell de geest en begon vergelijkingen te trekken. Madeleine, die zich in haar kamer had verschanst, was net een PLO-factie die zich in Beiroet schuilhield en af en toe tevoorschijn kwam om een bom de trap af te gooien. Alton en Phyllida bezetten de rest van het huis als de Israëli's, geen duimbreed wijkend en beter bewapend, vastbesloten om van Libanon hun protectoraat te maken en voor Madeleine te beslissen. Tijdens zijn missies naar Madeleines fort hoorde Mitchell haar klachten aan. Ze zei dat Alton en Phyllida Leonard nooit hadden gemogen. Ze waren altijd tegen hun huwelijk gekant geweest. Weliswaar hadden ze hem na zijn instorting goed behandeld en hadden ze het nooit over scheiden gehad totdat Leonard dat woord als eerste in de mond had genomen. Maar nu had ze het gevoel dat haar ouders in stilte blij waren dat Leonard vertrokken was, en daarvoor wilde ze hen straffen. Als Mitchell zo veel mogelijk informatie over Madeleines gevoelens had ingewonnen, ging hij weer naar beneden om met Alton en Phyllida te overleggen. Hij merkte dat ze veel meer met Madeleine meeleefden dan zij zelf dacht. Phyllida bewonderde haar loyaliteit aan Leonard, maar het leek haar een verloren zaak. 'Madeleine denkt dat ze Leonard kan redden,' zei ze. 'Maar in werkelijkheid kan of wil hij niet gered worden.' Alton deed streng en zei dat Madeleine 'haar verlies moest nemen', maar aan zijn veelvuldige stiltes en de stevige borrels die hij dronk terwijl Habib op de televisie weer eens in zijn geruite broek over een stuk asfalt in de woestijn hinkte, merkte Mitchell wel hoeveel verdriet hij om Madeleine had. Mitchell volgde het voorbeeld van de diplomaat, oefende geduld en liet hen allemaal hun grieven ventileren totdat ze eindelijk om advies vroegen.

'Wat vind jij nou dat ik moet doen?' vroeg Madeleine hem drie dagen na haar aanvaring met Alton. Vóór het feest bij Schneider had hij het wel geweten. Toen zou hij hebben gezegd: 'Laat je van Bankhead scheiden en trouw met mij.' En nu Bankhead in niets liet blijken dat hij het huwelijk wilde redden en zelfs was ondergedoken in de wildernis van Oregon, leek er weinig hoop op verzoening. Hoe kon je getrouwd blijven met iemand die niet met jou getrouwd wilde zijn? Maar Mitchells gevoelens voor Bankhead hadden een ingrijpende verandering ondergaan sinds hij met hem had gepraat, en nu had hij tegenover zijn voormalige rivaal verwarrend genoeg last van iets wat verdacht veel op empathie, zelfs op genegenheid leek.

Het onderwerp van hun lange gesprek in Schneiders slaapkamer was, verrassend genoeg, religie geweest. En nog verrassender: Bankhead was er zelf over begonnen. Eerst had hij Mitchell het bijvak religieuze studies in herinnering gebracht dat ze samen hadden gevolgd. Hij zei dat hij onder de indruk was van veel wat Mitchell toen had gezegd. Daarna had hij Mitchell naar zijn eigen religieuze gevoelens gevraagd. Hij leek tegelijkertijd nerveus en lusteloos. Zijn ondervraging had iets waarneembaar wanhopigs, even sterk en scherp als de geur van de sjekkies die hij draaide terwijl ze praatten. Mitchell beantwoordde zijn vragen zo goed als hij kon. Hij vertelde over zijn eigen specifieke religieuze ervaringen. Bankhead luisterde aandachtig, receptief. Hij leek open te staan voor alle hulp die Mitchell hem zou kunnen bieden. Hij vroeg of Mitchell mediteerde. Hij vroeg of hij naar de kerk ging. Toen Mitchell hem zoveel had uitgelegd als hij kon, vroeg hij aan Bankhead waarom hij daarin geïnteresseerd was. Toen verraste Bankhead hem opnieuw. 'Kun je een geheim bewaren?' vroeg hij. Hoewel ze elkaar nauwelijks kenden, hoewel Mitchell in allerlei opzichten wel de laatste was die Bankhead in vertrouwen zou moeten willen nemen, vertelde hij over een ervaring die hij onlangs in Europa had gehad en die zijn levenshouding had veranderd. Het was op een strand, zei hij, midden in de nacht. Hij keek omhoog naar de sterrenhemel en kreeg toen plotseling het gevoel dat hij kon opstijgen naar de ruimte, als hij dat zou willen. Hij had het aan niemand verteld omdat hij op dat moment niet bij zijn volle verstand was geweest, zodat die ervaring niet serieus zou worden genomen. Maar zodra het idee bij hem was opgekomen, was het ook gebeurd: hij was plotse-

ling in de ruimte; hij zweefde langs Saturnus. 'Het voelde niet aan als een halluci-
natie,' had Bankhead gezegd. 'Dat moet ik er nadrukkelijk bij zeggen. Het voelde
aan als het meest lucide moment van mijn leven.' Een minuut lang, of tien minuten, of een uur – dat wist hij niet – had hij langs Saturnus gezweefd, de ringen bekeken, de warme gloed van de planeet op zijn gezicht gevoeld, en toen was hij weer
terug op aarde, op het strand, in een wereld vol problemen. Bankhead zei dat dat
visioen of wat het ook was, het meest ontzagwekkende moment van zijn hele leven
was geweest. Hij zei dat het aanvoelde als een 'religieuze ervaring'. Hij wilde Mitchells mening horen. Kon je die ervaring als religieus beschouwen omdat die toen
zo aanvoelde of werd dat ontkracht door het feit dat hij op dat moment technisch
gezien krankzinnig was geweest? En als het niets voorstelde, waarom was hij er dan
nog steeds zo van in de ban?

Mitchell had gezegd dat mystieke ervaringen, voor zover hij die begreep, alleen iets voorstelden als ze iemands perceptie van de werkelijkheid veranderden,
en als die verandering ook had geleid tot een verandering in gedrag en handelen,
een verlies van ego.

Toen had Bankhead weer een sigaret opgestoken. 'Het zit zo,' zei hij op zachte, intieme toon. 'Ik ben klaar om de sprong te maken waar Kierkegaard het over
had. Mijn hart is er klaar voor. Mijn hoofd is er klaar voor. Maar mijn benen willen niet. Ik kan "spring" zeggen zo vaak ik wil, maar er gebeurt niets.'

Toen had Bankhead verdrietig gekeken en was hij meteen weer afstandelijk
geworden. Hij had afscheid genomen en was de kamer uit gelopen.

Door dat gesprek was Mitchells houding tegenover Bankhead veranderd. Hij
kon hem niet meer haten. Datgene in hem wat blij zou zijn geweest met Bankheads val was niet meer werkzaam. Tijdens het hele gesprek had Mitchell gevoeld wat talloze mensen voor hem hadden ervaren: de intens bevredigende gewaarwording van Bankheads intelligente, volledige aandacht. Hij had het gevoel
dat Leonard Bankhead en hij in andere omstandigheden misschien de beste
vrienden hadden kunnen worden. Hij begreep waarom Madeleine verliefd op
hem was geworden, waarom ze met hem was getrouwd.

Ook los daarvan moest Mitchell wel respect voor Bankhead hebben om wat
hij had bereikt. Het was mogelijk dat hij van zijn depressie zou herstellen; mettertijd was dat zelfs meer dan waarschijnlijk. Bankhead was een slimme jongen.
Misschien kreeg hij zijn leven weer op de rails. Maar welk succes hij in zijn leven
ook zou behalen, het zou niet gemakkelijk gaan. Het zou altijd worden overschaduwd door zijn ziekte. Dat had hij Madeleine willen besparen. Hij had nog een
lange weg te gaan, die wilde hij alleen afleggen en daarbij wilde hij andere mensen zo weinig mogelijk schade berokkenen.

En zo kabbelde de zomer voort. Mitchell logeerde nog steeds bij de familie Hanna en maakte nog steeds zijn lange wandelingen naar het Friends Meeting House. Telkens als hij opperde dat het tijd werd om te vertrekken, vroeg Madeleine of hij nog wat bleef, en dat deed hij dan. Dean en Lillian snapten niet waarom hij niet meteen naar huis kwam, maar door de opluchting dat hij terug was uit India konden ze het geduld opbrengen om nog wat te wachten. Juli verstreek, augustus brak aan en nog steeds had Bankhead niet gebeld. Op een zaterdag kwam Kelly Traub naar Prettybrook met de sleutels van Madeleines nieuwe appartement. Geleidelijk, stuk voor stuk en dag na dag, begon Madeleine de dingen in te pakken die ze naar Manhattan wilde meenemen. In de benauwde berging op zolder was ze in tennisrokje en bikinitop met van zweet glinsterende rug en schouders bezig meubels apart te zetten die mee moesten en doorzocht ze kasten op glazen en andere spulletjes. Maar ze at nauwelijks. Ze had huilbuien. Ze wilde steeds alle gebeurtenissen doornemen, te beginnen met de huwelijksreis en de aanloop naar het feestje bij Schneider, alsof ze dan het omslagpunt zou kunnen aanwijzen vanwaar het allemaal niet gebeurd zou zijn als ze toen anders had gehandeld. Ze vrolijkte alleen wat op als er een oude vriendin langskwam. Met haar vriendinnen – hoe langer ze hen kende en hoe onnozeler ze waren, hoe beter: ze was dol op sommige meisjes met wie ze op Lawrenceville had gezeten en die Weezie of zoiets heetten – leek Madeleine in staat zich door pure wilskracht weer een jong meisje te voelen. Met die vriendinnen ging ze in de stad winkelen. Ze konden urenlang kleren passen. Thuis lagen ze bij het zwembad in de zon te bakken en tijdschriften te lezen terwijl Mitchell zich in de schaduw op de veranda terugtrok en van een afstand vol begeerte en weerzin naar ze keek, kortom: zich eveneens net zo gedroeg als op de middelbare school. Soms verveelden Madeleine en haar vriendinnen zich en probeerden ze Mitchell naar het zwembad te lokken, en dan legde hij zijn Merton weg, liep naar het zwembad en deed zijn best om niet naar Madeleines bijna naakte lichaam te staren dat door het water gleed.

'Kom er ook in, Mitchell!' bedelde ze.

'Ik heb geen zwembroek.'

'Trek dan een gewone korte broek aan.'

'Ik ben tegen korte broeken.'

Dan gingen de meisjes van Lawrenceville weer weg en werd Madeleine weer intelligent – en even eenzaam, ongelukkig en naar binnen gekeerd als een ouderwetse gouvernante. Ze kwam weer bij Mitchell op de veranda zitten, waar zondoorstoofde boeken en ijskoffie wachtten.

De dagen verstreken en af en toe deed Alton of Phyllida een poging Madeleine zover te krijgen dat ze een besluit nam. Maar ze bleef hen afwimpelen.

September naderde. Madeleine koos haar seminars voor dat najaar, een over de achttiende-eeuwse roman (*Pamela*, *Clarissa*, *Tristram Shandy*) en een over de trilogie, vanuit een poststructuralistisch perspectief bezien, onder leiding van Jerome Shilts. Madeleines komst op Columbia bleek samen te vallen met het eerste jaar waarin vrouwen als masterstudent werden toegelaten, en dat beschouwde ze als een goed teken.

Hoe graag Madeleine ook wilde dat Mitchell in de buurt bleef en hoe hecht ze die zomer ook met hem bevriend was geraakt, ze liet nooit duidelijk merken dat haar gevoelens voor hem in belangrijke mate waren veranderd. Ze werd vrijer in haar optreden, kleedde zich uit waar hij bij was en zei dan alleen: 'Niet kijken.' En dan keek hij niet. Hij wendde zich af en luisterde alleen naar het ruisen van de kleren die ze uittrok. Het leek onbehoorlijk haar fysiek te benaderen. Alsof hij misbruik maakte van haar verdriet. Een jongen die haar bepotelde was op dit moment wel het laatste wat ze nodig had.

Op een zaterdagavond laat, toen Mitchell in bed lag te lezen, hoorde hij de deur naar de zolder opengaan. Madeleine kwam naar zijn kamer. Ze ging nu niet op zijn bed zitten, maar stak haar hoofd om de deur en zei: 'Ik wil je iets laten zien.' Toen verdween ze weer. Mitchell wachtte terwijl zij op de zolder tussen de verhuisdozen rondrommelde. Na een paar minuten kwam ze weer tevoorschijn, met een schoenendoos in haar ene hand. In de andere had ze een wetenschappelijk tijdschrift.

'Tadaa!' zei ze, en ze hield het hem voor. 'Dit zat vandaag in de post.' Het was een exemplaar van *The Janeite Review*, onder redactie van M. Myerson, met daarin een essay van een zekere Madeleine Hanna, getiteld 'Ik dacht dat je het nooit zou vragen. Enkele gedachten over de huwelijksplot'. Het zag er prachtig uit, al waren er door een drukfout twee pagina's verwisseld. Madeleine had er in geen maanden zo gelukkig uitgezien. Mitchell feliciteerde haar. Toen liet ze hem de schoenendoos zien, die onder het stof zat. Ze had hem bij het inpakken in een kast gevonden, waar hij bijna tien jaar had gelegen. Op het deksel stonden in zwarte inkt de woorden OVERLEVINGSPAKKET VOOR DE JONGE VRIJGEZELLIN. Madeleine zei dat ze dat voor haar veertiende verjaardag van Alwyn had gekregen. Ze liet Mitchell alles zien: de Ben Wa-ballen, de Franse kietelaar, het plastic liefdespaartje en natuurlijk de gedroogde pik, die nu moeilijk als zodanig te herkennen was. Er hadden muizen aan de soepstengel geknaagd. En toen vond Mitchell ineens de moed om te doen wat hij op zijn negentiende niet had gedurfd. Hij zei: 'Dat moet je meenemen naar New York. Precies wat je nodig hebt.' En toen Madeleine hem aankeek, sloeg hij zijn armen om haar heen en trok haar op zijn bed.

De details van alles wat daarop volgde, overweldigden hem zo dat hij niet eens in staat was om er rechtstreeks plezier aan te beleven. Terwijl hij Madeleine al haar kleren laag voor laag uittrok, werd hij geconfronteerd met de fysieke realiteit van alles waar hij al zo lang over droomde. Daartussen bestond een ongemakkelijke spanning, zodat het al snel niet echt meer leek. Was dit werkelijk Madeleines tepel die hij in zijn mond nam, of had hij dat maar gedroomd, of droomde hij nu? Als ze werkelijk bij hem in bed lag, waarom leek ze dan zo reukloos, zo vaag, zo wezensvreemd? Hij deed zijn best, hij zette door. Hij legde zijn hoofd tussen haar dijen en deed zijn mond open alsof hij wilde gaan zingen, maar haar lichaam leek hem niet van harte te verwelkomen en de geluidjes waarmee ze op zijn aanraking reageerde, klonken heel ver weg. Hij voelde zich totaal alleen. Dat was niet zozeer teleurstellend als wel verbijsterend. Toen Madeleine met haar neus zijn tepel streelde, kermde ze even en zei ze: 'Mitchell, je moet echt weer deodorant gaan gebruiken.' Niet lang daarna viel ze in slaap.

De vogels wekten hem al vroeg en hij wist meteen dat het zondag was, de 'eerste dag', zoals de quakers het noemen. Hij kleedde zich snel aan, gaf Madeleine een kus op haar wang en ging naar het Friends Meeting House. De weg liep door de wijk waar de familie Hanna woonde, met grote, oude huizen, door het hopeloos schilderachtige stadje Prettybrook zelf, met zijn plein en het standbeeld van Washington die de Delaware overstak (wat hij in werkelijkheid twintig kilometer verderop had gedaan), door groene straten en langs een golfbaan tot het Prettybrook Battlefield aan de stadsgrens. Het landschap rolde langs alsof hij naar een film keek. Hij was te gelukkig om er aandacht aan te schenken en hoewel hij liep, had hij het gevoel dat hij stilstond. Hij bracht zijn handen telkens naar zijn neus om Madeleines geur op te snuiven. Die was zwakker dan hij graag had gewild. Hij besefte wel dat hun liefdesspel de vorige nacht niet volmaakt was geweest, of eigenlijk verre van, maar ze hadden nog alle tijd om op elkaar ingespeeld te raken.

Daarom was zijn eerste daad van toewijding een bezoekje aan de drogist in de stad om deodorant te kopen. Hij nam de deodorant in een papieren zakje mee naar het Meeting House, ging zitten en legde het zakje op zijn schoot.

Het beloofde een warme dag te worden. Daarom waren er meer mensen naar de bijeenkomst van zeven uur gekomen dan anders, want nu was het nog koel. De meeste Vrienden hadden zich al in zichzelf teruggetrokken, maar Joe en June Yamamoto hadden hun ogen nog open en knikten hem toe.

Mitchell ging zitten, deed zijn ogen dicht, en probeerde zijn geest leeg te maken. Maar het lukte niet. Het eerste kwartier kon hij alleen aan Madeleine denken. Hij herinnerde zich hoe ze in zijn armen aanvoelde en de geluiden die ze had gemaakt. Hij vroeg zich af of ze hem zou vragen bij haar op Riverside Drive in te trekken. Of zou het beter zijn om daar in de buurt iets voor zichzelf te zoeken en niet te hard van stapel te lopen? Hij moest hoe dan ook eerst naar Detroit, naar zijn ouders. Maar daar hoefde hij niet lang te blijven. Daarna kon hij terug naar New York, een baan zoeken en kijken hoe het liep.

Als hij zich op die gedachten betrapte, bande hij ze met zachte dwang uit. Een tijd lang slaagde hij erin zich in zichzelf terug te trekken. Hij ademde in en uit en luisterde te midden van de andere luisterende lichamen. Maar vandaag was het anders. Hoe dieper Mitchell in zichzelf keerde, hoe meer hij in verwarring raakte. In plaats van het geluk dat hij eerst had gevoeld, werd hij een sluipend onbehagen gewaar, alsof de grond onder hem dreigde weg te zakken. Hij had niet durven zweren dat het Licht tot hem kwam. Hoewel de quakers geloofden dat Christus zich aan iedereen openbaarde, zonder tussenkomst van derden, en dat iedereen de voortdurende openbaring deelachtig kon worden, was het inzicht dat Mitchell nu kreeg geen openbaring van universele geldigheid. Er sprak een stille, zachte stem tot hem, maar die zei dingen die hij niet wilde horen. Plotseling, alsof hij ineens werkelijk in contact kwam met zijn Diepste Zelf en de situatie objectief kon bekijken, begreep hij waarom hij zo'n vreemd leeg gevoel had gekregen toen hij met Madeleine in bed lag. Dat kwam doordat Madeleine niet naar hém toe was gekomen, ze had alleen afscheid van Bankhead genomen. Nadat ze zich de hele zomer tegen haar ouders had verzet, moest ze nu toch erkennen dat een nietigverklaring van haar huwelijk de enige mogelijkheid was. Ze was naar zijn zolderkamer gekomen om zichzelf dat duidelijk te maken.

Hij was haar overlevingspakket.

De waarheid stroomde als licht bij hem naar binnen en als de Vrienden die het dichtst bij hem zaten al hadden gezien dat hij zijn tranen wegveegde, dan lieten ze dat niet merken.

De laatste tien minuten huilde hij, zo geluidloos als hij kon. Op een gegeven moment zei de stem hem dat hij niet alleen nooit zijn leven met Madeleine zou delen, maar dat hij ook geen godsdienstwetenschappen zou gaan studeren. Het was niet duidelijk wat hij dan wel met zijn leven ging doen, maar hij werd geen monnik, geen pastor en zelfs geen geleerde. De stem spoorde hem aan om dat aan professor Richter te schrijven.

Maar dat was het enige inzicht dat het Licht hem bracht, want even later gaf Clyde Pettengill zijn vrouw Mildred een hand en toen stond iedereen in het Meeting House handen te schudden.

Buiten had Claire Ruth muffins en koffie op de picknicktafel gezet, maar Mitchell bleef niet napraten. Hij liep het pad af, langs de quakerbegraafplaats met de naamloze zerken.

Een halfuur later ging hij het huis aan Wilson Lane in. Hij hoorde Madeleine in haar kamer heen en weer lopen en ging naar boven.

Toen hij binnenkwam, keek Madeleine weg, lang genoeg om zijn vermoeden te bevestigen.

Hij wilde de situatie niet nog ongemakkelijker maken dan hij al was en vroeg snel: 'Weet je nog, die brief die ik je had geschreven? In India?'

'De brief die ik nooit heb gekregen?'

'Precies, die. Ik herinner me niet meer precies wat erin stond, ik heb al gezegd hoe dat kwam. Maar tegen het eind schreef ik dat ik je nog iets te zeggen had, of te vragen, maar dat ik dat onder vier ogen moest doen.'

Madeleine wachtte.

'Het was een literaire vraag.'

'Oké.'

'Zit er tussen de boeken die je voor je scriptie en je artikel hebt gelezen – van Austen en James en zo – ook eentje waarin de heldin met de verkeerde man trouwt en zich dat realiseert, waarna de andere huwelijkskandidaat opduikt, die altijd verliefd op haar is geweest, en dan komen ze bij elkaar, maar die tweede kandidaat realiseert zich dat een nieuw huwelijk wel het laatste is wat de vrouw nodig heeft, dat ze wel iets belangrijkers aan haar hoofd heeft? Zodat hij haar uiteindelijk toch maar geen aanzoek doet, ook al houdt hij nog steeds van haar? Bestaat er een boek dat zo eindigt?'

'Nee,' zei Madeleine, 'dat geloof ik niet.'

'Maar zou dat geen mooi einde zijn?'

Hij keek Madeleine aan. Misschien was ze toch niet zo bijzonder. Ze was zijn ideaal, maar een vroege versie daarvan, en hij zou er mettertijd wel overheen komen. Hij lachte haar een beetje sullig toe. Hij had nu een beter gevoel over zichzelf, alsof hij misschien nog wel eens iets zou kunnen bereiken.

Madeleine ging op een verhuisdoos zitten. Ze zag er zorgelijker uit dan anders, ouder. Ze kneep haar ogen halfdicht, alsof ze hem scherper wilde zien.

Er denderde een verhuiswagen door de straat; het huis trilde en de reumatische Deense dog van de buren blafte hem schor na.

Madeleine bleef naar hem turen alsof hij al heel ver weg was, en na een lange stilte antwoordde ze met een dankbare glimlach: 'Ja.'

Inhoud